KB070042

주역절중

周易折中

5

이 책은 (재)한국연구재단의 지원으로 학고방출판사에서 출간, 유통합니다.

한국연구재단 학술명저번역총서 동양편 *620*

주역절중
周易折中

5

周易下經
48. 井☵ ~ 64. 未濟☲

편찬
이광지
李光地

책임역주
신창호

공동역주
김학목·심의용·윤원현

學古房

『주역』은 '변화(變化)의 성경(聖經)'이라 불린다. 그만큼 자연 질서
와 인간 사회 법칙을 변화의 원칙에 따라 변주하며, 성스럽게 우주적
삶의 기준을 구가한다. 그러나 '이현령비현령(耳懸鈴鼻懸鈴)'이라는
말이 붙을 정도로 다양하고 복합적인 해석의 차원이 개입하면서,『주
역』은 축적된 역사 이상으로 심오하고 의미심장한 세계를 형성한다.
그것이 『주역』의 특성이자 묘미일 수 있다.

본 번역 연구서『어찬주역절중(御纂周易折中)』은 강희제(康熙帝)
가 이광지(李光地, 1642~1718)에게 총괄책임의 칙명을 내려 1713~
1715년에 걸쳐 완성한 『주역』 해설서이다. 전체 22권의 석판본(石版
本)이 내부각본(內府刻本)으로 현존한다.『주역절중』은『주역』이 경
전으로 성립된 이후 한대(漢代)에서 명대(明代)까지의 다양한 견해를
핵심적으로 정돈한『주역』학술의 결정판이다. 주희의 견해를 기본으
로 하여 경(經)과 전(傳)이 분리된『주역』고본(古本)의 체제를 회복
하였다. 또한 주희의 주역관을 근거로 의리학(義理學)과 상수학(象數
學)을 망라하는 다양한 학설을 폭넓게 해석하고, 의리에 국한되었던
『주역전의대전(周易傳義大全)』의 결점을 보완하였다. 정주(程朱)의
뜻을 존숭하면서도 그와 다른 주장들을 절충하고 있는 저작이다.

『주역절중』의 편찬자인 이광지는 중국 청대(淸代) 사람으로 복건
성(福建省) 천주(泉州) 출신이다. 자(字)는 진경(晋卿)이고 호(號)는
후암(厚庵)이다. 1670년 진사(進士)에 급제하고 삼번(三藩)의 난을
평정함으로써 강희제의 두터운 신임을 받았고, 관직이 문연각대학사

겸이부상서(文淵閣大學士兼吏部尙書)에 이르렀다. 학문의 경지도 상당하여 경전에 두루 통달하였는데, 특히 『주역』에 정통하여 『주역통론(周易通論)』, 『주역관상(周易觀象)』, 『이문정역의(李文貞易義)』, 『역의전선(易義前選)』 등을 저술하였다. 당시 반주자학적(反朱子學的) 학풍을 대표하던 모기령(毛奇齡)과 달리 정주리학(程朱理學)의 학풍을 충실히 계승하였다.

『주역절중』의 체계와 내용을 보면, 경과 전을 분리하여 편찬하고, 64괘의 괘사와 효사, 「단전」, 「상전」, 「계사전」, 「문언전」, 「설괘전」, 「서괘전」, 「잡괘전」의 순서로 『주역』 전문을 서술하였다. 그리고 『역학계몽』, 「계몽부록(啓蒙附錄)」, 「서괘잡괘명의(序卦雜卦明義)」를 첨부하였다. 주희의 『주역본의(周易本義)』, 정이(程頤)의 『역정전(易程傳)』, 한대부터 명대까지 역학에 조예가 깊은 학자 218명의 「집설(集說)」, 편찬자의 「안(案)」, 이를 종합한 「총론(總論)」이 실려 있다. 그런 만큼 『주역절중』은 『주역』 관련 학술 연구에서 의미가 크다.

본 번역 연구는 내부각본을 저본으로 하고 문연각(文淵閣) 『사고전서(四庫全書)』본을 대교본으로 하였으며 무구비재(無求備齋) 『역경집성(易經集成)』본을 참고하였다. 1715년에 이광지가 『어찬주역절중』을 완성했으므로, 『주역절중』이 만들어진지 이제 막 300년이 지났다. 이 긴 세월의 무게만큼 『주역』 연구도 질적으로 깊이를 더하고 양적으로 방대해졌다. 그런 와중에 300년 만인 21세기 초반에 『주역절중』이 한글로 번역·출간되어 무척이나 기쁘다. 『주역』을 비롯한 역학 연구자, 나아가 동양학을 연구하는 관련 학인들에게 조금이나마 보탬이 된다면 번역 연구자로서 더욱 보람을 느낄 것 같다.

본 번역 연구는 먼저, 『주역절중』의 본문을 완역하고, 원문 및 번역문을 온전하게 이해하기 위해 자세한 설명이 필요한 부분은 각주로 해설하였다. 아울러 『주역절중』에 등장하는 학자들의 「인명사전」을 별도로 작성하여 첨부하였다. 이런 연구 성과가 『주역절중』의 한문을 옮기는 수준을 훨씬 넘어서 있기에, 단순하게 『주역절중』 '번역'이라 하지 않고 '번역 연구'라고 자부해 본다.

본 번역 연구 작업은 2015년 5월~2017년 4월까지 2년여 동안 이루어졌다. 연구책임자를 맡은 신창호 교수를 비롯하여, 공동연구자인 윤원현 박사·김학목 박사·심의용 박사 등 우리 번역 연구진은 번역 연구기간 동안 수시로 만나 초교를 윤독하고 다양한 연구 자료를 교환하면서 『주역』의 학술 마당을 열었다. 한대부터 명대에 걸쳐 있는 『주역절중』의 특성상, 역학(易學) 사상의 방대함으로 인해 내용을 정확하게 이해하고 정돈하는데 애로 사항도 많았다. 하지만 전문 학자들의 자문과 번역 연구자 상호 간의 소통을 통해 문제점을 극복하려고 노력했다. 그러나 번역과 연구의 두 측면에서 여전히 아쉬운 부분이 많다. 대부분의 번역 연구가 장·단점을 지니고 있듯이, 본 번역 연구도 미비한 점이 있을 것이다. 특히, 제대로 연구가 이루어지지 않아 오류가 난 부분이 있다면, 사계의 권위 있는 학자들의 애정 어린 질정을 부탁한다.

본 번역 연구진 이외에 감사해야 할 분들이 있다. 먼저, 교정과 윤문 등 원고를 정돈하는 과정에서 수고해 준 고려대학교 대학원의 철학 및 교육철학 전공의 여러 제자들(김지은, 우버들, 위민성, 이유정, 임용덕, 장우재, 정순희, 한지윤 등)에게 고마운 마음을 전한다. 젊은 제자들은 그들의 시각에서 번역 연구 내용의 가독성과 표현 등 여러 부분을 꼼꼼하게 살피며 의미 있는 충고를 해 주었다.

또한 교육부와 한국연구재단에 감사를 드린다. 본 번역 연구는 2015년 한국연구재단의 '명저번역지원' 사업으로 2년 동안 지원을 받아 수행한 결과이다. 방대한 분량이기 때문에 한국연구재단의 지원이 없었다면, 실행하기 어려운 작업이었다. 마지막으로 어려운 사정에도 불구하고 편집과 출판을 맡아 책을 깔끔하게 정돈해 준 하운근 대표님을 비롯한 도서출판 학고방 가족들에게 감사의 말씀을 전한다.

　어떤 저술이건 혼자만의 노력과 작업에 의해 이루어지는 성과는 존재하지 않는다. 마찬가지로 이『주역절중』의 번역 연구에도 많은 분들의 땀과 열정이 녹아들어 있다. 번역 연구에 직·간접으로 참여한 모든 분들과 이 책을 참고로 연구를 진행하는 여러 학인들도『주역』의 사유가 더욱 풍성해지기를 소망한다. 나아가 미래에 또 다른 공동 노력의 결실로, 본 번역 연구보다 세련된『주역절중』이 많이 저술되기를 기대해 본다.

2018. 6

번역 연구자를 대표하여

신창호 삼가 씀

1. 본 역서는 문연각(文淵閣)판본 『어찬주역절중(御纂周易折中)』을 저본으로 한다.

2. 본 역서는 원문을 먼저 제시하고 번역문을 붙이는 대조본 형식으로 한다.

3. 번역은 직역을 원칙으로 하되, 가독성을 높이기 위해 필요에 따라 의역을 가미한다.

4. 『역』의 경문(經文) 번역은 편자 이광지(李光地)가 정이(程頤)의 『이천역전』보다 주희(朱熹)의 『주역본의』를 전면으로 내세운 의도에 따라, 주희의 주장을 기준으로 한다.

5. 원문에는 최소한의 현대식 표점을 표기한다.

6. 인용한 선행 학설에 대해서는 가능한 출전을 밝히고, 요약문일 경우 필요에 따라 설명을 첨가한다.

7. 인용한 학설은 전체적으로 큰 따옴표(" ")로 묶고, 인용문 속의 인용문은 작은 따옴표(' '), 작은 꺾쇠(「 」) 순으로 한다.

8. 각주에서, 원문에 대한 각주는 원문을 먼저 제시하고(예 : 潛龍勿用[잠긴 용은 쓰지 않는다]), 번역문에 대한 각주는 한글을 먼저 제시한다(예 : 잠긴 용은 쓰지 않는다[潛龍勿用]).

9. 괘명(卦名)은 '곤(坤)괘'와 같은 형식으로 통일하되, 필요할 경우 '곤(坤䷁)괘', '곤(坤☷)괘'와 같이 괘상(卦象)을 병기한다.

10. 국한문 병기는 매 장과 매 괘의 첫 부분에서 표기하고, 나머지는 국문을 중심으로 하되, 각주에는 한문으로 처리한 것도 있다.

11. 번역문이 10줄을 초과할 경우, 가독성을 높이기 위해 가능한 단락을 구분한다.

12. 『역』과 관련된 전문적인 개념어는 주석에서 풀이하고, 번역문에는 해석하지 않고 드러내어 용어 통일을 기한다.

13. 제1권의 뒷부분에 『주역절중』에서 인용된 학자들의 약력을 정돈한 별도의 「인명사전」을 작성하여 첨부하였다.

14. 『주역절중』의 맨 마지막 부분인 22권 「서괘·잡괘명의(序卦·雜卦明義)」는 편의상 「서괘·잡괘전(序卦·雜卦傳)」 다음에 배치하였다.

주역하경周易下經

周易下經

주역하경

제7권

정井䷯ 혁革䷰ 정鼎䷱ 진震䷲
간艮䷳ 점漸䷴ 귀매歸妹䷵ 풍豐䷶

坎上
巽下

程傳

井,「序卦」, "困乎上者必反下, 故受之以井". 承上'升而不已
必困'爲言, 謂上升不已而困, 則必反於下也. 物之在下者莫
如井, 井所以次困也. 爲卦坎上巽下, 坎, 水也, 巽之象則木
也, 巽之義則入也. 木, 器之象, 木入於水下而上乎水, 汲井
之象也.

정(井)괘는 「서괘전」에서 "위에서 곤란을 겪는 경우에는 반드시 아
래로 돌아오기 때문에 정괘로 받았다"라고 하였다. 이 말은 그 앞의
'올라가 그치지 않으면 반드시 곤란해진다[1]'는 구절을 이어 위로 올
라가 그치지 않아 곤란해지면, 반드시 아래로 돌아옴을 말한 것이
다. 아래에 있는 물건으로는 우물만한 것이 없으니, 정(井䷯)괘가
곤(困䷮)괘 다음에 있다.

....

1) 올라가서 그치지 않으면 반드시 곤란해진다 :『주역(周易)』「서괘전(序卦
傳)」, "升而不已, 必困. 故受之以困, 困乎上者, 必反下. 故受之以井.
[오르기를 그치지 않으면 반드시 곤란해지기 때문에 곤괘로 받았고, 위에
서 곤란을 겪는 경우에는 반드시 아래로 돌아오기 때문에 정괘로 받았
다.]"라고 하였다.

괘의 모습은 감(坎☵)괘가 위에 있고 손(巽☴)괘가 아래에 있다. 감
괘는 물을 상징하고 손괘의 모습은 나무이고, 손괘의 의미는 들어
감이다. 나무는 두레박 그릇의 모습이다. 나무가 우물 아래로 들어
가 물을 올리는 것은 우물에서 물을 긷는 모습이다.

井, 改邑不改井, 無喪無得, 往來井井. 汔至, 亦
未繘井, 羸其瓶, 凶.

정은 고을을 바꾸어도 우물을 바꾸지 않으니, 잃는 것도 없고 얻는
것도 없으며, 오고 가는 이가 우물을 사용한다. 거의 길어 올렸으
나 우물에서 두레박의 줄을 당기지 못하고 두레박 병을 깨뜨리면
흉하다.

本義

‘井’者, 穴地出水之處. 以巽木入乎坎水之下而上出其水, 故
爲井. 改邑不改井, 故無喪無得, 而往者來者, 皆井其井也.
‘汔’, 幾也, ‘繘’, 綆也, ‘羸’, 敗也. 汲井幾至, 未盡綆而敗其瓶,
則凶也. 其占爲事仍舊無得喪, 而又當敬勉, 不可幾成而敗也.

‘우물’은 땅을 파서 물을 퍼 올리는 곳이다. 손(巽)괘의 나무가 감
(坎)괘의 물 아래로 내려가 물을 길어 올리기 때문에 정(井)괘이다.
고을을 바꾸어도 우물을 바꾸지 않기 때문에 잃는 것도 없고 얻는
것도 없으며, 오고 가는 자가 모두 그 우물을 사용한다.
‘거의[汔]’는 가까이이고, ‘두레박 줄[繘]’은 두레박 끈이며, ‘깨뜨린다
[羸]’는 망가진다는 말이다. 우물물을 거의 길어 올렸으나 두레박질
을 다하지 못하고 두레박 병을 깨뜨리면 흉하다.
이 점(占)은 일을 하는 데 옛날 그대로 따르면 잃는 것도 없고 얻는
것도 없지만, 또 공경하며 힘써야 하니, 거의 다 이루어놓고 잘못되
게 해서는 안 된다는 뜻이다.

井之爲物, 常而不可改也. 邑可改而之它, 井不可遷也, 故曰
'改邑不改井'. 汲之而不竭, 存之而不盈, 無喪無得也. 至者皆
得其用, 往來井井也. 無喪無得, 其德也常. 往來井井, 其用
也周. 常也, 周也, 井之道也. '汔', 幾也. '繘', 綆也. 井以濟用
爲功, 幾至而未及用, 亦與未下繘於井同也. 君子之道貴乎有
成, 所以五穀不熟, 不如荑稗. 掘井九仞而不及泉, 猶爲棄井.
有濟物之用而未及物, 猶無有也. 嬴敗其瓶而失之, 其用喪
矣, 是以凶也. '嬴', 毀敗也.

우물은 언제나 그대로 있는 것이어서 바꿀 수 없다. 고을은 바꿔 다
른 곳으로 옮길 수 있지만, 우물은 옮길 수 없으므로, '고을을 바꾸
어도 우물을 바꾸지 않는다'고 했다. 우물물은 길어 올려도 마르지
않고, 그냥 두어도 넘치지 않으니, 잃는 것도 없고 얻는 것도 없다.
이르는 사람이 모두 그 우물을 사용할 수 있으니, 오고 가는 이가
우물을 사용한다. 잃는 것도 없고 얻는 것도 없으니, 그 덕이 언제
나 그대로 있다. 오고 가는 이가 우물을 사용하니, 그 쓰임이 두루
미친다. 언제나 그대로 있고 두루 미치는 것이 우물의 도이다.
'거의'는 가까이이고, '두레박 줄'은 두레박 끈이다. 우물은 사람들이
쓰는데 도움을 주는 것으로 공을 삼으니, 거의 길어 올렸는데도 쓰
이지 못하면, 또한 우물에 두레박 줄을 넣지 않은 것과 같다.
군자의 도(道)는 완성을 이루는 것을 귀하게 여기기 때문에 오곡(五
穀)이 익지 못하면, 돌피나 피만 못하고[2], 우물을 아홉 길이나 팠더

---

2) 돌피나 피만 못하고 : 『맹자』 「고자상(告子上)」, "오곡은 종자의 아름다운
   것이지만, 익지 못하면, 돌피나 피만 못하니, 인(仁) 또한 그것을 익혀

라도 샘물이 나오지 않으면, 버려진 우물과 같다.3) 사물의 쓰임에 도움이 될 수 있는데도 사물에 쓰이지 않으면 없는 것과 같다. 두레 박 병을 깨뜨려 잃으면 그 기능을 상실하여 흉하다. '깨뜨린다[贏]' 는 것은 망가진다는 뜻이다.

集說

● 鄭氏康成曰 : "井以汲人, 水無空竭, 猶人君以政教養天下, 惠 澤無窮也."4)

정강성(鄭康成)5)이 말했다. "우물물을 사람들이 길어 올려 쓰는데

성숙하는 것에 달려 있을 뿐이다.[五穀者, 種之美者也, 苟爲不熟, 不如 荑稗. 夫仁, 亦在乎熟之而已矣.]"라고 하였다.

3) 버려진 우물과 같다. : 『맹자』「진심상(盡心上)」, "어떤 일을 도모하는 자 는 비유하면 우물을 파는 것과 같으니, 우물을 아홉 길이나 팠더라도 샘물에 미치지 못하면, 버려진 우물과 같다.[有爲者, 辟若掘井, 掘井九 軔而不及泉, 猶爲棄井也.]"라고 하였다.

4) 정강성(鄭康成), 『주역정강성주(周易鄭康成註)』「정(井)괘」.

5) 정현(鄭玄, 127~200) : 자는 강성(康成)이며, 북해(北海 : 현 산동성 고밀 〈高密〉) 사람이다. 중국 후한(後漢) 말기의 대표적 유학자로서, 시종 재 야(在野)의 학자로 지냈으며, 제자들에게는 물론 일반인들에게서도 훈고 학(訓詁學)·경학의 시조로 깊은 존경을 받았다. 젊었을 때부터 학문에 뜻을 두었고, 경학의 금문(今文)과 고문(古文) 외에 천문(天文)·역수 (曆數)에 이르기까지 광범한 지식을 갖추었다. 처음에 향색부(鄕嗇夫) 라는 지방의 말단관리가 되었으나 그만두고, 낙양(洛陽)에 올라가 태학 (太學)에 입학하여, 마융(馬融) 등에게 배웠다. 그가 낙양을 떠날 때, 마 융이 "나의 학문이 정현과 함께 동쪽으로 떠나는구나!"하고 탄식하였을 만큼 학문에 힘을 쏟았다. 그는 고문·금문에 모두 정통하였으며, 가장

물이 마르지 않는 것은 군주가 정치와 교화로 천하를 기르는데 혜택이 끝이 없는 것과 같다."

● 邱氏富國曰:"'改邑不改井', 井之體也. '無喪無得', 井之德也. '往來井井', 井之用. 此三句言井之事. '汔至, 亦未繘井', 未及於用也. '羸其井', 失其用也. 此二句言汲井之事."[6]

구부국(邱富國)[7]이 말했다. "'고을을 바꾸어도 우물을 바꾸지 않는다'는 우물의 몸체(體)이다. '잃는 것도 없고 얻는 것도 없다'는 우물의 덕이다. '오고 가는 이가 모두 우물을 사용한다'는 우물의 쓰임이다. 이 세 구절은 우물의 일을 말하고 있다. '거의 길어 올렸으나 우물에서 두레박 줄을 다 당기지 못했다'는 쓰임에 미치지 못한 것이다. '두레박 병을 깨뜨린다'는 그 쓰임을 잃은 것이다. 이 두 구절은 우물물을 길어 올리는 일이다."

....

옳다고 믿는 설을 취하여 『주역(周易)』·『상서(尙書)』·『모시(毛詩)』·『주례(周禮)』·『의례(儀禮)』·『예기(禮記)』·『논어(論語)』·『효경(孝經)』 등 경서에 주석을 하였고, 『의례』·『논어』 교과서의 정본(定本)을 만들었다. 그의 저서 가운데 완전하게 현존하는 것은 『모시』의 전(箋)과 『주례』·『의례』·『예기』의 주해뿐이고, 그 밖의 것은 단편적으로 남아 있다.

6) 구부국(丘富國), 『주역집해(周易輯解)』「정(井)괘」.

7) 구부국(丘富國) : 자는 행가(行加)이고, 남송 건안(建安 : 현 복건성 건구〈建甌〉) 사람이다. 주자의 문인으로 주자의 역학사상을 주로 계승 발전시켰다. 이종(理宗) 순우(淳祐) 7년(1247)에 진사에 급제하여 벼슬은 단주첨판(端州僉判)을 역임했다. 남송이 망하자 은거하고 벼슬하지 않았다. 저서에는 『주역집해(周易輯解)』, 『역학설약(易學說約)』, 『경세보유(經世補遺)』 등이 있다.

'改邑不改井'句, 解說多錯. 文意蓋言所在之邑, 其井皆無異制. 如諸葛孔明行軍之處, 千井齊甃者. 以喩王道之行, 國不異政, 家不殊俗也. '無喪無得', 則言井無盈涸, 以喩道之可久. '往來井井', 則言所及者多, 以喩道之可大. 此三句皆言井, 在人事則王者養民之政是也. 然井能澤物, 而汲之者器. 政能養民, 而行之者人. 無器則水之功不能上行, 無人則王者之澤不能下究. 故'汔至'以下, 又以汲井之事言之.

'고을을 바꾸어도 우물을 바꾸지 않는다'는 구절은 해설에서 착오가 많다. 문장의 뜻은 대체로 사는 고을에서 그 우물들이 모두 동일하게 꾸며져 있다는 말이다. 예를 들어 제갈공명이 행군하던 곳에서 천 개의 우물이 가지런히 벽돌로 꾸며져 있었다는 것과 같다. 이는 왕도가 행하는 데 나라마다 정치가 다르지 않고 집안마다 풍속이 다르지 않음을 비유한 것이다. '잃는 것도 없고 얻는 것도 없다'는 우물물은 가득차거나 마름이 없음을 말하니, 도가 오래 지속할 수 있음을 비유한 것이다. '오고 가는 이가 우물을 사용한다'는 사용하는 사람이 많다는 말이니, 도가 크게 될 수 있음을 비유한 것이다. 이 세 구절은 모두 우물을 말했으니 인간사에서는 왕이 백성을 기르는 정치가 바로 이것이다.

그러나 우물이 모든 사물에게 혜택을 줄 수 있지만 물을 끌어올리는 것은 두레박이다. 정치로 백성을 기를 수 있지만 그것을 행하는 것은 사람이다. 기구가 없으면 물의 공효가 위로 행해질 수 없고, 사람이 없으면 임금의 은택이 아래로 미칠 수 없다. 그러므로 '거의 길어 올렸으나' 이하는 물을 길어 올리는 일을 가지고 말했다.

初六, 井泥不食. 舊井無禽.

초육효는 우물이 흙탕물이어서 먹지 않는다. 묵은 우물에는 짐승들도 찾아오지 않는다.

程傳

井與鼎皆物也, 就物以爲義. 六以陰柔居下, 上無應援, 無上水之象, 不能濟物, 乃井之不可食也. 井之不可食, 以泥汙也. 在井之下, 有泥之象. 井之用, 以其水之養人也, 無水則舍置不用矣. 井水之上, 人獲其用, 禽鳥亦就而求焉. 舊廢之井, 人旣不食, 水不復上, 則禽鳥亦不夏往矣, 蓋無以濟物也. 井本濟人之物, 六以陰居下, 無上水之象, 故爲不食. 井之不食, 以泥也. 猶人當濟物之時, 而才弱無援, 不能及物, 爲時所舍也.

우물과 솥은 모두 물건이니, 물건에 나아가 뜻으로 삼았다. 초육효는 음유(陰柔)한 자질로 아래에 자리하고, 위로 호응하여 도와주는 사람도 없으며, 물을 길어 올리는 모습이 없어 사람들에게 도움을 줄 수가 없으니, 우물물을 먹을 수 없다. 우물물을 먹을 수 없는 것은 진흙으로 더럽혀졌기 때문이다. 우물의 아래에 있으니 진흙이 있는 모습이다.

우물의 쓰임은 그 물로 사람들을 길러주는 것이니, 물이 없으면, 버리고 사용하지 않는다. 우물물이 올라오면, 사람들이 그 쓰임을 얻고, 짐승과 새들 또한 나아가서 구한다.

묵어서 버려진 우물은 사람들이 이미 먹지 않고, 물이 올라오지 않으면, 짐승과 새들도 다시 가지 않으니, 어떤 도움도 없기 때문이다. 우물은 본래 사람에게 도움을 주는 물건이지만, 초육효는 음의 부드러운 자질로 아래에 있어 물을 길어 올리는 모습이 없기 때문에 아무도 먹지 않는 것이다.

우물물을 먹지 않는 것은 진흙 때문이다. 사람에게 도움을 줄 때인데, 자질이 나약하고 도와주는 사람도 없어, 남에게 영향을 미치지 못하면, 그 시대에 의해 버려지는 것과 같다.

集說

● 王氏弼曰 : "最在井底, 上又無應, 沈滯汚穢, 故曰'井泥不食'也. 井泥而不可食, 則是久井不見渫治者也. 久井不見撲治, 禽所不響, 而況人乎!"[8]

왕필(王弼)이 말했다. "우물의 가장 아래에 있고, 위로 또 호응이 없으며, 찌꺼기가 가라앉아 있으므로 '우물이 흙탕물이어서 아무도 먹지 않는다'고 했다. 우물이 흙탕물이어서 먹을 수 없는 것은 오래도록 우물을 깨끗이 청소하지 않았기 때문이다. 오래도록 깨끗이 청소하지 않아 짐승도 오지 않는데, 사람이야 말해 무엇 하겠는가!"

● 蔡氏淸曰 : "井以陽剛爲泉, 而初六則陰柔也, 故爲井泥, 爲舊井. 井以上出爲功, 而初六則居下, 故爲不食, 爲無禽."[9]

---

8) 왕필(王弼), 『주역주(周易注)』「정(井)괘」.

채청(蔡清)이 말했다. "우물은 양의 강함으로 맑은 물을 삼는데, 초육효는 음으로 부드럽기 때문에 우물이 흙탕물이니 묵은 우물이다. 우물에서는 물을 위로 퍼 올리는 것을 공으로 여기는데 초육효는 아래에 자리하므로 사람이 먹지도 못하고 짐승도 오지 않는다."

9) 채청(蔡清), 『역경몽인(易經蒙引)』「정(井)괘」.

九二, 井谷射鮒, 甕敝漏.

구이효는 우물이 골짜기 물처럼 두꺼비에게 흐르고, 옹기 두레박
이 깨져 샌다.

本義

九二剛中, 有泉之象, 然上無正應, 下比初六, 功不上行, 故
其象如此.

구이효는 굳세면서도 알맞은 자질이어서 맑은 물의 상(象)이 있지
만, 위에 올바른 호응이 없고, 아래로 초육효와 가까이 있어 공효가
위로 올라가지 못하기 때문에 그 상(象)이 이와 같다.

程傳

二雖剛陽之才而居下, 上無應而比於初, 不上而下之象也. 井
之道, 上行者也. 澗谷之水, 則旁出而就下. 二居井而就下,
失井之道, 乃井而如谷也. 井上出, 則養人而濟物, 今乃下就
汙泥, 注於鮒而已. 鮒, 或以爲蝦, 或以爲蟆, 井泥中微物耳.
'射', 注也, 如谷之下流注於鮒也.

구이효가 굳센 양의 자질이지만 아래에 있어 위로 호응이 없고 초
육효와 친밀하니, 위로 올라가지 않고 내려가는 모습이다. 우물의
도는 올라가는 것인데, 골짜기의 물이 옆으로 새어나와 아래로 흘

러간다.

구이효가 우물에 있으면서 아래로 흘러가 우물의 도리를 잃었으니, 우물이면서도 골짜기와 같은 것이다.

우물물을 위로 길어 올리면, 사람들을 기르고 모든 사물에게 도움을 줄 수 있는데, 지금은 아래로 더러운 진흙으로 가니, 미천한 사물에게 쏟아 부을 뿐이다.

'부(鮒)'는 새우라고도 하고 두꺼비라고도 하니, 우물의 진흙 속에 있는 작은 생물일 뿐이다. '흐른다[射]'는 물을 대는 일이니, 골짜기의 하류가 미천한 사물에게 물을 대는 것과 같다.

'甕敝漏', 如甕之破漏也. 陽剛之才, 本可以養人濟物, 而上無應援. 故不能上而就下, 是以無濟用之功, 如水之在甕, 本可爲用, 乃破敝而漏之, 不爲用也. 井之初二無功, 而不言悔咎, 何也? 曰 : 失則有悔, 過則爲咎, 無應援而不能成用, 非悔咎乎? 居二比初, 豈非過乎? 曰 : 處中非過也. 不能上由無援, 非以比初也.

'옹기 두레박이 깨져 샌다'는 옹기 두레박이 파손되어 깨져 샌다는 말과 같다. 양으로 굳센 자질은 본래 사람을 길러주고 모든 사물을 구제할 수 있지만, 위로 호응해서 끌어주는 사람이 없다. 그러므로 위로 올라갈 수 없어 아래로 흐를 뿐이고, 이 때문에 구제하는 용도의 공로가 없는 것이니, 항아리에 있는 물이 본래 쓰일 수 있는데, 깨져 물이 새서 쓰일 수 없는 것과 같다.

정괘의 초육효와 구이효는 공이 없는 데도 후회와 허물을 말하지 않은 것은 무슨 까닭인가? 말하자면, 실수하면 후회가 있고, 과도하면 허물이 된다. 그러나 호응하여 도움을 주는 사람이 없어 쓰임의 공을 이룰 수 없는 것은 후회하거나 허물할 일이 아니라는 말이다. 이효의 자리에 있어 초육효와 친밀하게 지내는 것은 어째서 과실이 아닌가? 말하자면, 가운데 자리에 있는 것은 잘못이 아니다. 위로 올라갈 수 없는 것은 도와주는 사람이 없기 때문이지 초육효와 친밀하게 지냈기 때문이 아니다.

● 張氏振淵曰 : "以井言, 則爲井谷之泉, 僅下注於鮒. 以汲井言, 則爲敝壞之甕, 水反漏於下也."

장진연(張振淵)이 말했다. "우물로 말하면 골짜기 물과 같은 샘물이니, 겨우 두꺼비들에게로 흐르는 정도이다. 우물물을 길어 올리는 것으로 말하면 깨진 옹기 두레박이니, 물이 도리어 아래로 샌다."

'井谷'者, 井中出水之穴竅也. 井能出水, 則非泥井也. 而其功僅足以射鮒者, 上無汲引之人, 如瓶甕之敝漏然, 則不能自濟於人用也決矣. 在卦則以井喩政, 以汲之者, 喩行政之人, 在爻則下體以井喩材德之士, 汲之者喩進用之君, 上體以井喩德位之君, 汲之者喩被澤之衆, 三義相因而取喩不同.

'우물이 골짜기 물처럼'이라는 말은 우물에서 물이 새나가는 구멍이다. 우물에서 물이 새나갈 수 있으면 진흙탕 우물은 아니다. 그러나 그 공이 겨우 두꺼비들에게만 흐를 뿐인 것은 위로 끌어올리는 사람이 없어 깨진 옹기 두레박에서 물이 새나가는 것과 같으니, 사람들의 쓰임을 스스로 구제할 수 없는 것은 분명하다.

괘에서 우물은 정교(政敎)를 비유하고, 물을 끌어올리는 것은 정교를 시행하는 사람을 비유하며, 효에서 하체(下體)는 우물로 재주와 덕을 가진 선비를 비유하고, 물을 길어 올리는 것은 등용하는 군주를 비유하며, 상체(上體)는 우물로 덕과 지위를 지닌 군주를 비유하고, 물을 길어 올리는 것은 은택을 받는 사람들을 비유하니, 세 가지 의미가 서로 연결되지만 취하는 비유는 다르다.

九三, 井渫不食, 爲我心惻, 可用汲. 王明, 並受其福.

구삼효는 우물이 깨끗한데도 먹지 않아 나의 마음이 슬프니, 길어 올려야 한다. 임금이 밝으면 함께 그 복을 받는다.

'渫', 不停汙也. 井渫不食而使人心惻, 可用汲矣. 王明, 則汲井以及物, 而施者受者, 並受其福也. 九三以陽居陽, 在下之上, 而未爲時用, 故其象占如此.

'깨끗하다[渫]'는 고여 있어 더럽혀지지 않은 것이다. 우물이 깨끗한데도 먹지 않아 사람의 마음을 슬프게 하니, 물을 길어 올려야 한다.
임금이 밝으면, 우물을 길어 남에게 가져다주어 베푸는 자와 받는 자가 모두 그 복을 받는다.
구삼효는 양(陽)으로 양의 자리에 있고 하괘(下卦)의 위에 있으나 때에 맞게 등용되지 않기 때문에 그 상(象)과 점(占)이 이와 같다.

三以陽剛居得其正, 是有濟用之才者也. 在井下之上, 水之淸潔可食者也. 井以上爲用, 居下未得其用也. 陽之性上, 又志應上六, 處剛而過中, 汲汲於上進, 乃有才用而切於施爲, 未

得其用, 則如井之渫治清潔而不見食, 爲心之惻怛也. 三居井
之時, 剛而不中. 故切於施爲, 異乎用之則行, 舍之則藏者也.
然明王用人, 豈求備也? 故王明則受福矣. 三之才足以濟用,
如井之清潔, 可用汲而食也, 若上有明王, 則當用之而得其
效. 賢才見用, 則己得行其道, 君得享其功, 下得被其澤, 上
下並受其福也.

구삼효는 양의 굳센 자질로 올바른 위치에 자리하니, 쓰임에 보탬
이 되는 자질을 가진 자이다. 우물의 아래에서 위의 자리에 있으니,
우물물이 청결하여 먹을 수 있다. 우물에서는 위의 물을 쓰니, 아래
에 있는 것은 아직 쓰일 수 없다.

양(陽)의 성질은 올라가는데다 또 뜻이 상육효와 호응하고, 굳센 위
치에 있고 알맞음을 지나쳐 위로 나아가는 데 급급하니, 바로 세상
에 쓰일 수 있는 자질이 있어 베풀어 시행하는 데 절실하지만 아직
그 쓰임을 얻을 수 없다. 우물을 청소하고 고쳐서 청결하지만, 사람
들이 먹지 않아, 마음이 슬픈 것과 같다.

구삼효는 정괘의 때에 굳세지만 중도를 이루지 못한 것이다. 그러
므로 베풀어 시행하는 데 절실한 것이 등용되면 능력을 행하고 버
려지면 능력을 감추는 경우[10]와는 다르다. 그러나 밝은 임금이 사
람을 등용하는 데 어찌 완벽하게 구비된 사람만을 구하겠는가? 그
러므로 임금이 밝으면 복을 받는다고 했다.

구삼효의 자질이 쓰임에 보탬이 되는 것은 우물이 청결하여 물을

---

10) 등용되면 능력을 행하고 버려지면 능력을 감추는 자 : 『논어』「술이」, "공
자가 안연에게 말했다. '등용되면 능력을 행하고, 버려지면 능력을 감추
는 자는 나와 너뿐이로구나![子謂顔淵曰, 用之則行, 舍之則藏, 唯我與
爾有是夫!]'라고 하였다.

길어 먹을 수 있는 것과 같으니, 위에 밝은 임금이 있으면, 당연히 그를 등용하여 그 효과를 얻는다. 현명한 인재가 등용되면, 자신은 그 도를 행하고, 임금은 그 공로를 향유하며, 아랫사람들은 그 은택을 받게 될 것이니, 위와 아래가 모두 복을 받는다.

集說

● 蔡氏清曰 : "'爲我心惻', '我'指旁人, 所謂行惻也, 非謂九三自惻也. '可用汲', 帶連'王明並受其福', 皆惻之之辭也."11)

채청(蔡清)이 말했다. "'나의 마음이 슬프다'에서 '나'는 옆에 있는 사람을 가리키니, 이른바 길가는 사람들이 안타까워하는 것12)으로 구삼효가 스스로 측은해 하는 뜻은 아니다. '길어 올려야 한다'는 '임금이 밝으면 함께 그 복을 받다'는 구절과 연결되니, 모두 측은해 하는 말이다."

案

不曰'明王', 而曰'王明', 乃惻者祈禱之辭, 言王若明, 則吾儕並受其福矣.

'밝은 임금이다'라고 하지 않고 '임금이 밝다'고 한 것은 측은해 하

---

11) 채청(蔡清), 『역경몽인(易經蒙引)』「정(井)괘」.
12) 『주역(周易)』「정(井)괘」: "象曰, 井渫不食, 行惻也, 求王明, 受福也. [「상전」에서 말했다. '우물이 깨끗한데도 먹지 않는다'는 것은 길가는 사람이 안타까워하는 것이고, 임금의 밝음을 구하는 것은 복을 받기 위해서이다.]"라고 하였다.

는 자가 기도하는 말로 임금이 밝다면 우리들이 그 복을 받는다는
말이다.

六四, 井甃, 無咎.

육사효는 우물을 벽돌로 꾸미니, 허물이 없다.

本義

比六居四, 雖得其正, 然陰柔不泉, 則但能修治而無及物之功, 故其象爲‘井甃’, 而占則‘無咎’. 占者能自修治, 則雖無及物之功, 而亦可以無咎矣.

음[六]으로 사(四)효의 자리에 있어 올바름을 얻었으나 음의 부드러운 자질로 맑지 못하니, 다듬고 고칠 뿐이고 사람들에게 미치는 공로는 없다. 그러므로 그 상(象)은 ‘우물을 벽돌로 꾸민다’이고 점(占)은 ‘허물이 없다’는 것이다.
점치는 자가 스스로 수양하고 다스리면 비록 남에게 미치는 공로는 없지만 또한 허물은 없을 것이다.

程傳

四雖陰柔而處正, 上承九五之君. 才不足以廣施利物, 亦可自守者也, 故能修治則得無咎. ‘甃’, 砌累也, 謂修治也. 四雖才弱不能廣濟物之功, 修治其事, 不至於廢可也. 若不能修治, 廢其養人之功, 則失井之道, 其咎大矣. 居高位而得剛陽中正之君, 但能處正承上, 不廢其事, 亦可以免咎也.

육사효는 음의 부드러운 자질이지만 올바른 자리에 있고, 위로 임금인 구오효를 받든다. 재능이 널리 베풀어져 사람들을 이롭게 하기에는 충분하지 않지만, 또한 스스로 지킬 수 있는 자이기 때문에 수양하고 다스릴 수 있으면, 허물이 없을 수 있다.

'벽돌로 꾸민대[甃]'는 벽돌로 쌓는 일이니, 다듬고 고치는 것을 말한다. 육사효가 자질이 나약하여 세상을 돕는 공로를 널리 베풀 수 없지만, 자신의 일을 다듬고 고쳐 직분을 폐하는 지경까지 가지 않아야 된다. 다듬고 고칠 수가 없어, 사람 기르는 일을 폐한다면, 우물로서의 도리를 잃어, 그 허물은 크다.

높은 지위에 자리하여 굳센 양으로 알맞고 올바름을 갖춘 임금을 얻었으니, 다만 올바르게 처신하고 윗사람을 받들면서 그 일을 폐하지 않는다면, 또한 허물을 면할 수 있다.

集說

● 邱氏富國曰 : "三在內卦, 渫井內以致其潔. 四在外卦, 甃井外以禦其汙. 蓋不渫則汙者不潔, 不甃則潔者易汙."[13]

구부국(邱富國)이 말했다. "구삼효는 내괘(內卦)에 있어 우물 안을 깨끗이 하고 청결하게 만들었다. 육사효는 외괘(外卦)에 있어 우물 밖을 벽돌로 꾸며 더러움을 막았다. 깨끗이 하지 않으면 더러운 것이 깨끗해지지 않고, 벽돌로 꾸미지 않으면 깨끗한 것이 더러워지기 쉽다."

---

13) 구부국(丘富國), 『주역집해(周易輯解)』「정(井)괘」.

● 來氏知德曰 : "六四陰柔得正, 近九五之君, 蓋修治其井, 以
瀦蓄九五之寒泉者也. 占者能修治臣下之職, 則可以因君而成
井養之功, 斯無咎矣."14)

래지덕(來知德)15)이 말했다. "육사효는 음의 부드러운 자질로 올바
름을 얻고 구오효의 임금에 가까이 있으니 그 우물을 수리하여 구
오효의 차갑고 맑은 물을 쌓아두는 것이다. 점치는 자가 신하의 직
분에서 다듬고 고치면 임금을 통해 우물을 기르는 공로를 이룰 수
있으니 이것이 허물이 없다는 뜻이다."

---

14) 래지덕(來知德), 『주역집주(周易集註)』「정(井)괘」.
15) 래지덕(來知德, 1525~1604) : 양산(梁山)현 사람으로 자는 의선(矣鮮)
   이고 호는 구당(瞿塘)이다. 명나라 때 이학자이다. 가정(嘉靖) 31년 고
   향에서 천거되어 만력(萬曆) 30년 총독왕상건(總督王象乾)을 지내고 한
   림시조翰林侍詔)를 지냈다. 상수와 의리를 결합하여 『역』을 주석하여
   큰 성취를 이루었다. 『주역집주(周易集注)』, 『대학고본장구(大學古本章
   句)』 등이 있다.

九五, 井冽寒泉食.

구오효는 우물이 맑아 시원한 샘물을 먹는다.

'冽', 潔也. 陽剛中正, 功及於物, 故爲此象. 占者有其德, 則
契其象也.

'맑다[冽]'는 깨끗하다는 것이다. 양의 굳센 자질로 알맞고 바름을
이루어 공로가 사람들에게 미치기 때문에 이러한 상(象)이 된다.
점치는 자가 그런 덕(德)이 있으면 이 상(象)에 부합한다.

五以陽剛中正居尊位, 其才其德, 盡善盡美, '井冽寒泉食'也.
'冽', 謂甘潔也. 井泉以寒爲美. 甘潔之寒泉, 可爲人食也, 於
井道爲至善也. 然而不言吉者, 井以上出爲成功, 未至於上,
未及用也, 故至上而後言'元吉'.

구오효는 양의 굳센 자질과 알맞고 바른 덕으로 존귀한 지위에 자
리하여, 그 재능과 덕이 최고로 선하고 아름다우니, '우물이 맑아 시
원한 샘물을 먹는다'는 것이다.

'맑다[冽]'는 맛있고 깨끗하다는 말이다. 샘물은 시원한 것을 좋게
여긴다. 맛있고 깨끗한 샘물은 사람들이 먹을 수 있으니, 우물의 도

에서 가장 좋다.

그러나 길하다고 말하지 않은 것은, 우물은 위로 올라옴을 공을 이
룬 것으로 여기니, 아직 위에 나오지 않았으면 쓰이지 못하기 때문
에 위로 나온 다음에 '크게 길하다'고 한다.

集說

● 易氏祓曰 : "三與五皆泉之潔者. 三居甃下, 未汲之泉也, 故
曰'不食'. 五出乎甃, 已汲之泉也, 故言'食.'"16)

이볼(易祓)이 말했다. "구삼효와 구오효는 모두 샘물이 맑은 것이
다. 구삼효는 벽돌로 꾸민 아래에 있어 길어 올리지 못한 샘물이기
때문에 '먹지 않는다'고 했다. 구오효는 벽돌로 꾸며놓은 것의 밖으
로 나와 있어 이미 길어 올린 샘물이기 때문에 '먹었다'고 했다."

---

16) 이볼(易祓), 『주역총의(周易總義)』「정(井)괘」; 장헌익(張獻翼)의 『독역
기문(讀易紀聞)』「송(訟)괘」에는 동일한 내용이 모백옥씨(毛伯玉氏)의
말로 되어 있다. "毛伯玉氏云, 三與五皆泉之潔者也, 三居甃下, 未汲之
泉也, 故曰'不食'. 五出乎甃, 已汲之泉也, 故曰'食'."

上六, 井收勿幕, 有孚元吉.

상육효는 우물을 가져오고도 뚜껑을 덮지 않고, 오래 지속하는 믿음이 있어 크게 길하다.

本義

'收', 汲取也. 晁氏云:"'收', 鹿盧收繘者也" 亦通. '幕', 蔽覆也. '有孚', 謂其出有源而不窮也. 井以上出爲功, 而坎口不掩, 故上六雖非陽剛, 而其象如此. 然占者應之, 必有孚乃元吉也.

'가져온다[收]'는 물을 길어온다는 말이다. 조씨(晁氏)[17]가 "'가져온다'는 '수[收]'자에 대해 도르래로 두레박의 줄을 감아 들이는 것이다"라 하니, 또한 통한다.

'뚜껑을 덮다[幕]'는 가리어 덮어놓는다는 것이다. '믿음이 있다[有孚]'

---

17) 조씨(晁氏)는 조열지(晁說之)이다. 송나라 제주(濟州) 사람으로 자는 이도(以道) 혹은 백이(伯以)이고 자호는 경우(景迂)이다. 조단언(晁端彥)의 아들이다. 신종 원풍 5년 진사가 되었다. 문장이 유려하여 소식의 추천을 받았다. 철종 원부 3년 지무극현(知無極縣)이 되어 상소를 올려 왕안석을 배척하였다. 고종이 즉위하자 휘헌각대제겸시독(徽獻閣待制兼侍讀)을 제수받았지만 병으로 부임하지 못하였다. 만년에는 불교를 믿었다. 시와 산수화에 능하였고 육경(六經)에 통달하였는데 역(易)에 더욱 뛰어났다. 저서로는 『유언(儒言)』, 『조씨객어(晁氏客語)』등이 있다.

는 물이 나오는 데 원천(源泉)이 있어 고갈되지 않는 것을 말한다. 우물은 위로 나오는 것을 공으로 삼는데, 감(坎)괘의 입이 닫히지 않기 때문에 상육효가 비록 양의 굳센 자질이 아니지만 그 상(象)이 이와 같다. 그러나 점치는 자가 호응할 때 반드시 오래 지속하는 믿음이 있어야 크게 길하다.

程傳

井以上出爲用, 居井之上, 井道之成也. '收', 汲取也. '幕', 蔽覆也. 取而不蔽, 其利無窮, 井之施廣矣大矣. '有孚', 有常而不變也. 博施而有常, 大善之吉也. 夫體井之用, 博施而有常, 非大人孰能? 它卦之終, 爲極爲變, 唯井與鼎終乃爲成功, 是以吉也.

우물은 물이 위로 나와서 사용되니, 우물의 가장 위에 있을 때 우물의 도가 완성된 것이다. '가져온다[收]'는 것은 물을 길어온다는 말이다. '뚜껑을 덮다[幕]'는 가리어 덮어놓는다는 뜻이다. 물을 길어오면서도 덮어놓지 않음은 그 이로움이 끝이 없는 것이니, 우물이 베푼 것이 넓고 크다. '믿음이 있다[有孚]'는 오래도록 그대로 있으면서도 변하지 않는 것이다. 널리 베풀면서 오래도록 그대로 있는 것은 매우 좋은 길함이다. 우물의 쓰임을 체득하여, 널리 베풀면서 오래도록 지속하는 것은 대인(大人)이 아니면 누가 할 수 있겠는가? 다른 괘의 끝은 다하고 변하지만, 오직 정(井)괘와 정(鼎)괘는 끝에서 공을 이루니, 그래서 길하다.

'勿幕', 謂取之無禁, 所謂'往來井井者'也. '有孚', 謂有源不窮, 所
謂'無喪無得'者也. 此爻得備卦之義者, 巽乎水而上水, 至此爻
則上之極也.

'뚜껑을 덮지 않는다'는 취하는 데 금지함이 없는 것이니, 이른바
'오고 가는 이가 우물을 사용한다'는 말이다. '오래 지속하는 믿음이
있다'는 것은 원천이 있어 고갈되지 않는다는 말이니, 이른바 '얻는
것도 없고 잃는 것도 없다'이다. 이 효는 괘의 뜻을 갖춘 경우이니,
물을 나무 두레박으로 길어 올리는 것이 이 효에 와서 끝까지 길어
올렸기 때문이다.

● 李氏過曰 : "初'井泥', 二'井谷', 皆廢井也. 三'井渫', 則渫初之
泥. 四'井甃', 則甃二之谷. 旣渫且甃, 井道全矣. 故五'井冽而泉
寒', 上'井收而勿幕', 功始及物, 而井道大成矣."[18]

이과(李過)[19]가 말했다. "초효의 '우물이 흙탕물'이라는 말과 이효
의 '우물이 골짜기의 물처럼'은 모두 버려진 우물이다. 삼효의 '우물
이 깨끗한'은 효의 흙탕물을 깨끗하게 한 것이다. 사효의 '벽돌로

---

18) 이과(李過), 『서계역설(西谿易說)』 권10.

19) 이과(李過) : 송(宋)대 강소성 흥화(興化) 사람으로 자는 계변(季辨)이
다. 20여 년의 노력을 쏟아 부어 『서계역설(西谿易說)』을 저술했다. 풍
의(馮椅)는 『후재역학(厚齊易學)』에서 그의 의견이 새로운 경지를 개척
한 점이 많다고 평가하였다. 영종(寧宗) 경원(慶元) 4년(1198)에 쓴 자서
(自序)가 남아 있다.

꾸민 우물'은 이효의 골짜기처럼 된 것을 벽돌로 꾸민 사안이다. 이미 깨끗하게 했고 벽돌로 꾸몄으니 우물의 도가 온전하게 된 것이다. 그러므로 오효의 '우물이 맑아 시원한 샘물'과 상효의 '우물을 가져오고도 뚜껑을 덮지 않는'이라는 말은 공이 비로소 사람들에게 미쳐 우물의 도가 크게 완성된 것이다."

● 邱氏富國曰 : "先儒以三陽爲泉, 三陰爲井, 陽實陰虛之象也. 九二言'井谷射鮒', 九三言'井渫不食', 九五言'井洌寒泉'. 曰'射', 曰'渫', 曰'洌', 非泉之象乎? 初六言'井泥不食', 六四言'井甃無咎', 上六言'井收勿幕'. 曰'泥', 曰'甃', 曰'收', 非井之象乎?

구부국(邱富國)이 말했다. "이전의 학자들은 세 양효를 우물물로 여기고 세 음효를 우물로 여겼으니, 양은 실(實)하고 음은 허(虛)한 상(象)이기 때문이다. 구이효는 '골짜기의 물처럼 두꺼비에게 흐른다'고 했고, 구삼효는 '우물이 깨끗한데도 먹지 않는다'고 했으며, 구오효는 '우물이 맑아 시원한 샘물이다'라고 했다. '흐른다', '깨끗하다', '맑다'고 한 것은 샘물의 모습이 아닌가?
초육효는 '우물이 흙탕물이어서 먹지 않는다'고 했고, 육사효는 '우물을 벽돌로 꾸미니, 허물이 없다'라 했으며, 상육효는 '우물을 가져오고도 뚜껑을 덮지 않는다'고 했다. '흙탕물이다'고 하고, '벽돌로 꾸민다'고 하며, '가져온다'고 한 것은 우물의 모습이 아닌가?

以卦序而言, 則二之'射', 始達之泉也. 三之'渫', 已潔之泉也. 五之'洌', 則可食之泉矣. 初之'泥', 方掘之井也. 四之'甃', 已修之井也. 上之'收', 則已汲之井矣. 又以二爻爲一例, 則初二皆在井下, 不見於用, 故初爲'泥'而二爲'谷'. 三四皆在井中, 將見於用,

故三爲'渫'而四爲'甃'. 五上皆在井上, 而已見於用矣, 故五言'食'
而上言'收'也."20)

괘의 순서로 말하자면, 다음과 같다. 구이효의 '흐른다'는 것은 비
로소 흘러나오는 샘물이다. 구삼효의 '깨끗하다'는 것은 이미 청결
해진 샘물이다. 구오효의 '맑다'는 것은 먹을 수 있는 샘물이다. 초
육효의 '흙탕물'은 이제 막 판 우물이다. 육사효의 '벽돌로 꾸민다'
는 것은 이미 보수한 우물이다. 상육효의 '가져온다'는 것은 이미
길어 올린 우물이다.

또한 두 효를 하나의 예로 삼는다면 다음과 같다. 초육효와 구이효
는 모두 우물 아래에 있어 사용되지 않는 것이기 때문에 초육효는
'흙탕물'이고 구이효는 '골짜기의 물처럼 된 것'이다. 구삼효와 육사
효는 모두 우물 가운데 있어 앞으로 사용될 것이기 때문에 구삼효
는 '깨끗한 것'이고, 육사효는 '벽돌로 꾸민 것'이다. 구오효와 상육
효는 모두 우물 위에 있어 이미 사용된 것이기 때문에 구오효는 '먹
는다'고 했고 상육효는 '가져왔다'고 했다."

---

20) 구부국(丘富國), 『주역집해(周易輯解)』「정(井)괘」.

兌上
離下

程傳

革,「序卦」, "井道不可不革, 故受之以革." 井之爲物, 存之則
穢敗, 易之則清潔, 不可不革者也, 故井之後受之以革也. 爲
卦兌上離下, 澤中有火也, 革, 變革也. 水火相息之物, 水滅
火, 火涸水, 相變革者也. 火之性上, 水之性下, 若相違行, 則
睽而已. 乃火在下, 水在上, 相就而相克, 相滅息者也, 所以
爲革也. 又二女同居, 而其歸各異, 其志不同, 爲不相得也,
故爲革也.

혁(革)괘는 「서괘전」에서 "우물의 도는 변혁하지 않을 수가 없으므
로 혁괘로 받았다"라고 하였다. 우물은 그대로 두면 더러워져 못쓰
게 되고 바꾸면 맑고 깨끗하게 되어 변혁하지 않을 수 없기 때문에
정(井☵)괘 뒤에 혁(革☲)괘로 받았다.
괘의 모습은 태(兌☱)괘가 위에 있고 이(離☲)괘가 아래에 있으니,
연못 속에 불이 있는 모습이다. 혁(革)이란 변혁(變革)[1]이다. 물과

----

1) 변혁(變革):『예기(禮記)』「대전(大傳)」, "권(權)과 도(度)와 양(量)을 세
우고, 문장(文章)을 고찰하고, 정삭(正朔)을 개혁하고, 복색(服色)을 바

불은 서로 없애는 물건이니, 물이 불을 없애고 불이 물을 말려서 서로 변혁하는 것이다.

불의 성질은 위로 올라가려 하고 물의 성질은 아래로 내려가려 해서 서로 어긋나게 나아가면, 반목할 뿐이다. 이에 불이 아래에 있고 물이 위에 있어 서로 나아가면서 서로 극복하여 서로 없애려는 것이기 때문에 변혁이 된다. 또 두 여자가 함께 거주하지만 시집갈 곳이 각각 다르고 그 뜻이 같지 않아 서로 얻을 수 없기 때문에 변혁이 된다.

꾸고, 휘호(徽號)를 다르게 하고, 기계(器械)를 바꾸고, 의복(衣服)을 구별하니, 이것은 백성과 함께 변혁할 수 있는 것이다. 그러나 변혁할 수 없는 것도 있다. 친족을 친히 여기고 높은 지위에 있는 사람을 존경하고, 어른을 어른대접하고, 남녀에 구별이 있으니, 이것이 백성과 함께 변혁할 수 없는 것이다.[立權度量, 考文章, 改正朔, 易服色, 殊徽號, 異器械, 別衣服, 此其所得與民變革者也. 其不可得變革者則有矣. 親親也, 尊尊也, 長長也, 男女有別, 此其不可得與民變革者也.]"라고 하였다.

革, 巳日乃孚, 元亨, 利貞, 悔亡.

변혁은 시간이 지나야 믿게 되니, 크게 형통하고 올바름이 이로워 후회가 없다.

本義

革, 變革也. 兌澤在上, 離火在下, 火燃則水乾, 水決則火滅. 中少二女, 合爲一卦. 而少上中下, 志不相得, 故其卦爲革也. 變革之初, 人未之信, 故必巳日而後信. 又以其內有文明之 德, 而外有和說之氣. 故其占爲有所更革, 皆大亨而得其正, 所革皆當, 而所革之悔亡也. 一有不正, 則所革不信不通, 而 反有悔矣.

혁(革)은 변혁이다. 태(兌)괘의 연못은 위에 있고 리(離)괘의 불은 아래에 있으니, 불이 타오르면 물이 마르고 물이 쏟아지면 불이 꺼진다. 중녀(中女☲)와 소녀(少女☱) 둘이 합하여 한 괘가 되었다. 그런데 소녀는 위에 있고 중녀는 아래에 있어 뜻이 서로 맞지 않기 때문에 그 괘가 혁(革)괘가 되었다.

변혁하는 초기에는 사람들이 믿지 않기 때문에 반드시 시간이 지난 뒤에야 믿는다. 또 안에는 문명(文明)한 덕이 있고 밖에는 조화롭고 기뻐하는 기운이 있다. 그러므로 그 점(占)이 변혁할 것이 있다면, 모두 크게 형통하고 그 올바름을 얻어 변혁하는 것이 모두 마땅하여 변혁하는 데 후회가 없다. 한 가지라도 올바르지 못하면 변혁하는 것이 신임을 얻지 못하고 통하지 못하여 도리어 후회가 있다.

革者, 變其故也. 變其故, 則人未能遽信, 故必巳日然後人心
信從. "元亨, 利貞, 悔亡", 弊壞而後革之, 革之所以致其通
也, 故革之而可以大亨. 革之而利於正道, 則可久, 而得去故
之義, 無變動之悔, 乃悔亡也. 革而無甚益, 猶可悔也, 況反
害乎? 古人所以重改作也.

변혁이란 옛것을 변화시키는 일이다. 옛것을 변화시키면, 사람들이
선뜻 믿을 수가 없기 때문에 반드시 시간이 지난 다음에 사람의 마
음이 믿고 따른다.

"크게 형통하고 올바름이 이로워, 후회가 없다"는 무너진 후에 변혁
하는 일로 변혁은 소통을 이루게 하는 것이기 때문에 변혁하여 크
게 형통할 수 있다는 말이다. 그런데 변혁하면서 도리를 바르게 하
는 것이 이로우니, 오래되어 옛것을 없애버린 뜻을 얻고 변혁하여
움직여도 후회가 없는 것이 바로 후회가 없는 말이다.

변혁하고 어떤 이익도 없다면 오히려 후회해야 한다. 그런데 하물
며 도리어 해롭다면 말해 무엇 하겠는가? 옛사람들은 이 때문에 개
혁하고 고치는 일을 신중하게 했다.

集說

● 李氏簡曰: "'巳日'者, 已可革之時也. 先時而革, 則人疑而罔
孚, 故'巳日乃孚'. '元亨利貞'者, 謂窮則變, 固有大通之道, 而利
於不失正也. 正則其'悔亡'." [2]

....

2) 이간(李簡), 『학역기(學易記)』「혁(革)괘」.

이간(李簡)이 말했다. "'시간이 지났다[巳日]'는 것은 이미 변혁할 만한 때이다. 때에 앞서 변혁하면 사람들이 의심하고 믿지 않으므로 '시간이 지나야 믿게 된다'고 했다. '크게 형통하고 올바름이 이롭다'는 것은 궁극에 이르면 바뀐다는 말로 진실로 크게 통할 수 있는 도가 있어도 올바름을 잃지 않아야 이롭다. 올바르면 그 '후회가 없다'."

● 何氏楷曰: "'巳日', 即六二所謂'巳日'也. '乃孚', 即九三九四九五所謂'有孚'也. '悔亡', 即九四所謂'悔亡'也. 所以云'巳日'者, 變革天下之事, 不當輕遽, 乃能孚信於人. '乃', 難辭也. 下三爻, 方欲革故而爲新, 故有謹重不輕革之意. 上三爻, 則故者已革而爲新矣. 九四當上下卦之交, 正改命之時, 故'悔亡'獨於九四見之, 即「象傳」所云'革而當, 其悔乃亡'也."[3]

하해(何楷)가 말했다. "'시간이 지났다'는 육이효의 이른바 '시간이 지났다'는 것이다. '~해야 믿게 된다[乃孚]'는 구삼효, 구사효, 구오효에서의 이른바 '믿음이 있다[有孚]'는 말이다. '후회가 없다[悔亡]'는 구사효에서 말하는 '후회가 없다'는 뜻이다. '시간이 지나야'라고 말하는 까닭은 세상의 일을 변혁할 때는 가볍게 섣불리 하지 않아야 사람들에게 신뢰받을 수 있기 때문이다. '~해야[乃]'라는 말은 어렵다는 의미이다. 아래 세 효는 옛것을 변혁하여 새로운 것을 하려고 하기 때문에 조심하고 신중하게 하여 가볍게 변혁하지 않으려는 뜻이 있다. 위의 세 효는 옛것이 이미 변혁되어 새롭게 되었다. 구사효는 상괘와 하괘가 만나는 곳에 있어 바로 명을 고칠 때이다. 그러므로 '후회가 없다[悔亡]'는 말이 구사효에서만 보이니, 「단전」

---

3) 하해(何楷), 『고주역정고(古周易訂詁)』「혁(革)괘」.

에서 말한 '변혁하여 합당하기 때문에 그 후회가 없다'는 것이다."

案

'巳日乃孚', 李氏何氏之說爲長. 蓋卦辭爻辭, 不應互異也.

'시간이 지나야 믿게 된다'는 것에 대한 설명은 이간과 하해의 설명
이 뛰어나니, 괘사와 효사는 달라서는 안 되기 때문이다.

初九, 鞏用黃牛之革.

초구효는 황소 가죽으로 묶는다.

雖當革時, 居初無應, 未可有爲, 故爲此象. '鞏', 固也. '黃', 中色, 牛順物. 革所以固物, 亦取卦名而義不同也. 其占爲當堅確固守, 而不可以有爲. 聖人之於變革, 其謹如此.

변혁할 때이지만 초효에 있고 호응이 없어 시도할 수 없기 때문에 이러한 상(象)이 된다. '묶는대[鞏]'는 견고하게 만드는 것이다. '황색[黃]'은 중앙의 색이고 소는 순한 동물이다.

가죽은 물건을 단단히 묶는 것이니, 또한 괘의 이름으로 취했으나 뜻이 같지는 않다.

그 점(占)은 견고하고 굳게 지켜야 하고 일을 해서는 안 된다는 것이다. 성인이 변혁에 대해 이와 같이 조심스러웠다.

變革, 事之大也, 必有其時, 有其位, 有其才, 審慮而愼動, 而後可以無悔. 九以時則初也, 動於事初, 則無審愼之意而有躁易之象. 以位則下也, 無時無援而動於下, 則有僭妄之咎, 而無體勢之重. 以才則離體而陽也. 離性上而剛體健, 皆速於動也. 其才如此, 有爲則凶咎至矣. 蓋剛不中而體躁, 所不足者,

中與順也. 當以中順自固而無妄動則可也. '鞏', 局束也. '革'
所以包束. '黃', 中色. '牛', 順物. "鞏用黃牛之革", 謂以中順
之道自固, 不妄動也. 不云吉凶, 何也? 曰, 妄動則有凶咎, 以
中順自固, 則不革而已, 安得便有吉凶乎?

변혁은 큰일로 반드시 때가 맞아야 하고 그 지위가 있으며 그 재능
이 있어야 할 수 있는 일이니, 살피고 생각하여 신중하게 움직인 후
에야 후회가 없을 수 있다.

초구효는 시기로는 처음이니, 어떤 일의 초기에 움직이면 살피고
신중하게 하는 뜻이 없어 조급하고 경솔한 모습이다. 지위로는 아
래에 있어 때가 맞지 않고 후원이 없는데 아래에서 움직이면, 본분
을 넘어 함부로 하는 허물이 있고 형세를 체득한 진중함이 없다.
재질로는 이(離)괘의 체질로 양의 성질이다. 이괘의 성질은 위로 올
라가고 굳센 체질은 강건하니, 모두 움직임에 서두르는 것이다. 그
재질이 이와 같으니, 어떤 일을 하려고 하면 흉함과 허물이 생긴다.
굳셈이 알맞지 않고 체질이 조급하니, 부족한 것은 알맞음과 순함
이다. 알맞음과 순함으로 스스로 굳게 지켜야 되고 함부로 움직이
지 않아야 된다.

'묶는다[鞏]'는 꼼짝 못하게 묶는 일이다. '가죽[革]'은 싸서 묶는 일
이다. '황색[黃]'은 중앙의 색이고 '소'는 순한 동물이다. "황소 가죽
으로 묶는다"는 알맞음과 순한 도리로 스스로 확고하게 해서 함부
로 움직이지 않는 것을 말한다. 길흉을 말하지 않는 것은 무슨 까닭
인가? 말하자면, 함부로 움직이면 흉함과 허물이 있고, 알맞음과 순
함으로 스스로 확고하게 하면, 변혁하지 못할 뿐이니, 어떻게 길함
과 흉함이 있겠느냐는 것이다.

● 干氏寶曰 : "在革之初, 未可以動, 故曰'鞏用黃牛之革.'"4)

간보(干寶)가 말했다. "변혁하는 초기에는 함부로 움직여서는 안되기 때문에 '황소 가죽으로 묶는다'고 했다."

● 劉氏牧曰 : "下非可革之位, 初非可革之時, 要在固守中順之道, 而不敢有革也."5)

유목(劉牧)이 말했다. "아래는 변혁할 수 있는 자리가 아니고 처음은 변혁할 수 있는 시기가 아니니, 알맞고 순한 도리를 굳게 지키면서 함부로 변혁하지 않아야 한다."

● 呂氏大臨曰 : "初九當革之初, 居下無位, 比於六二, 上無正應, 雖有剛德, 不當自任, 唯結六二以自固, 故'鞏用黃牛之革'. 六二居中柔順, 故曰'黃牛', 與遯六二同義."6)

여대림(呂大臨)이 말했다. "초구효는 변혁의 초기에 아래에 자리하고 지위가 없으며, 육이효와 나란히 하고 있으면서 위로 올바르게 호응할 상대가 없으니 강직한 덕을 가지고 있지만 자임(自任)해서는 안 되고, 오직 육이효와 연대하여 스스로 뜻을 굳게 지켜야 하므로 '누런 황소 가죽을 써서 묶는다'고 했다. 육이효는 가운데 자

---

4) 정정조(程廷祚), 『대역택언(大易擇言)』「혁(革)괘」.
5) 정정조(程廷祚), 『대역택언(大易擇言)』「혁(革)괘」.
6) 나성덕(喇性德), 『합정산보대역집의수언(合訂刪補大易集義粹言)』「혁(革)괘」.

리하고 유순(柔順)하므로 '누런 황소'라고 했으니, 돈(遯)괘의 육이
효7)와 의미가 같다."

● 龔氏煥曰 : "『易』言'黃牛之革'者二. 遯之六二, 居中有應, 欲
遯而不可遯者也. 革之初九, 在下無應, 當革而不可革者也. 所
指雖殊, 而意實相類."8)

공환(龔煥)9)이 말했다. "『역』에서 '황소 가죽'을 말한 경우는 두 번
이다. 돈괘의 육이효는 알맞은 자리에 있고 호응이 있으니, 은둔하
려고 하지만 은둔할 수 없는 것이다.10) 혁괘의 초효는 아래 자리에
있고 호응이 없으니, 변혁해야하지만 변혁할 수 없는 것이다. 가리
키는 바는 다르지만 의미는 실제로 유사하다."

案

更改之義, 有取於革者. '革', 鳥獸之皮也. 鳥獸更四時則皮毛改
換. 「堯典」'希革''毛毨'之類是也. 六爻取象於牛虎豹者以此, 牛

---

7) 『주역』「돈(遯)괘 : "육이효는 황소의 가죽으로 잡아매니, 그것을 벗길
   수가 없다.[六二, 執之用黃牛之革, 莫之勝說.]"라고 하였다.
8) 정정조(程廷祚), 『대역택언(大易擇言)』「혁(革)괘」.
9) 공환(龔煥) : 자는 유문(幼文)이고, 천봉선생(泉峯先生)이라고 불렸다.
   원(元)대 임천(臨川)사람이다. 요응중(饒應中)에게 사사하여 본체를 밝
   히고 실천에 옮기는 데 힘썼다. 당시 아직 과거제도가 시행되지 못했는
   데, 시행되면 반드시 정자와 주자의 학문을 법식으로 삼아야 한다고 주
   장했다. 과연 뒤에 그의 말대로 시행되었다.
10) 『주역』「돈(遯)괘 : "육이효는 황소 가죽으로 잡아매니, 그것을 벗길 수
    가 없다.[六二, 執之用黃牛之革, 莫之勝說.]"라고 하였다.

之皮至堅靭, 難以更革者也. 以之繫物則固, 故遯二之'執用'者似之. 以之裹物則密, 故革初之'鞏用'者似之.

변경[更改]의 뜻은 혁(革)에서 취했다. '혁'이란 짐승의 가죽이다. 짐승은 계절이 바뀌면 가죽의 털이 다시 난다. 『서경』「요전」에서 '털이 빠졌다'[11]와 '털갈이를 했다'[12]는 말이 이것이다.

여섯 효가 소·호랑이·표범에서 상징을 취한 것은 이 때문이니, 소의 가죽은 매우 견고하고 질겨서 변혁하기 힘든 것이다. 이것으로 사물을 묶으면 견고하므로 돈(遯☰)괘 육이효에서 '황소 가죽으로 잡아맨다'[13]고 한 것도 비슷하다. 이것으로 사물을 싸면 조밀하므로 혁괘 초효에서 '황소 가죽으로 묶는다'고 한 것도 유사하다.

----

11) 『서경』「요전」: "해가 길어지고 별과 불의 나타나서 여름철이 되었다는 것을 정하면 백성은 옷을 벗고 일하고 새와 짐승은 털이 빠진다.[日永星火, 以正仲夏, 厥民因, 鳥獸希革.]"라고 하였다.

12) 『서경』「요전」: "밤은 중간이고 허성이라. 이로써 중추를 잘 맞추면 그 백성들은 편안하고, 조수는 털갈이를 하느니라.[宵中, 星虛, 以殷仲秋, 厥民夷, 鳥獸毛毨.]"라고 하였다.

13) 『주역(周易)』「돈(遯)괘」: "육이효는 황소의 가죽으로 잡아매니, 그것을 벗길 수가 없다.[六二, 執之用黃牛之革, 莫之勝說.]"라고 하였다.

六二, 巳日乃革之, 征吉, 无咎.

육이효는 시간이 지나 변혁하면, 가는 것이 길하여 허물이 없다.

六二柔順中正, 而爲文明之主, 有應於上, 於是可以革矣. 然必巳日然後革之, 則征吉而无咎. 戒占者猶未可遽變也.

육이효는 유순(柔順)하고 중정(中正)하며 문명(文明)의 주체가 되고 위에서 호응이 있으니, 이에 변혁할 수 있다. 그러나 반드시 시간이 지난 다음에 변혁하면 가는 것이 길하여 허물이 없다.

점치는 자가 여전히 섣불리 변혁할 수 없음을 경계하였다.

以六居二, 柔順而得中正, 又文明之主, 上有剛陽之君, 同德相應. 中正則无偏蔽, 文明則盡事理, 應上則得權勢, 體順則无違悖. 時可矣, 位得矣, 才足矣, 處革之至善者也. 然臣道不當爲革之先, 又必待上下之信, 故巳日乃革之也.

음[六]으로서 이(二)의 자리에 있어 유순(柔順)하고 중정(中正)의 덕을 얻었으며, 또 문명(文明)한 주체로 위로 굳센 양의 임금이 있어 덕을 함께 하여 서로 호응한다.

중정하면 편벽하거나 어리석은 점이 없고, 문명하면 사물의 이치를 극진하게 하며, 위와 호응하면 권세(權勢)를 얻고, 체질이 유순하면 어겨서 거스르는 일이 없다. 시기가 가능하고 지위를 얻었으며 재능이 충분하니, 변혁하기에 가장 좋은 상황에 처하였다. 그러나 신하의 도리는 변혁의 선봉이 되지 않아야 하고, 또 반드시 위아래에서 믿어주기를 기다려야 하기 때문에 시간이 지나야 변혁할 수 있다."

如二之才德, 所居之地, 所逢之時,[14] 足以革天下之弊, 新天下之治, 當進而上輔於君, 以行其道, 則吉而无咎也. 不進則失可爲之時, 爲有咎也. 以二體柔而處當位, 體柔則其進緩, 當位則其處固. 變革者, 事之大, 故有此戒. 二得中而應剛, 未至失於柔也. 聖人因其有可戒之疑, 而明其義耳, 使賢才不失可爲之時也.

이효의 재능과 덕이 있는 경우, 처한 자리와 만나는 때가 세상의 폐단을 변혁하고 세상의 다스림을 혁신하기에 충분하니, 나아가 위로 임금을 보필함으로 자신의 도를 시행하면, 길하여 허물이 없다. 나아가지 않으면 일을 할 수 있는 때를 잃어서, 허물이 있게 된다. 이효의 체질이 유순하고 합당한 지위에 있으나, 체질이 유순하니 나아가는 것을 지체할 수 있고, 지위가 합당하니 처신이 고루하다. 변혁은 중대한 일이므로 이런 경계를 했다.
이효는 중도(中道)를 얻었고 굳셈과 호응하니, 나약하여 일을 그르치지는 않는다. 성인이 경계할 만한 의심이 있기 때문에 그 뜻을 밝힌 것일 뿐이니, 현명한 자질을 가진 사람이 할 수 있는 때를 잃지 않게 한 것이다.

....

14) 『정씨역전(程氏易傳)』에는 "所逢之時"가 "所進之時"로 되어 있다.

● 王氏宗傳曰 : "六二以中正之德, 上應九五中正之君, 當革之時, 卦德所謂'已日乃孚'是也. 故曰'已日乃革之, 征吉無咎.'"15)

왕종전(王宗傳)16)이 말했다. "육이효는 중정의 덕으로 위로는 구오효의 중정의 임금과 호응하고 변혁의 때에 당면하였으니, 괘덕(卦德)에서 '시간이 지나야 믿게 된다'고 한 말이 이것이다. 그러므로 '시간이 지나 변혁하면, 가는 것이 길하여 허물이 없다'고 했다."

● 熊氏良輔曰 : "六二爲內卦之主, 故卦辭之'已日', 見之於此. 卦曰'已日乃孚', 爻曰'已日乃革'者, 孚而後革也."17)

웅양보(熊良輔)18)가 말했다. "육이효는 내괘의 주인이므로 괘사의 '시간이 지나야'라는 말이 여기에서 나타난다. 괘사에서는 '시간이 지나야 믿게 된다'고 했고, 효사에서는 '시간이 지나 변혁한다'고 했으니, 믿게 된 뒤에 변혁한다."

---

15) 왕종전(王宗傳), 『동계역전(童溪易傳)』「혁(革)괘」.

16) 왕종전(王宗傳) : 자는 경맹(景孟)이고, 송대 영덕(寧德 : 현 복건성 영덕시) 사람이다. 1181년에 진사에 급제하여 소주교수(韶州教授)를 역임하였다. 왕필의 의리역학을 추종하여 상수역학을 배척하였다. 저서에는 『동계역전(童溪易傳)』이 있다.

17) 웅량보(熊良輔), 『주역본의집성(周易本義集成)』「혁(革)괘」.

18) 웅량보(熊良輔, 1310~1380) : 자는 임중(任重)이고, 호는 매변(梅邊)이다. 원(元)대 남창(南昌) 사람이다. 웅개(熊凱)에게 학문을 배웠는데, 특히 『역』에 정통했다. 저서에 주희(朱熹)의 학설을 주로 하고 자기의 논의를 가미한 『주역본의집성(周易本義集成)』과 『풍아유음(風雅遺音)』, 『소학입문(小學入門)』 등이 있다.

九三, 征凶, 貞厲, 革言三就, 有孚.

구삼효는 가면 흉하고, 올바름을 굳게 지키면 위태로우니, 변혁의
공론이 세 번 합치하면, 믿음이 있다

過剛不中, 居離之極, 躁動於革者也. 故其占有'征凶, 貞厲'之
戒. 然其時則當革, 故至於革言三就, 則亦有孚而可革也.

지나치게 굳세어 알맞지 않고 리(離)괘의 끝에 자리하여, 변혁하는
데 조급히 움직이는 것이다. 그러므로 그 점(占)이 '가면 흉하고 올
바름을 굳게 지키면 위태롭다'고 경계함이 있다.
그러나 그 시기는 변혁해야 할 때이므로 개혁해야 한다는 공론이
세 번 합치하면 또한 믿음이 있어 변혁할 수 있다.

九三以剛陽爲下之上, 又居離之上而不得中, 躁動於革者也.
在下而躁於變革, 以是而行, 則有凶也. 然居下之上, 事苟當
革, 豈可不爲也? 在乎守貞正而懷危懼, 順從公論, 則可行之
不疑. '革言', 猶當革之論. '就', 成也, 合也. 審察當革之言,
至於三而皆合, 則可信也. 言重愼之至能如是, 則必得至當乃
有孚也. 己可信而衆所信也, 如此則可以革矣. 在革之時, 居
下之上, 事之當革, 若畏懼而不爲, 則失時爲害. 唯當愼重之

至, 不自任其剛明, 審稽公論, 至於三就而後革之, 則無過矣.

구삼효는 굳센 양으로 하체(下體)의 윗자리에 있고 또 리(離)괘의 윗자리에 있어 알맞음을 얻지 못했으니, 변혁에 조급히 움직이는 자이다. 아래에 있으면서 변혁에 조급하여 이렇게 가면 흉하다. 그러나 하체의 위에 있으니, 일이 진실로 변혁해야 될 것이라면, 어찌 그렇게 하지 않을 수가 있겠는가?

올바름을 지키고 위태로움을 생각하여 공론(公論)에 순종하면, 행함을 의심하지 않을 수 있다. '변혁의 공론[革言]'은 개혁해야 한다는 공론과 같다. '합취한다[就]'는 이루고 합하는 것이다. 개혁해야 한다는 공론을 깊이 살펴 세 번 모두 합치하면 믿어야 한다. 지극히 신중하여 이와 같이 할 수 있다면, 반드시 지극히 당연하게 믿음이 있다는 말이다. 자신이 믿을 수 있고 사람들이 신뢰하는 것이 이와 같다면, 변혁할 수 있다.

변혁의 때에 하체의 위에 있으니, 개혁해야 할 일을 두려워하여 행하지 않는다면, 때를 잃어 해롭게 된다. 오직 신중함을 지극히 하여 스스로 굳세고 밝음을 믿지 말고, 공론을 살피고 살펴 세 번 모두 합치한 뒤에 변혁하면, 허물이 없다.

集說

● 呂氏大臨曰 : "九三居下體之上, 自初至三, 遍行三爻. 革之有漸, 革道以成, 故曰'革言三就'. 至於三則民信之矣, 故有孚."[19]

---

19) 나성덕(喇性德), 『합정산보대역집의수언(合訂刪補大易集義粹言)』「혁(革)괘」.

여대림(呂大臨)이 말했다. "구삼효는 하체의 위에 있어 초효에서 삼효까지 세 효를 두루 행한다. 변혁을 점진적으로 하며 변혁의 도로 완성하기 때문에 '변혁의 공론이 세 번 합치하면'이라고 하였다. 삼효에 오게 되면 백성들이 신뢰하기 때문에, 믿음이 있다."

● 龔氏煥曰 : "九三以過剛之才, 躁動以往則凶. 處當革之時, 貞固自守則厲. 唯於改革之言, 詳審三就, 則旣無躁動之凶, 又無固守之厲. 得其時宜, 所以可革也."20)

공환(龔煥)이 말했다. "구삼효는 지나치게 굳센 자질로 조급하게 움직여 나아가니 흉하다. 변혁할 때 올바름을 고집하여 스스로 지키면 위태롭다. 오직 변혁의 공론을 상세하게 살펴 세 번 합치하면, 이미 조급하게 움직이는 흉함이 없고 고집하여 지키는 위태로움이 없다. 그 시기의 마땅함을 얻었기 때문에 변혁할 수 있다."

● 胡氏炳文曰 : "以其過剛也, 故恐其征而不已則凶. 以其不中也, 又恐其一於貞固, 而失變革之義則厲. 故必革之言至於三就, 審之屢, 則'有孚'而可革矣."21)

호병문(胡炳文)이 말했다. "지나치게 굳세기 때문에 나아가 그치지 않으면 흉하게 될 것을 근심했다. 알맞지 않으니, 또 올바름을 고집하여 변혁의 의미를 잃으면 위태롭게 됨을 걱정했다. 반드시 변혁의 공론이 세 번 합치하고 살피기를 거듭하면, '믿음이 있어서' 변혁할 수 있다.

----

20) 정정조(程廷祚), 『대역택언(大易擇言)』「혁(革)괘」.
21) 호병문(胡炳文), 『주역본의통석(周易本義通釋)』「혁(革)괘」.

九四, 悔亡, 有孚改命, 吉.

구사효는 후회가 없으니, 믿음이 있으면 명을 고쳐 길하다.

以陽居陰, 故有悔. 然卦已過中, 水火之際, 乃革之時, 而剛
柔不偏, 又革之用也. 是以悔亡, 然又必有孚然後革, 乃可獲
吉. 明占者有其德而當其時, 又必有信, 乃悔亡而得吉也.

양(陽)으로 음의 자리에 거처하기 때문에 후회가 있다. 그러나 괘가
이미 중간을 지났고 물과 불의 사이가 바로 개혁할 때인데 굳셈과
부드러움이 치우치지 않았으니, 또 변혁의 쓰임이다. 이 때문에 후
회가 없지만 또 반드시 믿음이 있은 뒤에 변혁해야 길함을 얻을 수
있다.

점치는 자가 이런 덕이 있고 그 시기가 되었으며, 또 반드시 믿음이
있어야 후회가 없어 길할 수 있음을 밝혔다.

九四, 革之盛也. 陽剛, 革之才也. 離下體而進上體, 革之時
也. 居水火之際, 革之勢也. 得近君之位, 革之任也. 下無係
應, 革之志也. 以九居四, 剛柔相際, 革之用也. 四旣具此, 可
謂當革之時也. 事之可悔而後革之, 革之而當, 其悔乃亡也.
革之旣當, 唯在處之以至誠. 故有孚則改命吉. '改命', 改爲

也, 謂革之也. 旣事當而弊革, 行之以誠, 上信而下順, 其吉
可知. 四非中正而至善何也? 曰, "唯其處柔也, 故剛而不過,
近而不逼, 順承中正之君, 乃中正之人也. 易之取義無常也,
隨時而已."

구사효는 변혁이 성대해진 것이다. 양의 굳셈은 변혁할 수 있는 재
능이다. 하체(下體)를 떠나 상체(上體)로 나아가는 것이 변혁의 때
이다. 물과 불이 만나는 사이에 있는 것은 변혁의 형세이다. 임금과
가까운 지위를 얻은 것은 변혁의 책임이다. 아래로 붙어 호응하는
사람이 없는 것은 변혁의 의지이다. 구(九)로서 사(四)의 자리에 있
어 굳셈과 부드러움이 서로 만나는 것은 변혁의 작용이다. 사효에
는 이러한 것들을 이미 모두 갖추고 있으니, 변혁해야 할 때라고 할
만하다.

일이 후회할 만한 뒤에 변혁하는데, 변혁하여 마땅하다면 그 후회
는 바로 없어진다. 변혁한 것이 이미 마땅하여 지극한 정성으로 대
처하는 것에 모든 일이 달려 있다. 그러므로 믿음이 있으면 명(命)
을 고쳐 길하다.

'명을 고친다'는 말은 고쳐서 행함이니, 변혁하는 것을 말한다. 일이
이미 마땅하고 폐단에 대해 개혁하기를 정성으로 실행하면, 위에서
는 믿고 아래에서는 복종하니, 그 길함을 알 수 있다.

사효의 자리는 중정(中正)하지도 않은데 지극히 선한 것은 무슨 까
닭인가? 말하자면, "오직 그 처신이 부드럽기 때문에, 굳세면서도
지나치지 않고, 임금과 가까이 있으면서도 그를 핍박하지 않아, 중
정한 임금을 유순하게 받드니, 바로 중정한 사람이기 때문이다. 『역
(易)』에서 의미를 취하는 것은 일정하지 않아 때를 따를 뿐이다."

集說

● 虞氏翻曰 : "將革而謀謂之言, 革而行之謂之命."[22]

우번(虞翻)이 말했다. "변혁하려고 모의하는 것을 공론이라 하고, 변혁하여 행하는 것을 개혁이라 한다."

● 陸氏希聲曰 : "革而當, 故悔亡也. 爲物所信, 則命令不便於民者, 可改易而獲吉."[23]

육희성(陸希聲)이 말했다. "변혁하여 합당하기 때문에 후회가 없다. 사람들에게 신뢰를 받으면 명령이 백성들에게 불편해도 개혁하여 길함을 얻을 수 있다."

● 劉氏牧曰 : "成革之體, 在斯一爻, 且自初至三, 則革道已成, 故下三爻皆以革字著於爻辭. 至於四, 則惟曰'悔亡, 有孚, 改命吉'也."

유목(劉牧)이 말했다. "변혁을 이루는 몸체가 이 하나의 효에 있지만 또 초효에서 삼효까지 변혁의 도가 이미 이루어졌다. 그러므로 아래의 세 효에서 모두 변혁이라는 말을 효사에 나타내었다. 사효에서는 오직 '후회가 없으니, 믿음이 있으면, 명을 고쳐 길하다'고만 했다."

---

22) 이정조(李鼎祚), 『주역집해(周易集解)』 「혁(革)괘」.
23) 이형(李衡), 『주역의해촬요(周易義海撮要)』 「혁(革)괘」.

● 『朱子語類』, 問 : "革下三爻, 有謹重難改之意, 上三爻則革而善. 蓋事有新故, 下三爻則故事也. 未變之時, 必當謹審於其先. 上三爻則變而爲新事矣."[24]

曰 : "然, 乾卦到九四爻, 謂乾道乃革, 也是到這處方變."[25]

『주자어류』에서 물었다. "혁괘의 하괘 세 효에는 삼가고 신중하여 고치기 어렵다는 뜻이 있는데, 상괘의 세 효는 변혁하는 데도 좋습니다. 일에는 새로운 것과 낡은 것이 있는데, 하괘의 세 효는 낡은 것입니다. 아직 변혁하지 않은 때에 반드시 그 앞을 삼가고 잘 살펴야 합니다. 상괘의 세 효는 변혁하여 새롭게 되는 일입니다." 말했다. "그렇습니다. 건괘는 구사효에서 '건도가 이에 변혁된다'[26] 고 했으니, 또한 여기에 이르러 변혁하는 것입니다."

● 胡氏炳文曰 : "自三至五, 皆言'有孚', 三議革而後孚, 四有孚而後改, 深淺之序也. 五未占而有孚, 積孚之素也."

호병문이 말했다. "삼효에서 오효까지 모두 '믿음이 있다'고 했는데, 삼효에서는 변혁을 의론한 뒤에 믿음이 있고, 사효에서는 믿음이 있은 뒤에 개혁하니, 깊고 얕은 순서가 있기 때문이다. 오효에서 점치지 않아도 믿음이 있는 것은 믿음의 바탕을 쌓아놓았기 때문이다."

....

24) 『주자어류』 권73, 27조목, "問 : '革下三爻, 有謹重難改之意, 上三爻則革而善. 蓋事有新故, 革者, 變故而爲新也. 下三爻則故事也. 未變之時, 必當謹審於其先, 上三爻則變而爲新事矣, 故漸漸好.'"

25) 『주자어류』 권73, 27조목.

26) 『주역』「건(乾)괘」: "或躍在淵, 乾道乃革.['혹 뛰어오르기도 하고 거나 못에 있기도 하는 것'은 건도(乾道)가 곧 변혁함이다.]"라고 하였다.

九五, 大人虎變, 未占有孚.

구오효는 대인이 호랑이처럼 변하니, 점치지 않아도 믿음이 있다.

本義

虎, 大人之象. '變', 謂希革而毛毨也, 在大人則自新新民之極, 順天應人之時也. 九五以陽剛中正爲革之主, 故有此象. 占而得此, 則有此應, 然亦必自其未占之時, 人已信其如此, 乃足以當之耳.

호랑이는 대인(大人)의 상(象)이다. '변한다'는 가죽에 털이 빠지면서 털갈이하는 것을 말하니, 대인에게서는 스스로 새롭게 하고 백성을 새롭게 하는 극치로 하늘에 순응하고 사람에 호응하는 때이다.

구오효가 양의 굳셈과 알맞고 바른 덕으로 변혁의 주체가 되었기 때문에 이러한 상(象)이 있다.

점쳐서 이것을 얻으면 이러한 호응이 있겠지만, 또한 반드시 점치기 이전부터 사람들이 이미 이와 같이 될 것이라고 믿어야 충분히 감당할 수 있다.

程傳

九五以陽剛之才, 中正之德, 居尊位, 大人也. 以大人之道, 革天下之事, 無不當也, 無不時也, 所過變化, 事理炳著. 如

虎之文采, 故云'虎變'. 龍虎, 大人之象也. 變者事物之變. 曰
'虎', 何也? 曰, 大人變之, 乃大人之變也. 以大人中正之道變
革之, 炳然昭著, 不待占決, 知其至當, 而天下必信也, 天下
蒙大人之革, 不待占決, 知其至當而信之也.

구오효는 양의 굳센 재능과 알맞고 바른 덕으로 존귀한 지위에 자
리했으니, 대인이다. 대인의 도로 세상의 일을 변혁하면 마땅하지
않음이 없고 때에 맞지 않음이 없으니, 잘못된 일들이 변화되어 일
의 이치가 밝게 드러난다. 그것이 마치 호랑이의 문양과 같기 때문
에 '호랑이처럼 변한다'고 했다.
용과 호랑이는 대인의 모습이다. 변한다는 말은 사물이 변하는 것
이다. '호랑이'라고 말한 것은 무슨 까닭인가? 말하자면, 대인이 변
혁한 것은 바로 대인의 변혁이다. 대인의 알맞고 바른 도로 변혁하
여 환하게 드러나면, 점의 결정에 의지하지 않더라도 그 일이 지극
히 당연함을 알아 세상이 반드시 신뢰하니, 세상이 대인의 변혁을
받아 점의 판단에 의지하지 않아도, 그 지극히 당연함을 알아 신뢰
하게 된다."

集說

● 鄭氏汝諧曰 : "革之道久而後信, 五與上, 其革之成乎. 五陽剛
中正, 居尊而說體, 盡革之美, 是以未占而有孚也. 其文曉然見於
天下, 道德之威, 望而可信, 若卜筮罔不是孚, 虎變之謂也."[27]

....

27) 정여해(鄭汝諧), 『역익전(易翼傳)』「혁(革)괘」.

정여해(鄭汝諧)가 말했다. "변혁의 도는 오랜 시간이 지난 후에 믿으니, 구오효와 상육효는 변혁이 이루어진 것이다. 구오효는 양의 굳셈과 알맞고 바름으로 존귀한 자리에 있고 기쁨의 형체에 있어서, 변혁의 아름다움을 다했기 때문에 점치지 않아도 믿음이 있다. 그 문양이 밝게 세상에 드러나 도덕의 위엄을 보고 믿을 수 있는 것이 점을 치면 믿지 않음이 없는 것과 같으니, 호랑이처럼 변함을 말했다."

● 龔氏煥曰 : "革以孚信爲主, 故「彖」與三四皆以孚爲言, 至五之'未占有孚', 則'不言而信', 而無以復加矣."[28]

공환(龔煥)이 말했다. "변혁은 믿음을 주된 것으로 하므로 「단전」과 구삼효, 구사효에서는 모두 믿음으로 말했고, 구오효의 '점치지 않아도 믿음이 있다'에 오면 '말하지 않아도 믿어서'[29] 다시 덧붙일 것이 없다."

---

28) 정정조(程廷祚), 『대역택언(大易擇言)』「혁(革)괘」.
29) 『주역』「계사전」: "신명하게 하는 것은 사람에게 달려 있고 묵묵히 이루며 말하지 않아 미더운 것은 덕행에 달려 있다.[神而明之, 存乎其人, 默而成之, 不言而信, 存乎德行.]"라고 하였다.

上六, 君子豹變, 小人革面, 征凶, 居貞吉.

상육효는 군자는 표범처럼 변하고, 소인은 얼굴빛을 고치니, 정벌하면 흉하고, 올바름에 자리하면 길하다.

本義

革道已成, 君子如豹之變, 小人亦革而以聽從矣. 不可以往, 而居正則吉. 變革之事, 非得已者, 不可以過, 而上六之才, 亦不可以有行也, 故占者如之.

변혁하는 도가 이미 이루어졌으니, 군자는 표범이 변하는 듯이 하고, 소인도 고쳐서 따른다. 정벌하러 가서는 안 되고 정도(正道)에 자리하면 길하다.

변혁의 일은 부득이한 경우이니, 지나치게 해서는 안 되고 상육효의 재주도 실행해서는 안 되기 때문에 점이 이와 같다.

程傳

革之終, 革道之成也. 君子謂善人, 良善則已從革而變, 其著見若豹之彬蔚也. 小人, 昏愚難遷者, 雖未能心化, 亦革其面以從上之敎令也. 龍虎, 大人之象, 故大人云虎, 君子云豹也. 人性本善, 皆可以變化. 然有下愚, 雖聖人不能移者. 以堯舜爲君, 以聖繼聖百有餘年, 天下被化, 可謂深且久矣. 而有苗有象, 其來格烝乂, 蓋亦革面而已. 小人旣革其外, 革道可以

爲成也. 苟更從而深治之, 則爲已甚. 已甚非道也. 故至革之
終而又征, 則凶也, 當貞固以自守.

혁괘의 끝에서 변혁의 도가 완성된다. 군자는 선인(善人)[30]을 말하
고 선량하니, 이미 변혁을 따라 변화하여, 그 드러나 보임이 마치
표범의 무늬가 아름다운 것과 같다. 소인은 어리석고 어두워 고치
기 어려운 자이니, 마음으로 변화할 수는 없을지라도 얼굴을 고쳐
윗사람의 가르침과 명령을 따르는 척한다.
용과 호랑이는 대인의 모습이므로 대인을 호랑이라 하고 군자는 표
범이라고 한 것이다. 사람의 본성은 본래 선하니, 모두 개혁하여 변
화할 수 있다. 그러나 아주 어리석은 사람들이 있어 성인일지라도
바꿀 수 없는 경우가 있다.
요(堯)·순(舜)이 임금이 되어 성인으로서 성인을 계승하여 백여 년
동안 지속시켰으니 세상 사람들이 교화되는 것이 깊고 또 오래 지
속했다고 할 수 있다. 그러나 묘(苗)족과 상(象)[31]과 같은 사람이

---

30) 선인(善人) : 『논어』「이인」, "공자가 말했다. '성인은 내가 만날 수 없었
다. 그러나 군자를 만날 수 있어도 그것으로 좋겠다.' 공자가 말했다.
'선인은 내가 만날 수 없었다. 그러나 일관되게 오래도록 지속하는 사람
을 만날 수 있어도 그것으로 좋겠다. 없으면서 있는 체 하고 비어있으면
서 차있는 체하고, 빈곤하면서 풍요로운 체한다면 일관되게 오래도록 지
속하기가 힘들 것이다.'[子曰, 聖人, 吾不得而見之矣, 得見君子者, 斯可
矣. 子曰, 善人, 吾不得而見之矣, 得見有恒者, 斯可矣. 亡而爲有, 虛
而爲盈, 約而爲泰, 難乎有恒矣.]"라고 하였다.
31) 상(象) : 순(舜)의 이복 동생이다. 순의 아버지는 눈 먼 장님이라는 뜻의
고수(瞽瞍)이다. 고수가 재혼을 하여 낳은 아들이 상(象)이다. 고수와
계모와 이복동생 상은 교만 방자하여 모두 순을 죽이려 했다. 그러나
순은 순종하며 도리를 잃지 않았고, 동생에게도 자애를 베풀었다. 『서

있었으니, 와서 항복하고 꾸준히 다스려졌어도 얼굴빛만 고쳤을 뿐이다.

소인이 겉모습을 고쳤다면, 변혁의 도는 이루어졌다고 할 수 있다. 다시 계속해서 더 깊이 다스리게 되면, 너무 심한 것이다. 너무 심하면 도가 아니다. 그러므로 변혁의 끝에 이르러 또 정벌하면 흉한 것이니, 올바름을 굳게 하여 스스로 지켜야 한다.

革至於極, 而不守以貞, 則所革隨復變矣. 天下之事, 始則患乎難革, 已革則患乎不能守也. 故革之終, 戒以居貞則吉也. 居貞非爲六戒乎? 曰, 爲革終言也, 莫不在其中矣. 人性本善, 有不可革者, 何也? 曰, 語其性則皆善也. 語其才則有下愚之不移, 所謂下愚有二焉, '自暴'也, '自棄'也. 人苟以善自治, 則无不可移者, 雖昏愚之至, 皆可漸磨而進也. 唯自暴者, 拒之以不信, 自棄者, 絶之以不爲.

변혁이 끝에서 올바름으로 지키지 못하면 개혁한 것이 그에 따라서 다시 변하게 된다. 세상의 일이란 처음에는 변혁하기가 어려움을 근심하고 변혁이 이루어지고 나면 지킬 수 없음을 걱정한다. 그러므로 변혁의 끝에는 올바름에 자리하면 길하다고 경계했다.

....

경 「요전(堯典)」, "여러 신하가 같이 제요(帝堯)에게 말했다. '미천한 자 가운데 홀아비가 있습니다.' '우순이라고 합니다.' 제요가 말했다. '그래 나도 안다. 어떠한가?' 사악이 말했다. '소경 고수(瞽叟)의 아들로 아비는 완악하고, 계모는 어리석고, 동생 상은 오만방자한데도, 효성으로써 화목하게 하고 점점 나아가 다스려서 간악한데까지는 이르지 않게 했습니다.'[師錫帝曰, 有鰥在下, 曰, 虞舜. 帝曰, 兪, 予聞, 如何? 岳曰, 瞽子, 父頑·母嚚·象傲, 克諧以孝, 烝烝乂, 不格姦.]"라고 하였다.

올바름에 자리한다는 것은 상육효를 위해 경계한 말이 아닌가? 말하자면, 변혁의 끝이 되어 말했으니, 그 속에 있지 않는 것이 없다. 사람의 본성은 본래 선한데 변혁할 수 없는 자가 있는 것은 무엇 때문인가? 말하자면, 그 본성을 말하면 모두 선하다.

그런데 그 자질을 말하면 매우 어리석어 고칠 수 없는 자들로 이런 바 여기에는 두 가지가 있으니, '스스로 해치는 자[自暴]'와 '스스로 버리는 자[自棄]'32)이다. 사람이 진실로 선함으로 스스로 다스린다면, 고칠 수 없는 자는 없으니, 지극히 어리석은 사람일지라도, 모두 점차로 연마하여 나아질 수 있다. 오직 스스로 해치는 자들은 거부하면서 믿지 않고, 스스로 버리는 자들은 체념하면서 하려고 하지 않는다.

雖聖人與居, 不能化而入也, 仲尼之所謂下愚也. 然天下自暴自棄者, 非必皆昏愚也. 往往强戾而才力有過人者, 商辛是也. 聖人以其自絶於善, 謂之下愚. 然考其歸, 則誠愚也. 旣曰下愚, 其能革面, 何也? 曰, 心雖絶於善道, 其畏威而寡罪, 則與人同也. 唯其有與人同, 所以知其非性之罪也.

성인이 그들과 함께 있을지라도 그들을 교화하여 마음을 깨우칠 수 없으니, 공자가 말하는 매우 어리석은 사람이다. 그러나 세상에서

---

32) 자포(自暴)와 자기(自棄) : 『맹자』「이루상」, "'스스로 해치는 자[自暴]'는 함께 말할 수 없고, '스스로 버리는 자[自棄]'는 함께 일할 수 없으니, 말할 때에 예의(禮義)를 비방하는 것을 스스로 해치는 자라고 하고, 내 몸은 인(仁)에 자리하고 의(義)를 따를 수 없다 하는 것을 스스로 버리는 자라고 한다.[自暴者, 不可與有言也, 自棄者, 不可與有爲也, 言非禮義, 謂之自暴也, 吾身不能居仁由義, 謂之自棄也.]"라고 하였다.

스스로 해치고 스스로 버리는 자들이 반드시 모두 어리석은 것은 아니다. 때때로 굳세고 사나우며 그 자질과 힘이 남보다 뛰어난 자들도 있으니, 상신(商辛)33)이 그러하다.

성인은 그가 스스로 선함을 끊었기 때문에 매우 어리석은 사람이라고 했다. 그런데 그 귀결을 살펴보면 참으로 어리석다. 이미 매우 어리석은 사람이라고 말해놓고, 그들이 얼굴을 바꿀 수 있다는 것은 무엇 때문인가? 말하자면, 마음은 비록 선하게 되는 길을 끊었으나, 위엄을 두려워하여 죄를 적게 하면, 다른 일반 사람과 같다. 오직 그들이 다른 일반 사람과 같은 것이 있으니, 그것이 본성의 죄가 아님을 아는 근거이다.

● 孔氏穎達曰 : "居革之終, 變道已成. 君子處之, 雖不能同九五革命創制, 如虎文之彪炳, 然亦潤色鴻業, 如豹文之蔚縟, 故曰'君子豹變'也. '小人革面'者, 但能變其顏面容色順上而已. 革道已成, 宜安靜守正, 更有所征則凶, 居而守正則吉."34)

공영달(孔穎達)이 말했다. "변혁의 끝에 있어 변혁의 도가 이미 완성되었다. 군자의 처신이 구오효의 혁명하고 창제하여 마치 호랑이의 문양이 밝게 빛나는 것과는 같을 수는 없을지라도 왕업을 빛나게 하는 것이 마치 표범의 문양이 빛나는 것과 같다. 그러므로 '군

----

33) 상신(商辛) : 상나라 주왕(紂王)을 말한다. 주왕은 수(受)라고도 하며 제신(帝辛)이라고도 한다. 제을(帝乙)의 아들이다. 제을이 죽은 후 왕위를 계승하여 중국역사상 가장 유명한 폭군이었다.
34) 공영달(孔穎達), 『주역정의(周易正義)』「혁(革)괘」.

자는 표범처럼 변한다'라고 했다. '소인은 얼굴빛을 고친다'는 말은 단지 그 얼굴과 태도만 변하여 윗사람을 따른다는 것이다. 변혁의 도가 이미 완성되었으면, 편안하고 고요히 올바름을 지켜야 하니, 다시 정벌하면 흉하고, 그대로 있으면서 올바름을 지키면 길하다."

● 龔氏煥曰: "九三與上六皆曰'征凶', 而有'貞厲''貞吉'之殊者. 三之'征凶', 戒其不可妄動也. 上之'征凶', 謂事之已革者, 不可 復變也. 三當革而未革, 故守貞則厲, 上已革而當守, 故居貞則 吉, 三革道未成, 上革道已成故也."[35]

공환이 말했다. "구삼효와 상육효는 모두 '가면 흉하다[征凶]'고 했는데, '올바름을 굳게 지키면 위태롭다'와 '올바름에 자리하면 길하다'것에는 차이가 있다. 구삼효의 '가면 흉하다'는 함부로 움직여서는 안됨을 경계한 것이다. 상육효의 '정벌하면 흉하다'는 것은 일이 이미 개혁되어 다시 변혁할 수 없음을 말한다. 구삼효는 변혁해야 하는데 아직 개혁하지 않았기 때문에 올바름을 굳게 지키기만 하면 위태롭고, 상육효는 이미 개혁했고 그것을 지켜야 하기 때문에 올바름에 자리하면 길하니, 구삼효는 변혁의 도가 완성되지 못했고, 상육효는 변혁의 도가 이미 완성되었기 때문이다."

● 楊氏啟新曰: "革道已成, 非上六革之, 有革之者也. 上六特 承其重熙累治之後, 治定功成之日耳. 若九五則必堯舜湯武, 乃 足以當之. 首創之君, 開大型範, 耳目一新. 若混沌初辟, 其文疏 朗闊大, 繼體之後, 則漸深邃遒密耳. 周之頑民, 旣歷三紀, 世變

---

35) 정정조(程廷祚), 『대역택언(大易擇言)』「간(艮)괘」.

風移, 則革面之謂. 革而不守以貞, 則所變者隨復變矣. 天下事
未革, 患其不能革, 旣革患其不能守也, 故戒以'居貞'."

양계신(楊啟新)[36]이 말했다. "변혁의 도가 이미 완성되었으니 상육
효가 변혁한 것이 아니라, 변혁한 것들이 있었다. 상육효는 단지
전후로 공적이 서로 이어져 국운이 승하고 태평스러워진 것을 계승
한 뒤에 나라가 안정되고 공이 이루어진 시대일 뿐이다. 구오효 같
은 경우는 요임금·순임금·탕임금·무왕이어야 충분히 감당할 수
있다. 창제한 군주는 모범을 열어 눈과 귀가 새롭게 되었다. 혼돈
스러운 세상에서 처음 개벽할 때에 그 문양이 소략하고 광대하지
만, 왕위를 계승한 뒤에는 점차로 깊어지고 자세해질 뿐이다. 주나
라의 완고한 백성이 삼 대를 거치면서 세상이 변하고 풍속이 바뀌
었으니 얼굴을 바꾸었다는 말이다. 변혁하여 올바름으로 지키지 못
하면 변혁한 것이 그에 따라 다시 변한다. 세상의 일은 변혁하지
못했다면 그것이 변혁하지 못한 것을 근심하고 변혁했다면 지키지
못할 것을 근심해야 하므로 '올바름에 자리한다'고 경계했다."

案

五上兩爻相承, 虎豹兩物相似. 『程傳』以君子爲被王化之人, 似
不如孔氏楊氏以爲繼體守成之爲安也. 如文武開基, 肇造維新,
豈非若虎之變而文采煥然者乎? 成康繼世, 禮明樂備, 豈非若豹
之變而文理繁密者乎?

구오효와 상육효 두 효는 서로 이어받고, 호랑이와 표범 두 동물은
서로 유사하다. 『정전(程傳)』에서 군자를 임금의 교화를 입는 사람

---

36) 양계신(楊啟新) : 청나라의 양문원(楊文源)이다.

으로 여긴 것은 공영달과 양계신이 임금의 지위를 이어받아 앞에서
이뤄놓은 것을 지키는 데 편안하게 여기는 것만 못한 듯하다. 예를
들어 문왕과 무왕이 토대를 닦고 왕조를 창건하여37) 새롭게 하니,
어찌 호랑이가 변하는 것처럼 문채가 밝게 빛나는 일이 아니겠는
가? 성왕과 강왕38)이 왕조를 이어 예악(禮樂)을 밝히고 갖추었으니
어찌 표범이 변하는 것처럼 아름다운 이치가 번창하는 일이 아니겠
는가?

言君子雖稍別於大人, 然革道必至此而後爲詳且備也. 至小人
革面, 方以被王化者言之, 所謂'革面'者, 亦非但革其面而不能
革心之謂. 此卦以禽獸取義, 凡禽獸之有靈性而近於人者, 如猩
猩猿猴之類, 皆革其面, 故以此爲民風丕變之喩爾. 王道之行,
則仁義成俗, 而心亦無不革矣. 不然, 何以爲必世後仁乎!

군자는 대인과는 다소 차이가 있으나, 변혁의 도가 반드시 여기에
이른 뒤에 상세하고 또 갖추었음을 말한다. 소인이 얼굴빛을 고칠

----

37) 왕조를 창건하여 :『서경』「강고(康誥)」, "너의 크게 밝으신 돌아가신 아
    버지 문왕께서는 덕을 밝히시고 징벌을 삼가시어 감히 홀아비나 과부들
    을 업신여기지 아니 하시고 쓸 만한 사람을 쓰고 공경할 만한 사람을
    공경하며 위엄이 있으셔 백성들로 하여금 빛을 밝히었다. 그리고 우리
    의 주나라를 창건하셨고 우리의 한 두 서방의 제후국과 더불어 우리의
    이 서쪽 땅을 다스렸다.[惟乃不顯考文王, 克明德愼罰, 不敢侮鰥寡, 庸
    庸, 祗祗, 威威, 顯民. 用肇造我區夏, 越我一二邦以修我西土.]"라고
    하였다.
38) 강왕(康王) : 주나라 제3대 왕이며 성왕의 아들. 성왕부터 강왕으로 이어
    지는 주나라 초기 40여 년을 '성강지치(成康之治)'라고 한다. 형벌을 사
    용할 필요가 없을 정도로 태평했다고 한다.

정도가 된 것은 임금의 교화를 받는 것으로 말했으니, 이른바 '얼굴빛을 고친다'는 것은 또한 그 얼굴빛만 고치고 마음을 바꿀 수 없음을 말한 것이 아니다.

이 괘에서는 동물로 의미를 취했는데, 동물로서 영성(靈性)이 있어 사람과 가까운 것은 성성이와 원숭이 같은 종류 따위로, 모두 얼굴빛을 고치기 때문에 이것으로 백성의 풍속이 크게 변한 것을 비유했을 뿐이다. 왕도를 행하면 인의(仁義)로 풍속을 이루고 마음 역시 바뀌지 않음이 없다. 그렇지 않다면 어떻게 반드시 세대를 지난 다음에 어질게 되겠는가![39]

總論

龔氏煥曰 : "初言'鞏用黃牛', 未可有革者也. 二言'巳日乃革', 不可遽革者也. 三言'革言三就', 謹審以爲革者也. 皆革道之未成也. 四言'有孚改命', 則事革矣. 五言'大人虎變', 則爲聖人之神化矣. 上言'君子豹變, 小人革面', 則天下爲之丕變, 而革道大成矣."[40]

공환이 말했다. "초효에서는 '황소 가죽으로 묶는다'고 했으니, 아직 변혁할 수 없다. 이효에서는 '시간이 지나 변혁한다'고 했으니, 성급하게 변혁할 수 없다. 삼효에서는 '변혁의 공론이 세 번 합치한다'고 했으니, 삼가 살펴서 변혁하는 것이다. 여기까지는 모두 변혁의 도가 아직 이루어지지 않았다.

사효에서는 '믿음이 있으면, 명을 고친다'고 했으니 일이 변혁되는

---

39) 인하게 되겠는가! : 『논어』「자로」, "만약에 왕자가 있더라도 반드시 세대를 지난 다음에 어질게 된다.[子曰如有王者, 必世而後仁.]"라고 하였다.

40) 정정조(程廷祚), 『대역택언(大易擇言)』「혁(革)괘」.

것이다. 오효에서는 '대인이 호랑처럼 변한다'고 했으니, 성인의 신
묘한 변화이다. 상효에서는 '군자는 표범처럼 변하고 소인은 얼굴
빛을 고친다'고 했으니, 천하가 크게 변혁되어 변혁의 도가 크게 이
루어지는 것이다."

50. 정 鼎 괘

離上
巽下

程傳

鼎,「序卦」, "革物者莫若鼎, 故受之以鼎." 鼎之爲用, 所以革
物也, 變腥而爲熟, 易堅而爲柔. 水火不可同處也. 能使相合
爲用而不相害, 是能革物也, 鼎所以次革也. 爲卦, 上離下巽,
所以爲鼎, 則取其象焉, 取其義焉. 取其象者有二. 以全體言
之, 則下植爲足, 中實爲腹, 受物在中之象, 對峙於上者耳也,
橫亘乎上者, 鉉也, 鼎之象也. 以上下二體言之, 則中虛在上,
下有足以承之, 亦鼎之象也. 取其義, 則木從火也. 巽, 入也,
順從之義, 以木從火, 爲然之象. 火之用唯燔與烹, 燔不假器.
故取烹象而爲鼎. 以木巽火, 烹飪之象也.

정(鼎)은 「서괘전」에서 "사물을 변혁시키는 데는 솥만한 것이 없으
므로, 솥으로 받았다"고 했다. 솥의 용도는 사물을 변혁시키는 데
있으니, 날 것을 변화시켜 익힌 것으로 만들고 딱딱한 것을 변화시
켜 부드러운 것으로 만든다.
물과 불은 함께 있을 수 없는 것들이다. 그런데 서로 합쳐 사용하여
서로 해를 끼치지 않게 할 수 있으니, 사물을 변하게 할 수 있다.
그러므로 정(鼎☲)괘가 혁(革☱)괘 다음에 있다.

괘의 모습은 위가 리(離☲)괘이고 아래가 손(巽☴)괘이기 때문에 솥이 된 것은 그 괘의 상을 취하고, 그 의미를 취하였다. 괘의 모습을 취한 것에는 두 가지가 있다. 괘 전체로 말하면, 가장 아래 세워진 것은 발이고, 가운데가 가득 찬 것은 솥의 배이니, 사물을 받아 그 속에 두는 모습이며, 위에 마주 솟아 있는 것은 솥의 귀이고, 맨 위에 가로 뻗쳐있는 것은 솥의 고리이니, 솥의 모습이다. 상하괘의 두 형체로 말하면, 가운데 비어 있는 것[☲]이 위에 있고 아래에 발[☴]이 있어 받치고 있으니, 또한 솥의 모습이다.

그 의미를 취하면 나무가 불을 따르는 것이다. 손(巽☴)괘는 들어가는 것으로 순종하는 의미이니, 나무가 불을 따름으로 불타는 모습이 된다. 불의 용도는 굽고 삶는 것일 뿐인데, 굽는 데는 기구가 필요 없기 때문에 삶는 모습을 가지고 솥으로 하였다. 나무가 불을 따르는 것은 음식을 삶고 익히는 모습이다.

制器取其象也, 乃象器以爲卦乎? 曰:制器取於象也, 象存乎卦, 而卦不必先器. 聖人制器, 不待見卦而後知象, 以衆人之不能知象也, 故設卦以示之. 卦器之先後, 不害於義也. 惑疑 "鼎非自然之象, 乃人爲也." 曰:"固人爲也, 然烹飪可以成物, 形制如是則可用, 此非人爲, 自然也. 在井亦然. 器雖在卦先, 而所取者乃卦之象, 卦復用器以爲義也."

기구를 만듦에 그 상을 취하는 것은 바로 기구를 본 따서 괘를 만들었다는 것인가? 말하자면, 기구를 만듦에 상을 취하는 것은 상이 괘에 있지만 괘가 반드시 기구에 앞서 있지는 않는다. 성인이 기구를 만들때 괘를 본 다음에 그 모습을 안 것이 아니지만, 보통 사람들이 그 모습을 알 수 없으므로 괘를 만들어 보여준 것이다. 그러니 괘와 기구의 선후는 의미상 어긋날 것이 없다.

어떤 사람이 "솥은 저절로 그렇게 모양이 된 물건이 아니고 사람들이 만든 것이다"라고 의심스러워하였다. "진실로 사람이 만든 것이지만, 삶고 익혀 음식물을 만들 수 있으므로 형태가 이와 같으면 쓸 수 있으니, 이것은 사람이 만든 것이 아니라 저절로 그렇게 되었다. 정(井☵☴)괘도 그렇다. 기구가 괘보다 먼저 있었을지라도 취한 것은 바로 괘의 모습이니, 괘는 다시 기물을 사용하는 것으로 뜻을 삼았다."

鼎, 元吉亨.

솥은 크게 길하고 형통하다

鼎, 烹飪之器. 爲卦下陰爲足, 二三四陽爲腹, 五陰爲耳, 上陽爲鉉, 有鼎之象. 又以巽木入離火而致烹飪, 鼎之用也, 故其卦爲鼎. 下巽, 巽也, 上離爲目而五爲耳, 有內巽順而外聰明之象. 卦自巽來, 陰進居五, 而下應九二之陽, 故其占曰'元亨'. '吉', 衍文也.

정(鼎)은 삶고 익히는 기구인데, 괘(卦)의 모습이 아래의 음(陰)은 발이 되고 이효(二爻)·삼효(三爻)·사효(四爻)의 양(陽)은 배가 되며 오효(五爻)의 음(陰)은 귀가 되고, 위의 양효(陽爻)는 귀의 고리가 되니, 솥의 상(象)이 있다.

또 손(巽☴)괘의 나무가 리(離☲)괘의 불에 들어가 삶고 익히는 것이 솥의 쓰임이기 때문에 그 괘가 솥이 되었다. 아래의 손(巽)괘는 유순하고, 위의 리(離)괘는 눈이 되며 오효는 귀가 되니, 안으로는 유순하고 밖으로는 총명한 상(象)이 있다.

괘(☲)가 손(巽☴)괘에서 와서 음(陰)이 나아가 오효의 자리에 있고 아래로 구이(九二)의 양(陽)에 호응하기 때문에 그 점(占)에 '크게 형통하다'고 한 것이다. '길하다[吉]'는 말은 쓸데없이 잘못 들어간 것이다.

以卦才言也. 如卦之才, 可以致元亨也. 止當云‘元亨’, 文羨
‘吉’字. 卦才可以致元亨, 未便有‘元吉’也. 「彖」復止云‘元亨’,
其羨明矣.

괘의 재질로 말했다. 괘의 재질과 같이하면 크게 형통함에 이를 수
있다. 다만 당연히 ‘크게 형통하다’고 말해야 하니, 문장에서 ‘길하
다[吉]’는 말은 쓸데없이 들어간 것이다. 괘의 재질이 크게 형통할
수 있으니, ‘크게 길하다’는 말은 있을 필요가 없다. 「단전」에서는
다시 ‘크게 형통하다’라고 하고 있을 뿐이니, 그 말은 잘못 들어간
것이 분명하다.

● 易氏祓曰 : “『易』之諸卦, 皆言象, 取諸物以名卦者, 鼎與井而
已. 井以木巽水, 鼎以木巽火. 二卦以養人爲義, 故皆以實象明
之.”1)

이불(易祓)이 말했다. “『역』의 여러 괘는 모두 상(象)을 말했는데

....

1) 이불(易祓), 『주역총의(周易總義)』「정(鼎)괘」: “易之諸卦, 皆言象, 近
取諸物以爲象者, 鼎與井而已. 井卦以木巽水, 鼎卦以木巽火. 二卦皆
以養人爲義, 故皆實象明之.[『역』의 여러 괘는 모두 상(象)을 말했는데
가까이 사물에서 취해 상(象)으로 한 경우는 정(鼎)괘와 정(井)괘 뿐이
다. 정(井)괘는 나무가 물 아래에 있고, 정(鼎)괘는 나무가 불 아래에
있다. 두 괘는 사람을 기르는 것으로 의미를 삼았기 때문에 모두 실제의
상으로 그것을 밝혔다.]”라고 하였다.

사물에서 취해 괘에 이름을 붙인 경우는 정(鼎)괘와 정(井)괘 뿐이
다. 정(井䷯)괘는 나무가 물 아래에 있고, 정(鼎䷱)괘는 나무가 불
아래에 있다. 두 괘는 사람을 기르는 것으로 의미를 삼았기 때문에
모두 실제의 상으로 그것을 밝혔다."

● 胡氏一桂曰 : "自'元亨'外無餘辭, 唯大有與鼎."[2]

호일계(胡一桂)가 말했다. "'크게 형통한다'는 말 이외에 다른 말이
없는 것은 오직 대유(大有䷍)괘[3]와 정(鼎䷱)괘이다."

案

上經頤卦言養道, 曰, "聖人養賢以及萬民." 然則王者之所當養,
此兩端而已. 下經井言養, 鼎亦言養. 然井在邑里之間, 往來行
汲, 養民之象也. 鼎在朝廟之中, 燕饗則用之, 養賢之象也. 養民
者存乎政, 行政者存乎人, 是其得失未可知也, 故井之「象」猶多
戒辭. 至於能養賢, 則與之食天祿, 治天職, 而所以養民者, 在是
矣. 故其辭直曰'元亨', 與大有同.

상경(上經)은 이(頤䷚)괘에서 기르는 도를 말하면서 "성인은 현자
를 길러 모든 백성에게 영향을 미친다"[4]고 했다. 그렇다면 임금이

---

2) 정정조(程廷祚), 『대역택언(大易擇言)』「정(鼎)괘」.
3) 『주역』「대유(大有)괘」 : "大有, 元亨.[대유는 크게 선하고 형통하다.]"라
  고 하였다.
4) 『주역』「이(頤)괘」 : "天地養萬物, 聖人養賢以及萬民.[천지는 만물을 기
  르고, 성인은 현자를 길러 모든 백성에게 영향을 미치니, 기르는 때는
  크구나!]"라고 하였다.

길러야 하는 것은 두 가지 일 뿐이다.

하경(下經)은 정(井䷯)괘에서 기르는 것을 말하고 정(鼎䷱)괘에서
도 기르는 것을 말했다. 그러나 우물은 마을 사이에 있어 사람들이
오고가며 물을 길으니, 백성을 기르는 상(象)이다. 솥은 사당[祖廟]
에서 연회가 베풀어지면 사용하니, 현자를 기르는 상이다.

백성을 기르는 것은 정치에 달려 있고, 정치를 행하는 것은 사람에
달려 있어 그 득실(得失)을 알 수 있기 때문에 정괘의 「단전」에서
여전히 경계하는 말을 많이 했다.

현자들을 기를 수 있게 되면, 그들과 함께 천록(天祿)을 먹고 천직
(天職)을 다스리니, 백성을 다스리는 것은 여기에 있다. 그러므로
그 말이 곧장 '크게 형통한다'고 했으니, 대유(大有)괘5)와 같다.

---

5) 『주역』「대유(大有)괘」: "大有, 元亨.[대유(大有)는 크게 선하고 형통하
다.]"라고 하였다.

初六, 鼎顚趾, 利出否, 得妾以其子, 無咎.

초육효는 솥의 발이 넘어졌으나 나쁜 것을 쏟아내어 이롭고, 첩을
얻어 자식까지 얻으니, 허물이 없다.

本義

居鼎之下, 鼎趾之象也. 上應九四, 則顚矣. 然當卦初, 鼎未
有實, 而舊有否惡之積焉, 因其顚而出之, 則爲利矣. 得妾而
因得其子, 亦由是也. 此爻之象如此, 而其占無咎. 蓋因敗以
爲功, 因賤以致貴也.

정(鼎)의 아래에 있는 것이 솥 발의 상(象)이다. 위로 구사효와 호
응하니 넘어진다. 그러나 괘의 처음에는 솥에 내용물이 없고 예전
에 쌓인 나쁜 물건이 있다가 넘어졌기 때문에 쏟아지는 것은 이롭
다. 첩(妾)을 얻고 그 때문에 아들을 얻는 것도 이와 같다.
이 효의 상(象)은 이와 같고 그 점(占)은 허물이 없다. 실패 때문에
공을 이루고 천한 것 때문에 귀하게 된다.

程傳

六在鼎下, 趾之象也. 上應於四, 趾而向上, 顚之象也. 鼎覆
則趾顚, 趾顚則覆其實矣, 非順道也. 然有當顚之時, 謂傾出
敗惡以致潔取新, 則可也. 故顚趾利在於出否. '否', 惡也. 四
近君大臣之位, 初在下之人而相應, 乃上求於下, 下從其上

也. 上能用下之善, 下能輔上之爲, 可以成事功, 乃善道. 如
鼎之顚趾, 有當顚之時, 未爲悖理也.

초육효는 솥의 아래에 있는 발의 모습이다. 위로 구사효와 호응하
여 발이 위로 향하고 있으니, 넘어진 모습이다. 솥이 뒤집히면 발
이 넘어지고 발이 넘어지면 솥의 내용물이 쏟아지니, 순리대로 하
는 도는 아니다. 그러나 넘어져야 할 때가 있으니, 썩은 것과 나쁜
것을 쏟아내서 깨끗하게 하고 새로운 것을 받아들이는 일은 괜찮
다는 말이다. 그러므로 발이 넘어져 나쁜 것을 쏟아내는 것이 이
롭다.
'나쁜 것[否]' 악하다. 구사효는 임금과 가까이 있어 대신의 지위이
고 초육효는 아랫사람으로 서로 호응하는 관계이니, 윗사람이 아랫
사람에게 구하고 아랫사람은 자신을 구하는 윗사람을 따른다. 윗사
람은 아랫사람의 선(善)함을 쓰고, 아랫사람은 윗사람이 하는 일을
보필하면 일의 효과를 이룰 수 있으니, 이는 최선의 방도이다. 솥의
발이 넘어지는 경우 넘어져야 할 때가 있는 것과 같아, 이치에 어그
러지게 된 일은 아니다.

"得妾以其子, 無咎", 六陰而卑, 故爲妾. '得妾', 謂得其人也.
若得良妾, 則能輔助其主使无過咎也. 子, 主也, '以其子', 致
其主於无咎也. 六陰居下, 而卑巽從陽, 妾之象也. 以六上應
四爲顚趾, 而發此義. 初六本无才德可取, 故云'得妾', 言得其
人則如是也.

"첩을 얻어 그 남자가 허물이 없게 된다"고 했는데, 초육효는 음(陰)
이고 낮은 데 있기 때문에 첩이다. '첩을 얻는다'는 적절한 사람을

얻는 것을 말한다. 현명한 첩을 얻으면, 그 주인을 보필하여 허물이
없게 할 것이다.

'남자[子]'는 주인이니, '~해서 그 남자가[以其子]'는 그 주인을 허물
이 없게 하는 것이다. 초육효가 음(陰)으로 아래에 자리하여, 자신
을 낮추고 겸손하여 양(陽)을 따르니, 첩의 모습이다. 초육효가 위
로 구사효와 호응함을 발이 넘어진 것으로 여겨 이러한 뜻을 표현
했다. 초육효는 본래 취할만한 자질과 덕이 없기 때문에 '첩을 얻는
다'고 했으나, 그 적절한 사람을 얻으면 이와 같다는 말이다.

集說

● 熊氏良輔曰 : "'鼎顚趾', 鼎之未用而傾仆也. 未用而傾仆, 則
汙穢不能留, 反以顚爲利也. 若九四之折足, 則覆敗而凶矣. '得
妾以其子', 又就顚趾出否上取義, '得妾'者, '顚趾'也, '以其子'者,
'出否'也. 疑於有咎, 故曰'無咎'."[6]

웅량보(熊良輔)가 말했다. "'솥의 발이 넘어졌다'는 솥을 사용하지
않아 넘어져 있는 것이다. 사용하지 않아 넘어져 있으면 더러운 것
들이 남아 있을 수 없으니 도리어 넘어진 것이 이롭다. 구사효처럼
다리가 부러진 것은 뒤집어져서 흉하다. '첩을 얻어 자식을 얻는다'
는 발이 넘어졌으나 나쁜 것을 쏟아냈다는 것에서 의미를 취했으
니, '첩을 얻는다'는 '솥의 발이 넘어진 것'이고, '자식을 얻는다'는
'나쁜 것을 쏟아낸 것'이다. 허물이 있다고 의심하였기 때문에 '허물
이 없다'고 했다.

....

6) 웅량보(熊良輔), 『주역본의집성(周易本義集成)』「정(鼎)괘」.

『易』例初六應九四, 無亨吉之義. 蓋以初六乃材德之卑, 應四有
援上之嫌, 故於義無可取者. 其動於應而凶咎者, 則有之矣, '鳴
豫'‘咸拇'之類是也. 唯晉有上進之義, 萃有萃上之義, 鼎有得養
之義, 此三者則初六九四之應, 容有取焉. 然晉初則'晉如摧如',
萃初則'乃亂乃萃', 蓋主於在下者之求進求萃而言, 則居卑處初,
未能自達者宜也. 唯鼎之義, 主於上之養下. 上之養下也, 大賢
固養之矣, 及其使人也器之薄材微品, 所不遺焉. 當此之時, 雖
其就上也如顚趾, 而因得去汙穢以自濯於潔清, 雖其媒鬻也如
妾, 而因得嬪御續以薦身於嬪御. 盛世所以無棄才, 而人入於士
君子之路者, 此也. 故觀『易』者知時義之爲要.

『역(易)』의 범례에서 초육효가 구사효에 호응하면 형통하고 길한
의미가 없다. 초육효가 재주와 덕이 낮은데 구사효에 호응하여 윗
사람에게 매달리는 혐의가 있기 때문에 의리상 취할만한 것이 없다.
그 호응하는 것에 움직여 흉하고 허물이 있는 것은 예(豫䷏)괘 초
육효에서 ‘소리를 내는 기쁨이다’[7]라는 말과 함(咸䷞)괘 초육효에
서 ‘엄지발가락에서 감동한다’[8]라는 말이 여기에 해당한다. 오직
진(晉䷢)괘에 위로 나아가는 뜻이[9] 있고, 췌(萃䷬)괘에는 모였지만
나아가는 뜻이[10] 있으며, 정(鼎䷱)괘에는 기름을 얻는 뜻이 있으니,

<hr />

7) 『주역』「예(豫)괘」: "初六, 鳴豫, 凶.[초육효는 소리를 내는 기쁨이니, 흉
하다.]"라고 하였다.
8) 『주역』「함(咸)괘」: "初六, 咸其拇.[초육효는 엄지발가락에서 감동한
다.]"라고 하였다.
9) 『주역』「진(晉)괘」: "初六, 晉如摧如, 貞吉, 罔孚, 裕无咎.[초육효는 나
아가거나 물러나는 데에 올바름을 얻으면 길하고, 믿어주지 않더라도,
여유로우면 허물이 없다.]"라고 하였다.

이 세 효에는 초육효와 구사효의 호응이 허용되어 취함이 있다. 그러나 진(晉☲)괘의 초효는 '나아가거나 물러나는 것'[11]이고 췌(萃 ☲)괘의 초효는 '마음이 혼란해지고 같은 부류들이 모일 것'[12]이라는 언급은 주로 아래 위치에 있는 자가 구함을 구하고 모임을 구한다는 점에서 말했으니, 낮은 위치에 있고 처음에 있어 스스로 통할 수 없는 것은 당연하다.

오직 정(鼎☲)괘의 뜻은 윗사람이 아랫사람을 기르는 것을 주로 하였다. 윗사람이 아랫사람을 기르는 것은 큰 현자가 한결같이 기르는 일이니, 부리는 사람들이 재능이 적고 인품이 변변찮은 그릇일지라도 버릴 수 없다. 이런 때는 윗사람에게로 나아가는 일이 솥의 발이 넘어진 것과 같을지라도 그 때문에 더러운 것을 없애 깨끗한 것에서 저절로 깨끗해진 것이고, 중개하여 팔리는 것이 첩과 같을지라도 그 때문에 궁녀를 만나 자신을 후궁으로 천거한 것이다. 성대한 시대에는 재능 있는 사람들을 버리지 않고 사람들이 사군자(士君子)의 길에 들어선다는 것이 이 뜻이다. 그러므로 『역』을 보는 데 시기의 의미를 아는 것이 중요하다.

---

10) 『주역』「췌(萃)괘」: "初六, 有孚不終, 乃亂乃萃, 若號, 一握爲笑, 勿恤 往, 无咎.[초육효는 믿음을 가지고 있으나 결말을 이루지 못하면, 마음이 혼란해지고 같은 부류들이 모일 것이나, 만일 울부짖으면, 여러 사람들이 비웃을 것이니, 이를 근심하지 말고 가면, 허물이 없다.]"라고 하였다.

11) 『주역』「진(晉)괘」: "初六, 晉如摧如, 貞吉, 罔孚, 裕无咎.[초육효는 나아가거나 물러나는 데 올바름을 얻으면 길하고, 믿어주지 않더라도, 여유로우면 허물이 없다.]"라고 하였다.

12) 『주역』「췌(萃)괘」: "初六, 有孚不終, 乃亂乃萃, 若號, 一握爲笑, 勿恤 往, 无咎.[초육효는 믿음을 가지고 있으나 결말을 이루지 못하면, 마음이 혼란해지고 같은 부류들이 모일 것이나, 만일 울부짖으면, 여러 사람들이 비웃을 것이니, 이를 근심하지 말고 가면, 허물이 없다.]"라고 하였다.

九二, 鼎有實, 我仇有疾, 不我能卽, 吉.

구이효는 솥에 내용물이 있으나 나의 원수가 흠이 있으니, 나에게
오지 못하게 하면 길하다.

以剛居中, 鼎有實之象也. '我仇', 謂初. 陰陽相求而非正, 則
相陷於惡而爲仇矣. 二能以剛中自守, 則初雖近, 不能以就之
矣. 是以其象如此, 而其占爲如是則吉也.

굳셈으로 가운데 있으니, 솥에 내용물이 있는 상(象)이다. '나의 상
대'는 초육효를 말한다. 음양(陰陽)은 서로 구하지만 바르지 않으면
서로 악(惡)에 빠져 원수가 된다.
구이효는 굳세고 알맞은 덕으로 스스로 지키면 초육효가 가까이 있
을지라도 찾아올 수 없다. 이 때문에 그 상(象)은 이와 같고, 그 점
(占)은 이렇게 하면 길하다.

二以剛實居中, 鼎中有實之象. 鼎之有實, 上出則爲用. 二陽
剛有濟用之才, 與五相應, 上從六五之君, 則得正而其道可
亨. 然與初密比, 陰從陽者也. 九二居中而應中, 不至失正.
己雖自守, 彼必相求, 故戒能遠之, 使不來卽我, 則吉也. '仇',
對也. 陰陽相對之物, 謂初也. 相從則非正而害義, 是有疾也.

二當以正自守, 使之不能來就己. 人能自守以正, 則不正不能
就之矣, 所以吉也.

구이효는 굳세고 내용이 있으면서 가운데 있으니, 솥에 내용물이
있는 모습이다. 솥에 있는 내용물은 밖으로 나오면 쓰일 수 있다.
구이효는 양의 굳센 자질로 문제를 해결하는 재능을 가지고 육오효
와 서로 호응하니, 위로 육오효의 임금을 따르면 올바름을 얻어 그
도가 형통할 있다. 그러나 초육효와 친밀하게 가까우니, 음(陰)이
양(陽)을 따르는 것이다.

구이효는 가운데 있으면서 가운데 있는 것과 호응하니, 올바름을
잃는 지경까지 가지는 않는다. 그런데 자신이 스스로 지키더라도
저 초육효가 반드시 구하기 때문에 그것을 멀리하여 자신에게 오지
못하게 한다면 길하다고 경계한 것이다.

'원수[仇]'는 짝이다. 음과 양은 서로 짝하는 것이니, 초육효를 말한
다. 서로 따르면 올바르지 않아 의리를 해치니, 흠이 있다. 구이효
는 올바름으로 스스로를 지켜 그가 자신에게 오지 못하게 해야 한
다. 사람이 올바름으로 스스로를 지킬 수 있다면, 올바르지 못한 것
이 자신에게 오지 못하기 때문에 길하다.

集說

● 胡氏炳文曰: "鼎諸爻與井相似. 井以陽剛爲泉, 鼎以陽剛爲
實. 井二無應, 故其功終不上行. 鼎二有應, 而能以剛中自守, 故
吉."[13]

---

13) 호병문(胡炳文), 『주역본의통석(周易本義通釋)』「정(鼎)괘」.

호병문(胡炳文)이 말했다. "정(鼎☲)괘의 여러 효는 정(井☵)괘와 유사하다. 정(井)괘에서는 양의 굳셈을 샘물로 여겼고, 정(鼎)괘에서는 양의 굳셈을 내용물로 여겼다. 정(井)괘의 구이효는 호응이 없기 때문에 그 공이 끝내 위로 올라가지 못한다.[14] 정(鼎)괘의 구이효는 호응이 있고 굳세고 알맞은 덕으로 스스로 지키기 때문에 길하다.

此'疾'字是妬害之義, 所謂入朝見疾是也. 夫相妬害, 則相遠而不相卽矣. 然小人之害人也, 必託爲親愛以伺其隙. 故必不惡而嚴, 使之不我能卽, 而後無隙之可乘也. 此只據九二剛中能自守而取此象, 不必定指一爻爲我仇也.

여기서 '흠[疾]'이라는 말은 질투하여 해친다는 뜻으로 이른바 조정에 들어가는 일을 질투하는 것이다. 서로 질투하고 해치면 서로 멀리하여 서로 오지 않는다.

그러나 소인이 사람을 해치는 경우 반드시 친애하는 것으로 위장해서 틈을 엿본다. 그러므로 반드시 '미워하지 않고 엄숙한 태도를 취하여'[15] 나에게 오지 못하게 한 다음 올라탈 수 있는 틈이 없게 된다. 이는 오직 구이효가 굳세고 알맞은 덕으로 스스로를 지키는 데 근

---

14) 『주역』「정(井)괘」: "九二, 井谷射鮒, 甕敝漏.[구이효는 우물이 골짜기의 물처럼 두꺼비에게 흐르고, 옹기 두레박이 깨져 샌다.]"라고 하였다.
15) 『주역』「둔(遯)괘」: "象曰, 天下有山, 遯, 君子以遠小人, 不惡而嚴.「상전」에서 말했다. 하늘 아래 산이 있는 것이 돈괘의 모습이니, 군자는 이것을 본받아 소인을 멀리하되, 미워하지 않고 엄숙한 태도를 취한다.]"라고 하였다.

거하여 이러한 상(象)을 취했으니, 반드시 한 효를 가리켜 '나의 원 수'라고 한 것은 아니다.

九三, 鼎耳革, 其行塞, 雉膏不食, 方雨虧悔, 終
吉.

구삼효는 솥의 귀가 변혁되는 데도 그 나아감이 막혔으니, 살찐 꿩고기를 먹이지 못하지만 화합하여 비가 내리고 후회가 없어져 마침내 길할 것이다.

本義

以陽居鼎腹之中, 本有美實者也. 然以過剛失中, 越五應上, 又居下之極, 爲變革之時, 故爲鼎耳方革而不可擧移. 雖承上卦文明之腴, 有'雉膏'之美, 而不得以爲人之食. 然以陽居陽, 爲得其正, 苟能自守, 則陰陽將和, 而失其悔矣. 占者如是, 則初雖不利, 而終得吉也.

양(陽)으로 솥의 배 가운데 있으니, 본래 맛있는 내용물이 있는 것이다. 지나치게 굳셈이 알맞음을 잃음으로 오효를 넘어 상효와 호응하고, 또 하체(下體)의 끝에 있어 변혁의 시기이기 때문에 솥의 귀가 변혁되는 데도 옮길 수가 없다.

비록 상괘(上卦)의 문명(文明)한 혜택을 이어 맛있는 '살찐 꿩고기'가 있을지라도 사람들이 먹지 못한다.

그러나 양(陽)이 양의 자리에 있어 올바름을 얻었으니, 스스로 지키면 음과 양이 화합하여 후회가 없어진다. 점치는 자가 이와 같이 하면 처음에는 이롭지 않으나 결국 길하다.

鼎耳, 六五也, 爲鼎之主. 三以陽居巽之上, 剛而能巽, 其才
足以濟務, 然與五非應而不同. 五, 中而非正, 三, 正而非中,
不同也, 未得於君者也. 不得於君, 則其道何由而行? 革, 變
革爲異也, 三與五異而不合也. '其行塞', 不能亨也. 不合於
君, 則不得其任, 无以施其用. '膏', 甘美之物, 象祿位.

솥의 귀는 육오효이니 솥의 주인이다. 구삼효는 양(陽)으로 손(巽
☴)괘의 윗자리에 있어 굳세면서도 겸손할 줄 아니, 그 재능이 일
을 해결하기에 충분하지만, 육오효와 호응이 아니어서 함께 하지
못한다.

육오효는 가운데 있지만 올바르지 않고, 구삼효는 올바르지만 가운
데가 아니어서 함께 하지 않으니, 임금에게 신임을 얻지 못한다. 임
금에게 신임을 얻지 못하면, 그 도(道)를 어떻게 행할 수 있겠는가?
혁(革)은 변혁하여 다른 것이니, 구삼효는 육오효와 달라 합치하지
않는다. '그 나아감이 막히는 것'은 형통할 수 없다. 임금과 합하지
못하면, 그의 신임을 얻지 못해 자신의 능력을 시행할 수 없다. '살
찐 것[膏]'은 맛있는 물건이니, 녹봉과 지위를 상징한다.

'雉'指五也. 有文明之德, 故謂之雉. 三有才用而不得六五之
祿位, 是不得雉膏食之也. 君子蘊其德, 久而必彰, 守其道,
其終必亨. 五有聰明之象, 而三終上進之物, 陰陽交暢則雨.
'方雨', 且將雨也, 言五與三方將和合. '虧悔終吉', 謂不足之
悔, 終當獲吉也. 三懷才而不偶, 故有不足之悔. 然其有陽剛
之德, 上聰明而下巽正, 終必相得, 故吉也. 三雖不中, 以巽
體, 故无過剛之失. 若過剛, 則豈能終吉?

'꿩'은 육오효를 가리킨다. 문명(文明)한 덕이 있기 때문에 꿩이라고 했다. 구삼효는 쓸 만한 재능이 있지만 육오효의 녹봉과 지위를 얻지 못하니, 맛있는 꿩고기를 먹지 못한다.

군자가 덕을 온축하여 오래 지속하면 반드시 드러나고, 그 도(道)를 지키면, 결국에는 반드시 형통하게 된다.

육오효는 총명한 모습이 있고, 구삼효도 결국 위로 나아가는 것이니, 음(陰)과 양(陽)이 서로 사귀어 통하면 비가 내린다. '비가 내린다'는 것은 앞으로 비가 온다는 뜻이니, 육오효와 구삼효가 화합하게 된다는 말이다. '후회가 없어져 마침내 길하다'는 부족한 것에 대한 안타까움[悔]이 결국에는 당연히 길함을 얻는다는 말이다. 구삼효는 재능이 있는데도 기회를 얻지 못했기 때문에 부족한 것에 대한 안타까움[悔]이 있다.

그러나 양의 굳센 덕이 있고, 윗사람은 귀 밝고 눈 밝으며 아랫사람은 겸손하고 올곧아 마침내 반드시 서로 만나므로 길하다. 구삼효는 알맞지 않을지라도 겸손한 체질이기 때문에 지나치게 굳센 잘못이 없다. 지나치게 굳세면, 어찌 마침내 길할 수 있겠는가?

集說

● 易氏祓曰 : "三鼎腹, 有實者也. '耳'謂六五. 正所以運其腹中所容者, 唯上無應, 塞而不行. 實在其中, 美如'雉膏', 誰得而享之? 然君子處心, 要使美實備於我, 而不計行之通塞. 及其終也, 陰陽相濟, 有至和將雨之兆, 此所以虧其始之悔, 而終必獲吉也."16)

....

16) 이불(易祓), 『주역총의(周易總義)』 「정(鼎)괘」.

이볼이 말했다. "구삼효는 솥의 배로 내용물이 있는 것이다. '귀'는 육오효를 말한다. 바로 그 배속에 담겨있는 것을 이동시키는 일이 오직 위로 호응이 없어 막혀 실행하지 못한다. 속에 있는 내용물이 '살찐 꿩고기'처럼 맛있으니, 누가 그것을 누리겠는가? 그러나 군자의 마음 씀씀이는 아름다운 내용물을 나에게 갖추도록 하면서 실행에 통하고 막히는 것은 계산하지 않는다. 결국 음양이 서로 가지런하게 되어 지극한 조화로 비가 내리는 징조가 있으니, 이 때문에 그 시작에서의 후회가 없어져 결국 반드시 길함을 얻는다."

● 胡氏炳文曰: "井鼎九三, 皆居下而未爲時用. 井三如淸潔之泉而不見食, 鼎三如鼎中有雉膏而不得以爲人食. 然君子能爲可食, 不能使人必食. 六五鼎耳, 三與五不相遇, 如鼎耳方變革而不可擧移, 故其行不通. 然五文明之主, 三上承文明之膹, 以剛正自守, 五終當求之, 方且如陰陽和而爲雨. 始雖有不遇之悔, 終當有相遇之吉. 井三所謂'王明並受其福'者, 亦猶是也."[17]

호병문이 말했다. "정(井䷯)괘와 정(鼎䷱)괘 구삼효는 모두 아래에 자리하여 때에 맞게 쓰이지 못했다. 정(井)괘 구삼효는 맑고 깨끗한 샘물이지만 사람들이 먹지 않고,[18] 정(鼎)괘 구삼효는 솥 안에 살찐 꿩고기가 있지만 사람들이 먹을 수가 없다. 그러나 군자가 먹게 할 수는 있지만 사람들이 반드시 먹게 할 수는 없다. 육오효가 솥의 귀이니, 구삼효와 육오효가 서로 만나지 못한 것은 솥의 귀가

---

17) 호병문(胡炳文), 『주역본의통석(周易本義通釋)』「정(鼎)괘」.
18) 『주역』「정(鼎)괘」: "九三, 井渫不食, 爲我心惻, 可用汲.[구삼효는 우물이 깨끗한데도 먹지 않아 나의 마음이 슬프니, 길어 올려야 한다.]"라고 하였다.

변혁되는 데도 옮길 수가 없는 것과 같기 때문에 그 행함이 통하지 않는다. 그러나 육오효는 문채로 밝은 임금이어서 구삼효가 위로 풍성한 문명을 이어 굳셈과 올바름으로 스스로 지키고, 육오효가 끝내 당연히 그를 찾으면, 비로소 음양이 화합하여 비가 내리는 것과 같다. 그러니 처음에는 만나지 못하는 후회가 있을지라도 결국 당연히 서로 만나는 길함이 있다. 정(井)괘의 구삼효에서 '임금이 현명하면 함께 그 복을 받는다'[19]고 말하는 것도 이와 같다."

---

19) 『주역』 「정(鼎)괘」 : "九三, … 王明並受其福.[구삼효는 … 임금이 밝으면 함께 그 복을 받는다.]"라고 하였다.

九四, 鼎折足, 覆公餗, 其形渥, 凶.

구사효는 솥이 다리가 부러져 공에게 바칠 음식을 쏟아버려 형벌이 무거우니, 흉하다.

本義

晁氏曰 : "'形渥', 諸本作'刑剭', 謂'重刑'也". 今從之. 九四居上任重者也, 而下應初六之陰, 則不勝其任矣. 故其象如此, 而其占凶也.

조씨(晁氏)[20]가 "'형벌이 무겁다[形渥]'는 것은 여러 책에 '형벌을 가한다[刑剭]'로 되어 있으니, '형벌을 주는 것[重刑]'을 말한다"라고 하였다. 이제 그 말을 따른다.

구사효는 위에 있어 책임이 무거운 자인데, 아래로 초육효의 음(陰)에 호응하면 그 임무를 감당하지 못한다. 그러므로 상(象)이 이와 같고 그 점(占)이 흉하다.

....

20) 조씨(晁氏) : 조열지(晁說之)이다. 송나라 제주(濟州) 사람으로 자가 이도(以道)이며, 백이(伯以)이고 자호가 경우(景迂)이다. 조단언(晁端彦)의 아들이다. 신종 원풍 5년 진사가 되었다. 문장이 유려하여 소식의 추천을 받았다. 철종 원부 3년 지무극현(知無極縣)이 되어 상소를 올려 왕안석을 배척하였다. 고종이 즉위하자 휘헌각대제겸시독(徽獻閣待制兼侍讀)을 제수받았지만 병으로 부임하지 못하였다. 만년에는 불교를 믿었다. 시와 산수화에 능하였고 육경(六經)에 통달하였는데 역(易)에 더욱더 뛰어났다. 저서로는 『유언(儒言)』, 『조씨객어(晁氏客語)』 등이 있다.

四, 大臣之位, 任天下之事者也. 天下之事, 豈一人所能獨任?
必當求天下之賢智, 與之協力. 得其人, 則天下之治, 可不勞
而致也, 用非其人, 則敗國家之事, 貽天下之患. 四下應於初,
初陰柔小人, 不可用者也. 而四用之, 其不勝任而敗事, 猶鼎
之折足也. 鼎折足, 則傾覆公上之餗. '餗', 鼎實也. 居大臣之
位, 當天下之任, 而所用非人, 至於覆敗, 乃不勝其任, 可羞
愧之甚也. '其形渥', 謂赧汗也, 其凶可知.「繫辭」曰 : "德薄而
位尊, 知小而謀大, 力少而任重, 鮮不及矣." 言不勝其任也,
蔽於所私, 德薄知小也.

구사효는 대신(大臣)의 지위이니, 세상의 일을 책임 맡은 자이다.
그러나 세상의 일을 어찌 한 사람이 홀로 책임질 수 있겠는가? 반드
시 세상의 어질고 현명한 사람을 구하여, 그들과 협력해야만 한다.
마땅한 사람을 얻으면 세상의 다스림을 수고롭게 힘쓰지 않고서도
이룰 수 있고, 마땅하지 않은 사람을 등용하면 나라와 집안의 일을
망쳐 세상에 근심을 끼친다. 구사효가 아래로 초육효와 호응함에
초육효가 음험하고 유약한 소인이라 등용할 수 없는 자인데도 등용
하니, 그가 그 책임을 감당하지 못하여 일을 망치는 것이 마치 솥의
다리가 부러지는 것과 같다. 솥의 다리가 부러지면 공에게 바칠 음
식을 쏟게 된다.

'음식[餗]'은 솥에 있는 음식이다. 대신의 지위에 있어 세상의 임무
를 담당하는데, 등용한 사람이 마땅하지 않아 일을 그르치면, 그 임
무를 감당하지 못한 것이니, 부끄러움이 심하다. 형벌이 무겁다는
의미의 '기형악(其形渥)'은 그 낯빛이 질리며 식은땀으로 범벅된 것
을 말하니, 그 흉함을 알 수 있다.

「계사전」에서 "덕이 없는데 지위가 높고, 지혜가 하찮은데 도모하는 것이 크며, 힘이 없는데 무거운 것을 들면 화를 당하지 않는 경우가 드물다"고 했으니, 그 임무를 감당하지 못하는 것을 말한다. 사사로움에 가려지면, 덕과 지혜가 적어진다.

集說

● 王氏弼曰 : "'渥', 沾濡之貌也. 旣'覆公餗', 體爲沾濡. 知小謀大, 不堪其任. 受其至辱, 災及其身, 故曰'其形渥, 凶'也."[21]

왕필(王弼)이 말했다. "'두텁다'는 의미의 '악(渥)'은 식은땀으로 범벅이 된 모양이다. 이미 '공(公)'에게 바칠 음식을 쏟아' 몸이 식은땀으로 범벅된 것이다. 지혜가 하찮은데 도모하는 것이 크니, 그 임무를 감당할 수가 없다. 큰 치욕을 받아 그 몸이 재앙을 당하기 때문에 '식은땀으로 범벅이 되어 흉하다'고 하였다."

● 胡氏瑗曰 : "夫鼎之實必有齊量, 不可以盈溢. 若遇其盈溢, 則有覆餗之凶. 君子之人, 雖有才德, 亦有分量, 若職事過其才分, 則有墮官之謗矣."[22]

호원(胡瑗)이 말했다. "솥 안의 음식물은 반드시 일정한 양이 있으니, 흘러넘칠 정도로 해서는 안 된다. 흘러넘칠 정도로 하게 되면 음식물을 쏟는 흉함이 있다. 군자가 비록 재능과 덕이 있을지라도

---

21) 왕필(王弼), 『주역주(周易注)』「정(鼎)괘」.
22) 호원(胡瑗), 『주역구의(周易口義)』「정(鼎)괘」.

능력의 한계가 있으니, 직분에서 맡은 일이 그 재능의 한계를 넘어서면 관직이 아래로 떨어지는 비방을 당한다.”

● 蘇氏軾曰 : “鼎之量極於四. 其上則耳矣, 受實必有餘量, 以爲溢地也, 溢則覆矣.”[23]

소식(蘇軾)이 말했다. “솥이 채울 수 있는 분량은 사효에서 끝난다. 그 위는 솥의 귀이니, 음식물을 담는데 남겨둘 수 있는 분량에 한계를 두어 넘치는 부분을 표시 했다. 넘치면 쏟아지기 때문이다.”

● 朱氏震曰 : “‘其形渥’, 羞赧之象, 澤流被面, 沾濡其體也.”[24]

주진(朱震)이 말했다. “‘그 몸이 식은땀으로 범벅 된 것’은 낯빛이 질리는 모습이니, 낯에 식은땀이 흐르면서 몸이 땀으로 범벅 되는 것이다.”

● 易氏祓曰 : “四亦鼎腹有實, 在二陽之上, 已過於溢. 而又以陽剛之才, 下應於初, 初趾已顚, 故有折足之象. ‘覆公餗,’ 四近君, 爲公之象.”[25]

이볼이 말했다. “구사효도 솥의 배가 채워져 있는 것으로 두 양(陽)효의 위에 있어 이미 넘치는 한계를 지나쳤다. 그런데 또 양의 군

23) 소식(蘇軾), 『동파역전(東坡易傳)』「정(鼎)괘」.
24) 주진(朱震), 『한상역전(漢上易傳)』「정(鼎)괘」.
25) 이볼(易祓), 『주역총의(周易總義)』「정(鼎)괘」.

센 자질이 아래로 초육효와 호응해 초육효는 발이 벌써 넘어졌기 때문에 발이 부러진 모양이 있다. '공(公)에게 바칠 음식을 쏟았다'는 것은 구사효가 임금과 가까워 공의 상이 된다."

● 胡氏炳文曰 : "初未有鼎實, 故因顚趾而出否. 四已有鼎實, 故折足而覆餗."

호병문이 말했다. "초육효는 솥의 음식물이 있지 않기 때문에 발이 넘어져 나쁜 것을 쏟아낸다. 구사효에는 이미 솥의 음식물이 있기 때문에 다리가 부러져 음식을 쏟는다."

案

四之得凶, 諸家之說備矣. 蓋三陽爲實, 而四適當其盈也, 盈則有傾覆之象矣. 又應初爲無輔, 故有折足覆餗之象. 凡『易』例, 九四應初六, 皆有損而無助, 大過之'不橈乎下', 解之'解而拇', 皆是也, '其形渥', 從王氏說爲是.『詩』曰'渥赭', 曰'渥丹', 皆以顏貌言之. 愧生於中, 則顔發赤也.

구사효가 흉함을 얻는 것은 여러 학설에 자세하게 보인다. 세 양효가 내용물이니, 구사효는 마침내 꽉 차버린 것에 해당한다. 꽉 차면 기울어져 뒤집어지는 상(象)이 있다.
또 초육효와 호응함이 도움이 되지 않기 때문에 다리가 부러져 음식을 쏟는 상이 있다.『역』의 범례에서 구사효가 초육효에 호응하는 것은 모두 손해만 있고 도움은 없으니, 대과(大過)괘의 구사효「상전」에서 '아래로 휘어지지 않는다.'[26]와 해(解)괘 구사효의 '자신의 엄지발가락을 풀어 없애버린다'[27]는 것이 이러하다.

'형벌이 무겁다'는 의미의 '기형악(其形渥)'은 왕필의 말을 따라 "그 몸이 땀으로 범벅이 되었다"로 번역하는 것이 옳다. 『시경』에서 '물 들인 양 붉다'[28] '얼굴이 붉어진다'[29]고 하니, 모두 얼굴색을 말한 다. 속으로 부끄러워하면 얼굴색이 붉어진다.

---

26) 『주역』「대과(大過)괘」: "九四, 棟隆吉, 有它吝.[구사효는 들보기둥이 높 아지는 것이니 길하지만, 다른 마음을 가지면 부끄럽다.]"라고 하였고, "象曰, 棟隆之吉, 不橈乎下也.[「상전」에서 말했다. '들보기둥이 높아져 서 길한 것'은 아래로 휘어지지 않기 때문이다.]"라고 하였다.

27) 『주역』「해(解)괘」: "九四, 解而拇, 朋至斯孚.[구사효는 자신의 엄지발가 락을 풀어 없애버리면, 벗들이 몰려와서 신뢰하게 된다.]"라고 하였다.

28) 『시경(詩經)』「패풍(邶風)·간혜(簡兮)」: "赫如渥赭.[그 얼굴 물들인 양 붉거늘.]"라고 하였다.

29) 『시경(詩經)』「진풍(秦風)·종남(終南)」: "顔如渥丹.[얼굴빛이 불콰해져.]" 라고 하였다.

六五, 鼎黃耳金鉉, 利貞.

육오효는 솥이 누런 귀에 금으로 만든 고리이니, 올바름을 굳게
지킴이 이롭다.

本義

五於象爲耳, 而有中德, 故云‘黃耳’. ‘金’, 堅剛之物. ‘鉉’, 貫耳
以擧鼎者也. 五虛中以應九二之堅剛, 故其象如此, 而其占則
利在貞固而已. 或曰 : “金鉉以上九而言” 更詳之.

육오효는 상(象)으로 귀이고 알맞은 덕이 있으므로 ‘누런 귀’라고
했다. ‘금(金)’은 견고하고 굳센 것이고, ‘현(鉉)’은 귀를 꿰어 솥을
드는 일이다.

육오효는 속이 비어 있으면서 견고하고 굳센 구이효에 호응하므로
그 상(象)이 이와 같고 그 점(占)은 이로움이 올바름을 굳게 지키는
데에 있을 뿐이다.

어떤 사람이 “금으로 만든 고리는 상구효로 말한 것이다”라고 했는
데 다시 살펴보아야 한다.

程傳

五在鼎上, 耳之象也. 鼎之擧措在耳, 爲鼎之主也. 五有中德,
故云‘黃耳’. ‘鉉’, 加耳者也. 二應於五, 來從於耳者鉉也. 二有
剛中之德, 陽體剛, 中色黃, 故爲‘金鉉’. 五文明得中而應剛,

二剛中巽體而上應, 才無不足也, 相應至善矣. 所利在貞固而已. 六五居中應中, 不至於失正, 而質本陰柔, 故戒以貞固於中也.

육오효는 솥의 위에 있으니, 귀의 모습이다. 솥을 들고 놓는 것은 솥의 귀로 하니, 솥의 근본이다. 육오효는 알맞은 덕이 있으므로 '누런 귀'라고 했다. '고리'는 귀에 붙어 있는 것이다. 구이효가 육오효에 호응하니, 와서 귀를 따르는 고리이다.

구이효는 굳세고 알맞은 덕이 있고, 양(陽)의 체질은 굳세며, 가운데 색깔은 황색이므로, '금으로 만든 고리'라고 했다. 육오효는 문채로 밝고 가운데 있으면서 굳셈에 호응하며, 구이효는 굳세고 알맞으며 겸손한 체질로 위로 호응하니, 재능에 부족함이 없고, 서로 호응함이 매우 좋으니, 이로움은 오직 굳게 올바름을 지키는 일에 있을 뿐이다.

육오효는 가운데 있으면서 가운데 있는 것과 호응해 올바름을 잃는 지경까지 가지 않지만, 자질이 본래 음험하고 유약하기 때문에 가운데에서 올바름을 굳게 지키라고 경계하였다.

集說

● 王氏宗傳曰 : "在鼎之上, 受鉉以擧鼎者, 耳也, 六五之象也. 在鼎之外, 貫耳以擧鼎者, 鉉也, 上九之象也."[30]

왕종전(王宗傳)이 말했다. "솥의 위에서 고리를 달아 솥을 드는 것

---

30) 왕종전(王宗傳), 『동계역전(童溪易傳)』「정(鼎)괘」.

은 귀이니, 육오효의 상(象)이다. 솥 바깥에서 귀를 관통하여 솥을 드는 것은 고리이니, 상구효의 상(象)이다."

● 王氏申子曰 : "'黃', 中色, 謂五之中也. '金', 剛德, 謂上之陽也. 主一鼎者在乎耳, 耳不虛中, 則鼎雖有鉉而無所措. 耳而無鉉, 則鼎雖有實而無所施. 故鼎之六五, 虛其中以納上九陽剛之助, 而後一鼎之實, 得以利及天下, 猶'鼎黃耳'得'金鉉'也. 曰'利貞', 亦以陰居陽而有此戒."31)

왕신자(王申子)가 말했다. "'누런 색'은 가운데 색이니, 가운데 있는 육오효를 말한다. '금(金)'은 굳센 덕이니 상구효의 양(陽)이다. 하나의 솥을 주로 하는 것은 귀에 있는데, 귀는 가운데가 비어있지 않으면, 고리가 있더라도 끼울 곳이 없다. 귀에 고리가 없으면 솥에 음식이 있더라도 베풀 곳이 없다. 그러므로 솥의 육오효는 가운데가 비어 있어 양으로 굳센 상구효의 도움을 받아들인 다음에 한 솥의 음식이 천하를 이롭게 하니, '솥의 누런 귀'에 '금으로 만든 고리'를 끼우는 것과 같다. '올바름을 굳게 지킴이 이롭다'고 한 것도 음(陰)으로 양(陽)의 자리에 있어 이런 경계를 하였다."

● 胡氏一桂曰 : "『程傳』及諸家, 多以六五下應九二爲'金鉉', 『本義』從之. 然猶舉或曰之說, 謂'金鉉'以上九言, 竊謂鉉所以舉鼎者也, 必在耳上, 方可貫耳. 九二在下, 勢不可用, 或說爲優. 然上九又自謂'玉鉉'者, 金象以九爻取, 玉象以爻位剛柔相濟取."32)

....

31) 왕신자(王申子), 『대역집설(大易集說)』「정(鼎)괘」.
32) 정정조(程廷祚), 『대역택언(大易擇言)』「정(鼎)괘」.

호일계가 말했다. "『정전(程傳)』 및 여러 학자들이 대부분 육오효가 구이효에 호응하는 것을 '금으로 만든 고리'라고 여겼고, 『주역본의』도 이를 따랐다. 그러나 여전히 어떤 사람이 말한 설명으로 볼 때 '금으로 만든 고리'는 상구효로 말한 것이라고 하겠다. 생각건대 고리는 솥을 드는 것으로 반드시 귀 위에 있어야 비로소 귀에 끼울 수 있다. 구이효는 아래에 있으니 쓸 수가 없는 상황이다. 어떤 사람의 설명이 더 뛰어나다. 그런데 상구효에서 또 본래 '옥으로 만든 고리'를 말했으니, 금(金)의 상(象)은 구(九)효로 취한 것이고, 옥(玉)의 상은 효(爻)의 자리에서 굳셈과 부드러움이 서로 돕는 것으로 취하였다."

上九, 鼎玉鉉, 大吉, 無不利.

상구효는 솥의 옥으로 만든 고리이니, 크게 길하여 이롭지 않음이
없다.

本義

上於象爲‘鉉’, 而以陽居陰, 剛而能溫, 故有‘玉鉉’之象. 而其
占爲‘大吉尤不利’, 蓋有是德, 則如其占也.

상효는 상(象)에서 ‘고리’가 되고 양(陽)으로 음(陰)의 자리에 있어
굳세면서도 온순할 수 있기 때문에 ‘옥(玉)으로 만든 고리’의 상(象)
이 있다.
그런데 그 점(占)이 "크게 길하여 이롭지 않음이 없다"는 것은 이러
한 덕이 있으면 그 점(占)과 같다는 말이다.

程傳

井與鼎以上出爲用, 處終, 鼎功之成也. 在上鉉之象, 剛而溫
者玉也. 九雖剛陽, 而居陰履柔, 不極剛而能溫者也. 居成功
之道, 唯善處而已. 剛柔適宜, 動靜不過, 則爲大吉, 無所不
利矣. 在上爲鉉, 雖居無位之地, 實當用也, 與它卦異矣. 井
亦然.

정괘(井卦)와 정괘(鼎卦)는 위로 나오는 것을 쓰임으로 여기니, 끝

에 있는 것은 솥의 공이 이루어졌다. 위에 있는 것은 고리의 모습이고, 굳세면서도 온화한 것은 옥이다.

상구효는 굳센 양일지라도 음(陰)의 자리에 있고 부드러움을 밟고 있어 굳셈을 끝까지 하지 않고 온화할 수 있다. 공을 이루는 도에 자리하였으니, 오직 잘 처신할 뿐이다. 굳셈과 부드러움이 적절하고 마땅하여 움직이는 것과 가만히 있는 것이 지나치지 않으니, 크게 길하여 이롭지 않음이 없다.

위에 있는 것은 고리로 지위가 없는 자리에 있더라도 실제로는 당연히 쓰이니, 다른 괘와는 다르다. 정(井)괘도 그렇다.

集說

● 易氏祓曰 : "鼎與井, 其用在五, 而其功皆在上. 井至上而後爲'元吉', 鼎至上而後爲'大吉', 皆所以全養人之利者也."[33]

이불이 말했다. "정(鼎☲☴)괘와 정(井☵☴)괘는 그 쓰임이 오효에 있어 그 공로가 모두 위에 있다. 정(井)괘는 상육효에 온 다음에 '크게 길하고'[34] 정(鼎)괘는 상구효에 온 다음에 '크게 길하니' 모두 사람을 기르는 이로움을 온전히 한 것이다."

● 胡氏炳文曰 : "上九一陽橫互乎鼎耳之上, 有鉉象. 金, 剛物.

---

33) 이불(易祓), 『주역총의(周易總義)』「정(井)괘」.
34) 『주역』「정(井)괘」 : "上六, 井收勿幕, 有孚元吉.[상육효는 우물을 길어 올려 뚜껑을 덮지 않고, 오래 지속하는 믿음이 있어서 크게 길하다.]"라고 하였다.

自六五之柔而視上九之剛, 則以爲金鉉. 玉, 具剛柔之體. 上九
以剛居柔, 而又下得六五之柔, 則以爲玉鉉."

호병문이 말했다. "상구효는 하나의 양(陽)이 솥의 귀 위에 가로질
러 있어 고리의 상(象)이 있다. 금(金)은 굳센 것이다. 육오효의 부
드러움에서 상구효의 굳셈을 보니, 금으로 만든 고리이다. 옥은 굳
셈과 부드러움을 갖춘 형체이다. 상구효는 굳셈으로 부드러운 자리
에 있고 또 아래로 육오효의 부드러움을 얻은 것이니, 옥으로 만든
고리이다."

● 熊氏良輔曰: "井鼎皆以上爻爲吉, 蓋水以汲而出井爲用, 食
以烹而出鼎爲用也."

웅량보가 말했다. "정(井)괘와 정(鼎)괘에서는 모두 상효를 길한 것
으로 여기니, 물은 길어 올려 우물 밖으로 나와야 쓰임이 되고, 음
식은 익혀서 솥 밖으로 나와야 쓰임이 되기 때문이다."

案

此卦與大有, 只爭初六一爻耳, 餘爻皆同也. 大有之「象辭」直曰
'元亨', 它卦所無也, 唯鼎亦曰'元亨', 大有上爻曰'吉無不利', 它
爻所無爲也. 唯鼎上爻亦曰'大吉無不利', 以其皆爲尙賢之卦故
也. 上九剛德爲賢, 六五尊而尙之, 是尙賢也. 在它卦有此象者,
如賁 · 大畜 · 頤之類, 其義皆善, 其「象傳」亦多發尙賢養賢之義.

이 괘와 대유(大有☲)괘는 초육효 하나의 효만 분변했을 뿐이고,[35]

나머지 효는 모두 같다. 대유괘의 「단전」에서 곧바로 '크게 형통한
다'[36]고 했는데 다른 괘에는 없고, 정(鼎䷱)괘에서만 또한 '크게 형
통하다'고 했으며, 대유괘 상구효에서 '길하여 이롭지 않음이 없
다'[37]고 했는데 다른 괘에서는 없고, 정(鼎)괘 상구효에서만 또한
'크게 길하여 이롭지 않음이 없다'고 했으니, 이것들은 모두 현자를
숭상하는 괘이기 때문이다.

상구효는 굳센 덕으로 현자이고, 육오효는 존중하여 숭상하니, 현
자를 숭상하는 것이다. 다른 괘에서 이러한 상(象)이 있는 것은 비
(賁)괘·대축(大畜)괘·이(頤)괘와 같은 종류로 그 뜻이 모두 좋으
니, 대부분 「단전」에서도 현자를 숭상하고 현자를 기르는 뜻을 드
러냈다.

然以卦義言之, 則大有與鼎獨爲盛也. 卦義之盛, 重於此兩爻之
相得. 故古無不利. 皆於上爻見之, 卽「象」所謂'元亨'者也. 又
『易』中「大象」言天命者, 亦唯此兩卦. 一曰'順天休命', 一曰'正
位凝命'. 『書』曰, 天命有德, 五服五章哉, 故退不肖而進賢者, 天
之命也. 大有以遏惡揚善爲順天. 此則推本於正位以凝命, 所謂

....

움에 교섭함이 없으니, 허물은 아니지만 어렵게 여기면 허물이 없다.]라
고 하였고, 「정괘(鼎卦)」: "初六, 鼎顚趾, 利出否, 得妾以其子, 無咎.
[초육효는 솥의 발이 넘어졌으나 나쁜 것을 쏟아낸 것은 이롭고, 첩을
얻어 자식까지 얻으니, 허물이 없다.]"라고 하였다.

36) 『주역』「대유(大有)괘」: "其德, 剛健而文明, 應乎天而時行, 是以元亨.
[그 덕이 강건하면서도 문명文明하고, 하늘에 호응하고 때에 맞게 행하
여, 크게 형통하다.]"라고 하였다.

37) 『주역』「대유(大有)괘」: "上九, 自天祐之, 吉無不利.[상구효는 하늘에서
복을 주니, 길하여 이롭지 않음이 없다.]"라고 하였다.

君正莫不正者, 用能協於上下, 以承天休也.

그러나 괘의 뜻으로 말하자면, 대유괘와 정(鼎)괘는 유독 성대하다. 괘의 뜻이 성대한 것은 이 두 효가 서로 얻음을 중시해서이다. 그러므로 길하여 이롭지 않음이 없는 것을 모두 상효에서 드러냈으니, 「단전」의 이른바 '크게 형통한다'는 말이다.

또 『역』의 「대상전(大象傳)」에서 천명(天命)을 말한 것도 이 두 괘뿐이다. 하나는 '하늘의 아름다운 명을 따른다'[38]라고 했고, 하나는 '자리를 바르게 하여 천명을 모은다'[39]라고 했다. 『서경』에서 "하늘이 덕이 있는 이에게 명하시거든 다섯 가지 복식으로 다섯 가지 등급을 표창하신다"[40]라고 했으니, 불초한 사람을 물러나게 하고 현자를 등용하는 것은 하늘의 명령이기 때문이다.

....

38) 『주역』「대유(大有)괘」: "象曰, 火在天上, 大有. 君子以遏惡揚善, 順天休命.[「상전」에서 말했다. 불이 하늘 위에 있는 것이 대유괘의 모습이니, 군자는 이를 본받아 악을 막고 선을 드날려서, 하늘의 아름다운 명을 따른다.]"라고 하였다.

39) 『주역』「정(鼎)괘」: "象曰, 木上有火, 鼎, 君子以正位凝命.[「상전」에서 말했다. 나무 위에 불이 있음이 정(鼎)이니, 군자가 그것을 본받아 자리를 바르게 하여 천명을 모은다.]"라고 하였다.

40) 『서경』「우서·고요모」, 6장: "天敍有典, 勑我五典, 五, 惇哉, 天秩有禮, 自我五禮, 有五, 庸哉. 同寅協恭, 和衷哉. 天命有德, 五服, 五章哉, 天討有罪, 五刑, 五用哉, 政事, 懋哉懋哉.[하늘이 차례로 펴서 법을 두시니 우리 오전(五典)을 바로잡아 다섯 가지를 후하게 하시며, 하늘이 차례하여 예(禮)를 두시니 우리 오례(五禮)로부터 하여 다섯 가지를 떳떳하게 하소서. 군신(君臣)이 공경함을 함께 하고 공손함을 합하여 충(衷)을 화(和)하게 하소서. 하늘이 덕이 있는 이에게 명하시거든 다섯 가지 복식으로 다섯 가지 등급을 표창하시며, 하늘이 죄가 있는 이를 토벌하시거든 다섯 가지 형벌로 다섯 가지 등급을 써서 징계하시어 정사를 힘쓰고 힘쓰소서.]"라고 하였다.

대유괘에서는 악을 막고 선을 드날리는 것을 하늘을 따르는 일로
여겼다.[41] 이는 '자리를 바르게 하여 천명을 모은다'는 데서 근본을
끌어낸 것이니, 이른바 "군주가 바르면 바르게 되지 않음이 없
다"[42]는 뜻으로 위와 아래에서 협력하여 하늘의 아름다운 명을 잇
는다는 말이다.

總論

● 邱氏富國曰 : "初爲足, 故曰'顚趾', 二三四爲腹, 故曰'有實',
曰'雉膏', 曰'公餗'. 五爲耳, 故曰'黃耳'. 上爲鉉, 故曰'玉鉉', 此豈
非全鼎之象乎? 然初曰'趾', 四亦曰'足'者, 以四應乎初, 而四之
足卽初也. 上曰'鉉', 而五亦曰'鉉'者, 以五附乎上, 五之鉉卽上
也. 五曰'耳', 而三亦曰'耳'者, 則以三無應乎五, 而有'鼎耳革'之
象"[43]

구부국(邱富國)[44]이 말했다. "초육효는 발이므로 '솥의 발이 넘어졌

---

41) 『주역』「대유(大有)괘」: "象曰, 火在天上, 大有. 君子以遏惡揚善, 順天
休命.[「상전」에서 말했다. 불이 하늘 위에 있는 것이 대유괘의 모습이니,
군자는 이를 본받아 악을 막고 선을 드날려서, 하늘의 아름다운 명을 따
른다.]"라고 하였다.
42) 『맹자』「이루상」: "人不足與適也, 政不足與間也. 惟大人, 爲能格君心
之非, 君仁, 莫不仁, 君義, 莫不義, 君正, 莫不正. 一正君而國定矣.[인
물을 함께 허물할 수 없으며, 정사를 함께 흠잡을 수 없다. 대인(大人)만
이 임금의 나쁜 마음을 바로잡을 수 있으니, 임금이 어질게 하면 어질게
되지 않음이 없고, 임금이 의롭게 하면 모든 의롭게 되지 않음이 없고,
임금이 바르게 하면 바르게 되지지 않음이 없다. 그러니 한 번 임금의
마음을 바르게 해 놓으면 나라가 안정된다.]"라고 하였다.
43) 구부국(丘富國) : 『주역집해(周易輯解)』「정(鼎)괘」.

다'고 했고, 이효, 삼효, 사효는 배이므로 '내용물이 있다'고 하고, '살찐 꿩고기'라고 하고, '공에게 바칠 음식'이라고 했다. 오효는 귀이므로 '누런 귀'라고 했다. 상효는 고리이므로 '옥으로 만든 고리'라고 했으니 이것이 어찌 전체 솥의 모습이 아니겠는가?

그러나 초육효에서 '발'이라고 하고, 사효에서도 '다리'라고 하는 것은 사효가 초효에 호응하는데 사효의 다리가 곧 초효이기 때문이다. 상효에서 '고리'라 하고, 오효에서도 '고리'라고 하는 것은 오효가 상효에 붙어 있어 오효의 고리가 상효이기 때문이다. 오효에서 '귀'라 하고 삼효에서도 '귀'라고 하는 것은 삼효가 오효와 호응이 없으나 솥의 귀가 변혁한 모습이 있기 때문이다.

---

44) 구부국(丘富國) : 자는 행가(行加)이고, 남송 건안(建安 : 현 복건성 건구〈建甌〉) 사람이다. 주자의 문인으로 주자의 역학사상을 주로 계승 발전시켰다. 이종(理宗) 순우(淳祐) 7년(1247)에 진사에 급제하여 벼슬은 단주첨판(端州僉判)을 역임했다. 남송이 망하자 은거하고 벼슬하지 않았다. 저서에는 『주역집해(周易輯解)』, 『역학설약(易學說約)』, 『경세보유(經世補遺)』 등이 있다.

51. 진震괘

震上
震下

震,「序卦」, "主器者莫若長子, 故受之以震." 鼎者器也, 震爲
長男, 故取主器之義, 而繼鼎之後. 長子, 傳國家繼位號者也,
故爲主器之主.「序卦」取其一義之大者, 爲相繼之義. 震之爲
卦, 一陽生於二陰之下, 動而上者也. 故爲震, 震, 動也, 不曰
動者, 震有動而奮發震驚之義. 乾坤之交, 一索而成震. 生物
之長也, 故爲長男, 其象則爲雷, 其義則爲動, 雷有震奮之象.
動爲驚懼之義.

진(震)은 「서괘전」에서 "기물(器物)을 주관하는 자는 맏아들만한
자식이 없기 때문에 진(震☳)괘로 받았다"라고 하였다. 솥은 기구이
고, 진괘는 맏아들이기 때문에 기물을 주관하는 뜻을 취하여 정(鼎
☲)괘의 뒤를 이었다. 맏아들은 나라와 집안을 물려주고, 직위와 칭
호를 계승하는 자이기 때문에 기물을 주관하는 주인이 된다.「서괘
전」에서 그 뜻의 큰 것을 취하여 서로 계승하는 뜻으로 삼았다.
괘의 모습은 하나의 양(陽)이 두 음(陰)의 아래에서 생겨나 움직이
며 올라가는 것이다. 그러므로 진(震)이니, 진(震)은 움직임이다.
그런데 움직임[動]이라 말하지 않은 것은 진(震)에는 떨쳐 나오면서

떨며 두려워하는 뜻이 있기 때문이다.

건(乾☰)괘와 곤(坤☷)괘가 교제하여, 첫 번째 교합으로 진(震☳)
을 이루는데, 낳은 것들의 어른이기 때문에 맏아들이다. 그 모습은
우레이고, 그 뜻은 움직임이다. 우레에는 진작하고 분발하는 모습
이 있다. 움직임은 겁을 먹고 두려워하는 뜻이다.

震, 亨, 震來虩虩, 笑言啞啞, 震驚百裏, 不喪匕鬯.

진은 형통하니, 천둥이 침에 두리번거려야 '히히' 하고 웃으며 말하고, 천둥소리가 백리를 놀라게 해도 국자와 울창주를 떨어뜨리지 않는다.

本義

震, 動也. 一陽始生於二陰之下, 震而動也. 其象爲雷, 其屬爲長子, 震有亨道, '震來', 當震之來時也. '虩虩', 恐懼驚顧之貌. '震驚百裏', 以雷言. 匕, 所以舉鼎實. 鬯, 以秬黍酒和鬱金, 所以灌地降神者也. '不喪匕鬯', 以長子言也. 此卦之占, 爲能恐懼則致福, 而不失其所主之重.

진(震)은 움직임이다. 하나의 양(陽)이 비로소 두 음(陰)의 아래에서 생겨 떨치며 움직인다. 상(象)으로는 우레이고, 혈족으로는 맏아들이니, 진(震)괘에는 형통한 도(道)가 있다.

'천둥이 침에[震來]'는 천둥이 치는 때이다. '두리번거리는 것[虩虩]'은 겁을 먹고 여기저기 살펴보는 모양이다. '우레가 백리를 놀라게 한다'는 우레소리로 말한 것이다. '국자[匕]'는 솥에 담긴 것을 퍼는 기구이다. '울창주[鬯]'는 검은 기장 술에 울금(鬱金)¹⁾을 섞어 만든 것으로 땅에 부어 강신(降神)한다.

'국자와 울창주를 떨어뜨리지 않는다'는 것은 맏아들로 말하였다.

------

1) 울금(鬱金) : 다년생 식물로 생강과에 속한다.

이 괘의 점(占)은 두려워할 수 있다면 복을 받아 주관하는 소중함을
잃지 않는다.

程傳

陽生於下而上進, 有亨之義. 又震爲動, 爲恐懼, 爲有主. 震而
奮發, 動而進, 懼而脩, 有主而保大, 皆可以致亨, 故震則有亨.
當震動之來, 則恐懼不敢自寧, 周旋顧慮, 虩虩然也. 虩虩, 顧
慮不安之貌. 蠅虎謂之虩者, 以其周環顧慮, 不自寧也. 處震
如是, 則能保其安裕, 故笑言啞啞. 啞啞, 笑言和適之貌.

양(陽)의 기운이 아래에서 생겨나 위로 나아가니, 형통한 뜻이 있
다. 또 우레는 움직이고, 두려워하며, 주관함이 있는 것이다. 떨쳐
분발하고, 움직여 나아가며, 두려워 공경하고, 주관함이 있어 높은
지위를 보존하는 것[2]은 모두 형통함에 이를 수 있기 때문에 진(震)
에는 형통함이 있다.
천둥이 치며 들이닥칠 때는 두려워하면서 감히 편안하게 여기지 않
고, 두루 살피고 걱정하며 두리번거린다. '두리번거리는 것'은 걱정
이 되어 불안한 모습이다. 파리거미[蠅虎][3]를 '두려워하는 모양 혁

_____

2) 높은 지위를 보존하는 것 : 보대(保大)를 해석한 말로, 이 말은 『좌전(左
傳)』「선공(宣公)」12년 조목에 나온다. "夫武, 禁暴·戢兵·保大·定功·
安民·和衆·豐財者也.[무(武)는 것은 포악한 것을 억제하고, 병기를 거
두어들이며, 높은 지위를 보전하고, 성공을 다지며, 백성을 편안하게 하고,
대중을 화합시키며, 재물을 풍족하게 하는 것이다.]"라고 하였다.
3) 파리거미[蠅虎] : 거미의 일종으로 몸이 작고 다리가 짧으며 흰색이나 회색
으로 거미줄은 치지 않는다. 항상 담벼락 위에서 작은 곤충을 먹고 산다.

[虩]'이라 하는데 그것이 사방을 두리번거리고 조심하며 스스로 편안히 여기지 않기 때문이다.

움직이는 때 이와 같이 처신하면, 편안함과 여유를 보존할 수 있기 때문에 '히히' 하고 웃으며 말한다. '히히 하는 것'은 웃으며 말하는 소리가 편안한 모습이다.

言震動之大, 而處之之道. 動之大者, 莫若雷. 震爲雷, 故以雷言. 雷之震動, 驚及百里之遠, 人无不懼而自失, 雷聲所及百里也. 唯宗廟祭祀, 執匕鬯者, 則不致於喪失, 人之致其誠敬, 莫如祭祀. 匕以載鼎實, 升之於俎, 鬯以灌地而降神. 方其酌祼以求神, 薦牲而祈享, 盡其誠敬之心, 則雖雷震之威, 不能使之懼而失守. 故臨大震懼, 能安而不自失者, 唯誠敬而已, 此處震之道也. 卦才无取, 故但言處震之道.

천둥치는 소리가 커서 그것에 대처하는 방도를 말했다. 움직이는 소리가 큰 것으로는 우레만한 것이 없다. 천둥이 우레이기 때문에 우레로 말했다. 우레가 치면 멀리 백리(百里)까지 놀라게 해 사람들이 두려워하여 망연자실하지 않는 자가 없으니, 우레 소리가 백리에까지 미치는 것이다.

오직 종묘(宗廟)의 제사에서 국자와 울창주를 들고 있는 자들만이 망연자실하지 않으니, 사람들이 정성과 공경을 다하는 일로는 제사만한 것이 없다. 국자로 솥의 음식을 떠내 제기[俎]⁴⁾에 올리고, 울

---

4) 제기[俎]는 그림과 같은 적대를 말한다.

창주를 땅에 부어 신(神)이 강림하게 한다. 한창 술을 따라 신(神)을 모시고 희생을 올려 흠향하기를 빌면서 정성과 공경의 마음을 다하니, 천둥이 치는 위엄일지라도 두렵게 해서 정신을 잃게 할 수가 없다.

그러므로 큰 천둥소리를 만나 두려워도 편안히 스스로 마음을 잃지 않을 수 있는 것은 오직 정성과 공경 때문일 뿐이니, 이는 움직임에 대처하는 방도이다. 괘의 자질에서는 취할 것이 없기 때문에 움직임에 대처하는 방도를 말했을 뿐이다.

集說

● 干氏寶曰 : "祭禮薦陳甚多, 而『經』獨言'不喪匕鬯'者, 匕牲體, 薦鬯酒, 人君所自親也."

간보(干寶)가 말했다. "제례(祭禮)에는 올리고 나열하는 것이 매우 많은데 『경전』에서 오직 '국자와 울창주를 떨어뜨리지 않는다'고 말한 것은 국자로 희생물5)을 떠내고 울창주를 올리는 일은 임금이 본래 친히 하기 때문이다."

● 胡氏瑗曰 : "'百里', 雷聲之所及也. 匕者, 宗廟之器, 以棘木爲之, 似畢而無兩岐, 所以舉鼎之實而升於俎也. 鬯者, 以鬱金

---

5) 희생물 : 생체(牲體)를 해석한 말로 고대에 제사에서 사용한 희생물의 몸체를 가리킨다. 『주례(周禮)』「천관(天官)·외옹(外饔)」: "外饔, 掌外祭祀之割亨, 共其脯脩刑膴, 陳其鼎俎, 實之牲體魚腊, 凡賓客之飧饔, 饗食之事, 亦如之."라고 하였다.

草和酒, 而有芬芳調鬯之氣."[6]

호원(胡瑗)이 말했다. "'백리(百里)'는 천둥소리가 들리는 거리이다. 국자는 종묘의 기물로 대추나무로 만들었고, 희생꼬치[畢][7]와 비슷한 모양이면서 양쪽으로 갈라진 것이 없으니, 솥의 음식을 들어 제기에 올려놓는 도구이다. 울창주는 울금초와 술을 섞어 향기로운 냄새가 있다."

● 胡氏炳文曰:"'震驚百里', 以震爲雷取象. '不喪匕鬯', 以長子主器取象. '震亨', 謂震有亨之道. 又自以'震來虩虩'釋震字, 以 '笑言啞啞'以下釋亨字."[8]

호병문(胡炳文)이 말했다. "'천둥소리가 백리를 놀라게 한다'는 진[震]을 천둥으로 여겨 상을 취한 것이다. '국자와 울창주를 떨어뜨리지 않는다'는 맏아들이 기물을 주관하는 것으로 상을 취했다. '진(震)은 형통하다'는 것은 진괘에 형통할 수 있는 도가 있다는 말이다. 또 '천둥이 침에 두리번거리는 것'으로 움직임[震]이라는 말을 해석했고, '히히 하고 웃으며 말하는 것' 이하로 형통하다는 말을 해석했다."

● 蔡氏淸曰:"'震來', 當震之來時也, 以心言, 謂事之可懼而吾

---

6) 호원, 『주역구의(周易口義)』「진(震)괘」.
7) 희생꼬치[畢]는 희생물을 꿰는 꼬챙이로 그림과 같이 생겼다.

8) 호병문(胡炳文), 『주역본의통석(周易本義通釋)』「진(震)괘」.

懼之也. 其震懼之也虩虩然, 非震來而後虩虩也. '虩虩', 所以狀
其震來也. 或曰: 來者自外來也, 故爻云'震來厲'. 又云'震不于
其躬于其鄰.' 此說非唯昧卦辭'震來'之義, 亦失卦名震字之義矣.
蓋'震之來', '來'猶'至'也, 固亦有其事, 然震之至則在我也. 六二
'震來厲', 謂當震之來而危厲, 此'震來'正與卦辭旨同. 至於'震不
于其躬', 『本義』分明有'恐懼修省'字, 其與卦辭同益明矣. 凡有
所事者皆當懼, 懼便是震來也. 君子之心, 常存敬畏, 執事便敬,
所以致福而不失其所主之重."9)

채청(蔡淸)이 말했다. "'천둥이 치다'는 것은 우레가 오는 때이니,
마음으로 말하면 일이 두려워할 만하여 내가 두려워함을 말한다.
천둥이 침에 우르릉 쾅쾅 하는 것은 천둥이 친 다음에 우르릉 쾅쾅
하는 것이 아니다. '우르릉 쾅쾅'은 천둥이 치는 소리를 형용한 것
이다. 어떤 사람이 말했다. '치는 것[來]은 밖에서 오는 상황이므로
육이효에서 '천둥이 치는 것이 위태롭다'고 했고, 또 상육효에서 '천
둥이 제 몸에 치지 않고 이웃에 친다'고 했다.' 그런데 이 설명은
오직 괘사의 '천둥이 친다'는 의미를 모를 뿐 아니라 또한 괘의 이
름에서 진(震)이라는 글자의 뜻도 모르는 것이다. '천둥이 친다'는
것에서 '친다[來]'는 '온다[至]'는 뜻과 같으니, 진실로 또한 일이 있
겠지만 천둥이 치는 것은 나에게 있는 일이기 때문이다. 육이효의
'천둥이 치는 것이 위태롭다'는 것은 천둥이 쳐서 위태로움을 말하
니, 여기서 '천둥이 친다'는 것은 바로 괘사의 뜻과 같다. 상육효의
'천둥이 제 몸에 치지 않는다'는 말은 『주역본의』에서는 '두려워하
고' '수양하여 살핀다'고 분명히 하였으니, 그것이 괘사와 같은 뜻임
이 더욱 분명하다. 일삼는 것이 있는 경우에는 모두 두려워해야 하

---

9) 채청(蔡淸), 『역경몽인(易經蒙引)』「진(震)괘」.

니, 두려움이 곧 천둥이 치는 것이다. 군자의 마음은 항상 경건함과 두려움이 있으니, 일을 할 때 경건하게 함은 복을 부르고 주관하는 소중함을 잃지 않는 것이다.”

又曰 : “'震來虩虩', 以心言, '震驚百里', 以事言. '不喪匕鬯', 不懼也, 不懼由於能懼.”[10]

또 말했다. “'천둥이 침에 우르릉 쾅쾅 한다'는 마음으로 말한 것이고, '천둥소리가 백리를 놀라게 한다'는 일로 말한 것이다. '국자와 울창주를 떨어뜨리지 않는다'는 두려워하지 않는다는 뜻으로 두려워할 줄 알기 때문에 두려워하지 않는다는 말이다.”

● 餘氏本曰 : “'震驚百里', 只是足'笑言啞啞'一句意. 大意謂人平時若能恐懼, 則可以致福. 雖卒然禍變之來, 亦無可畏也.”

여본(余本)[11]이 말했다. “'천둥소리가 백리를 놀라게 한다'는 것은 단지 「히히」 하고 웃으며 말한다'는 한 구절의 의미로 충분하다. 큰 의미는 사람들이 평상시에 두려워할 수 있다면 복을 부른다는 말이니, 갑자기 재앙과 변고가 닥칠지라도 두려워할 필요가 없다.”

案

'震來'之義, 蔡氏得之矣.

'천둥이 친다'는 뜻은 채청의 설명이 좋다.

....

10) 채청(蔡清), 『역경몽인(易經蒙引)』「진(震)괘」.
11) 여본(余本) : 여자화(余子華)이다.

初九, 震來虩虩, 後笑言啞啞, 吉.

초구효는 천둥이 침에 두리번거려야 뒤에 '히히' 하고 웃으며 말하니, 길하다.

成震之主, 處震之初, 故其占如此.

진(震)괘를 이루는 주체이고 천둥이 치는 처음에 있기 때문에 그 점(占)이 이와 같다.

初九成震之主, 致震者也. 在卦之下, 處震之初也. 知震之來, 當震之始, 若能以爲恐懼, 而周旋顧慮, 虩虩然不敢寧止, 則終必保其安吉. 故後"笑言啞啞"也.

초구효는 진괘를 이루는 주체이니, 천둥이 치는 것이다. 괘의 아래에 있으니, 천둥이 치는 처음에 있다.

천둥이 칠 것을 알아차리고 천둥이 처음 칠 때 두렵게 여기면서 두루 살피고 염려하여 두리번거리며 감히 편안히 있지 않으니, 마침내 반드시 그 편안함과 길함을 보존한다. 그러므로 나중에 "히히 하고 웃는다."

● 石氏介曰 : "初九有陽明之德, 居震之始, 是能先戒懼者. 故繇「象」所言, 此爻當之."12)

석개(石介)가 말했다. "초구효는 양의 밝은 덕이 있고 천둥이 치는 처음에 있으니 먼저 경계하고 두려워할 줄 아는 것이다. 그러므로 「단전」에서 말한 것이 이 효에 해당한다."

● 胡氏炳文曰 : "初九在內卦之內, 震之主也, 故辭與卦同. 蓋震之用在下, 在重震之初. 又最下者, 所以爲震之主也."

호병문이 말했다. "초구효는 내괘(內卦)의 안에 있어 천둥의 주체이기 때문에 말이 괘와 같다. 천둥의 작용이 아래에 있으니, 거듭된 진괘의 처음에 있는데다 또 가장 아래에 있기 때문에 천둥의 주체이다."

---

12) 이형(李衡), 『주역의해촬요(周易義海撮要)』「진(震)괘」.

六二, 震來厲, 億喪貝, 躋於九陵, 勿逐七日得.

육이효는 천둥이 침이 위태로워 돈을 잃는 데도 아홉 언덕으로
올라가니, 쫓아가지 않아도 칠일 만에 얻는다.

六二乘初九之剛. 故當震之來而危厲也. '億'字, 未詳. 又當喪
其貨貝, 而升於九陵之上, 然柔順中正, 足以自守. 故不求而
自獲也. 此爻, 占具象中, 但九陵七日之象, 則未詳耳.

육이효는 굳센 초구효를 올라타고 있기 때문에 천둥이 칠 때 위태
롭다. '헤아린다[億]'는 말은 무슨 의미인지 알 수 없다. 또 재물을
잃어버리는 데도 높은 언덕 꼭대기로 올라갔으나, 유순(柔順)하고
중정(中正)하여 충분하게 스스로 지킬 수 있기 때문에 구하지 않아
도 저절로 얻는다.
이 효는 점(占)이 상(象) 가운데 있는 것인데, 다만 아홉 언덕과 칠
일의 상(象)은 알 수 없다.

六二居中得正, 善處震者也, 而乘初九之剛. 九, 震之主. 震
剛動而上奮, 孰能禦之? '厲', 猛也, 危也. 彼來旣猛, 則己處
危矣. '億', 度也. '貝', 所有之資也. '躋', 升也. '九陵', 陵之高
也. '逐', 往追也. 以震來之厲, 度不能當, 而必喪其所有, 則

升至高以避之也. 九, 言其重. 岡陵之重, 高之至也. 九, 重之
多也, 如九天九地也. '勿逐七日得', 二之所貴者中正也. 遇震
懼之來, 雖量勢巽避, 當守其中正, 無自失也, 億之必喪也,
故遠避以自守, 過則復其常矣, 是勿逐而自得也. '逐', 卽物
也. 以己卽物, 失其守矣. 故戒勿逐. 避遠自守, 處震之大方
也, 如二者當危懼而善處者也. 卦位有六, 七乃更始, 事旣終,
時旣易也, 不失其守, 雖一時不能禦其來, 然時過事已, 則復
其常, 故云'七日得'.

육이효는 가운데 있고 올바름을 얻어 천둥에 잘 대처하는 자인데
굳센 초구효를 올라타고 있다. 초구효는 천둥의 주체이다. 천둥이
거세게 치며 위로 떨치니, 누가 이것을 막겠는가?

'위태롭다[厲]'는 맹렬하고 위험하다는 것이다. 저것이 쳐서 이미 맹
렬하면 자신이 위태롭다. '헤아린다[億]'는 따져서 가늠해 본다는 것
이다. '돈[貝]'은 가지고 있는 재물이다. '올라간다[躋]'는 들어간다는
것이다. '아홉 언덕[九陵]'은 높은 언덕이다. '쫓아간다[逐]'는 가서
따른다는 것이다.

천둥이 치는 위태로움 때문에 감당할 수 없어 소유한 것을 반드시
잃을 수 있음을 짐작하니, 높은 곳으로 올라가 피하는 것이다. 아홉
은 중첩되었다는 말이다. 언덕이 중첩된 것은 아주 높다는 말이다.
아홉은 중첩되어 많다는 뜻이니, 이를테면 구천(九天)[13]과 구지(九

---

13) 구천(九天) : 하늘의 중앙과 여덟 영역을 말한다. 구중궁궐(九重宮闕)이
란 말도 아홉 겹으로 중첩된 궁궐을 말하므로 이런 맥락에서 이해할 수
있다. 『초사(楚辭)』「이소(離騷)」에는 "구천을 가리켜서 증명하노라, 오
직 신령한 분의 탓임을[指九天以爲正兮, 夫唯靈修之故也.]"이라고 했는
데 왕일(王逸)은 이렇게 주석한다. "구천은 중앙과 8개의 방위를 말한

地)14)이다.

'쫓아가지 않아도 칠일 만에 얻는다'는 육이효가 소중하게 여기는 것은 알맞고 바른 것으로 천둥이 쳐서 겁이 날 때 상황을 따져보고 공손하게 피하더라도 당연히 알맞고 바름을 지켜 목숨을 잃지 않는다는 것이니, 헤아려보면 반드시 잃기 때문에 멀리 피해 스스로를 지키고, 지나가면 다시 그 평상대로 회복하니, 쫓아가지 않아도 저절로 얻는다. '쫓아간다'는 어떤 것을 따르는 것이다. 자신이 어떤 것을 따르면, 자신이 지키는 것을 잃기 때문에 쫓아가지 말라고 경계한 것이다.

멀리 피하여 스스로 지키는 일은 천둥이 치는 것에 대처하는 큰 방도이니, 이를테면 육이효가 위태로움을 당해 잘 대처하는 것이다.

....

다.[九天謂中央八方也.]" 한(漢)나라 양웅(揚雄)의 『태현(太玄)』「태현수(太玄數)」에서도 이렇게 설명한다. "구천은, 하나는 중천이고, 둘은 흠천이고, 셋은 종천이고, 넷은 경천이고, 다섯은 수천이고, 여섯은 곽천이고, 일곱은 함천이고, 여덟은 침천이고, 아홉은 성천이다.[九天 : 一爲中天, 二爲羨天, 三爲從天, 四爲更天, 五爲睟天, 六爲廓天, 七爲減天, 八爲沈天, 九爲成天.]" 『여씨춘추(呂氏春秋)』「유시(有始)」에서도 유사한 설명이 있다. "하늘에는 아홉 영역이 있다. 중앙이 균천이고, 동방이 창천이고, 북방은 현천이고, 서북은 유천이고, 서방은 호천이고, 서남은 주천이고, 남방은 염천이고, 동남은 양천이다.[天有九野 : 中央曰鈞天, 東方曰蒼天, 東北曰變天, 北方曰玄天, 西北曰幽天, 西方曰顥天, 西南曰朱天, 南方曰炎天, 東南曰陽天.]"

14) 구지(九地) : 예측하기 힘든 지형을 말한다. 『손자병법』「형(形)」에서는 이렇게 말한다. "잘 지키는 자는 구지의 아래에 숨겨두고, 잘 공격하는 사람은 구천의 위에서 움직인다.[善守者藏於九地之下, 善攻者動於九天之上.]" 이에 대해서 매효신(梅堯臣)은 이렇게 주석한다. "구지(九地)는 깊어서 알 수가 없다.[九地, 言深不可知.]" 흔히 구천(九泉)을 황천(黃泉)이라고 말한다.

괘의 자리가 여섯이 있으니, 칠은 다시 시작하는 것으로 일이 이미
끝나고 시기가 이미 바뀜을 말한다. 자신이 지키는 것을 잃지 않
으면, 한 때 천둥이 치는 것을 막을 수 없을지라도 시기가 지나가
고 일이 끝나면, 평상대로 회복되기 때문에 '칠일 만에 얻는다'라고
했다.

集說

● 鄭氏汝諧曰 : "'億', 度也. 度寶貨之可喪而喪之, 不憚九陵之
險而升之. 避害以自全, 靜退以觀變, 事定則必得其所謂安利
也."15)

정여해(鄭汝諧)가 말했다. "'헤아린다[億]'는 따져서 가늠해 본다는
것이다. 보물과 돈을 잃을만하여 잃는다는 것을 헤아리고 험한 언
덕을 꺼리지 않고 올라간다. 해로움을 피해 자신을 온전히 하고,
고요히 물러나 변화를 관찰하니, 일이 안정되면 반드시 이른바 편
안함과 이로움을 얻는다."

● 楊氏簡曰 : "六二乘初九之剛, 不可安處, 故'億喪貝'. 往而躋
於九陵, 雖今未得, 至於曆七日, 則時當得矣, 勿用逐也. 避難曲
折有如此者. 昔太王旣不可禦狄, 不可安處, 去而邑於岐山之下,
而他日興周焉, 此象也."16)

---

15) 정여해(鄭汝諧), 『역익전(易翼傳)』「진(震)괘」.
16) 양간(楊簡), 『양씨역전(楊氏易傳)』「진(震)괘」.

양간(楊簡)이 말했다. "육이효는 굳센 초구효를 올라타고 있어 편안하게 있을 수가 없기 때문에 '돈을 잃는 데도'라고 했다. 가서 아홉 언덕에 올라가면 지금은 얻지 못할지라도 칠일이 지나면 때가 되어 얻으니 쫓아가지 않는다. 어려움을 피하는 것이 복잡해서 이와 같은 경우가 있다. 옛날에 태왕이 오랑캐를 막을 수도 없고 편안하게 있을 수도 없어 도망가서 기산(岐山) 아래에 도읍을 정하였으나 훗날 주나라를 세웠으니, 이와 같은 상(象)이다."

● 蔣氏悌生曰 : "'億', 度也. 事未至未著而先謀度之謂'億'."[17]

장제생(蔣悌生)이 말했다. "'헤아린다[億]'는 따져서 가늠해 본다는 것이다. 일이 아직 일어나지 않았거나 착수하지 않았을 때 먼저 고려하여 따져보는 일을 '헤아린다'고 한다."

● 楊氏啟新曰 : "'喪', 自喪之也. '躋於九陵', 飄然遠舉之意. 人之所以常蹈禍者, 利耳. 遠利而自處於高, 豈唯無厲? 所喪者, 可以不久而獲矣."

양계신(楊啟新)[18]이 말했다. "'잃는다[喪]'는 스스로 잃는 것이다. '아홉 언덕으로 올라간다'는 것은 표연히 멀리 벗어난다는 뜻이다. 사람들이 늘 재앙에 빠지는 것은 이로움 때문이다. 이로움을 멀리하여 스스로 훌륭하게 처신하면, 어찌 위태로움만 없겠는가? 잃어버린 것도 머지않아 얻을수 있다."

---

17) 장제생(蔣悌生), 『오경려측(五經蠡測)』「진(震)괘」.
18) 양계신(楊啟新) : 청나라 양문원(楊文源)이다.

六三, 震蘇蘇, 震行無眚.

육삼효는 천둥으로 겁나고 불안하니, 두려워하면서 가면 과실은
없다.

本義

‘蘇蘇’, 緩散自失之狀. 以陰居陽, 當震時而居不正. 是以如
此. 占者若因懼而能行, 以去其不正, 則可以無眚矣.

‘겁나고 불안한 것[蘇蘇]’은 정신이 없어 망연자실하는 모양이다.
음(陰)으로 양(陽)의 자리에 있으니, 천둥이 치는 때 바르지 못한
곳에 있는 것이다. 그 때문에 이와 같다.

점치는 자가 두려워하면서 갈 수 있기 때문에 바르지 못한 것을 버
리면 허물이 없을 수 있다.

程傳

‘蘇蘇’, 神氣緩散自失之狀. 三以陰居陽不正. 處不正, 於平時
且不能安, 況處震乎? 故其震懼而蘇蘇然. 若因震懼而能行,
去不正而就正, 則可以無過. ‘眚’, 過也. 三行則至四, 正也.
動以就正爲善, 故二‘勿逐’則自得. 三能行則無眚, 以不正而
處震懼, 有眚可知.

‘겁나고 불안한 것[蘇蘇]’은 정신이 없어 망연자실하는 모양이다. 육

삼효는 음(陰)으로 양(陽)의 자리에 있어 올바르지 않다. 올바르지 않은 곳에 있어 평상시에도 평안할 수 없는데, 하물며 천둥이 칠 때 있음에야 말해 무엇 하겠는가?

그러므로 천둥치는 것이 두려워 겁나고 불안하다. 만약 천둥이 쳐도 나아가 바르지 못함을 없애고 바름으로 나아간다면 허물이 없을 수 있다. '과실[眚]'은 허물이다.

육삼효는 나아가면 사(四)의 자리로 가니, 올바르게 된다. 움직임에는 바름으로 나아가는 것을 최선으로 여기기 때문에 육이효는 '쫓아가지 않아도' 저절로 얻는다. 육삼효는 나아갈 수 있다면 과실이 없으니, 바르지 못함으로 천둥이 치는 두려움에 대처하면 과실이 있게 됨을 알 수 있다.

集說

● 趙氏光大曰 : "當震時而懼益甚, 精神渙散, 故爲震蘇蘇之象. 然天下不患有憂懼之時, 而患無修省之功. 若能因此懼心而行, 則持身無妄動, 應事有成規, 又何眚之有?"

조광대(趙光大)가 말했다. "천둥이 칠 때는 겁이 더 나서 정신이 없기 때문에 천둥으로 겁나고 불안한 모습이다. 그러나 천하에 근심하고 두려울 때가 있는 것을 근심하지 않고 수양하고 반성하는 일이 없는 것을 근심한다. 이렇게 두려워하는 마음 때문에 나가면, 몸을 지킴에 함부로 함이 없고 일을 함에 정해 놓은 계획이 있으니, 또 어찌 허물이 있겠는가?"

● 楊氏啓新曰 : "震而不行, 徒震耳. 行者, 改圖也, 此恐懼所以修省也."

양계신(楊啓新)이 말했다. "천둥이 치는데 나아가지 않으면 그냥 천둥일 뿐이다. 나아가는 것은 생각한 뜻을 고치는 일로 여기서 두려워하기 때문에 수양이 되고 반성이 된다."

九四, 震遂泥.

구사효는 천둥이 막혀버렸다.

以剛處柔, 不中不正, 陷於二陰之間, 不能自震也. '遂'者, 無
反之意. '泥', 滯溺也.

굳셈이 부드러운 자리에 있고 알맞지 않고 바르지 않음으로 두 음
(陰)의 사이에 빠져 있어 스스로 떨치지 못한다.
'~해버렸다[遂]'는 것은 되돌릴 수 없다는 의미이다. '막혔다[泥]'는
것은 빠졌다는 말이다.

九四, 居震動之時, 不中不正, 處柔失剛健之道, 居四无中正
之德, 陷溺於重陰之間, 不能自震奮者也, 故云'遂泥'. '泥', 滯
溺也. 以不正之陽, 而上下重陰, 安能免於泥乎? '遂', 无反之
意. 處震懼, 則莫能守也, 欲震動, 則莫能奮也. 震道亡矣, 豈
復能光亨也?

구사효는 천둥이 치는 때 있으면서 알맞지도 않고 바르지도 않으
니, 부드러운 자리에 있으면서 강건한 도를 잃고, 사효의 자리에 있
으면서 알맞고 바른 덕이 없으며, 거듭된 음의 사이에 빠졌으면서

스스로 천둥쳐 떨칠 수 없기 때문에 '막혀버렸다'고 했다. '막혔다
[泥]'는 빠졌다는 것이다.

올바르지 못한 양(陽)으로 위아래로 음이 중첩되었으니, 어떻게 막
히는 것을 벗어날 수 있겠는가? '~해버렸다[遂]'는 것은 되돌릴 수
없다는 의미이다. 천둥으로 두려운 곳에 있으면, 스스로를 지킬 수
없으니, 천둥이 쳐서 움직이려고 하면 떨칠 수 없다. 천둥치는 도가
없어졌으니, 어찌 다시 빛나고 형통할 수 있겠는가?

集説

● 項氏安世曰 : "初九以一陽動乎二陰之下, 得震之本象, 故其
福與卦辭合. 九四以一陽動乎四陰之中. 則震變成坎, 震而遂陷
於泥也."[19]

항안세(項安世)가 말했다. "초구효는 하나의 양이 두 음의 아래에
서 움직이니, 천둥치는 본래 모습을 얻었다. 그러므로 그 복됨이
괘사와 합치한다. 구사효는 하나의 양이 네 음 사이에서 움직인다.
그렇다면 진(震☳)괘가 감(坎☵)괘로 변했으니, 천둥이 치다가 진
흙에 빠진 것이다."

● 胡氏炳文曰 : "初與四, 皆震之所以爲震者. 然震之用在下,
四溺於陰柔之中, 故震之亨在初而不在四."[20]

호병문(胡炳文)이 말했다. "초효와 사효는 모두 진괘가 천둥이 된

---

19) 항안세(項安世), 『주역완사(周易玩辭)』「진(震)괘」.
20) 호병문(胡炳文), 『주역본의통석(周易本義通釋)』「진(震)괘」.

것이다. 그러나 천둥의 작용은 아래에 있는데, 사효는 음의 부드러운 가운데 빠져버렸기 때문에 천둥이 치는 형통함이 초효에 있고 사효에 있지 않다."

卦爻'震'字, 雖以人心爲主, 然震之本象則雷也. 凡雷乘陽氣而動, 然所乘之氣不同. 故邵子曰: "水雷玄, 火雷赫, 土雷連, 石雷霹." 蓋雷聲有動而不能發達者, 陷於陰氣也. 此爻陽動於四陰之中, 故有震遂泥之象. 在人則志氣未能自遂, 乃困心衡慮之時也.

괘와 효에서 '천둥[震]'이라는 말은 비록 사람의 마음을 위주로 했을지라도 진괘의 본래 모습은 우레이다. 우레는 양기를 올라타고 움직이지만 올라타는 기가 다르다.
그러므로 소자(邵子 : 邵雍)가 "수뢰(水雷)는 검고, 화뢰(火雷)는 붉으며, 토뢰(土雷)는 이어지고, 석뢰(石雷)는 벼락과 같다"[21]고 했다. 우레의 소리가 움직이는데도 터져 나올 수 없는 것은 음기(陰氣)에 빠졌기 때문이다. 이 효는 양이 네 음 속에서 움직이기 때문에 천둥이 막혀버린 상(象)이 있다.
사람은 지기(志氣)를 스스로 펼칠 수 없으니, 바로 마음이 피곤하고 생각이 뒤엉켜버린[22] 때이다.

....

21) 왕식(王植), 『황극경세서해(皇極經世書解)』「관물·외편(觀物·外篇)」.
22) 마음이 피곤하고 생각이 뒤엉켜버린 : 『맹자』「고자하(告子下)」, "人恒過然後, 能改, 困於心, 衡於慮而後, 作, 徵於色, 發於聲而後, 喩.[사람은 항상 과실이 있은 뒤에 고치나니, 마음에서 고통스럽고, 생각에서 뒤엉켜버린 뒤에 분발하고, 얼굴빛에 징험되고 음성에 나타난 뒤에 깨닫는 것이다.]"라고 하였다.

六五, 震往來厲, 億無喪有事.

육오효는 천둥이 가고 옴에 위태롭지만 잃는 것이 없고 일삼음이 있다.

本義

以六居五而處震時, 無時而不危也. 以其得中, 故無所喪而能有事也. 占者不失其中, 則雖危"無喪"矣.

음[六]이 오효의 자리에 있어 천둥칠 때 있으니, 어느 때이고 위태롭지 않음이 없다.

그런데 가운데 있기 때문에 잃는 것이 없고 일이 있을 수 있다.

점치는 자가 알맞음을 잃지 않으면 위태로울지라도 잃는 것이 없다.

程傳

六五雖以陰居陽不當位爲不正, 然以柔居剛又得中, 乃有中德者也. 不失中則不違於正矣, 所以中爲貴也. 諸卦二五雖不當位, 多以中爲美. 三四雖當位, 或以不中爲過, 中常重於正也. 蓋中則不違於正, 正不必中也. 天下之理, 莫善於中, 於六二六五可見.

육오효는 음이 양의 자리에 있어 합당하지 않은 것이 바르지 않을지라도 부드러움이 굳센 자리에 있고 또 알맞음을 얻었으니, 알맞은 덕이 있는 것이다. 알맞음을 잃지 않으면, 바름에서 어긋나지 않기 때문에 알맞음이 귀중하다.

여러 괘에서 이효와 오효가 자리에 합당하지 않을지라도 대부분 알맞음을 아름답게 여기고, 삼효와 사효가 자리에 합당할지라도 간혹 알맞지 않음을 지나친 것으로 여기니, 알맞음이 언제나 바름보다 귀중하기 때문이다. 알맞음은 바름에 어긋나지 않지만 바름이 반드시 알맞은 것은 아니기 때문이다. 세상의 이치는 알맞음보다 선한 것은 없으니, 육이효와 육오효에서 알 수 있다.

五之動, 上往則柔不可居動之極, 下來則犯剛, 是往來皆危也. 當君位爲動之主, 隨宜應變, 在中而已. 故當億度無喪失其所有之事而已. 所有之事, 謂中德, 苟不失中, 雖有危不至於凶也. '億', 度, 謂圖慮求不失中也. 五所以危, 由非剛陽而無助. 若以剛陽有助爲動之主, 則能亨矣. 往來皆危, 時則甚難, 但期於不失中, 則可自守. 以柔主動, 固不能致亨濟也.

육오효의 움직임은 위로 가면 부드러움이 움직임의 끝에 있을 수 없고, 아래로 내려오면 굳셈을 침범하니, 가고 옴이 모두 위태롭다. 임금의 지위를 담당하고 움직임의 주체이니, 마땅함에 따라 호응하고 변화하는 것은 알맞음에 있을 뿐이다. 그러므로 가지고 있는 일을 잃음이 없게 헤아려야 할뿐이다.

가지고 있는 일은 알맞은 덕을 말한다. 알맞음을 잃지 않으면, 위태롭더라도 흉하게 되지는 않는다. '헤아린다[億]'는 것은 따져서 가늠해 본다는 말이니, 도모하고 생각하여 중도를 잃지 않는 것을 말한다.

육오효가 위태로운 것은 굳셈 양이 아니어서 도움이 없기 때문이

다. 굳센 양이 도움이 있는 것을 움직임의 주체로 삼으면, 형통할
수 있다.

가고 옴이 모두 위태로우니, 시기가 아주 어렵겠으나 알맞음을 잃
지 않기를 기약한다면, 스스로를 지킬 수 있다. 부드러움으로 움직
임을 주도하면, 진실로 형통함과 구제를 이룰 수 없다.

集說

● 虞氏翻曰 : "可以守宗廟社稷爲祭主, 故無喪有事也."[23)]

우번(虞翻)이 말했다. "종묘사직을 지키는 일을 제사의 주인으로
여길 수 있기 때문에 잃는 것이 없고 일삼는 것이 있다."

● 項氏安世曰 : "二居下震之上, 故稱'來', 五居重震之上, 故稱
'往來'. '億', 度也. 二五之厲, 卽震之恐懼也, 二五之億, 卽震之
修省也."[24)]

항안세가 말했다. "육이효는 아래 진괘의 위에 있기 때문에 '친다
[來]'고 했고, 육오효는 중복된 진괘의 위에 있기 때문에 '가고 옴에'
라고 했다. '헤아린다[億]'는 따져서 가늠해 본다는 것이다. 육이효
와 육오효의 위태로움은 곧 천둥의 두려움이고, 육이효와 육오효의
헤아림은 곧 천둥의 수양과 반성이다."

---

23) 이정조(李鼎祚), 『주역집해(周易集解)』「진(震)괘」.
24) 항안세(項安世), 『주역완사(周易玩辭)』「진(震)괘」.

● 熊氏良輔曰 : "震往亦厲, 來亦厲, 皆以危懼待之. 故能'無喪
有事', 蓋不失其所有也. 此卦辭所謂'不喪匕鬯', 能主器以君天
下者與."25)

웅량보(熊良輔)가 말했다. "천둥은 지나가도 위태롭고, 몰려와도 위
태로우니, 모두 위태롭게 두려움으로 기다린다. 그러므로 '잃는 것
이 없고 일삼음이 있을 수 있는 것'은 가지고 있는 것을 잃지 않기
때문이다. 이는 괘사에서 말한 '국자와 울창주를 떨어뜨리지 않는
다'는 것이니, 기물을 주관하여 천하에 임금 노릇할 수 있는 자일
것이다."

● 俞氏琰曰 : "二曰'震來', 指初之來. 以五視初, 則初之始震爲
旣往, 四之洊震爲復來, 五蓋震往而復來之時也. '有事', 謂有事
於宗廟社稷也. 震之主爻在初, 而'無喪有事'乃歸之五, 五乃震之
君也."26)

유염(俞琰)이 말했다. "육이효에서 '천둥이 친다'고 했는데 초구효
가 치는 것을 가리킨다. 육오효를 기준으로 초구효를 보면, 초구효
가 처음에 천둥치는 것은 이미 지나가버린 일이고, 구사효가 천둥
치는 것은 다시 오는 뜻이니, 육오효는 천둥이 지나갔다가 다시 오
는 때이다. '일삼는 것이 있다'는 종묘사직에 일이 있다는 말이다.
진괘의 주효는 초효에 있어 '잃어버린 것이 없고 일삼음이 있다'는
말은 바로 육오효에 귀결되니, 육오효가 진괘의 임금이다."

....

25) 웅량보(熊良輔), 『주역본의집성(周易本義集成)』「진(震)괘」.
26) 유염(俞琰), 『주역집설(周易集説)』「진(震)괘」.

『春秋』凡祭祀皆曰'有事', 故此有事謂祭也. 二五之震同, 具有中
德而能億度於事理者亦同. 然二喪貝而五無喪者, 二居下位, 所
有者貝耳, 五居尊, 所守者則宗廟社稷也. 貝可喪也, 宗廟社稷
可以失守乎? 故二以'喪貝'爲中, 五以'無喪有事'爲中.

『춘추』에서 제사를 모두 '일이 있다'고 했으니, 여기서 일삼음이 있
다는 것은 제사를 말한다.
육이효와 육오효의 천둥이 같고 알맞은 덕을 갖추고 사물의 이치를
헤아릴 수 있는 것 또한 같다. 그러나 육이효가 돈을 잃고 육오효
가 잃는 것이 없는 것은 육이효는 아래 자리에 있어 가진 것이 돈
일뿐이고, 육오효는 존귀한 지위에 있어 지키는 일이 종묘사직이
다. 돈은 잃어버릴 수 있지만 종묘사직을 지키는 일을 잃겠는가?
그러므로 육이효에서는 '돈을 잃는 것'을 알맞음으로 여겼고, 육오
효에서는 '잃는 것이 없고 일삼음이 있음'을 알맞음으로 여겼다.

上六, 震索索, 視矍矍, 征凶, 震不于其躬, 于其
鄰, 无咎, 婚媾有言.

상육효는 천둥으로 두려워 두리번거리며 보니 가면 흉한데, 천둥
이 제 몸에 치지 않고 그 이웃에 칠 때 하면, 허물은 없으나 혼인한
자들이 수군거린다.

本義

以陰柔處震極, 故爲索索矍矍之象. 以是而行, 其凶必矣. 然
能及其震未及身之時, 恐懼修省, 則可以無咎, 而亦不能免於
婚媾之有言. 戒占者當如是也.

음의 부드러움이 진괘의 끝에 있기 때문에 기운이 소진되어, 두려
워하며 두리번거리는 모습이다. 이런 상태로 가면 흉함이 틀림없다.
그런데 천둥이 자신에게 치지 않을 때 두려워하며 수양하고 반성하
면 허물이 없을 수 있지만, 또한 혼인하는 자들이 수군거림은 면하
지 못한다.
점치는 자가 이와 같이 하라고 경계하였다.

程傳

'索索', 消索不存之狀, 謂其志氣如是. 六以陰柔居震動之極,
其驚懼之甚, 志氣殫索也. '矍矍', 不安定貌. 志氣索索, 則視
瞻徊徨. 以陰柔不中正之質而處震動之極, 故征則凶也. 震之

及身, 乃于其躬也. '不于其躬', 謂未及身也. '鄰'者, 近於身者
也. 能震懼於未及身之前, 則不至於極矣, 故得無咎. 苟未至
於極, 尙有可改之道. 震終當變, 柔不固守, 故有畏鄰戒而能
變之義. 聖人於震終, 示人知懼能改之義, 爲勸深矣. '婚媾',
所親也, 謂同動者. '有言', 有怨咎之言也. 六居震之上, 始爲
衆動之首, 今乃畏鄰戒而不敢進, 與諸處震者異矣. 故婚媾有
言也.

'두려워한다[索索]'는 것은 정신이 빠지고 기운이 없는 상태이니,[27]
그 의지와 기운이 이와 같다는 말이다. 상육효는 음의 부드러움으
로 천둥쳐 움직이는 끝에 있어 심하게 놀라고 두려워하니, 정신과
기운이 다한 것이다.

'두리번거린다[矍矍]'는 것은 안정되지 못한 모습이다. 정신이 빠져
기운이 없으면 두리번거리며 본다. 음의 부드러움이 알맞고 바르지
못한 자질로 천둥의 끝에 있기 때문에 가면 흉하다. 천둥이 자신에
게 미치는 것은 바로 제 몸에서이다.

'제 몸에 치지 않는다'는 것은 자신에게 미치지 않은 것을 말한다.
'이웃'은 자신과 가까이 있는 자이다. 자신에게 미치기 전에 천둥치
는 것을 두렵게 여길 수 있으면, 끝에 이르지 않기 때문에 허물이
없게 된다. 끝에 이르지 않았다면, 아직 고칠 수 있는 방도가 있다.
천둥이 끝나면 변해야 하는데, 부드러움으로는 굳게 지킬 수 없기
때문에 이웃이 경계하는 것을 두려워하여 변화할 수 있는 뜻이 있

---

27) 정신이 빠지고 기운이 없는 상태이니 : 『소문(素問)』「시종용론(示從容
論)」, "怯然少氣者, 是水道不行, 形氣消索也.[겁이 많고 기운이 약한 것
은 물의 길이 행해지지 않아 형기(形氣)가 소실되어 흩어졌기 때문이다.]"

다. 성인은 천둥의 끝에서 사람들이 두려움을 알아 고칠 수 있는 뜻을 보여주었으니, 권면하는 것이 매우 깊다.

'혼인'이란 친밀한 것이니, 움직임을 함께 함을 말한다. 수군거림은 원망하고 탓하는 것이다. 상육효는 천둥의 위에 있어 처음에는 여러 움직임의 우두머리가 되었는데, 지금은 이웃이 경계하는 것을 두려워하여 감히 나아가지 못하니, 천둥치는 일에 있는 여러 가지와 다르다. 그러므로 혼인한 자들이 수군거린다."

● 鄭氏汝諧曰 : "上以陰柔之資, 而居一卦之上, 其中無所得, 不能自安. 故震索索而氣不充, '視矍矍'而神不固. 人之過於恐懼者, 固無足取. 若能擧動之際, 睹事之未然而知戒, 亦聖人之所許也."[28]

정여해가 말했다. "상육효는 음의 부드러운 자질로 하나의 괘 위에 있으니, 속에서 얻는 것이 없고 스스로 편안할 수 없다. 그러므로 천둥으로 두려워 기운이 생기지 않고, '두리번거리며 봐서' 마음이 흔들린다. 사람들이 지나치게 두려워하는 일은 진실로 그다지 취할 것이 없다. 그러나 거동할 때 일이 그렇게 되지 않은 것을 보고 경계할 줄 안다면 또한 성인이 인정하는 것이다."

● 趙氏光大曰 : "陰處震極, 故當震之來, 志氣消沮, 瞻視彷徨, 驚懼之甚也. 以是而行, 其志先亂, 凶也. 所以然者, 以不能圖之

---

28) 정여해(鄭汝諧), 『역익전(易翼傳)』「진(震)괘」.

於早也. 若震未及身而方及鄰之時, 恐懼修省, 豫爲之圖, 則自
無索索矍矍之咎矣."

조광대가 말했다. "음(陰)이 천둥의 끝에 있기 때문에 천둥이 치는
때 정신이 빠지고 기운이 없어 두리번거리며 보니 심하게 놀라 두
려워하는 것이다. 이런 상태로 가면 그 뜻이 먼저 혼란해져서 흉하
다. 그렇게 되어 버린 것은 미리 생각해 놓지 않았기 때문이다. 만
약 천둥이 아직 자신에게 치지 않고 이웃에게 칠 때 두려워 수양하
고 반성하며 미리 예측하여 생각해 놨다면, 본래 두려워 두리번거
리는 허물은 없을 것이다."

案

此'婚媾有言', 與夬四'聞言不信'同, 皆占戒之外, 反言以決之之
辭也. 瑣瑣姻婭, 見識凡近, 當禍患之未至, 則相誘以宴安而已
爾, 安能爲人深謀長慮, 而相與儆戒於未然乎?

여기에서 '혼인한 자들이 수군거림'은 쾌(夬)괘의 '말을 들어도 믿지
않는 것'[29]과 같으니, 모두 점쳐서 경계하는 것 바깥에서 반대로 말
하여 결정한 말이다.
'자질구레한 혼인 관계의 친척'[30]은 가까운 것들만 보아 재앙이 아

---

29) 『주역』「쾌(夬)괘」: "九四, 臀无膚, 其行次且, 牽羊悔亡, 聞言不信.[구
사효는 엉덩이에 살이 없으며, 나아가는 것을 머뭇거리니, 양을 끌 듯
하면 후회는 없겠지만, 말을 들어도 믿지 않는다.]"라고 하였다.
30) 『시경』「소아·기보지십·절남산(節南山)」: "弗躬弗親, 庶民弗信, 弗問
弗仕, 勿罔君子. 式夷式已, 無小人殆, 瑣瑣姻亞, 則無仕.[몸소 하지 않
으며 친히 하지 않아 서민(庶民)들이 믿지 않으니 묻지도 않고 일해보지
도 않은 사람으로 군자(君子)을 속이지 말지어다. 마음을 공평히 하여

직 이르지 않았을 때라면 서로 편안하게 즐기려 할 뿐이니, 어찌 사람들을 위해 깊이 도모하고 멀리 생각하여 서로 함께 아직 그렇게 되지 않았을 때 경계할 수 있겠는가?"

....

소인(小人)들을 그만두게 하여 소인 때문에 국가를 위태롭게 하지 말지어다. 자질구레한 혼인관계의 친척은 큰 벼슬을 시키지 말아야 하느니라.]"하였다.

52. 간艮괘

☶☶ 艮上
　　艮下

程傳

艮,「序卦」, "‘震’者, 動也, 物不可以終動, 止之, 故受之以艮, ‘艮’者, 止也." 動靜相因, 動則有靜, 靜則有動. 物無常動之理, 艮所以次震也. ‘艮’者, 止也, 不曰‘止’者, 艮山之象, 有安重堅實之意, 非止義可盡也. 乾坤之交, 三索而成艮, 一剛居二陰之上. 陽動而上進之物, 旣至於上則止矣. 陰者, 靜也. 上止而下靜, 故爲艮也. 然則與‘畜止’之義何異? 曰, ‘畜止’者, 制畜之義, 力止之也, ‘艮止’者, 安止之義, 止其所也.

간(艮)은 「서괘전」에서 "진(震)은 움직임이다. 그런데 어떤 것도 끝까지 움직일 수 없어 멈추기 때문에 간(艮☶)괘로 받았다. 간(艮)은 멈춤이다"라고 하였다. 움직임과 고요함은 서로 말미암으니, 움직이면 고요함이 있고, 고요하면 움직임이 있다. 어떤 것도 항상 움직이는 이치는 없으니, 간(艮☶)괘가 진(震☳)괘의 다음에 있다.

간(艮)은 멈춤이다. 그런데 '멈춤[止]'이라고 하지 않은 것은, 간(艮)은 산의 상으로 안정되고 무거우며, 견고하고 차있는 의미가 있어 멈춤[止]이라는 말로는 다 표현할 수 있는 것이 아니기 때문이다. 건(乾☰)괘와 곤(坤☷)괘의 사귐이 세 번 얽혀 간(艮)괘를 이루니,

하나의 양효가 두 음효 위에 있다. 양(陽)은 움직여 위로 나아가는 물건이니, 이미 위에 올라가 있다면 멈추어 있는 것이다. 음(陰)은 고요하다. 위에서는 멈추어 있고 아래에서는 고요하기 때문에 멈춤 [艮]이다.

그렇다면 '멈추게 한다[畜止]'는 의미와 어떻게 다른가? 말하자면, 멈추게 한다는 제재하여 멈추게 한다는 것이니, 힘으로 멈추게 한 다는 뜻이고, '멈춘다[艮止]'는 편안히 멈춰있다는 것이니, 제자리에 멈춰있다는 말이다.

艮其背, 不獲其身, 行其庭, 不見其人, 無咎.

등에 멈춰 몸을 얻지 못하고, 뜰을 다니면서도 사람을 보지 못해야 허물이 없다.

本義

‘艮’, 止也. 一陽止於二陰之上, 陽自下升, 極上而止也. 其象 爲山, 取坤地而隆其上之狀, 亦止於極而不進之意也. 其占則 必能止於背而不有其身, 行其庭而不見其人, 乃無咎也. 蓋身 動物也, 唯背爲止, 艮其背, 則止於所當止也. 止於所當止, 則不隨身而動矣, 是不有其身也. 如是則雖行於庭除有人之 地, 而亦不見其人矣. 蓋艮其背而不獲其身者, 止而止也, 行 其庭而不見其人者, 行而止也. 動靜, 各止其所而皆主夫靜 焉, 所以得无咎也.

'멈춘다[艮]'는 머물러 있다는 말이다. 하나의 양(陽)이 두 음(陰) 위에 멈춰있으니, 양(陽)이 아래에서 올라가 위로 끝까지 가서 멈춰있다.

그 상(象)이 산이니, 곤(坤)의 땅이면서 그 위로 두텁게 솟은 모습을 취한 것으로 또한 끝에서 멈춰 나아가지 않는 뜻이다. 그 점(占)은 반드시 등에 멈춰 몸을 얻지 못하고, 뜰로 다니면서도 사람을 보지 못해야 허물이 없다.

몸은 움직이지만 오직 등만은 멈춰 있으니, 등에 멈춰 있으면 멈춰 있어야 할 곳에 멈춘 것이다. 멈춰 있어야 할 곳에 멈춰있으면 몸을 따라 움직이지 않으니, 몸을 얻지 못한다. 이와 같이 되었으면 사람이 있는 뜰에 다닐지라도 사람을 보지 못한다.

등에 멈춰 몸을 얻지 못한 것은 멈추어서 멈춘 상황이고, 뜰에 다니면서도 사람을 보지 못하는 것은 가면서 멈추었다. 움직임과 고요함이 각각 제자리에 멈추어 모두 고요함을 위주로 하기 때문에 허물이 없다.

程傳

人之所以不能安其止者, 動於欲也. 欲牽於前而求其止, 不可得也. 故艮之道, 當艮其背. 所見者在前, 而背乃背之, 是所不見也. 止於所不見, 則無欲以亂其心, 而止乃安. 不獲其身, 不見其身也, 謂忘我也. 無我則止矣. 不能無我, 無可止之道, 行其庭不見其人, 庭除之間至近也, 在背則雖至近不見, 謂不交於物也. 外物不接, 內欲不萌. 如是而止, 乃得止之道, 於止爲無咎也.

사람이 멈춤에 편안할 수 없는 것은 욕심에 휘둘리기 때문이다. 욕심이 앞에서 끌어당기고 있는데 멈추려고 하니, 할 수가 없다. 그러므로 멈추는 도는 등에서 멈추어야 한다.

보이는 것이 앞에 있어도 등은 곧 등지고 있으니 보지 못한다. 보지 못하는 것에 멈추어 있으니, 욕심 때문에 마음을 혼란하게 하지 않고 멈춘 그대로 편안히 있다.

몸을 얻지 못함은 몸을 보지 못한 상태로 나를 잊는 것을 말한다. 나를 없애면 멈출 수 있다. 나를 없앨 수 없으면, 멈출 수 있는 방도는 없다.

뜰을 다니면서도 사람을 보지 못하는 것은, 뜰은 아주 가까이 있는 곳이나 등 뒤에 있다면 아주 가까울지라도 보지 못하니, 사물과 사귀지 않음을 말한다.

바깥에 있는 물건과 접촉하지 않으면, 마음의 욕심이 싹트지 않는다. 이렇게 해서 멈추면, 멈춤이 도를 얻으니, 멈추는 것에서 허물이 없다.

● 周子曰 : "艮其背, 背非見也. 靜則止, 止非爲也, 爲不止矣, 其道也深乎!"[1]

주자(周子 : 周惇頤)[2]가 말했다. "등에 멈추면 등져서 보지 않고, 고요하면 멈추고, 멈추면 억지로 하지 않고, 억지로 하면 멈추지 못하니, 그 도가 심오하구나!"

● 郭氏忠孝曰 : "人之耳目口鼻皆有欲也, 至於背則無欲也. 內

---

1) 주돈이, 『통서(通書)』「몽간(蒙艮)」제40.
2) 주돈이(周惇頤, 1017~1073) : 자는 무숙(茂叔)이고, 호는 염계(濂溪)이며, 원래 이름은 돈실(惇實)이었는데, 북송 제5대 황제인 영종(英宗 : 1063~1067)의 옛 이름(조종실〈趙宗實〉)을 피하여 돈이(惇頤)로 이름을 고쳤다. 송대 도주영도(道州營道 : 현 호남성 도현〈道縣〉) 사람으로 송대 신유학의 개조이다. 분녕주부(分寧主簿), 지남창(知南昌), 지침주(知郴州), 지남강군(知南康軍) 등을 역임하였다. 이정(二程)의 스승이며, 주희의 형이상학체계에 큰 영향을 끼쳤다. 저서는 『태극도설(太極圖說)』, 『통서(通書)』, 「애련설(愛蓮說)」 등이 있다.

欲不動, 則外境不入, 是以行其庭不見其人也. 不獲其身, 止其
止矣. 不見其人, 止於行矣. 內外兼止, 故人欲滅而天理固存.
孟子曰 : '養心莫善於寡欲', 其'艮其背'之謂乎."[3]

곽충효(郭忠孝)가 말했다. "사람의 귀·눈·입·코에는 모두 하고자
하는 감각적 욕구가 있지만 등에는 욕심이 없다. 안으로 욕심이 움
직이지 않으면 밖에 있는 것들이 들어오지 않기 때문에 뜰을 다니
면서도 사람을 보지 못한다. 몸을 얻지 못하는 것은 멈출 일에 멈
추는 것이다. 사람을 보지 못하는 것은 다니는 일에 멈추는 일이
다. 안과 밖이 모두 멈추기 때문에 사람의 욕심이 없어지고 하늘의
이치가 보존된다. 맹자가 '마음을 기르는 데 욕심을 줄이는 일보다
좋은 것은 없다'[4]고 했는데, 그것이 '그 등에서 멈춘다'는 말이다."

● 郭氏雍曰 : "『中庸』曰 : 喜怒哀樂之未發謂之中,　艮之爲止,
其在玆時乎."[5]

곽옹(郭雍)이 말했다. "『중용』에서 '희노애락이 아직 드러나지 않은
것을 중(中)이다'라고 했는데, 간괘의 멈춤이란 바로 이때에 있는
것이다."

....

3) 방문일(方聞一), 『대역수언(大易粹言)』「간(艮)괘」.
4) 『맹자(孟子)』「진심하(盡心下)」: "養心, 莫善於寡欲, 其爲人也寡欲, 雖
有不存焉者, 寡矣, 其爲人也多欲, 雖有存焉者, 寡矣.[마음을 기르는 데
욕심을 줄이는 일보다 더 좋은 것이 없으니, 그 사람됨이 욕심이 적으면
비록 보존되지 못함이 있더라도 보존되지 못한 것이 적을 것이요, 사람
됨이 욕심이 많으면 비록 보존됨이 있더라도 보존된 것이 적을 것이다.]"
라고 하였다.
5) 곽옹(郭雍), 『곽씨전가역설(郭氏傳家易說)』「간(艮)괘」.

●『朱子語類』云 : "'艮其背', 只是言止也. 人之四體皆能動, 唯背不動, 取止之義. 止其所, 則廓然而大公."6)

『주자어류』에서 말했다. "'등에서 멈췄다'는 단지 멈춤을 말한 것이다. 사람의 사지는 움직일 수 있지만 오직 등만은 움직이지 못해 멈춤의 의미를 취했다. 멈출 곳에 멈추면 텅 비어서 아주 공평하다."

又云 : "艮其背, 便不獲其身, 不獲其身, 便不見其人. 行其庭對艮其背, 只是對得輕. 身爲動物, 不道動都是妄, 然而動斯妄矣, 不動自無妄."7)

또 말했다. "등에서 멈추면 몸을 얻지 못하고, 몸을 얻지 못하면 사람을 보지 못한다. 뜰을 다니는 것은 등에 멈추는 것과 짝이 되니 가볍게 짝지은 것일 뿐이다. 몸은 움직이는 것이니, 움직이는 것이 모두 허망하다는 말은 아니지만, 움직이면 허망하고 움직이지 않으면 저절로 허망함이 사라진다."

又云 : "艮其背不獲其身, 只是見道理, 不見自家, 行其庭不見其人, 只是見道理, 不見個人也."8)

또 말했다. "'등에 멈춰 몸을 얻지 못하는 것은 도리만 보고 자신을 보지 않음이고, 뜰을 다니면서도 사람을 보지 못하는 것은 도리만 보고 사람을 보지 않음이다."

---

6)『주자어류(朱子語類)』 권73, 44조목.
7)『주자어류(朱子語類)』 권73, 45조목.
8)『주자어류(朱子語類)』 권73, 60조목.

又云 : "明道云, '與其非外而是內, 不若內外之兩忘也', 說得最好, 便是不獲其身, 行其庭不見其人. 不見有物, 不見有我, 只見所當止也."9)

또 말했다. "명도(明道)가 말했다. '바깥이 잘못이고 안이 옳다고 함은 안과 밖 둘을 모두 잊는 것만 못하다'고 했는데 설명이 아주 좋으니, 그 몸을 얻지 못하고 뜰을 다니면서도 사람을 보지 못하는 것이다. 어떤 것이 있는지 보지 않고, 자신이 있는 것도 보지 않으니, 멈춰 있어야 할 곳을 보고 있을 뿐이다."

問 : "伊川云, 內欲不萌, 外物不接. 如是而止, 乃得其正, 似只說得靜中之止否."
曰 : "然. 此段分作兩截, 艮其背不獲其身, 爲靜之止, 行其庭不見其人, 爲動之止. 總說, 則艮其背, 是止之時當其所而止矣, 所以止時自不獲其身, 行時自不見其人. 此三句乃艮其背之效驗."10)

물었다. "이천이 '안으로 욕심이 싹트지 않아 바깥에 있는 것들과 접촉하지 않는다. 이렇게 해서 멈추어야 그 올바름을 얻을 수 있다'고 했는데, 고요함 속에서 멈춘다고 말하는 것 같지 않습니까?"
대답했다. "그렇습니다. 이 단락은 두 구절로 나눌 수 있으니, 등에서 멈춰 몸을 얻지 못함은 고요해져서 멈춘 것이고, 뜰을 다니면서도 사람을 보지 못함은 움직이면서 멈춘 것입니다. 총괄해서 말하면 등에서 멈추는 것은 멈출 때 그곳에서 멈추기 때문에 멈춰 있을 때는 저절로 몸을 얻지 못하고, 다니고 있을 때는 저절로 사람을

---

9) 『주자어류(朱子語類)』 권73, 56조목.
10) 『주자어류(朱子語類)』 권73, 59조목.

보지 못합니다. 이 세 구절은 바로 등에 멈추는 효험입니다."

問 : "'艮其背不獲其身' 曰 : '不見有身也,' '行其庭不見其人.'"
曰 : "不見有人也."
曰 : "不見有身, 不見有人, 所見者何物?"
曰 : "只是此理."11)

물었다. "'등에 멈춰 그 몸을 얻지 못함'은 '몸이 있는 것을 보지 못하는 것'이라고 하였는데, '뜰에 다니면서도 사람을 보지 못하는 것'은 무슨 의미입니까?"
대답했다. "사람이 있음을 보지 못하는 것입니다."
물었다. "몸이 있음을 보지 못하고 사람이 있음을 보지 못하면, 보는 것이 무엇입니까?"
대답했다. "이치일 뿐입니다."

● 陸氏九淵曰 : "'艮其背, 不獲其身', 無我, '行其庭不見其人', 無物."12)

육구연(陸九淵)13)이 말했다. "'등에서 멈춰서 몸을 얻지 못함'은 나

....

11) 『주자어류(朱子語類)』권73, 48조목.
12) 육구연(陸九淵), 『상산집(象山集)』「상산어록(象山語錄)」권2.
13) 육구연(陸九淵, 1139~1192) : 자는 자정(子靜)이고, 호는 존재(存齋) · 상산옹(象山翁)이며, 상산선생(象山先生)이라고 부르기도 한다. 송대 금계(金溪 : 현 강서성 금계현) 사람으로 1172년에 진사에 급제하여 숭안현주부(崇安縣主簿), 지형문군(知荊門軍)을 역임하였다. 맹자(孟子)를 계승하여 정주(程朱)의 이학(理學)과 대비되는 육왕(陸王) 심학(心

를 잊은 것이고, '뜰을 다니면서도 사람을 보지 못함'은 사물을 잊은 것이다."

● 許氏衡曰 : "人平地行不困, 沙行便困, 爲其立處不穩故也."

허형(許衡)[14]이 말했다. "사람이 평지를 다닐 때는 어려움이 없으나 사막을 다닐 때는 어려우니, 서있는 곳이 평안하지 않기 때문이다."

● 蔡氏淸曰 : "'艮其背', 『本義』云, '背者止之所也'. 夫天有四時, 冬不用, 地有四方, 北不用, 人有四體, 背不用, 一理也. 蓋體立而後用有以行, 此理若充得盡, 卽是定之以中正仁義而主靜."[15]

....

學)의 학파를 열었다. 주희가 정이천의 학통에 따라 도문학(道問學)을 더 존중한 데 반하여, 육구연은 정명도의 존덕성(尊德性)을 존중했다. 이 때문에 주희는 격물치지(格物致知)의 성즉리설(性卽理說)을 제창하고, 육구연은 치지(致知)를 주로 한 심즉리설(心卽理說)을 제창했다. 주희와 학문방법론 및 무극·태극론 등을 논쟁한 '아호지쟁(鵝湖之爭)'으로 유명하다. 그의 학문은 그의 제자 양자호(楊慈湖) 등에 의하여 강서(江西)와 절강(浙江) 각지에서 계승되었다. 저서로는 『상산선생전집(象山先生全集)』이 있다.

14) 허형(許衡, 1209~1281) : 자는 중평(仲平)이고 호는 노재(魯齋)이며, 시호는 문정(文正)이다. 원대 회주 하내(懷州河內 : 현 하남성 초작시 심양〈焦作市沁陽〉) 사람이다. 경학(經學), 역사, 예악명물(禮樂名物), 성력(星曆), 병형(兵刑), 식화(食貨), 수리(水利)에 널리 통달했다. 특히 원대 정주학(程朱學)을 발전시킨 공로가 커서, 유인(劉因)과 함께 원대 두 대가(大家)라고 불렸다. 세조(世祖) 때 벼슬에 나아가 국자좨주(國子祭酒), 중서좌승(中書左丞)을 지냈다. 저서에 『독역사언(讀易私言)』, 『노재심법(魯齋心法)』, 『노재유서(魯齋遺書)』 등이 있다.

채청(蔡淸)이 말했다. "'등에 멈추는 것'에 대해 『주역본의』에서는 '등은 멈추는 곳이다'라고 했다. 하늘에는 사계절이 있지만 겨울이 쓰이지 않고, 땅에는 사방이 있지만 북쪽이 쓰이지 않으며, 몸에는 사체가 있지만 등이 쓰이지 않으니, 하나의 이치이다. 형체가 성립된 뒤에 쓰임이 행해지니, 이 이치를 충분하게 다할 수 있으면 알맞음·바름·어짊·의로움으로 안정시키는데 고요함을 위주로 한다."

又曰：＂四句只略對, ＇艮其背＇一句是腦, 故「象傳」中言＇是以不獲其身, 行其庭不見其人＇. 此段功夫, 全在＇艮其背＇上, 人多將＇行其庭＇對此句說, 便不是了. ＇行其庭＇只輕帶邊, 緣艮其背了, 則自然不見有己, 也不見有人, 故云此四句只略對.＂16)

또 말했다. "네 구절은 간략하게 짝지은 것일 뿐이니, '등에서 멈춘다'는 한 구절이 핵심이기 때문에 「단전」에서 '그래서 몸을 얻지 못하고, 뜰을 다니면서도 사람을 보지 못한다'라고 했다. 이 단락의 공부는 전부 '등에 멈춘다'는 것에 있으니, 사람들이 대부분 '뜰을 다닌다'는 구절을 이 구절과 짝지어 말하는 것은 옳지 않다. '뜰을 다닌다'는 것은 가볍게 이어 붙인 것일 뿐이니, 등에 멈추는 것으로 말미암으면, 저절로 자기가 있음을 보지 못하고 또 사람이 있음을 보지 못하기 때문에 여기의 네 구절은 단지 간략하게 짝지은 것일 뿐이라고 했다."

● 陳氏琛曰：＂背者, 北也. 人之一心, 靜之所養有淺深, 則發之

---

15) 채청(蔡淸), 『역경몽인(易經蒙引)』「간(艮)괘」.
16) 채청(蔡淸), 『역경몽인(易經蒙引)』「간(艮)괘」.

所中有多寡, 而於靜全無得者, 一步不可行."17)

진침(陳琛)18)이 말했다. "등은 등진다는 것이다. 사람의 한 마음은 고요하게 하여 기르는 것에 깊고 얕음이 있고, 발현하여 알맞은 것에 많고 적음이 있으니, 고요하게 하는 것에서 전혀 얻음이 없는 자는 한 발자국도 내딛을 수 없다."

● 吳氏曰愼曰 : "程子廓然而大公, 物來而順應, 卽其義. 蓋廓然大公, 則忘我而不獲其身. 物來順應, 則忘物而不見其人. 動靜各止其所, 斯能內外兩忘."

오왈신(吳曰愼)이 말했다. "정자(程子 : 程顥)19)가 '텅 비어서 아주

---

17) 안사성(晏斯盛), 『역익종(易翼宗)』「간(艮)괘」.

18) 진침(陳琛, 1477~1545) : 명(明)대 복건(福建) 진강(晉江) 사람으로 자는 사헌(思獻)이고, 호는 자봉선생(紫峰先生)이다. 채청(蔡淸)에게 배웠고, 왕선(王宣), 역시충(易時沖), 임동(林同), 조록(趙逯), 채열(蔡烈) 등과 함께 이름을 날렸는데, 그가 가장 두드러졌다. 정덕(正德) 12년(1517)에 진사(進士)에 급제하여 형부산서사사주사(刑部山西司主事), 남경호부운남사주사(南京戶部雲南司主事), 남경이부고공랑중(南京吏部考功郎中) 등을 역임하였다. 하지만 관직에 흥미가 없어 5년 만에 사직하고 귀향하여 강학에 힘쓰며, 복건주자학을 발전시켰다. 저서에 『사서천설(四書淺說)』, 『역학통전(易學通典)』, 『정학편(正學編)』, 『자봉집(紫峰集)』 등이 있다.

19) 정호(程顥, 1032~1085) : 자는 백순(伯淳)이고, 호는 명도(明道)이다. 송대 낙양(洛陽 : 현 하남성 낙양) 사람으로 아우 정이(程頤)와 함께 '이정(二程)'이라 불리운다. 태자중윤(太子中允)·감찰어사리행(監察御史理行) 등을 역임하였다. '천리체인(天理體認)'과 '식인(識仁)' 등의 사상은 육구연·왕양명 등의 '심학(心學)'체계에 영향을 끼쳤다. 저서는 『식인편

공평하니, 사물이 와서 순조롭게 호응한다'[20]고 한 것이 바로 그 뜻이다. 텅 비어서 아주 공평하니 나를 잊어 몸을 얻지 못하고, 사물이 와서 순조롭게 호응하니 사물을 잊어 그 사람을 보지 못한다. 움직임과 고요함이 각각 제 자리에서 멈추니, 이것이 안과 밖을 모두 잊는 것이다."

(識仁篇)』, 『정성서(定性書)』, 『문집』 등이 있다. 현행 『이정집(二程集)』에는 부분적으로 이정의 글이 뒤섞여있는 곳이 있다.
20) 『이정수언(二程粹言)』 권하(卷下).

初六, 艮其趾, 無咎, 利永貞.

초육효는 발꿈치에 멈추어 허물이 없으니, 오래도록 하고 바름이
이롭다.

本義

以陰柔居艮初, 爲艮趾之象. 占者如之則無咎, 而又以其陰
柔, 故又戒其利永貞也.

음의 부드러움으로 간(艮)의 처음에 있으니, 발꿈치에 멈춘 상(象)
이다.
점치는 자가 이와 같이 하면 허물이 없지만, 또 음의 부드러움이기
때문에 또 오래도록 하고 바름이 이롭다고 경계하였다.

程傳

六在最下, 趾之象. 趾, 動之先也. 艮其趾, 止於動之初也. 事
止於初, 未至失正, 故無咎也. 以柔處下, 當趾之時也. 行則
失其正矣, 故止乃無咎. 陰柔患其不能常也, 不能固也, 故方
止之初, 戒以利在常永貞固, 則不失止之道也.

음(陰)인 육(六)이 가장 낮은 곳에 있으니, 발꿈치의 모습이다. 발
꿈치는 움직일 때 먼저 하는 것이다. 발꿈치에 멈춤은 움직이는 처
음에 멈추는 것이다. 일을 하면서 처음에서 멈추면, 올바름을 잃는

지경까지 가지 않기 때문에 허물이 없다.

부드러움이 아래에 있어 발꿈치에 해당하는 때이다. 나아가면 올바름을 잃기 때문에 멈추어야 허물이 없다.

음의 부드러움은 오래도록 할 수 없고 견고하게 할 수 없는 것이 걱정이기 때문에, 멈추는 처음에서 이로움이 오래도록 하고 바르고 견고하게 하는 것이 중요하다고 경계했으니, 멈추는 도리를 잃지 않아야 한다.

集說

胡氏炳文曰:"事當止者, 當於其始而止之, 乃可無咎. 止於始, 猶懼不能止於終, 而況不能止於始者乎? 初六陰柔, 懼其始之不能終也. 故戒以利永貞, 欲常久而貞固也."[21]

● 호병문(胡炳文)이 말했다. "일을 하면서 멈추어야 할 경우에는 그 시작에서부터 멈추어야 허물이 없을 수 있다. 시작에서 멈추고 여전히 끝에서 멈출 수 없는 것을 근심하는데, 하물며 시작에서 멈출 수 없는 경우에야 말해 무엇 하겠는가? 초육효는 음의 부드러움이어서 그 시작에서 끝까지 할 수 없는 것이 걱정된다. 그러므로 오래도록 하고 바름이 이롭다고 경계하여 오래도록 하고 바르고 견고하도록 한 것이다."

....
21) 호병문(胡炳文), 『주역본의통석(周易本義通釋)』「간(艮)괘」.

六二, 艮其腓, 不拯其隨, 其心不快.

육이효는 장딴지에 멈추어 따를 것을 구원하지 못하니, 그 마음이 불쾌하다.

六二居中得正, 旣止其腓矣. 三爲限, 則腓所隨也. 而過剛不中, 以止乎上, 二雖中正, 而體柔弱, 不能往而拯之, 是以其心不快也. 此爻占在象中, 下爻放此.

육이효는 가운데 있고 바름을 얻었으니, 이미 장딴지에 멈춘 것이다. 삼(三)효는 경계이니, 장딴지가 따르는 것이다.

그런데 지나치게 굳세고 알맞지 못하여 위에 멈추어 있으니, 이(二)효가 알맞고 바를지라도 체질이 유약하여 가서 구원할 수 없다. 이때문에 마음이 불쾌하다.

이 효는 점이 상(象)에 있으니, 아래 효도 이와 같다.

六二居中得正, 得止之道者也. 上無應援, 不獲其君矣. 三居下之上, 成止之主, 主乎止者也, 乃剛而失中, 不得止之宜. 剛止於上, 非能降而下求. 二雖有中正之德, 不能從也. 二之行止系乎所主, 非得自由, 故爲腓之象. 股動則腓隨, 動止在股而不在腓也. 二旣不得以中正之道, 拯救三之不中, 則必勉

而隨之. 不能拯而唯隨也, 雖咎不在己, 然豈其所欲哉? 言不
聽, 道不行也, 故其心不快, 不得行其志也. 士之處高位, 則
有拯而無隨, 在下位, 則有當拯有當隨, 有拯之不得而後隨.

육이효는 가운데 있고 바름을 얻었으니, 멈추는 도리를 얻은 것이
다. 그런데 위에서 호응하여 도와줌이 없으니, 임금의 신임을 얻지
못했다. 구삼효는 하체의 위에 있고 멈춤의 주체가 되어 멈춤을 주
관하는 자인데, 그만 굳세면서도 알맞음을 잃어 멈춤의 합당함을
얻지 못했다.

굳셈이 위에서 멈추어 자신을 낮추어 아래로 구하지 않으니, 육이
효가 알맞고 바른 덕이 있을지라도 따를 수가 없다. 육이효가 나아
가고 멈추는 것이 주관하는 자에 얽매여 있어 자유로울 수 없기 때
문에 장딴지의 모습이다. 넓적다리가 움직이면 장딴지는 따라가니,
움직이고 멈추는 것은 넓적다리에 있고 장딴지에 있지 않다.

육이효가 이미 알맞고 바른 도로 삼효의 알맞지 못함을 구제할 수
없으면, 반드시 억지로 따를 수밖에 없다. 구제할 수 없는데도 따라
야만 된다면, 허물이 자신에게 있지 않을지라도 어찌 하고 싶은 것
이겠는가? 말을 듣지 않고 도를 행하지 않으므로 그 마음이 불쾌하
니, 그 뜻을 실행할 수 없기 때문이다.

선비가 높은 자리에 있으면, 구원할 것은 있으나 따를 것은 없고,
낮은 자리에 있으면, 구원해야 할 것이 있고 따라야 할 것이 있으
며, 구원할 수 없게 된 다음에 따라야 할 것이 있다.

集說

● 楊氏簡曰 : "腓, 隨上而動者也. 上行而不見拯, 不得不隨而

動, 故心不快."[22]

양간(楊簡)이 말했다. "장딴지는 위를 따라서 움직이는 것이다. 위에서 가는데 구제할 수 없으니, 어쩔 수 없이 움직이기 때문에 그 마음이 불쾌하다."

案

此爻'隨'字與咸三同. 咸三謂隨四, 此爻謂隨三也. 蓋咸艮皆以人身取象. 凡人心屬陽, 體屬陰. 咸卦三陽居中, 而九四尤中之中, 故以四爲心也. 此卦唯九三一陽居中, 故以三爲心也. 人心之動, 則體隨之, 而『易』例以相近之下位而隨, 故咸三艮二皆言隨也. 兩卦直心位者, 皆德非中正, 若一以隨爲道, 則隨之者亦失其正矣, 故咸三則執其隨而往吝者, 此爻則不拯其隨而不快. 然六二有中正之德, 本有以自守者, 故以不能拯其隨爲不快於心, 與咸三之志在隨人異矣.

이 효에서 '따른다[隨]'는 말은 함(咸)괘의 구삼효[23]와 같다. 함(咸)☷괘 구삼효에서는 구사효를 따르는 것을 말하고, 이 효에서는 구삼효를 따르는 것을 말했다.
함(咸)괘와 간(艮)괘는 모두 사람의 몸을 가지고 상징을 취하였는데, 사람의 마음은 양(陽)에 속하고 몸체는 음(陰)에 속한다. 함괘의 세 양(陽)은 가운데 있고, 구사효는 가운데에서도 가운데이기

---

22) 양간(楊簡), 『양씨역전(楊氏易傳)』「간(艮)괘」.
23) 『주역』「함(咸)괘」: "九三, 咸其股, 執其隨, 往吝.[구삼효는 넓적다리에서 감동하는 것이다. 따를 것만 고집하니, 가면 부끄럽게 된다.]"라고 하였다.

때문에 구사효를 마음으로 여긴다. 이 괘는 오직 구삼효라는 하나의 양이 가운데 있기 때문에 구삼효를 마음으로 여긴다. 사람은 마음이 움직이면 몸이 따르는데, 『역(易)』의 사례에서는 서로 가까운 아래 지위여서 따르기 때문에 함괘의 구삼효에서 간괘의 육이효에서 모두 따른다고 말했다.

두 괘에서 바로 마음의 자리에 있는 것들이 모두 덕이 알맞고 바르지 않으니, 만약 하나가 따름으로 도를 삼으면 따르는 것도 바름을 잃기 때문에 함괘 구삼효에서는 따르는 것만 고집하니 가면 부끄럽고, 이 효에서는 그 따를 것을 구원하지 못하니, 그 마음이 불쾌하다. 그러나 육이효는 알맞고 바른 덕이 있어 본래 스스로 지키기 때문에 따를 것을 구원할 수 없음을 마음에 불쾌한 것으로 여겼으니, 함괘 구삼효의 뜻이 사람을 따르는 데 있는 것과는 다르다.

九三, 艮其限, 列其夤, 厲薰心.

구삼효는 경계에 멈추어 등골을 벌려놓으니, 위태로움이 마음을 태운다.

本義

限, 身上下之際, 卽腰胯也, 夤, 膂也. 止於腓, 則不進而已. 九三以過剛不中, 當限之處, 而艮其限, 則不得屈伸, 而上下 判隔, 如列其夤矣. 危厲薰心, 不安之甚也.

경계[限]는 몸에서 위와 아래의 경계로 바로 허리부분이며, 등골[夤] 은 등뼈이다.

장딴지에 멈추면 나아가지 않을 뿐이다.

구삼효는 지나친 굳셈과 알맞지 않음으로 경계되는 곳에 있어 경계 에서 멈추었으니, 펼 수도 굽힐 수도 없고 위와 아래가 나누어 막힌 것이 등뼈를 벌려놓은 것과 같다.

위태로움이 마음을 태우니, 불안함이 심한 것이다.

程傳

限, 分隔也, 謂上下之際. 三以剛居剛而不中, 爲成艮之主, 決止之極也. 已在下體之上, 而隔上下之限, 皆爲止義, 故爲 艮其限, 是確乎止而不復能進退者也. 在人身如列其夤. 夤, 膂也, 上下之際也. 列絶其夤, 則上下不相從屬, 言止於下之

堅也. 止道貴乎得宜, 行止不能以時而定於一, 其堅強如此,
則處世乖戾, 與物睽絕, 其危甚矣. 人之固止一隅, 而舉世莫
與宜者, 則艱蹇忿畏, 焚撓其中, 豈有安裕之理. '厲薰心', 謂
不安之勢, 薰爍其中也.

경계[限]는 떨어진 것으로 위와 아래의 경계이다. 구삼효는 굳셈으
로 굳센 자리에 있고 알맞지 않은 것으로 멈춤을 이루는 주체가 되
었으니, 결단코 멈추는 궁극이다. 이미 하체(下體)의 윗자리에 있으
면서 위와 아래의 경계를 나누는 것은 모두 멈추는 의미이기 때문
에 경계에 멈춘 것이니, 멈추는 데 확고하여 다시 나아가고 물러설
수 없다. 사람의 몸에서는 등골을 벌려놓은 같다.

등골[夤]은 등뼈이니, 위와 아래의 경계이다. 등골을 벌려 끊어놓으
면, 위와 아래가 서로 연결되어 붙어 있을 수 없으니, 아래에 멈추
기를 견고하게 함을 말한다. 멈추는 도리는 마땅함을 얻는 것을 귀
하게 여기는데, 나아감과 멈춤이 때에 맞게 하지 못하고 하나로 고
정되어 이처럼 딱딱하게 굳어 있으면, 세상에 대처하는 것이 어그
러져 사람들과 등지고 끊어질 것이니, 아주 위태롭다.

사람이 한쪽으로 고집스럽게 멈춰 온 세상과 마땅함을 함께하지 못
할 경우에는 고난으로 멈춰 분노하고 두려워하며 그 마음을 태우며
동요할 것이니, 어찌 편안할 리가 있겠는가? '위태로움이 마음을 태
운다'는 것은 불안한 상황이 그 마음을 태운다는 말이다.

集說

● 王氏宗傳曰: "九三下體之終也, 以上下二體觀之, 則交際之
地也, 故曰'限'. 夫人之身, 雖有體節程度, 然其脈絡血氣, 必也

周流會通, 曾無上下之間, 故能屈伸俯仰, 無不如意, 而心得以
夷然居中. 今也艮其限, 而有所止焉, 則截然不相關屬, 而所謂
心者, 其能獨寧乎? 故曰'厲薰心'."[24]

왕종전(王宗傳)이 말했다. "구삼효는 하체의 마지막인데 상체와 하
체로 본다면 서로 만나는 곳이기 때문에 '경계'라고 했다. 사람의
몸에는 마디의 정도가 있지만 그 맥락과 혈기는 반드시 두루 흐르
고 회통하여 위와 아래 사이가 없기 때문에 굽히고 펼치고 구부리
고 우러를 수 있는 사안이 뜻대로 되지 않는 것이 없어 마음이 평
탄하게 가운데 자리할 수가 있다. 이제 경계에 멈추어 멈추는 곳이
있으니, 단호하게 서로 맺어져 연결되지 않지만 이른바 마음이 어
찌 홀로 편안할 수 있겠는가? 그러므로 '위태로움이 마음을 태운다'
고 했다.

● 胡氏炳文曰 : "震所主在下, 初九, 下之最下者也. 九四雖亦
震所主, 而溺於四柔之中, 有泥之象, 故不如初之吉. 艮所主在
上, 上九, 上之最上者也. 九三雖亦艮所主, 然介乎四柔之中, 有
限之象, 有列其夤之象, 故不如上之吉. 蓋寂然不動者心之體,
如之何可以徇物? 感而遂通者心之用, 如之何可以絶物? 三過剛
不中, 確乎止而不能進退, 以至上下隔絶, 是絶物者也. 唯見其
危厲薰心而已."[25]

호병문이 말했다. "진(震☳)괘의 주효는 아래에 있고, 초구효는 아
래에서 가장 아래의 위치이다. 구사효도 진괘의 주효이지만 네 개

---

24) 왕종전(王宗傳), 『동계역전(童溪易傳)』「간(艮)괘」.
25) 호병문(胡炳文), 『주역본의통석(周易本義通釋)』「간(艮)괘」.

의 부드러움 가운데 빠져 막히는 상(象)이 있기 때문에 초구효의 길함과 같지 않다. 간(艮☶)괘의 주효는 위에 있고, 상구효는 위에서도 가장 위의 자리이다. 구삼효도 간괘의 주효이지만 네 개의 부드러움 가운데 있어 경계의 상(象)이 있고, 등골을 벌려놓는 상이 있기 때문에 상구효의 길함과 같지 않다. 고요히 움직이지 않는 것이 마음의 형체인데 어떻게 사물을 따를 수 있겠으며, 감응하여 비로소 통하는 것이 마음의 작용인데 어떻게 사물을 끊을 수가 있겠는가? 구삼효는 지나치게 굳건하고 알맞지 않으며 확고하게 멈추고 나아갈 수 없어 위와 아래가 막히고 끊어지게 되었으니, 사물을 끊는 것이다. 오직 그 위태로움이 태우는 것을 볼 수 있을 뿐이다."

● 楊氏啓新曰 : "此爻是惡動以爲靜, 而反至於動心者. 蓋心之與物, 本相聯屬, 時止而止, 時行而行, 則事應於心, 而心常泰然. 有意絶物, 則物終不可絶, 而心終不可靜矣."

양계신(楊啓新)[26]이 말했다. "이 효는 움직임을 싫어해서 고요하게 되었다가 다시 마음을 움직이게 된 경우이다. 마음은 사물과 본래 서로 이어져 있으니, 멈출 때가 되어 멈추고 갈 때가 되어 가면, 일이 마음에 호응하여 마음이 항상 태연하다. 그런데 의도적으로 사물을 끊으면, 사물도 결국 끊을 수 없고 마음도 결국 고요할 수 없다."

案

賁爲夾脊骨, 正與心相對. 列, 峙也. 峙其脊骨, 而不得爲艮背之象者, 蓋艮背者, 能動而止也, 如人之坐屍立齊, 而揖讓俯仰之

---

26) 양계신(楊啓新) : 청나라 양문원(楊文源)이다.

用則未嘗廢. 此所以能行其庭, 而與物酬酢也. 此之列夤, 由於
艮限. 則因腰之不能屈伸, 而脊爲之峙, 是不能動而止, 如人之
有戾疾者, 安得不危而薰心哉? 心猶火也, 可揚而不可遏也. 揚
之則明, 遏之則薰矣. 危薰心者, 言其堙鬱昏塞, 無光明通泰之
象也. 震之九四, 不當動而動, 此爻則不當止而止, 咸之九四, 感
之妄, 此爻則止之偏, 皆因失中正之德故如此.

'등골[夤]'은 등뼈이니, 바로 마음과 서로 짝이 된다. '벌려놓다' 의미
의 '열(列)'은 '위로 이어져 있다'는 말이다. 등뼈는 위로 이어져 등
에서 멈출 수 없는 상이 된다.
등에 멈추는 경우는 움직일 수 있는데 멈춘 것으로 사람이 '앉아 있
는 것을 시동처럼 하고 서 있는 것을 재계할 때처럼 하는 것과 같
으니'[27] 읍양하고 구부리고 우러르는 작용이 멈춘 적이 없다. 이 때
문에 뜰을 다니며 사물과 함께 수작할 수 있다.
여기에서 등골이 위로 이어진 것은 경계에 멈추었기 때문이다. 그
렇다면 허리가 굽히고 펼 수 없기 때문에 등뼈가 위로 이어진 것은
움직일 수 없어 멈춘 것으로 사람에게 사나운 병이 있는 것과 같으
니, 어찌 위태로워 마음을 태우지 않을 수 있겠는가?
마음은 불과 같아서 날아오르는 것은 괜찮지만 막히는 것은 안 된
다. 날아오르면 밝고 막히면 탄다. 위태로움이 마음을 태우는 것은
막히고 아둔해서 밝고 시원함이 없는 상(象)이다.
진(震)괘의 구사효는 움직이지 않아야 하는데 움직인 것이고,[28] 이

---

27) 『예기(禮記)』「곡례상(曲禮上)」: "若夫坐如尸, 立如齊. 禮從宜, 使從
俗.[앉아 있는 것은 시동처럼 하고, 서 있는 것은 재계할 때처럼 한다.
예는 마땅함을 따르고 사신으로 나가면 그 나라 풍속대로 한다.]"라고
하였다.
28) 『주역』「진(震)괘」: "九四, 震遂泥.[구사효는 천둥이 막혀버렸다.]"라고

효는 멈추지 말아야 하는데 멈춘 것이며, 함(咸)괘의 구사효는 감응이 망령된 것이고,29) 이 효는 멈춤이 편벽된 것이니, 모두 중정(中正)의 덕을 잃었기 때문에 그렇다.

하였다.

29) 『주역』 「함(咸)괘」: "九四, 貞, 吉, 悔亡, 憧憧往來, 朋從爾思.[구사는 곧으면 길하여 후회가 없으니, 자주 가고 오면 벗만 네 생각을 따를 것이다.]"라고 하였다.

六四, 艮其身, 無咎.

육사효는 몸에 멈추니, 허물이 없다.

本義

以陰居陰, 時止而止, 故爲艮其身之象, 而占得無咎也.

음(陰)이 음(陰)의 자리에 있어 멈출 때가 되어 멈추었기 때문에 몸에 멈추는 상이고, 점(占)이 허물이 없다.

程傳

四, 大臣之位, 止天下之當止者也. 以陰柔而不遇剛陽之君, 故不能止物. 唯自止其身, 則可無咎. 所以能無咎者, 以止於正也. 言止其身無咎, 則見其不能止物, 施於政則有咎矣. 在上位而僅能善其身, 無取之甚也.

사효는 대신(大臣)의 지위이니, 세상에서 마땅히 멈추어야 할 것에 멈추었다. 그런데 음의 부드러움으로 굳센 양인 임금을 만나지 못했기 때문에 다른 것들을 멈추게 할 수 없다. 오직 스스로 자기 몸에 멈추면, 허물이 없을 수 있다. 허물이 없을 수 있는 까닭은 올바름에서 멈췄기 때문이다.

몸에 멈추어 허물이 없다고 한 것은 다른 사람을 멈추게 할 수 없으니, 정치적인 일에 시행하면 허물이 있음을 드러낸 것이다. 윗자리

에 있으면서 겨우 자신의 몸만 좋게 할 수 있다면, 심하게 취할 것
이 없다.

集說

● 胡氏瑗曰："人之體, 統而言之, 則謂之一身. 分而言之, 則腰
足而上謂之身. 六四出下體之上, 在上體之下, 是身之象也. 夫
人患不能自止其身, 今能止之得其道, 使四肢不妄動, 故無咎
也."30)

호원(胡瑗)이 말했다. "사람의 몸을 통체로 말하면 하나의 몸이다.
나누어 말하면 허리와 발 위를 몸이라고 한다. 육사효는 하체의 위
를 벗어나 상체의 아래에 있으니 몸의 상(象)이다. 사람은 스스로
그 몸에 멈출 수 없는 것을 근심하는데, 지금 멈추는 데 방도를 얻
을 수 있어 사지(四肢)가 함부로 움직이지 않게 하기 때문에 허물
이 없다."

● 吳氏曰愼曰："視聽言動, 身之用也. 非禮勿視聽言動, '艮其
身'也, 時止而止, 故無咎. 若艮限則一於止, 是猶絶視聽言動,
而以寂滅爲道者矣."

오왈신(吳曰愼)이 말했다. "보고 듣고 말하고 움직이는 것은 몸의
작용이다. 예가 아니면 보지 않고 듣지 않고 말하지 않고 움직이지
도 않는다는 말이 '몸에 멈춘다'는 뜻으로 때가 멈추어서 멈추기 때

---

30) 호원(胡瑗), 『주역구의(周易口義)』「간(艮)괘」.

문에 허물이 없다. 경계에 멈추면 멈추는 것 하나만을 하여 보고 듣고 말하고 움직임을 끊는 것과 같으니, 고요하게 없앰을 도리로 삼는 것이다."

案

咸五居心上, 故咸其脢者背也. 此爻亦居心上, 則亦背之象矣.
不言艮其背者, 艮其背爲卦義, 非中正之德, 不足以當之. 四雖
直其位而德非中, 故但言艮其身而已, 蓋艮其背則不獲其身矣.
不獲其身者忘也. 若艮其身, 則能止而未能忘也. 然止者忘之
路, 故其占亦曰'無咎'. 正猶同人之卦義曰'于野', 上九雖直野位,
而其德未至, 故次於野而曰郊. 此之卦義曰艮背, 此爻雖直背位,
而其德亦未至, 故次於'不獲其身', 而曰'艮其身'也.

함(咸 ䷞)괘의 구오효는 마음의 위에 있기 때문에 그 등살에 감동하는 것"[31]은 등이다. 이 효도 마음 위에 있으니, 또한 등의 상이다. 그런데 등에 멈춘다고 말하지 않은 것은, 등에 멈추는 것은 괘의 의미이고, 알맞고 바른 덕이 아니니 여기에 해당시키기에는 부족하다.

육사효가 그 지위에 해당할지라도 덕이 알맞지 않기 때문에 몸에 멈춘다고 말했을 뿐이니, 등에 멈추면 몸을 얻지 못하기 때문이다. 몸을 얻지 못할 경우에는 잊어버린다. 그런데 만약 그 몸에 멈춘다면 멈출 수 있더라도 잊을 수는 없다.

그러나 멈추는 것은 잊는 길이기 때문에 그 점(占)에서 또한 '허물이 없다'고 했다. 바로 동인(同人)괘의 '들에서'[32]라고 한 것과 의미

---

31) 『주역』「함(咸)괘」: "九五, 咸其脢, 无悔.[구오효는 그 등살에 감동하는 것이니, 후회는 없다.]"라고 하였다.

가 같은데, 상구효가 광야의 자리에 해당할지라도 그 덕이 미치지 못했기 때문에 광야의 다음인 교외라고[33] 했다.

이 괘에서 '등에 멈춘다'고 한 의미인 이 효로는 등의 위치에 해당할지라도 그 덕이 또한 미치지 못하기 때문에 '몸을 얻지 못한다'는 것의 다음에 두어 '그 몸에 멈춘다'고 했다.

---

32) 『주역』「동인(同人)괘」: "同人于野, 亨, 利涉大川, 利君子貞.[동인은 들에서 사람들과 함께 하면 형통하고, 큰 내를 건넘이 이로우니 군자의 곧음이 이롭다.]"라고 하였다.

33) 『주역』「동인(同人)괘」: "上九, 同人于郊, 無悔.[상구효는 교외에서 사람들과 함께 하지만 후회가 없다.]"라고 하였다.

六五, 艮其輔, 言有序, 悔亡.

육오효는 광대뼈에 멈추어 말에 순서가 있으니, 후회가 없어진다.

本義

六五當輔之處, 故其象如此, 而其占悔亡也. 悔, 謂以陰居陽.

육오효는 광대뼈에 해당하는 곳이기 때문에 그 상(象)이 이와 같고,
그 점(占)에 후회가 없다. 후회는 음(陰)으로 양(陽)의 자리에 있는
것을 말한다.

程傳

五君位, 艮之主也, 主天下之止者也. 而陰柔之才, 不足以當
此義, 故止以在上取輔義言之, 人之所當慎而止者, 唯言行
也. 五在上, 故以輔言. 輔, 言之所由出也. 艮於輔, 則不妄出
而有序也. 言輕發而無序, 則有悔, 止之於輔, 則悔亡也. 有
序, 中節有次序也. 輔與頰舌, 皆言所由出, 而輔在中, '艮其
輔', 謂止於中也.

오효는 임금의 자리로 간(艮☶)괘의 주체이니, 천하의 멈춤을 주관
하는 것이다. 그런데 음의 부드러움으로는 이러한 뜻을 감당하기에
는 부족하기 때문에 단지 위에서 광대뼈를 취하는 의미로 말했다.
사람이 신중히 하고 멈추어야 할 것은 말과 행동뿐이다. 육오효는

위에 있기 때문에 광대뼈로 말했다. 광대뼈는 말이 나오는 곳이다. 광대뼈에 멈춘다면, 함부로 내놓지 않아 순서가 있다.

경솔하고 순서가 없으면 후회가 있으니, 광대뼈에 멈추면 후회가 없다는 말이다. 순서가 있는 것은 절도에 맞아 차례가 있다. 광대뼈와 뺨과 혀는 모두 말을 하게 만드는 것인데, 광대뼈가 가운데 있으니, '광대뼈에 멈춘다'는 것은 알맞음에 멈춘다는 말이다.

集說

● 蘇氏軾曰 : "口欲止, 言欲寡."[34]

소식(蘇軾)이 말했다. "입은 멈추게 하려고 하고 말은 적게 하려고 한다."

● 趙氏彦肅曰 : "能黙故能言, 非黙而不言也. 由言以推行, 所謂艮者, 亦如是而已."[35]

조언숙(趙彦肅)[36]이 말했다. "침묵할 수 있기 때문에 말할 수 있으

---

34) 소식(蘇軾), 『동파역전(東坡易傳)』 「간(艮)괘」.
35) 조언숙(趙彦肅), 『부재역설(復齋易說)』 「간(艮)괘」.
36) 조언숙(趙彦肅) : 자는 자흠(子欽)이고 호는 부재(復齋)이다. 태조의 후예이고 일찍이 진사(進士)로 천거되었다. 저작으로는 『광잡학변(廣雜學辨)』, 『사관례혼례궤식도(士冠禮婚禮饋食圖)』 등이 있는데 주희가 높이 평가했다. 오직 『역』을 논하는데 주희와 합치하지 않았지만 『주자어류』에서는 그 학설이 정미하다고 말하여 의미를 취한 것이 많다. 조언숙이 말하는 『역』은 상수(象數)에서 의리(義理)를 구하는 것이라서 6획을 중

니, 침묵하고 말하지 않는 것이 아니다. 말을 통해 행동을 미루어 가니 멈춤이라고 하는 것도 이와 같을 뿐이다."

● 龔氏煥曰 : "艮其輔, 非不言也, 言而有序, 所以爲艮也."[37]

공환(龔煥)이 말했다. "광대뼈에 멈춘다는 것은 말하지 않음이 아니라 말하면서 순서가 있기 때문에 멈춘다."

● 谷氏家杰曰 : "止在言前, 非出口方思止也, 然有序爲止, 止亦非緘默之謂也."

곡가걸(谷家杰)이 말했다. "멈춤은 말에 앞서 있으니, 입으로 내놓고 비로소 멈춤을 생각하는 것이 아니다. 그런데 순서가 있어 멈추니, 멈춤 또한 침묵을 말하는 것은 아니다."

시한다. 역학을 다룬 저술로 『부재역설(復齋易說)』이 있다.
37) 정정조(程廷祚), 『대역택언(大易擇言)』「간(艮)괘」.

上九, 敦艮, 吉.

상구효는 멈춤에 독실하니 길하다.

本義

以陽剛居止之極, 敦厚於止者也.

양의 굳셈으로 멈춤의 끝에 있으니, 멈춤에 도타운 것이다.

程傳

九以剛實居上, 而又成艮之主. 在艮之終, 止之至堅篤者也.
'敦', 篤實也. 居止之極, 故不過而爲敦. 人之止難於久終, 故
節或移於晚, 守或失於終, 事或廢於久, 人之所同患也. 上九
能敦厚於終, 止道之至善, 所以吉也. 六爻之德, 唯此爲吉.

구(九)가 굳세고 차 있는 것으로 위에 있어 또 멈춤을 이루는 주체
이고, 멈춤의 끝에 있어 그 멈춤이 매우 견고하고 독실한 것이다.
'도탑다[敦]'는 독실하다는 말이다. 멈춤의 끝에 있기 때문에 지나치
지 않고 도탑다. 사람의 멈춤은 오래도록 끝까지 하기 어렵기 때문
에 간혹 절개를 만년에 바꾸고, 간혹 지조를 끝에서 잃으며, 간혹
일을 마지막에 망치니, 이는 사람들이 모두 근심하는 것이다.
상구효는 끝까지 도탑게 할 수 있어 멈춤의 도가 지극히 좋기 때문
에 길하다. 여섯 효의 덕에서 이 효만 길하다.

● 項氏安世曰 : "上九與三相類, 皆一卦之主也. 然九三當上下
之交, 時不可止而止, 故危. 上九當全卦之極, 時可止而止, 故
吉."[38]

항안세(項安世)가 말했다. "상구효와 구삼효는 서로 유사하여 모두
한 괘의 주체이다. 그러나 구삼효는 위와 아래의 경계에 해당하는
데 멈추지 않아야 하는 때 멈추었기 때문에 위태롭다. 상구효는 전
체 괘의 끝에 있어 멈추어야 할 때 멈추었기 때문에 길하다."

又曰 : "「象」曰'艮其背, 不獲其身, 行其庭不見其人, 無咎'. 唯六
四一爻足以當之. 「象」曰'兼山艮, 君子以, 思不出其位', 唯上九
一爻足以當之."[39]

또 말했다. "「단전」에서 '등에 멈춰 몸을 얻지 못하고, 뜰을 다니면
서도 사람을 보지 못해야 허물이 없다'라고 했다. 그런데 오직 육사
효 한 효가 이를 충족하는데 해당한다. 「상전」에서 '산을 겹친 것이
간(艮☶)괘이니, 군자는 그것을 본받아 생각을 지위에서 벗어나게
하지 않는다'고 했으니, 오직 상구효 한 효가 이를 충족하는데 해당
한다."

● 胡氏炳文曰 : "'敦臨'·'敦復', 皆取坤土象, 艮山乃坤土而隆其
上者也, 其厚也彌固. 故其象爲敦, 其占曰'吉', 艮之在上體者凡
八, 而皆吉."[40]

----

38) 항안세(項安世), 『주역완사(周易玩辭)』「간(艮)괘」.
39) 항안세(項安世), 『주역완사(周易玩辭)』「간(艮)괘」.

호병문이 말했다. "임(臨䷒)괘 상육효의 '돈독하게 임한다'와 복(復䷗)괘 육오효의 '돈독하게 회복했다'는 것은 모두 곤(坤)의 땅을 취한 상(象)이다. 그런데 간(艮䷳)괘의 산은 바로 곤(坤)의 땅이 위로 솟아오른 것으로 그 두터움이 더욱 견고하다. 그러므로 그 상(象)이 돈독해서 그 점(占)이 '길하다'고 하였다. 간(艮☶)괘가 상체(上體)에 있는 경우는 여덟인데, 모두 길하다."

總論

● 『朱子語類』云 : "咸艮皆以人身爲象, 但艮卦又差一位."[41]

『주자어류』에서 말했다. "함(咸䷞)괘와 간(艮䷳)괘는 모두 사람의 몸으로 상징을 삼았는데, 다만 간괘에서는 한 자리로 차이가 난다."

● 項氏安世曰 : "咸艮二卦取象相類. 艮四爲背, 故五爲輔. 咸四爲心, 故五爲背肉, 上爲輔, 又上兌爲口, 則輔宜在上也."[42]

항안세가 말했다. "함(咸䷞)괘와 간(艮䷳)괘 두 괘는 상을 취하는 것이 서로 유사하다. 간괘는 육사효가 등이기 때문에 육오효가 광대뼈이다. 함괘는 구사효가 마음이기 때문에 구오효가 등살이고, 상육효가 광대뼈인데, 또 위의 태(兌)괘가 입이니 광대뼈는 위에 있어야 한다."

40) 호병문(胡炳文), 『주역본의통석(周易本義通釋)』 「간(艮)괘」.
41) 『주자어류(朱子語類)』 권73, 65조목.
42) 항안세(項安世), 『주역완사(周易玩辭)』 「간(艮)괘」.

案

咸艮之象, 所以差一位者, 咸以四爲心, 故五爲背而上爲口, 艮以三爲心, 故四爲背而五爲口, 其位皆緣心而變者也. 二之腓兼股爲一象, 故與咸三俱言'隨'.

함(咸)괘와 간(艮)괘의 상이 한 자리로 차이가 나는 것은 함(咸)괘에서는 구사효를 마음으로 보기 때문에 구오효가 등이고 상육효가 입이며, 간(艮)괘에서는 구삼효를 마음으로 보기 때문에 육사효가 등이고 육오효가 입이니, 그 자리들이 모두 마음에서 변한 것이다. 함괘 육이효의 장딴지[43]는 넓적다리를 겸한 하나의 상(象)이기 때문에 함(咸)괘의 구삼효[44]와 함께 모두 '따를 것[隨]'을 말했다.

─────────

43) 『주역』「함(咸)괘」: "六二, 咸其腓, 凶, 居吉.[육이효는 장딴지에서 감동하면, 흉하니, 그 자리에 있으면 길하다.]"라고 하였다.
44) 『주역』「함(咸)괘」: "九三, 咸其股, 執其隨, 往吝.[구삼효는 넓적다리에서 감동하는 것이다. 따를 것만 고집하니, 가면 부끄럽게 된다.]"라고 하였다.

53. 점漸괘

巽上
艮下

漸,「序卦」, "'艮'者, 止也, 物不可以終止, 故受之以漸, '漸者,
進也." 止必有進, 屈伸消息之理也. 止之所生亦進也, 所反亦
進也, 漸所以次艮也. 進以序爲漸, 今人以緩進爲漸, 進以序
不越次, 所以緩也. 爲卦上巽下艮, 山上有木. 木之高而因山,
其高有因也. 其高有因, 乃其進有序也, 所以爲漸也.

점(漸)괘는 「서괘전」에서 "'멈춤'이란 그침인데, 어떤 사물도 끝까지
멈추어 있을 수만은 없으므로, 점진적 진입을 상징하는 점괘로 받
았으니, '점(漸)'이란 점차적 진입이다"라고 하였다.
멈추면 반드시 나아가게 되니, 이것이 굽히고 펼쳐지는 이치이다.
멈춤이 생겨나는 것 역시 점차적으로 진입하기 위해서이고, 그 반
대도 역시 점차적으로 진입하기 위해서이니, 점괘가 간괘의 다음이
된다. 나아가는 것을 순서대로 하는 것이 점차적 진입이다.
요즘 사람들이 천천히 느리게 나아가는 것을 점차적인 것이라고 하
는데, 나아가는 데 순서에 따라 해서 차례를 뛰어넘지 않기 때문에
느린 것이다.
괘의 모습은 나무를 상징하는 손(巽☴)괘가 위에 있고 산을 상징하

는 간(艮☷)괘가 아래에 있어, 산 위에 나무가 있는 모습이다. 나무가 높이 서 있음은 산을 바탕으로 한 것이니, 그 높음이 바탕을 가지고 있다. 그 높음이 바탕을 가지고 있는 것은 그 전진이 순서에 바탕하고 있으므로, 점차적 진입이다.

漸, 女歸吉, 利貞.

점차적 진입은 여자가 시집가는 것이 길하니, 올바름을 굳게 지킴
이 이롭다.

漸, 漸進也. 爲卦止於下而巽於上, 爲不遽進之義, 有"女歸"
之象焉. 又自二至五, 位皆得正, 故其占爲"女歸吉", 而又戒
以"利貞"也.

점(漸)은 점차적으로 전진하는 것이다. 괘는 아래에서 그치고 위에
서 공손하니, 급작스럽게 나아가지 않는 뜻이고, "여자가 시집가는"
상(象)이 있다.

또 이효로부터 오효에 이르기까지 자리가 모두 올바름을 얻었으므
로 그 점(占)이 "여자가 시집가는 것이 길한" 것이 되고 또 "올바름
을 굳게 지킴이 이롭다"고 경계하였다.

以卦才兼漸義而言也, 乾坤之變爲巽艮, 巽艮重而爲漸. 在漸
體而言, 中二爻交也. 由二爻之交, 然後男女各得正位. 初終
二爻, 雖不當位, 亦陽上陰下, 得尊卑之正. 男女各得其正,
亦得位也. 與歸妹正相對. 女之歸, 能如是之正則吉也. 天下
之事, 進必以漸者, 莫如"女歸". 臣之進於朝, 人之進於事, 固

當有序. 不以其序, 則陵節犯義, 凶咎隨之. 然以義之輕重,
廉恥之道, 女之從人, 最爲大也, 故以"女歸"爲義. 且男女, 萬
事之先也.

괘의 자질을 가지고 점진적 진입이라는 뜻을 겸하여 말했다. 건(乾
☰)괘와 곤(坤☷)괘가 변하여 손(巽☴)괘와 간(艮☶)괘가 되고, 손
괘와 간괘가 중첩되어 점괘가 된다.

점괘의 형체를 가지고 말하면, 가운데 두 효[삼효, 사효]가 교류한
다. 이 두 효가 교류하였기 때문에, 그 뒤에 남자와 여자가 각각 올
바른 지위를 얻는다. 초효와 상효 두 효는 합당한 자리가 아니지만,
또한 양효가 위에 있고 음효가 아래에 있어, 존귀하고 낮은 지위의
올바름은 이루었다. 남자와 여자가 각각 그 올바름을 얻은 것은 또
한 그 합당한 위치를 얻어서이다. 귀매(歸妹)괘와는 괘의 형체가 서
로 반대이다. 여자가 시집가는 데 이렇게 올바를 수 있다면 길하다.
세상의 일 가운데 나아가는 데 반드시 점차적 순서에 따라야 하는
것은 "여자가 시집가는" 일 만한 것이 없다. 신하가 조정에 나아감
과 사람이 일을 진행시키는 것에도 당연히 순서가 있다. 그 순서대
로 하지 않으면, 절도를 무시하고 마땅한 의리를 해쳐, 흉함과 허물
이 뒤따른다.

그러나 마땅한 의리의 경중(輕重)과 염치의 도리 가운데 여자가 시
집가는 일이 가장 크므로, 여자가 시집가는 것으로 뜻을 삼았다. 또
남자와 여자는 모든 일 가운데 최우선시 되는 것이다.

諸卦多有'利貞'而所施或不同, 有涉不正之疑而爲之戒者, 有
其事必貞乃得其宜者, 有言所以利者, 以其有貞也. 所謂涉不
正之疑而爲之戒者, 損之九二是也, 處陰居說, 故戒以宜貞

也. 有其事必貞乃得宜者, 大畜是也, 言所畜利於貞也. 有言
所以利者以其有貞者, 漸是也. 言女歸之所以吉, 利於如此貞
正也. 蓋其固有, 非設戒也, 漸之義宜能亨而不雲亨者, 蓋亨
者通達之義, 非漸進之義也.

다른 괘에서도 '이정(利貞)'이란 말이 많이 있는데, 사용되는 의미는
다르다. 어떤 경우는 올바르지 못하다고 의심하여 경계해주는 경우
도 있고, 어떤 경우는 반드시 올바르게 해야만 마땅함을 얻는다고
말하는 경우가 있으며, 이롭게 되는 이유가 올바름이 있기 때문이
라고 말한 경우도 있다.
올바르지 못하다고 의심하여 경계를 주는 경우가 손(損)괘 구이효[1]
인데, 음(陰)에 처하여 기쁨에 자리하므로, 마땅히 올바름을 굳게
지켜야한다고 경계하였다. 어떤 일이건 반드시 바르게 해야만 마땅
함을 얻는다고 한 경우는 대축(大畜)괘[2]인데, 쌓는 데 올바르게 함
이 이롭다는 것을 말하였다. 이롭게 되는 이유가 올바름에 있기 때
문이라고 말한 경우는 점(漸)괘인데, 여자가 시집가는 데 길하게 되
는 이유는 이와 같이 올바르게 행하는 데 이로움이 있음을 말한 것
이다. 이는 원래 그렇게 있었고, 가정하여 경계 한 것은 아니다.
점진적 진입의 뜻은 마땅히 형통할 수 있지만, 형통하다고 말하지
않는다. 이는 형통한 것이 통해서 이른다는 말이지, 점차적으로 나

----

1) 『주역』「손(損)괘」: "九二, 利貞, 征凶, 弗損, 益之[구이효는 올바름을 지
   키는 것이 이롭고, 함부로 나가면 흉하니, 덜어내지 않는 것이 오히려
   증진시키는 것이다.]"라고 하였다.
2) 『주역』「대축(大畜)괘」: "大畜, 利貞, 不家食吉, 利涉大川.[크게 축적함
   은 바르게 해야 이롭고, 집에서 밥을 먹지 않으면 길하니, 큰 강을 건너
   는 것이 이롭다.]"라고 하였다.

아가는 뜻이 아니기 때문이다.

集說

● 胡氏瑗曰 : "天下萬事, 莫不有漸. 然於女子, 尤須有漸, 何
則? 女子處於閨門之內, 必須男子之家, 問名納采請期以至於親
迎, 其禮畢備, 然後乃成其禮, 而正夫婦之道. 君子之人, 處窮賤
不可以干時邀君, 急於求進, 處於下位者, 不可謟諛佞媚以希高
位, 皆由漸而致之, 乃獲其吉也."[3]

호원(胡瑗)[4]이 말했다. "세상의 모든 일은 점차적 진입이 아님이
없다. 그러나 여자에게서 반드시 점차적 진입이 있어야 하는 것은
무엇 때문인가? 여자는 규문(閨門) 안에 거처하여 반드시 남자의
집안을 기다리고 문명(問名)[5], 납채(納采)[6], 청기(請期)[7]에서 친영

----

3) 호원(胡瑗), 『주역구의(周易口義)』「점(漸)괘」.
4) 호원(胡瑗, 993~1059) : 자는 익지(翼之)이고 시호는 문소(文昭)로서,
   북송시대 태주 해릉(泰州海陵 : 현 강소성 태주시) 사람이다. 13살에 오
   경(五經)을 통독하고, 20세에 손복(孫復)과 석개(石介)를 산동성 태산
   (泰山) 서진관(棲眞觀)에서 배알하고 10년 동안 사사하였다. 30세에 귀
   향하여 7번 과거에 응시했으나 낙방하여, 안정서원(安定書院)을 짓고 후
   학 양성에 힘썼다. 이에 세칭 안정선생으로 불렸다. 42세에 범중엄(范仲
   淹)의 천거로 교서랑(校書郎)이 되고, 태자중사(太子中舍), 광록시승(光
   祿寺丞), 천장각시강(天章閣侍講), 태상박사(太常博士) 등을 역임하였
   다. 특히 관직 생활 중에도 강학에 힘을 쏟아 손복(孫復)·석개(石介)와
   함께 송초삼선생(宋初三先生)으로 추숭되어 송대 리학의 선구가 되었
   다. 저서에 『주역구의(周易口義)』, 『홍범구의(洪範口義)』, 『춘추구의
   (春秋口義)』, 『논어설(論語說)』 등이 있다.
5) 문명(問名) : 혼인에는 납채(納采)·문명(問名)·납길(納吉)·납징(納徵)·청

(親迎)8)에 이르기까지 그 예(禮)가 완비된 뒤에 그 예가 완성되어
부부(夫婦)의 도리를 올바르게 한다. 군자라는 사람은 궁핍한 곳에
처하여 때를 간여하거나 군주에게 먼저 나아가는 것을 구함에 급급
해서는 안 되고, 아래 지위에 처한 자는 아부와 아첨으로 높은 지
위를 희구해서는 안 되니, 모두 점차적으로 이르러야 그 길함을 얻
을 수 있다."

기(請期)·친영(親迎)의 여섯 가지 절차가 있는데 이것을 육례(六禮)라
한다. 육례 중의 하나인 납채(納采)와 동시에 이루어지는 것으로, 신부
어머니의 성씨를 묻는 절차이다.

6) 납채(納采) : 남자집에서 혼인을 하고자 예를 갖추어 청하면 여자집에서
이를 받아들이는 일을 말한다. 『가례』에서는 이를 '언정(言定)', 즉 말로
약정하는 것이라고 하였다. 육례 중에서 '문명(問名)'은 보통 납채 때 같
이 한다.

7) 청기(請期) : 청기는 납채·문명·납길·납징의 절차를 거쳐 혼인이 확정
된 뒤 친영하는 날짜를 정해 알리는 절차이다.

8) 친영(親迎) : 이 절차에는 고례(古禮)와 속례(俗禮)의 두 가지 절차가 있
다. 즉, 고례에는 신랑이 저녁 때 신부집으로 가서 전안례(奠雁禮)만을
올리고 신부를 자기집으로 데리고 와서 교배례(交拜禮)와 합근례(合巹
禮)를 올리고 이미 마련한 신방에서 첫날을 보낸다. 그 다음날 아침에
현구고례(見舅姑禮)라 하여 시부모에게 폐백을 드리고, 친척들에게도
상하의 순서로 상호례를 나누고, 사흘 동안 시댁에서 머무르고 난 다음
일단 친정으로 돌아간다. 그 뒤 우귀(于歸) 또는 신행이라 하여 정식으
로 날을 받아 신랑집으로 돌아온다. 그러나 속례일 경우는 양가의 거리
나 기타 사정으로 신부집에서 전안례만 올리고, 신부를 곧 바로 신랑집
으로 데리고 와서 교배례와 합근례를 올릴 수 있는 시간적 여유가 없기
때문에 신부집에서 모든 예식을 치른다. 첫날밤도 신부집에서 보내고 계
속 사흘을 유숙한 다음 신부를 데리고 신랑집으로 돌아온다. 이때 신부
는 시부모에게 드릴 폐백을 준비하여 현구고례와 상호례를 한다.

● 郭氏雍曰 : "進之漸者, 無若女之歸, 女歸不以漸則奔也. 漸則爲歸, 速則爲奔, 故女歸以漸爲吉. 凡天下之進, 如女婦之漸, 無不吉也. 利貞者, 女歸之道, 正固守之, 無不利也."9)

곽옹(郭雍)10)이 말했다. "나아가는데 점차적인 것은 여자가 시집가는 일만한 것이 없으니 여자가 시집가는 데 점차적 절차로 하지 않으면 예를 갖추지 않고 도망간다고 한다. 점차적 절차로 하는 것을 돌아간다 하고 빠르게 하면 도망가는 것이 되므로, 여자가 시집가는 데 점차적 절차로 해야 길하다. 세상의 모든 일에 나아가는데 여자가 시집갈 때 점차적 절차로 하듯이 하면 길하지 않음이 없다. 올바름을 굳게 지킴이 이롭다는 것은 여자가 시집가는 도리에서 올바름을 굳게 지키면 이롭지 않음이 없다는 말이다."

● 胡氏炳文曰 : "咸'取女吉', 取者之占也. 漸'女歸吉', 嫁者之占也. 然皆以貞艮爲主, 艮止也. 止而說, 則其感也以正, 是爲取女之吉. 止而巽, 則其進也以正, 是爲女歸之吉."11)

호병문(胡炳文)12)이 말했다. "함(咸䷞)괘의 '여자를 취하면 길하

---

9) 곽옹(郭雍), 『곽씨전가역설(郭氏傳家易說)』 권5, 「점(漸)괘」.
10) 곽옹(郭雍, 1106~1187) : 송(宋)대 낙양(洛陽 : 현 하남성 낙양시) 사람으로 자는 자화(子和)이고 자호는 백운(白雲)이다. 정이(程頤)의 제자인 곽충효(郭忠孝)의 둘째 아들로 가학을 이었으며, 벼슬길은 나아가지 않고 은거하면서 역학과 의학에 정통하였다고 한다. 역학 방면 저술로『전가역해(傳家易解)』,『괘사지요(卦辭指要)』,『시괘변의(蓍卦辨疑)』등이 있다고 한다.
11) 호병문(胡炳文), 『주역본의통석(周易本義通釋)』「점(漸)괘」.
12) 호병문(胡炳文, 1250~1333) : 자는 중호(仲虎)이고, 호는 운봉(雲峰)이

다'13)는 말은 여자를 취하는 자의 점이다. 점(漸☶)괘의 '여자가 시집가면 길하다'는 말은 시집가는 자의 점이다. 그러나 모두 올바르게 멈추는 것을 주로 하니, 간(艮☶)은 멈춤이다. 함괘는 멈추고 기뻐하니14), 그 감응하는 데 올바르게 하여 여자를 취하는 길함이 된다. 점괘는 멈추고 공손하니15), 그 나아가는 데 올바르게 하여 여자가 시집가는 길함이 된다."

다. 원(元)대 휘주(徽州) 무원(婺源) 사람으로, 주희(朱熹)의 종손(宗孫)에게 『주역』과 『서경』을 배워 주자학에 잠심했으며, 특히 『주역』에 뛰어났다. 신주(信州) 도일서원(道一書院) 산장(山長)을 지내고, 난계주학정(蘭溪州學正)이 되었는데 취임하지 않았다. 저서에 『주역본의통석(周易本義通釋)』, 『서집해(書集解)』, 『춘추집해(春秋集解)』, 『예서찬술(禮書纂述)』, 『사서통(四書通)』, 『대학지장도(大學指掌圖)』, 『오경회의(五經會義)』, 『이아운어(爾雅韻語)』 등이 있다.

13) 『주역』「함(咸)괘」: "咸, 亨, 利貞, 取女吉.[감응하는 것은 형통하니, 올바름을 지키는 것이 이롭고, 여자를 취하면 길하다.]"라고 하였다.

14) 멈추고 기뻐하니 : 함괘는 택산함(澤山咸)이라고 하여 태(兌☱)괘와 간(艮☶)괘가 결합된 것이다. 태괘는 기쁨을 상징하고 간괘는 멈춤을 상징한다.

15) 멈추고 공손하니 : 점괘는 풍산점(風山漸)이라고 하여 손(巽☴)괘와 간(艮☶)괘가 결합된 것이다. 손괘는 공손함을 상징하고 간괘는 멈춤을 상징한다.

初六, 鴻漸于干, 小子厲, 有言, 无咎.

초육효는 기러기가 물가에 점차로 나아감이니, 소자(小子)는 위태
롭게 여겨, 말이 있으나, 허물이 없다.

鴻之行有序, 而進有漸. 干, 水涯也. 始進於下, 未得所安, 而
上復无應, 故其象如此. 而其占則爲小子厲, 雖有言, 而於義
則无咎也.

기러기가 날아가는 데 순서가 있고, 나아가는 것에는 점차적 순서
가 있다. 간(干)은 물가이다.

처음 아래에서 나아가 편안한 곳을 얻지 못하고 위로 다시 호응하
는 사람이 없으므로 그 상(象)이 이와 같다.

그 점(占)은 소자(小子)는 위태롭게 여겨 비록 말이 있으나 의리(義
理)에는 허물이 없다.

漸諸爻皆取鴻象. 鴻之爲物, 至有時而群有序, 不失其時序,
乃爲漸也. 1干, 水湄. 水鳥止於水之湄, 水至近也, 其進可謂
漸矣. 行而以時, 乃所謂漸. 漸進不失, 漸得其宜矣. 六居初,
至下也, 陰之才, 至弱也, 而上无應援, 以此而進, 常情之所

憂也. 君子則深識遠照, 知義理之所安, 時事之所宜, 處之不疑. 小人幼子唯能見已然之事, 從衆人之知, 非能燭理也, 故危懼而有言. 蓋不知在下所以有進也, 用柔所以不躁也, 无應所以能漸也, 於義自无咎也. 若漸之初而用剛急進, 則失漸之義, 不能進而有咎必矣.

점괘는 여러 효에서 모두 기러기의 모습을 취하여 상징했다. 기러기는 오는 데 때가 있고 무리를 짓는 데 질서가 있으니, 그 때와 순서를 잃지 않는 것이 곧 점차적 진입이다.

간(干)이란 물가이다. 물새가 물가에서 멈추니, 물에서 매우 가까워, 그 진입이 점차적 과정이라고 할 수 있다. 나아가기를 때에 따라 하는 것이 점차적 진입이다. 점차적으로 진입하여 때와 순서를 잃지 않으면, 점차로 나아가는 데 그 마땅함을 잃지 않는다.

음(陰)효인 육(六)이 처음의 위치에 있는 것은 매우 낮고, 음(陰)이라는 자질은 매우 약한데, 위로 호응하여 도움을 주는 사람이 없으니, 이러한 조건으로 나아간다는 것은 인지상정으로 보면 근심스러운 일이다.

군자는 깊이 깨닫고 멀리 내다보아 의리(義理)에 편안한 것과 때와 상황에 합당한 것을 알아, 대처하여 의심하지 않는다. 그러나 소인(小人)과 어린이는 이미 지나간 일만 보고, 사람들의 앎만을 따를 수 있을 뿐, 합당한 이치를 밝혀 알 수 없으므로, 위태롭게 생각하여 두려워하면서 말이 많다. 왜냐하면 아랫자리에 있을 때 나아갈 가능성이 있고, 유연하게 행함이 조급해하지 않는 것이며, 호응하는 사람이 없을 때 점차적으로 진입할 가능성이 있는 것이라서 이런 조건이 오히려 마땅한 의리에서 보자면 본래 허물이 없다는 점을 소인들은 알지 못한다. 만일 점차로 진입하는 초기에 강하게 행

하고 성급하게 나가면, 점차적으로 나아가는 의리를 잃으니, 나아
갈 수 없고 허물이 있게 되는 것이 틀림없다.

集說

● 李氏鼎祚曰 : "鴻, 隨陽鳥, 喻女從夫. 卦明漸義, 爻皆稱
焉."16)

이정조(李鼎祚)17)가 말했다. "기러기는 양(陽)을 따르는 새이니 여
자가 남자를 따르는 것에 비유했다. 괘는 점차적 진입의 뜻을 밝혔
고, 효는 모두 그것들을 일컬었다."

● 楊氏簡曰 : "進欲其知時, 故鴻爲象. 進欲其漸, 故以干磐陸
木陵爲象."18)

양간(楊簡)19)이 말했다. "나아가려고 하는 데 그 때를 알고 있으므

---

16) 이정조(李鼎祚), 『주역집해(周易集解)』 권11, 「점(漸)괘」.
17) 이정조(李鼎祚) : 이정조(李鼎祚)는 당(唐)나라 중후기 자주(资州) 반석
    (盤石) 사람이다. 그 생애는 자세하지 않다. 관직은 전중시어사(殿中侍
    御史)를 지냈다. 재위 기간 동안 적극적으로 간책을 올렸다. 그는 안록
    산의 난 때에 「평호론(平胡論)」을 올려 안록산을 축출하는 계책을 올렸
    다. 경학(經學)에 밝았고, 상수학에 정통했다.
18) 양간(楊簡), 『양씨역전(楊氏易傳)』「점(漸)괘」.
19) 양간(楊簡, 1141~1226) : 남송 명주(明州) 자계(慈溪) 사람으로 자는 경
    중(敬仲)이고, 호는 자호선생(慈湖先生)이며, 시호는 문원(文元)이다.
    양정현(楊庭顯)의 아들이다. 효종(孝宗) 건도(乾道) 5년(1169) 진사(進
    士)가 되고, 부양주부(富陽主簿)에 올랐다. 이때 육구연(陸九淵)을 스승

로, 기러기가 상(象)이 된다. 나아가려고 하는 데 점차적이므로 물가, 반석, 육지, 나무, 언덕이 상(象)이 된다."

● 何氏楷曰 : "六爻皆取鴻象, 往來有時, 先後有序, 於漸之義爲切也. 昏禮用雁, 取不再偶, 又於女歸之義爲切也."[20]

하해(何楷)[21]가 말했다. "여섯 효는 모두 기러기의 상을 취해 가고 오는 데 때가 있고, 앞서거니 뒤서가니 순서가 있어, 점차적 진입이라는 뜻에 적절하다. 혼례(婚禮)에 기러기를 사용하는 이유는 취하는 데 다시 짝을 구하지 않으니, 또 여자가 시집가는 뜻에 더욱 적절하다."

....

으로 섬겨 육씨심학파(陸氏心學派)의 대표적 인물이 되었다. 원섭(袁燮), 서린(舒璘), 심환(沈煥) 등과 함께 녹상사선생(甬上四先生), 사명사선생(四明四先生)으로 일컬어졌다. 육구연의 심학을 우주의 만물(萬物), 만상(萬象), 만변(萬變)이 모두 자신에게 속해 있다는 유아론(唯我論)으로 발전시켰다. 저서에 『자호시전(慈湖詩傳)』과 『양씨역전(楊氏易傳)』, 『계폐(啓蔽)』, 『선성대훈(先聖大訓)』, 『오고해(五誥解)』, 『자호유서(慈湖遺書)』 등이 있다.

20) 하해(何楷), 『고주역정고(古周易訂詁)』.

21) 하해(何楷) : 자는 현자(玄子)이고 호는 황여(黃如)이다. 명말청초 때 장주 진해위(漳州鎭海衛 : 현 복건성 용해시(龍海市)) 사람이다. 천계(天啓) 5년(1625)에 진사에 급제하여 벼슬은 호부주사(戶部主事), 공과급사중(工科給事中), 호부상서(戶部尙書) 등을 역임했다. 직언과 직간으로 유명했는데, 말년에 정성공(鄭成功)의 부친인 정지룡(鄭芝龍)과 뜻이 어긋나서 사직하고 귀향했다. 저서에는 『고주역정고(古周易訂詁)』, 『시경세본고의(詩經世本古義)』 등이 있다.

案

昏禮用雁, 大夫執贄亦用雁, 皆取有別有序之義. 此爻‘小子厲有
言’, 正如晉之‘摧如’. 凡始進之初, 未有便得所安而人信之者. 然
正唯如此, 乃所以安其身, 而信於人. 若謀便於身圖, 而求合於
衆議, 則危疑之大者至矣. 唯升之初六曰‘衆允’, 蓋以其爲卦主,
時義不同也.

혼례에서 기러기를 사용하고, 대부(大夫)가 폐백을 잡을 때도 기러
기를 사용하니 모두 구별과 순서가 있다는 뜻을 취한 것이다.
이 효에서 "소자(小子)는 위태롭게 여겨 말이 있다"는 것은 바로 진
(晉)괘의 '물러나는 것'[22]과 같다. 처음 나아가는 때 편안한 것을 얻
지 못하고 사람들이 믿지 못하게 된 자이다. 그러나 오직 이와 같
아서 그 몸이 편안하고 사람들에게 믿음이 있다.
만약 자신에게 편리한 것을 도모하고 사람들의 모의에 부합하려고
구하면 위태로움과 의심이 크게 이를 것이다. 오직 승(升)괘 초육
효에서 '군중이 믿어준다'[23]고 했으니, 그 괘의 주효가 때의 의미에
따라 다르기 때문이다.

---

22) 물러나는 것 : 『주역』「진(晉)괘」: "初六, 晉如摧如, 貞吉, 罔孚, 裕无
咎.[초육효는 나아가거나 물러나는 데에 올바름을 얻으면 길하고, 믿어
주지 않더라도, 여유로우면 허물이 없다.]"라고 하였다.
23) 군중이 믿어준다 : 승(升)괘의 초육효는 "初六, 允升, 大吉.[초육효는 믿
고 따라서 상승하는 것이니, 크게 길하다.]"이다. 중윤(衆允)이라는 말은
진(晉)괘 육삼효에 나온다. "六三, 衆允, 悔亡.[육삼효는 군중이 믿어주
니, 후회가 없어진다.]"

六二, 鴻漸于磐, 飮食衎衎, 吉.

육이효는 기러기가 반석에 점차적으로 나아감이라, 음식을 먹는 것이 즐겁고 즐거우니, 길하다.

本義

磐, 大石也. 漸遠於水, 進於盤而益安矣. 衎衎, 和樂意. 六二柔順中正, 進以其漸, 而上有九五之應, 故其象如此, 而占則吉也.

반(磐)은 큰 돌이다. 점차적으로 물에서 멀어져 반석에 나아가 더욱 편안한 것이다. '간간(衎衎)'은 조화롭고 즐거운 뜻이다.

육이효가 유순(柔順)하고 중정(中正)을 이루어 나아가는 데 점차적으로 하고 위로 구오효의 호응이 있으므로 그 상(象)이 이와 같고 점(占)이 길하다.

程傳

二居中得正, 上應於五, 進之安裕者也, 但居漸故進不速. '磐', 石之安平者, 江河之濱所有. 象進之安, 自干之磐, 又漸進也. 二與九五之君, 以中正之道相應, 其進之安固平易莫加焉. 故其飮食和樂衎衎然, 吉可知也.

육이효는 중(中)의 위치에 자리하고 올바름을 얻었고, 위로는 구오효와 호응 관계를 이루고 있으니, 나아가는 데 안정과 여유를 가진 자이지만, 점차적으로 나아감에 자리했으므로, 나아가기를 빠르게 하지 않는다.

'반석'이란 안정되고 평평한 돌이고, 강가나 바닷가에 있다. 안정되게 나아감을 상징하니, 물가로부터 반석으로 가는 것이 또 점차적으로 나아감이다.

육이효와 구오효의 군주는 함께 중정(中正)의 도로 서로 호응하여, 그 나아감이 안정되고 견고하며 평탄하고 쉽게 나아가 덧붙일 것이 없으므로, 음식을 먹는 것이 화목하고 즐거우니, 길함을 알 수 있다.

集說

● 胡氏炳文曰 : "艮爲石, 故有磐象. 鴻食則呼衆, 飮食衎衎和鳴. 初之小子, '厲有言', 危而傷也. 二'飮食衎衎', 安且樂矣, 時使之然也. 在初則無應, 在二則柔順中正, 而上有九五之應也."[24]

호병문(胡炳文)이 말했다. "간(艮)은 돌이므로 반석의 상이 된다. 기러기가 먹으면 무리를 부르니 음식을 먹는 것이 즐겁고 즐거워 조화롭게 운다. 초육효의 소자가 '위태롭게 여겨 말이 있어서' 위태로워 상처를 받는데, 육이효는 '음식을 먹는 것이 즐겁고 즐거워, 편안하고 또 즐거운 것은 때가 그렇게 한 것이다. 초효에는 호응하는 자가 없고, 이(二)효에는 유순하고 중정(中正)을 얻어 위로 구오의 호응이 있다."

....

24) 호병문(胡炳文), 『주역본의통석(周易本義通釋)』 권2, 「점(漸)괘」.

九三, 鴻漸于於陸, 夫征不復, 婦孕不育, 凶, 利
禦寇.

구삼효는 기러기가 육지로 점차적으로 나아감이니, 남자는 가면
돌아오지 않고, 부인은 잉태하면 기르지 못하여 흉하니, 도적을
막는 것이 이롭다.

本義

鴻, 水鳥, 陸非所安也. 九三過剛不中而無應, 故其象如此,
而其占夫征則不復, 婦孕則不育, 凶莫甚焉. 然以其過剛也,
故利禦寇.

기러기는 물가의 새이니, 육지는 편안한 곳이 아니다.
구삼효는 지나치게 강(剛)하고 중(中)을 이루지 못하며 호응하는
사람이 없으므로 그 상(象)이 이와 같고, 그 점(占)은 남자는 가면
돌아오지 않고, 부인(婦人)은 잉태하면 낳아 기르지 못하니, 흉함이
이보다 심한 것이 없다. 그러나 지나치게 강(剛)하기 때문에 도적을
막음은 이로운 것이다.

程傳

平高曰陸, 平原也. 三在下卦之上, 進至於陸也. 陽上進者也,
居漸之時, 志將漸進, 而上無應援, 當守正以俟時, 安處平地,

則得漸之道. 若或不能自守, 欲有所牽, 志有所就, 則失漸之
道. 四陰在上而密比, 陽所說也, 三陽在下而相親, 陰所從也.
二爻相比而無應, 相比則相親而易合, 無應則無適而相求, 故
爲之戒.

평평하고 높은 곳을 육지라고 하니 평원이다. 구삼효는 아래 괘에
서 윗자리에 있으니, 나아가 평지에 이른 것이다. 양(陽)은 위로 나
아가는 것인데, 점차적으로 진입하는 때에 자리하여, 뜻이 점차적
으로 나아가려고 하지만, 위로 호응하여 도와주는 사람이 없으니,
마땅히 정도(正道)를 지키면서 때를 기다리고, 평지에 안정되게 있
으면, 점차적으로 나아가는 방도를 얻는다.
만약 혹시라도 스스로 정도를 지킬 수 없어, 욕심에 이끌리는 것이
있고, 나아가려고 하는 뜻이 있다면, 점차적으로 나아가는 방도를
잃는다.
사(四)효는 음(陰)효로서 위에 있으면서 친밀하게 관계하니, 양(陽)
이 기뻐하는 것이고, 삼(三)효는 양(陽)효로 아래에 있으면서 서로
친밀하니 음(陰)이 따르는 것이다.
두 효가 서로 나란히 하고 호응하는 사람이 없으니, 서로 나란히 하
면 서로 친밀하게 되어 쉽게 연합하고, 호응하는 사람이 없으면 갈
곳이 없어 서로 구하므로, 이 때문에 경계하였다.

‘夫’, 陽也. 夫, 謂三. 三若不守正而與四合, 是知征而不知復.
‘征’, 行也. ‘復’, 反也. 不復, 謂不反顧義理. ‘婦’, 謂四. 若以不
正而合, 則雖孕而不育, 蓋非其道也. 如是則凶也. 三之所利,
在於禦寇, 非理而至者寇也. 守正以閑邪, 所謂禦寇也. 不能
禦寇, 則自失而凶矣.

'남자'는 양(陽)이다. 남자는 구삼효를 말한다. 구삼효가 정도(正道)를 지키지 못하고, 육사효와 연합하면, 이는 갈 줄만 알고 돌아올 줄을 모르는 것이다.

'정(征)'은 나아가는 것이다. '복(復)'은 돌아오는 것이다. 돌아오지 않는 것은 마땅한 의리(義理)를 돌아보지 않음을 말한다.

'부인'은 육사효를 말하다. 만일 정도가 아닌 방식으로 연합하면, 아이를 잉태하더라도 기르지 못하니, 합당한 도리가 아니기 때문이다. 이렇게 하면 흉하다.

구삼효가 이롭게 되는 것은 도적을 막는데 달려 있다. 이치를 따르지 않고 오는 것이 도적이다. 정도를 지켜 거짓을 막는 것은 도적을 막는다는 뜻이다. 도적을 막을 수 없다면, 스스로 자신을 잃게 되어 흉하다.

集說

● 郭氏雍曰 : "以「卦辭」言'女歸吉', 故以夫婦爲言."[25]

곽옹이 말했다. "「괘사」에서 '여자가 시집가면 길하다'고 말했으므로 부부(夫婦) 관계로 말했다.

● 程氏敬承曰 : "三以過剛之資, 當漸進之時, 懼其進而犯難也, 故有戒辭焉. 征孕皆凶, 言不可進也. 利在禦寇, 言可止也."

정경승(程敬承)이 말했다. "구삼효는 지나치게 강한 자질로 점차적으로 진입하는 때를 당하여 그 나아가 어려움을 범할 것을 근심하므로

----

25) 곽옹(郭雍), 『곽씨전가역설(郭氏傳家易說)』 권5, 「점(漸)괘」.

경계하는 말이 있다. 나아가건 잉태하건 모두 흉하니 나아갈 수 없다
는 말이다. 이로움은 도둑을 막는 데 있으니 멈출 수 있다는 말이다."

此卦以女歸爲義, 則必陰陽相應, 乃與義合, 故初之厲者無應也,
二之安者有應也, 三亦無應, 而位愈高, 則不止於厲而已. 上九
在卦外, 不與三應. 如夫征而不復, 不顧其家也. 三剛質失柔道,
如婦有産孕而不能養育, 不恤其子也. 以土君子之進言之. 上不
下交, 而下又失順勤之道, 於義則凶矣. 上下不交, 必有讒邪間
於其間, 所謂寇也, 唯能謹愼自守, 使寇無所乘, 則可以救其過
剛之失而利.

이 괘는 여자가 시집가는 일로 의미를 삼았으니 반드시 음양(陰陽)
이 서로 호응하는 것이 의미가 부합하므로 초육효의 위태로움은 호
응하는 자가 없고, 육이효의 편안함은 호응하는 자가 있으며, 구삼
효도 호응하는 자가 없으면서 지위는 더욱 높으니 위태로움에서 멈
추지 않을 뿐이다.

상구효는 괘 밖에 있어서 구삼효와 호응하지 않는다. 남자가 가서
돌아오지 못하여 그 집안을 돌보지 않는다. 구삼효는 굳센 자질로
부드러운 방도를 잃었으니, 부인이 잉태하였지만 양육할 수 없어
그 자식을 긍휼히 여기지 못하는 것이다.

사군자(土君子)가 나아가는 것으로 말했으니, 윗사람이 아래로 내
려가 교제하지 않고 아랫사람도 순종하고 힘써 노력하는 도리를 잃
어 그 의리(義理)에서 흉하다. 윗사람이 아래로 내려가 교제하지
않으면 반드시 그 사이에 아첨하고 이간질하는 일이 있으니 도적을
말하는 것으로 오직 삼가고 신중하여 스스로 지켜 도적이 올라타지
않도록 하면 그 지나치게 강한 과실을 구제하여 이로울 수 있다.

六四, 鴻漸於木, 或得其桷, 無咎.

육사효는 기러기가 나무로 점차적으로 나아감이니, 간혹 그 평평한 가지를 얻으면 허물이 없다

本義

鴻不木棲, 桷, 平柯也, 或得平柯, 則可以安矣. 六四乘剛而順巽, 故其象如此, 占者如之則無咎也.

기러기는 나무에 깃들지 않고, 각(桷)은 평평한 가지인데, 평평한 가지를 얻으면 편안할 수 있다.
육사효는 굳센 것을 탔으나 순종하면서 공손하므로 그 상(象)이 이와 같으니, 점치는 자가 이와 같이 하면 허물이 없다.

程傳

當漸之時, 四以陰柔進據剛陽之上, 陽剛而上進, 豈能安處陰柔之下, 故四之處非安地, 如鴻之進於木也. 木漸高矣, 而有不安之象. 鴻趾連, 不能握枝, 故不木棲. '桷', 橫平之柯, 唯平柯之上, 乃能安處. 謂四之處本危, 或能自得安寧之道, 則無咎也. 如鴻之於木本不安, 或得平柯而處之, 則安也. 四居正而巽順, 宜無咎者也. 必以得失言者, 因得失以明其義也.

점차적으로 진입하는 때에 육사효는 음의 부드러운 자질로 굳센 양

의 위로 올라가 자리했는데, 양(陽)은 굳세어 위로 나아가려고 하니, 어찌 음의 부드러움 아래에서 편안하게 있겠는가? 그러므로 육사효의 처지는 안정된 상황이 아니니, 마치 기러기가 나무로 나아간 것과 같다.

나무는 점점 높아져 불안한 모습이 있다. 기러기는 발가락이 연결되어, 나뭇가지를 잡지 못하므로, 나뭇가지에 깃들지 않는다. '각桷'은 가로로 평평하게 뻗은 나무 가지이다. 오직 평평한 가지의 위라야 기러기는 안정되게 거처할 수 있다.

육사효의 처지는 본래 위태롭지만, 스스로 안정되고 편안한 방도를 얻으면, 허물이 없을 것이라는 말이다. 기러기가 나무에서는 본래 불안했지만, 평평한 가지를 얻어서 처하면, 편안해지는 것과 같다. 육사효는 올바른 위치에 자리하고 공손하니, 마땅히 허물이 없다. 하지만 반드시 득실(得失)로 말한 것은 득실을 바탕으로 하여 그 의리(義理)를 밝히려고 한 것이다.

集說

● 房氏喬曰:"進而漸於木, 失所也. 或得勁直之桷, 可容綱足而安棲, 謂上附於五, 故無咎."

방교(房喬)26)가 말했다. "점차적으로 나무에 나감은 마땅한 장소를

---

26) 방현령(房玄齡, 578~648) : 당의 명재상으로 이름이 교(喬)이다. 제주(齊州) 임치(臨淄) 출신으로 대대로 북조(北朝)를 섬기고, 18살에 수(隋)의 진사(進士)가 되었다. 당이 일어나자 태종(太宗)의 세력에 가담하여 측근으로 활약했다. 태종이 즉위하자 중서령(中書令)이 되고, 이어 상서좌복야(尚書左僕射)가 되었다. 정치에 밝고, 공평한 태도로 일관하

잃는 것이다. 굳세고 정직한 평평한 나무를 얻어 발을 묶어 편안하게 거처할 수 있다면 위로 구오효에 붙은 것이라 할 수 있으므로 허물이 없다."

● 胡氏炳文曰 : "巽爲木, 而處艮山之上, 鴻漸於此, 則愈高矣. 鴻之掌不能握木, 木雖高, 非鴻所安也. 然陰居陰得正, 如於木之中, 或得平柯而處之, 則亦安矣, 故無咎."27)

호병문(胡炳文)이 말했다. "손(巽☴)괘는 나무인데 간(艮☶)괘의 산 꼭대기에 처했으니 기러기가 여기에서 점차적으로 나아가니 더욱 높아진다. 기러기의 발은 나무를 잡을 수 없는데 나무는 높은 곳에 있으니 기러기가 편한 곳이 아니다. 그러나 음(陰)이 음의 자리에 거처하여 올바름을 얻었으니, 나무 가운데 평평한 가지를 얻어 거처했다면 또한 편안하므로 허물이 없다."

案

六四亦無應者也, 然六四承九五, 例皆吉者, 以陰承陽, 合於女歸之義矣. 順以事上, 高而不危, 故有集木得桷之象.

육사효도 호응하는 자가 없지만 육사효는 구오효를 잇고 있어 으레 길하지만, 음(陰)한 자질로 양(陽)을 잇고 있어 여자가 시집가는 뜻

27) 호병문(胡炳文), 『주역본의통석(周易本義通釋)』「점(漸)괘」.

과 부합된다.

순응하여 윗사람을 섬겨 높은 자리에 있으면서도 위태롭지 않으므로 나무숲에서 평평한 가지를 얻는 상(象)이다.

九五, 鴻漸于陵, 婦三歲不孕, 終莫之勝, 吉.

구오효는 기러기가 높은 언덕에 점차적으로 나아감이니, 부인이
삼년 동안 잉태하지 못하나 끝내 이기지 못해, 길하다.

陵, 高阜也. 九五居尊, 六二正應在下, 而爲三四所隔. 然終
不能奪其正也, 故其象如此, 而占者如是則吉也.

능(陵)은 높은 언덕이다. 구오효는 존귀한 지위에 자리하고, 육이효
는 올바른 호응관계로 아래에 있으나, 구삼효에 의해서 막혔다.
그러나 그 올바름을 빼앗지 못하므로 그 상(象)이 이와 같으니, 점
치는 자가 이와 같이 하면 길하다.

'陵', 高阜也. 鴻之所止, 最高處也, 象君之位. 雖得尊位, 然
漸之時, 其道之行, 固亦非遽. 與二爲正應, 而中正之德同,
乃隔於三四, 三比二, 四比五, 皆隔其交者也. 未能卽合, 故
"三歲不孕". 然中正之道, 有必亨之理, 不正豈能隔害之, 故
終莫之能勝, 但其合有漸耳, 終得其吉也. 以不正而敵中正,
一時之爲耳, 久其能勝乎.

'능陵'은 높은 언덕이다. 기러기가 멈추는 곳으로 가장 높은 것이니,

군주의 지위를 상징한다. 존귀한 지위를 얻었지만, 점차적으로 진입하는 때 그 도를 행하는 일이 또한 급격하게 할 수 있는 것이 아니다. 육이효와 함께 올바른 호응관계를 이루고, 중정(中正)의 덕이 같지만, 구삼효와 육사효에게 가로막혀 있다. 구삼효가 육이효와 가까이 있고, 구사효가 구오효와 가까이 있어, 모두 두 사람의 교제를 가로막고 있다.

즉시 합치할 수 없으므로, "삼년 동안 잉태하지 못한다." 그러나 중정(中正)의 도는 반드시 형통할 이치가 있으니, 올바르지 않은 사람들이 어떻게 가로막고 해칠 수가 있겠는가?

그러므로 끝내 이기지 못하지만, 합치하는 데 점차적 순서가 있을 뿐이니, 결국에는 길함을 얻는다. 올바르지 못한 자가 중정(中正)한 자와 대적하는 것은 한 때의 일이니 오래도록 이길 수 있겠는가?

案

此卦之爻象, 與歸妹同. 不擇陰爻陽爻, 皆有婦象也. 先儒見三五兩陽爻皆言婦, 故於三則以婦指四, 於五則以婦指二. 今推爻意, 蓋三五皆取婦象, 三無應者也, 五雖有應而反其類者也. 旣取婦象而所應者陰, 是之謂反類, 其失卦義, 又有甚於無應者矣, 故三猶孕也, 但不育耳, 五則三歲不孕, 蓋不相和合之甚者也. 三過剛, 故戒以禦寇, 恐其不能愼也. 五有中正之德, 故無戒辭, 而直以終莫之勝決之, '勝'字蒙九三'禦寇'之義. 夫讒邪, 國之寇也, 君子之進, 所以不能和合而通者, 寇勝之也. 然如九五之德, 則所謂可以正邦者, 當漸之時, 有終吉之理, 豈讒邪所能勝哉?

이 괘가 지닌 효의 상징은 귀매(歸妹)괘와 같다. 음효와 양효를 가리지 않고 모두 시집가는 상(象)이 있다.

이전의 학자들은 구삼효와 구오효 두 양효에서 모두 시집가는 것을 말하므로 구삼효에서는 시집가는 사람이 육사효를 가리키고, 구오효에서는 시집가는 사람이 육이효를 가리킨다고 보았다. 지금 효의 뜻을 추론해보면 구삼효와 구오효는 모두 시집가는 상을 취했지만, 구삼효는 호응이 없고, 구오효는 호응이 있지만 그 부류에 반하는 자이다.

시집가는 상을 취했지만 호흥하는 자가 음(陰)이라 그 부류에 반한다고 했으니, 괘의 뜻을 잃은 것으로 호응하는 자가 없는 것보다 심하므로, 구삼효는 잉태하지만, 양육하지 못할 뿐이고, 구오효는 삼년 동안 잉태하지 못하는데, 서로 화합함이 깊지 않기 때문이다. 구삼효는 지나치게 강하므로 도적을 막으라고 경계하여 신중하지 못할 것을 근심했다. 구오효는 중정의 덕이 있으므로 경계하는 말은 없지만 직접 끝내 이기지 못하니, '이긴다'는 말에는 구삼효의 '도적을 막는다'는 뜻이 들어 있다.

아첨과 사특함은 나라의 원수이니, 군자가 나아가는 데 화합하여 소통할 수 없는 자는 도적이 이긴다. 그러나 구오효의 덕과 같다면 나라를 올바르게 다스릴 수 있는 자라고 할 수 있으니, 점차적으로 진입하는 때 결국 길할 수 있는 이치가 있으니, 어찌 아첨과 사특함이 이길 수가 있겠는가?

上九, 鴻漸于陸, 其羽可用爲儀, 吉.

상구효는 기러기가 허공으로 점차적으로 나아감이니, 그 깃털이
의식이 될 만하니, 길하다.

本義

胡氏程氏皆云 : "陸當作逵, 謂雲路也." 今以韻讀之良是. 儀,
羽旄, 旌纛之飾也. 上九至高, 出乎人位之外, 而其羽毛可用
以爲儀飾, 蓋雖極高而不爲無用之象, 故其占爲如是則吉也.

호씨(胡氏 : 胡瑗)와 정씨(程氏 : 程頤)가 모두 "육(陸)은 마땅히 규
(逵)가 되어야 한다고 보고 구름길이다"라고 하였다. 지금 운(韻)을
맞추어 읽어보니 진실로 옳다.

의(儀)는 깃대와 큰 깃발의 꾸밈이다. 상구효는 지극히 높아 사람의
지위 밖으로 나오지만, 그 깃털을 사용하여 의식(儀飾)으로 만들 수
있으니, 지위가 비록 지극히 높으나 쓸모없는 상(象)이 되지는 않으
므로, 그 점(占)이 이와 같이 하면 길하다.

程傳

安定胡公以'陸'爲'逵', 逵, 雲路也, 謂虛空之中. 『爾雅』"九達
謂之逵", '逵', 通達無阻蔽之義也. 上九在至高之位, 又益上
進, 是出乎位之外, 在它時則爲過矣. 於漸之時, 居巽之極,
必有其序. 如鴻之離所止, 而飛於雲空, 在人則超逸乎常事之

外者也. 進至於是而不失其漸, 賢達之高致也, 故可用爲儀法
而吉也. '羽', 鴻之所用進也. 以其進之用, 況上九進之道也.

호안정(胡安定 : 胡瑗)은 '육(陸)'을 '규(逵)'라 했으니[28], '규(逵)'는
구름길로서 허공의 한 가운데를 말한다. 『이아(爾雅)』에 "사통팔달
한 것을 규(逵)라 한다."고 했다. '규(逵)'는 모두 통하여 막히고 가
리는 것이 없다는 뜻이다.

상구효가 매우 높은 지위에 있으니, 여기서 또 위로 더욱 나아가면,
이는 사회적 지위 밖으로 벗어난 것이다. 다른 때 같으면 과도한 것
이지만, 점차적으로 진입하는 때는 손(巽)괘의 가장 높은 위치에 있
어, 반드시 그 순서가 있으니, 그것을 기러기가 앉는 곳을 벗어나
구름 속의 허공을 날아가는 것과 같다고 하였고, 인간사에서는 일
상적인 일의 밖에서 초탈하게 소일하는 자이다.

....

28) '규(逵)'라 했으니 : 호원, 『주역구의(周易口義)』「점(漸)괘」, 상구효; 호
원은 여러 가지 설명을 하면서 '육(陸)'을 '규(逵)'라 하여 허공이라고 했
으나, 정이천처럼 일상적인 일에서 벗어나 초탈하게 소일하는 사람으로
생각하지 않고, 재상의 반열에 올라 높은 공적을 쌓은 사람으로 설명한
다. "현인과 군자가 아래 지위에서 재상의 반열에까지 올라 공적이 융성
하고, 숭고함이 원대하여, 세상의 의표(儀表)가 될 만하므로, 길함을 얻
는다. 왕필의 뜻에 따르면 또한 구름길로 해석하고 있으니, 나아가 고결
한 곳에 처하여 직분에 얽매이지 않으며, 뜻이 높고 높으며 맑고 고원하
다고 했으나, 만약 높고 평평한 곳에 멈추어 있다면 어떻게 고결하고,
뜻이 높으며 맑고 고원한 모습이 있을 수 있겠는가? 이것으로 미루어
보건데 기록하여 쓰는 과정에서 이 '규(逵)'자를 육(陸)으로 잘못 썼음이
분명하다.[賢人君子, 自下位而登公輔之列, 功業隆盛, 崇高遠大, 可以
爲天下之儀表, 故獲吉也. 按輔嗣之意, 亦解爲雲路之義, 言雖進處高
潔, 不累于職, 峩峩淸遠, 若止在高平之陸, 安得有高潔峩峩淸遠之象
哉? 以此推之, 是傳錄之際, 誤書此逵爲陸字也, 明矣.]"

나아가 이러한 경지에 이르러, 그 점차적인 순서를 잃지 않은 것은 어질고 이치를 통달한 사람의 고원한 경지이므로, 모범이 될 만하여 길하다. '깃털'은 기러기가 나는 데 사용하는 것이다. 나아가는 데 사용하는 것이니, 상구효에서 나아가는 방도를 비유하였다.

集說

● 孔氏穎達曰 : "上九與三, 皆處卦上, 故並稱'陸'. 上九最居上極, 是進處高潔, 故曰'鴻漸於陸'也. '其羽可用爲儀吉'者, 居無位之地, 是不累於位者也. 處高而能不以位自累, 則其羽可用爲物之儀表, 可貴可法也."[29]

공영달(孔穎達)[30]이 말했다. "상구효와 구삼효는 모두 괘의 위에 처하였으므로 모두 '육(陸)'이라고 칭했다. 상구효는 가장 높은 곳에 자리하였으니, 나아가는 처신이 고결하므로 '기러기가 허공으로 점차적으로 나아가는 것이다'라고 했다. '그 깃털이 의식(儀飾)이 될

---

29) 공영달(孔穎達), 『주역주소(周易注疏)』 권9, 「점(漸)괘」.

30) 공영달(孔穎達) : 공영달(孔穎達, 574~648)은 자는 중달(仲達)이고 시호는 헌공(憲公)이며, 기주형수(冀州衡水 : 현 하북성 형수(衡水)) 사람이다. 동란의 와중에서 학문을 닦았으며 남북 두 학파의 유학은 물론 산학(産學)과 역법(曆法)에도 정통했다. 당 태종(唐太宗)에게 중용되어, 벼슬은 국자박사(國子博士)를 거쳐 국자감의 좨주(祭酒)·동궁시강(東宮侍講) 등을 역임하였다. 특히 문장·천문·수학에 능통하였으며, 위징(魏徵)과 함께 『수서(隋書)』를 편찬하였다. 당 태종의 명에 따라 고증학자 안사고(顔師古) 등과 더불어 오경(五經) 해석의 통일을 시도하여 『오경정의(五經正義)』170권을 편찬하였다. 이는 위진 남북조 이래 경학의 집대성이라고 할 수 있다.

만하니, 길하다'는 것은 지위가 없는 자리에 있지만 지위에 얽매이지 않는다. 고결한 곳에 처하여 지위에 스스로 얽매이지 않을 수 있으니, 그 깃털이 사람들의 의표로 사용될 수 있어 귀하고 본받을 만하다."

● 王氏安石曰: "其進也, 以漸而不失時, 其翔也, 以群而不失序, 所謂進退可法者也."[31]

왕안석(王安石)[32]이 말했다. "나아감이 점차적인 순서로 해서 때를 잃지 않고, 날아감에 무리를 지어서 순서를 잃지 않으니, 나아가고 물러나는 것이 본받을 만한 자이다."

案

六爻皆有女歸之義, 獨於三五言婦者, 陰爻則其爲臣道妻道不

---

31) 풍의(馮椅), 『후재역학(厚齋易學)』 권27, 「점(漸)괘」.

32) 왕안석(王安石, 1021~1086): 북송(北宋)시대 사상가, 정치가, 문필가로서 임천(臨川: 현 강서성 무주시 임천구〈撫州市臨川區〉) 사람이다. 자는 개보(介甫)이고 호는 반산(半山)이다. 1042년 진세에 급제하여 벼슬은 양주첨판(揚州簽判), 은현지현(鄞縣知縣), 서주통판(舒州通判) 등을 역임하고, 1069년참지정사(參知政事)가 되어 변법(變法) 즉 신법(新法)을 주도하였으나, 구당파의 반대로 1074년 파직되었다. 1년 뒤 송 신종(神宗)이 재상에 재임용하여 신법(新法)을 시행하였으나, 또 파직되어 1086년 마침내 신법이 폐지되었다. 문학으로는 당송팔대가의 한 사람으로서, 특히 그의 시(詩)는 왕형공체(王荊公體)라는 하나의 문체를 이루었다. 경학(經學) 방면으로도 당시에 통유(通儒)라고 불릴 정도로 경전에 두루 해박하였으며, 특히 북송대의 의경변고학풍(疑經變古學風)을 촉진하는 데에 기여하였다. 저서로 『왕임천집(王臨川集)』, 『임천집습유(臨川集拾遺)』 등이 전해지고 있다.

必言也. 上九又處卦上, 以爲妻道, 則女之已老而非歸者, 以爲臣道, 則臣之已退而非進者. 旣在卦義之外, 則亦不必言也. 唯三與五, 旣居高位, 又爲陽爻, 疑其無婦象也, 故稱婦焉. 蓋雖無位, 亦時以臣道妻道言, 各隨其卦義而已. 初以陰應陰, 三以陽應陽, 皆不合女歸之義, 故各有凶厲之辭.

여섯 효는 모두 여자가 시집가는 뜻이 있지만, 유독 구삼효와 구오효에서 부인(婦人)을 말한 것은 음(陰)효는 신하의 도와 처의 도가되니 말할 필요가 없어서이다. 상구효는 또 괘의 가장 높은 곳에 자리하여 처의 도로 여기면 여자가 이미 늙어 시집가지 않은 자이고, 신하의 도로 말하면 신하가 이미 물러나 나아가지 않는 자이다. 이미 괘의 뜻 밖에 있으니 또한 반드시 말할 필요가 없는 것이다. 오직 구삼효와 구오효가 높은 지위에 자리하고 또 양(陽)효이니 부인의 상(象)이 없는 것을 의심하므로 부인이라고 칭했다. 비록 지위가 없지만 때는 신하의 도와 처의 도로 말하므로 각각 그 괘의 뜻을 따랐을 뿐이다.

초육효는 음(陰)으로 음(陰)에 호응하고 구삼효는 양(陽)으로 양(陽)에 호응하니, 모두 여자가 시집가는 뜻에 부합하지 않으므로 각각 흉하고 위태롭다는 말이 있다.

五應二, 陰陽相求者也, 然以二爲女, 則歸於陽爲正偶, 故'飮食衎衎'而和也. 以五爲女, 則歸於二爲反類, 故'三歲不孕'而不和也. 四則雖無應而承五, 亦得所歸, 可以無咎. 上, 卦之終也, 進之極也. 旣無所取於歸與進之義, 則反以無應爲宜. 蓋在家爲保姆, 在國爲黎老, 超然於進退之外者也. '陸'字與九三重, 故先儒改作'逵'字以叶韻. 然逵儀古韻, 實非叶也. 意者'陸'乃'阿'字之誤, '阿', 大陵也, 進於陵則'阿'矣. '儀', 古讀'俄', 正與阿叶. 『詩』

云 : "菁菁者莪, 在彼中阿, 既見君子, 樂且有儀."

구오효는 육이효와 호응하여 음양이 서로 구하는 자이지만, 육이효가 여자이니 양에 시집가는 것이 올바른 짝이 되므로 '음식을 먹어 즐겁고 즐거워서' 화합한다. 구오효가 여자가 되면 구이효에 시집가는 것이 그 부류에 반하는 것이므로, '삼년동안 잉태하지 못하여' 화합하지 못한다. 육사효는 호응하는 사람이 없지만 구오효를 잇고 있으니 또한 시집가는 곳을 얻어 허물이 없을 수 있다.

상(上)효는 괘의 끝이고 나아감의 극한이다. 시집가거나 나아가는 뜻을 취할 것이 없으니 오히려 호응함이 없는 것이 마땅하다. 집안에서 보모가 되거나 나라에서 원로가 되어 초연하게 나아감과 물러남의 밖에 있는 자이다.

'육(陸)'이라는 글자는 구삼효와 중복되므로 이전의 학자들은 '규(逵)'라는 글자로 협운(協韻)으로 고쳤다. 그러나 '규(逵)'와 '의(儀)'는 고대의 운에서 실제로 협운이 아니다. 아마도 '규(逵)'라는 글자는 '아(阿)'라는 글자의 오자이니, '아(阿)'는 큰 언덕으로 언덕에 나아감이 '아(阿)'이다. '의(儀)'는 옛날에는 '아(俄)'로 읽었는데 바로 '아(阿)'의 협운이다. 『시(詩)』에서 "무성하고 무성한 새발쑥이여, 저 언덕 가운데 있도다. 이미 군자(君子)를 만나보니, 즐겁고 또 예의(禮儀)가 있도다."[33]라고 했다.

----

33) 『시경(詩經)』「소아 · 동궁지십 · 청청자아(菁菁者莪)」.

54. 귀매歸妹괘

䷵ 震上
兌下

程傳

歸妹,「序卦」, "漸者進也, 進必有所歸, 故受之以歸妹." 進則
必有所至, 故漸有歸義, 歸妹所以繼漸也. 歸妹者, 女之歸也.
'妹', 少女之稱. 爲卦, 震上兌下, 以少女從長男也. 男動而女
說, 又以說而動, 皆男說女女從男之義. 卦有男女配合之義者
四, 咸恒漸歸妹也.

귀매(歸妹)괘는 「서괘전」에서 "점차적 진입이란 나아감이니 나아가
면 반드시 돌아오는 곳이 있으므로 돌아가는 것을 상징하는 귀매괘
로 받았다"라고 하였다.

나아가면 반드시 이르는 곳이 있으므로, 점차적 진입에는 돌아간다
는 뜻이 있다. 그래서 귀매괘가 점(漸)괘를 이었다. 귀매(歸妹)란
여자가 시집가는 것이다. '매(妹)'란 소녀를 칭한다.

괘의 모습은 성인 남자와 움직임을 상징하는 진(震)괘가 위에 있고,
소녀와 기쁨을 상징하는 태(兌)괘가 아래에 있으니, 소녀가 성인 남
자를 따르는 모습이다. 남자가 움직이고 여자는 기뻐하며, 또 기뻐
하면서 움직이니, 모두 남자가 여자를 기뻐하고, 여자가 남자를 따
르는 뜻이다.

괘에는 남자와 여자가 짝을 이루어 합치하는 뜻이 네 가지가 있으니, 함(咸)괘·항(恒)괘·점(漸)괘·귀매(歸妹)괘가 그러하다.

咸, 男女之相感也, 男下女, 二氣感應, 止而說, 男女之情相感之象. 恒, 常也, 男上女下, 巽順而動, 陰陽皆相應, 是男女居室夫婦唱隨之常道. 漸, 女歸之得其正也, 男下女而各得正位, 止靜而巽順, 其進有漸, 男女配合得其道也. 歸妹, 女之嫁, 歸也, 男上女下, 女從男也, 而有說少之義. 以說而動, 動以說則不得其正矣, 故位皆不當.

함괘는 남자와 여자가 서로 감응함이니, 남자가 자신을 낮추어 여자에게로 가고, 두 기운이 자극하고 반응하며, 합당한 위치에서 멈추어 기뻐하니, 남자와 여자의 정분(情分)이 서로 감응하는 모습이다. 항괘란 오래 지속하는 항상성을 상징하니, 남자가 위에 있고 여자는 아래에 있으며, 겸손하고 순종하여 움직이며, 음양이 모두 서로 감응하니, 이것은 남자와 여자가 집에 있으며, 남편이 먼저 부르면 부인이 그에 따라 화답하는 상도(常道)이다. 점괘는 여자가 시집가는 데 그 정도(正道)를 얻은 것이니, 남자가 자신을 낮추어 여자에게로 가서 각각 그 올바른 위치를 얻고, 합당한 위치에 멈춰서 안정되며 겸손하고 순종하여, 그 나아가는 데 점차적인 순서가 있으니, 남자와 여자가 짝을 이루어 합치하여 그 도를 얻는 것이다.
귀매괘는 여자가 시집가는 일로, 돌아가는 것이니, 남자가 위에 있고 여자가 아래에 있어, 여자가 남자를 따르고, 소녀를 기뻐하는 뜻이 있다. 기뻐하면서 움직이는 것이니, 움직이는 데 기쁨으로 움직이면, 그 올바름을 얻지 못한다. 그러므로 그 지위가 모두 합당하지 않다.

初與上雖當陰陽之位, 而陽在下, 陰在上, 亦不當位也, 與漸
正相對. 咸恒, 夫婦之道, 漸歸妹, 女歸之義. 咸與歸妹, 男女
之情也, 咸止而說, 歸妹動於說, 皆以說也. 恒與漸, 夫婦之
義也, 恒巽而動, 漸止而巽, 皆以巽順也. 男女之道, 夫婦之
義, 備於是矣. 歸妹爲卦, 澤上有雷, 雷震而澤動, 從之象也.
物之隨動, 莫如水. 男動於上而女從之, 嫁歸從男之象. 震長
男, 兌少女. 少女從長男, 以說而動, 動而相說也. 人之所說
者少女, 故云‘妹’爲女歸之象. 又有長男說少女之義, 故爲歸
妹也.

초구효와 상육효는 음양의 지위에 합당하지만, 양이 아래에 있고,
음이 위에 있어, 또한 합당하지 않은 위치이니, 점괘와는 서로 반대
가 된다.
함괘와 항괘는 부부(夫婦)의 도이고, 점괘와 귀매괘는 여자가 시집
가는 뜻이다. 함괘와 귀매괘는 남자와 여자의 정(情)이니, 함괘는
합당한 위치에 그쳐서 기뻐하고, 귀매괘는 기뻐하는 데서 움직이니,
모두 기뻐하는 것으로 이루어진 것이다. 항괘와 점괘는 부부의 뜻
이니, 항괘는 겸손하면서 움직이고, 점괘는 합당한 위치에 그쳐서
겸손하니, 모두 겸손하고 순종함으로 이루어진 것이다. 남녀의 도
와 부부의 뜻이 여기에 갖추어져 있다.
귀매괘는 괘의 모습이 태(兌)괘가 상징하는 연못 위에 진(震)괘가
상징하는 우레가 있는 것이니, 우레가 진동하여 연못이 동요하는
것은 복종하는 모습을 상징한다. 복종하여 따라 움직이는 사물은
물만한 것이 없다. 남자가 위에서 움직이고 여자가 그에 복종하여

따르니, 시집가서 남자를 따르는 모습이다.

진괘는 성인 남자를 상징하고, 태괘는 소녀를 상징한다. 소녀가 성인 남자를 따르는 것은 기뻐하면서 움직이는 일이니, 마음이 움직여 서로 기뻐한다. 사람이 기뻐하는 것은 소녀이므로, '매(妹)'라고 했으니, 여자가 시집가는 모습이다. 또 성인 남자가 소녀를 기뻐하는 뜻이 있으므로, 여자가 시집가는 일이다.

歸妹, 征凶, 無攸利.

여자가 시집가는 일은 함부로 하면 흉하니, 이로운 바가 없다.

本義

婦人謂嫁曰'歸'. '妹', 少女也. 兌以少女而從震之長男, 而其
情又爲以說而動, 皆非正也, 故卦爲歸妹. 而卦之諸爻, 自二
至五, 皆不得正. 三五又皆以柔乘剛, 故其占征凶而無所利也.

부인(婦人)이 시집가는 것을 '귀(歸)'라 하고 '매(妹)'는 소녀이다.
태(兌)괘가 소녀로 진(震)괘의 장남을 따르고 그 정(情)이 또 기뻐
함으로 움직이니, 모두 정도(正道)가 아니다. 그러므로 괘가 귀매
(歸妹)가 되었다.

괘의 여러 효가 이효(二爻)로부터 오효(五爻)에 이르기까지 다 올
바름을 얻지 못하였다. 삼효(三爻)와 오효(五爻)가 또 모두 부드러
움으로 굳셈을 타고 있다. 그러므로 그 점(占)이 가면 흉하여 이로
운 바가 없다.

程傳

以說而動, 動而不當, 故凶. 不當, 位不當也. "征凶", 動則凶
也. 如卦之義, 不獨女歸, 無所往而利也.

기뻐해서 움직이면, 움직이더라도 합당하지 않으므로, 흉하다. 합당

하지 않는 것은 위치가 합당하지 않다는 말이다.

"함부로 가면 흉하다."는 움직이면 흉한 것이다. 이 괘의 뜻은 단지 여자가 시집가는 일에서만이 아니라 어떤 일을 진행해 가더라도 이로운 바가 없다는 것과 같다.

● 蔡氏淸曰 : "不曰妹歸而曰歸妹, 歸者在妹也, 如漸則曰女歸矣."[1]

채청(蔡淸)[2]이 말했다. "매귀(妹歸)라고 말하지 않고 귀매(歸妹)라고 말했는데, 시집가는 것이 소녀에게 있기 때문이니, 점(漸)괘에서라면 여자가 시집간다고 했을 것이다."

● 張氏振淵曰 : "妹乃少女而從長男, 又其情以說而動. 是其情勝而不計乎匹偶之宜者, 故爲歸妹. 所歸在妹, 不正可知, 故凶

----

1) 채청(蔡淸), 『역경몽인(易經蒙引)』 권8 상.
2) 채청(蔡淸, 1453~1508) : 명(明)대 진강(晉江) 사람으로, 자는 개부(介夫)이고 별호는 허재(虛齋)이다. 31세에 진사에 급제하여 벼슬은 남경문선랑중(南京文選郎中)·강서제학부사(江西提學副使) 등을 역임하였다. 명대의 저명한 이학가(理學家)로서 주로 이정(二程)과 주희(朱熹)의 저술 연구를 통해 그들의 사상을 계승하였다. 특히 천주(泉州) 개원사(開元寺)에서 역학연구단체를 결성하여 90여 책을 출간하면서 청원학파(淸源學派)를 이루었다. 이정기(李廷機)·장악(張嶽)·임희원(林希元)·진침(陳琛) 등의 학자들이 그 학파의 주요 구성원이었다. 저술로는 『사서몽인(四書蒙引)』·『역경몽인(易經蒙引)』·『허재문집(虛齋文集)』 등이 있다.

而無所利也."

장진연(張振淵)[3]이 말했다. "매(妹)는 소녀로서 장남을 따르니, 그 정(情)이 기뻐하면서 움직이는 것이다. 이는 그 정이 넘쳐 짝이 되는 마땅함을 헤아리지 못하는 자이므로, 귀매(歸妹)라고 했다. 시집가는 것이 누이에게 있으니 올바르지 않음을 알 수 있으므로 흉하여 이로운 바가 없다."

案

歸妹文意, 如『春秋』歸地歸田之例, 以物歸於人, 非其人來取物也. 歸妹所以失者有二. 一則不待取而自歸, 失昏姻之禮, 以卦象女先於男, 與咸之男下女相反也. 一則以少女歸長男, 失昏姻之時, 與咸兩少之交相反也. 故不曰妹歸而曰歸妹, 以明其失禮, 不曰歸女而曰歸妹, 以見其失時. 凡「彖辭」直著吉凶而無它戒者, 大有鼎直曰'元亨', 此直曰'征凶無攸利'. 蓋尊賢育才者, 人君之盛節也, 自媒自薦者, 士女之醜行也.

귀매의 뜻은 『춘추』에서 땅에 돌아간다거나 밭에 돌아간다는 예와 같아 상대로서 타인에게 시집가는 일이지 그 상대가 와서 짝을 취하는 것은 아니다.

귀매에 잃은 것은 두 가지이다. 하나는 상대가 취함을 기다리지 않고 스스로 시집가는 일로 혼인의 예를 잃은 것인데, 괘상(卦象)에서 여자가 먼저 남자에게 가는 것으로, 함(咸䷞)괘에서 남자가 여자에게 내려가는 것과는 정반대이다. 하나는 소녀로서 장남에게 가는 일로 혼인의 때를 잃은 것인데, 함괘에서 두 소년 소녀가 교제

---

3) 장진연(張振淵) : 장언릉(張彦陵)이다.

하는 것과는 정반대이다. 그러므로 매귀(妹歸)라고 하지 않고 귀매
(歸妹)라고 하여 예를 잃은 것을 밝혔고, 또 귀녀(歸女)라고 하지
않고 귀매(歸妹)라고 하여 때를 잃은 것을 드러냈다.

「단사」에서 직접 길흉을 드러내어 다른 경계의 말이 없는 것은 대
유(大有)괘와 정(鼎)괘에서 직접 '크게 형통하다'고 했는데 여기서
는 직접 '함부로 가면 흉하니, 이로운 바가 없다'고 했다.

현인을 존중하고 재능있는 사람을 육성하는 것은 군주의 성대한 절
차인데 스스로 중매하고 스스로 천거하는 것은 사대부와 여자의 추
한 행위이다.

初九, 歸妹以娣, 跛能履, 征吉.

초구효는 소녀를 첩으로 시집보내는 일이니, 절름발이가 걸어가
지만, 가면 길하다

本義

初九居下而無正應, 故爲娣象. 然陽剛在女子爲賢正之德, 但
爲娣之賤, 僅能承助其君而已, 故又爲"跛能履"之象. 而其占
則征吉也.

초구효는 아래에 자리하고 올바른 호응이 없으므로 첩의 상이 된
다. 그러나 양의 굳센 자질은 여자에게서는 현명하고 올바른 덕이
되는데, 다만 첩의 천한 신분이어서, 겨우 군주를 받들어 도울 뿐이
므로 또 "절름발이가 걸어가는" 상(象)이 된다. 그 점(占)은 그대로
나아가면 길하다.

程傳

女之歸, 居下而無正應, 娣之象也. 剛陽在婦人爲賢貞之德,
而處卑順, 娣之賢正者也. 處說居下爲順義, 娣之卑下, 雖賢
何所能爲? 不過自善其身, 以承助其君而已. 如跛之能履, 言
不能及遠也. 然在其分爲善, 故以是而行則吉也.

여자가 시집가는 데 아래 지위에 자리하고 올바른 호응 관계가 없

는 것이 잉첩(媵妾)[4]의 모습이다. 굳센 양의 자질은 부인의 측면에서는 어질고 정숙한 덕이 되어, 낮은 위치에 처하여 순종함을 의미하니, 잉첩의 어질고 올바른 덕을 말한다.

기뻐하면서 아래 위치에 자리한 것이 순종하는 뜻이니, 잉첩의 낮은 신분으로 어질고 현명하더라도, 무엇을 할 수 있겠는가? 자신의 몸을 아름답게 하여 그 본처[嫡妻]를 도울 수 있을 뿐이다.

마치 절름발이가 걸어가는 것과 같으니, 멀리까지 영향력을 미칠 수 없음을 말한다. 그러나 그 본분의 영역에서 보면 최선이 되므로 이렇게 행하면 길하다.

集說

● 孔氏穎達曰 : "征吉者, 少女非偶, 爲妻而行則凶, 爲娣而行則吉."[5]

공영달(孔穎達)이 말했다. "가면 길하다는 것은 소녀는 짝이 아니니 처가 되어 가면 흉하고 잉첩이 되어 가면 길하다."

● 胡氏瑗曰 : "跛者, 足以偏也. 姪娣非正配, 而能盡其道, 以配君子, 猶足之雖偏, 而能履地而行, 不至於廢也."[6]

---

4) 잉첩(媵妾) : 고대에 귀인(貴人)에게 시집가는 여자에게 딸려 보내는 시종으로 여자를 말한다. 질녀나 여동생으로 충당했다.
5) 공영달(孔穎達), 『주역정의(周易正義)』「귀매(歸妹)괘」.
6) 호원(胡瑗), 『주역구의(周易口義)』「귀매(歸妹)괘」.

호원(胡瑗)[7]이 말했다. "절름발이는 다리가 한쪽이다. 잉첩은 올바른 짝이 아니지만 그 도리를 다할 수 있어 군자의 짝이 되니, 마치 다리가 한쪽이지만 땅을 밟고 나아가면 못쓰는 지경에 이르지는 않는다."

案

初在下, 娣之象. 凡女之歸, 不待六禮備者, 爲失禮. 唯娣可以從歸, 而不嫌於失禮. 少女非偶者爲失時, 唯娣可以待年, 而不嫌於失時. 是卦義雖凶, 而於初則無嫌, 故變征凶而爲征吉也.

초육효가 아래에 있는 것은 잉첩의 상이다. 여자가 시집가는 데 육예(六禮)[8]를 갖추지 않으면 예를 잃게 된다. 오직 잉첩만이 따라서

----

7) 호원(胡瑗, 993~1059) : 자는 익지(翼之)이고 시호는 문소(文昭)로서, 북송시대 태주 해릉(泰州海陵 : 현 강소성 태주시) 사람이다. 13살에 오경(五經)을 통독하고, 20세에 손복(孫復)과 석개(石介)를 산동성 태산(泰山) 서진관(棲眞觀)에서 배알하고 10년 동안 사사하였다. 30세에 귀향하여 7번 과거에 응시했으나 낙방하여, 안정서원(安定書院)을 짓고 후학양성에 힘썼다. 이에 세칭 안정선생으로 불렸다. 42세에 범중엄(范仲淹)의 천거로 교서랑(校書郎)이 되고, 태자중사(太子中舍), 광록시승(光祿寺丞), 천장각시강(天章閣侍講), 태상박사(太常博士) 등을 역임하였다. 특히 관직 생활 중에도 강학에 힘을 쏟아 손복(孫復)·석개(石介)와 함께 송초삼선생(宋初三先生)으로 추숭되어 송대 리학의 선구가 되었다. 저서에 『주역구의(周易口義)』, 『홍범구의(洪範口義)』, 『춘추구의(春秋口義)』, 『논어설(論語說)』 등이 있다.

8) 육예(六禮) : 전통사회에서 행하던 혼인절차의 여섯 가지 의식(儀式)이다. 납채(納采)·문명(問名)·납길(納吉)·납징(納徵)·청기(請期)·친영(親迎)을 말한다.

시집가서 예를 잃는 것을 꺼려하지 않을 수 있다.
소녀는 짝이 아니니 때를 잃지만, 오직 잉첩만이 몇 년을 기다려
때를 잃는 것에 대해 꺼려하지 않을 수 있다.
이 괘의 뜻은 비록 흉하지만 초효에서 꺼림이 없으므로 가면 흉한
것이 변하여 가면 길한 것이 된다.

九二, 眇能視, 利幽人之貞.

구이효는 애꾸눈이 볼 수 있는 것이니, 그윽한 은둔자의 올바름이
이롭다.

本義

"眇能視", 承上爻而言. 九二陽剛得中, 女之賢也. 上有正應,
而反陰柔不正, 乃女賢而配不良, 不能大成內助之功, 故爲
"眇能視"之象. 而其占則利幽人之貞也, 幽人, 亦抱道守正而
不偶者也.

 "애꾸눈이 볼 수 있다"는 위의 효를 이어서 말한 것이다. 구이효는
양의 굳센 자질로 알맞음을 얻었으니, 여자의 어진 사람이다.
위로 올바른 호응 상대가 있지만 그는 도리어 음의 부드러움으로
올바르지 못하니, 여자는 어질지만 배필이 어질지 못한 것이니, 내
조의 공을 크게 이룰 수 없으므로 "애꾸눈이 볼 수 있는" 상(象)이
되고, 그 점(占)은 그윽한 은둔자인 유인(幽人)의 올바름이 이로운
것이다.
그윽한 은둔자는 또한 도(道)를 간직하고 정도(正道)를 지키지만
때를 만나지 못한 자이다.

程傳

九二陽剛而得中, 女之賢正者也. 上有正應, 而反陰柔之質,

動於說者也. 乃女賢而配不良, 故二雖賢, 不能自遂以成其內
助之功, 適可以善其身而小施之. 如眇者之能視而已, 言不能
及遠也. 男女之際, 當以正禮. 五雖不正, 二自守其幽靜貞正,
乃所利也. 二有剛正之德, 幽靜之人也. 二之才如是, 而言利
貞者, 利言宜於如是之貞, 非不足而爲之戒也.

구이효는 양의 굳센 자질로 중도(中道)를 얻었으니, 현명하고 올바
른 여자이다. 위로 올바른 호응 상대가 있지만, 도리어 음의 부드러
운 자질이라서 기뻐함에 동요하는 자이다. 그래서 여자는 현명한데
그 배필은 어질지 못하므로, 구이효가 현명하더라도 스스로 수행하
여 내조의 공을 이룰 수 없고, 다만 자기의 몸을 아름답게 해서 조
금 베풀 수 있다. 마치 애꾸눈이 볼 수 있는 것과 같을 뿐이니, 먼
곳에까지 영향을 미칠 수 없음을 말한다.
남자와 여자의 교제는 마땅히 올바른 예(禮)로 해야 한다. 육오효가
올바르지 않지만, 구이효가 그윽한 안정과 굳센 올바름을 지키니,
그래서 이로운 것이다. 구이효는 강하고 올바른 덕이 있으니, 그윽
한 안정을 이룬 사람이다. 구이효의 자질이 이와 같지만 올바름이
이롭다고 한 것은 이와 같은 올바름이 마땅함을 말한 것이지, 그의
자질이 부족해서 경계한 것은 아니다.

集說

● 郭氏雍曰 : "九二剛中. 賢女也. 守其幽獨之操, 不奪其志, 故
'曰利幽人之貞'."9)

....

9) 곽옹(郭雍), 『곽씨전가역설(郭氏傳家易說)』 권5, 「귀매(歸妹)괘」.

곽옹(郭雍)[10]이 말했다. "구이효는 강하고 중(中)을 이루었으니, 현명한 여자이다. 그윽하고 외로운 지조를 지켜 그 뜻을 빼앗지 못하니, '그윽한 사람의 올바름이 이롭다'고 했다."

● 胡氏一桂曰 : "初二跛眇, 兌毀折象, 履卦六三亦兌體, 故取象同."

호일계(胡一桂)[11]가 말했다. "초육효와 구이효는 절름발이와 애꾸눈인데 태(兌☱)괘가 훼손되고 절단된 상(象)이니, 리(履)괘 육삼효 역시 태(兌)의 형체이므로 상을 취하는 것이 같다."

案

此卦與漸相似, 凡以陰應陽者, 女之有配者也. 以陰應陰以陽應陽者, 女之無配者也. 若以陽應陰, 則雖有應而反其類, 比之無應者加甚矣, 乃女之有配而失配者也. 「衛詩」曰 : "泛彼柏舟, 亦

10) 곽옹(郭雍, 1106~1187) : 송(宋)대 낙양(洛陽 : 현 하남성 낙양시) 사람으로 자는 자화(子和)이고 자호는 백운(白雲)이다. 정이(程頤)의 제자인 곽충효(郭忠孝)의 둘째 아들로 가학을 이었으며, 벼슬길은 나아가지 않고 은거하면서 역학과 의학에 정통하였다고 한다. 역학 방면 저술로 『전가역해(傳家易解)』, 『괘사지요(卦辭指要)』, 『시괘변의(蓍卦辨疑)』 등이 있다고 한다.
11) 호일계(胡一桂, 1247~?) : 자는 정방(庭芳) 호는 쌍호(雙湖), 경학과 역사에 널리 통하고, 특히 역에 뛰어났다. 주희의 역학을 전승했다. 『역본의부록찬소(易本義附錄纂疏)』, 『역학계몽익전(易學啓蒙翼傳)』, 『주자시전부록(朱子詩傳附錄纂疏)』, 『십칠사찬고금통요(十七史纂古今通要)』 등의 저술이 있다.

泛其流", 則配之不良者也. 又曰 : "泛彼柏舟, 在彼中河", 則配
之不終者也. 然皆自執其志, 如石之不移, 至於之死而矢靡它,
豈非所謂幽人之貞乎? 凡足以兩而行, 目以兩而明, 夫婦以兩而
成, 跛者一正而一偏也, 眇者一昏而一明也. 娣雖屈於偏側, 而
猶能佐理, 故曰能履. 幽人雖失所仰望, 而其志炯然, 故曰能視.

이 괘는 점(漸)괘와 서로 유사하니 음(陰)으로 양(陽)에 호응하고
여자가 배필이 있다. 음으로 음에 호응하고, 양으로 양에 호응함은
여자가 배필이 없는 것이다. 만약 양으로 음에 호응하면 호응이 있
더라도 그 부류를 거스른 일이니 호응이 없는 것보다도 심하니, 여
자가 배필이 있더라도 배필을 잃는다.

위나라 시(詩)에 "두둥실 떠있는 저 잣나무배여 또한 흐르는 물에
떠있도다"[12]라고 하니, 배필이 선량하지 않은 자이다. 또 말하기를
"둥둥 떠있는 잣나무 배여 저 황하(黃河) 가운데 있도다."[13]라고 하
니 배필이 끝을 맺지 못한 자이다. 그러나 모두 스스로 그 뜻을 잡
고 있으니, 마치 돌이 움직이지 않는 것과 같아 "죽을지언정 다른
곳으로 가지 않으니" 어찌 그윽한 사람의 올바름이라 하지 않을 수
있겠는가?

다리는 두 발로 가고 눈은 두 눈으로 밝게 보며, 부부는 두 사람이

----

12) 『시경』「국풍・패・백주(柏舟)」: "汎彼柏舟, 亦汎其流. 耿耿不寐, 如有
隱憂. 微我無酒, 以敖以遊.[두둥실 떠있는 저 잣나무배여 또한 흐르는
물에 떠있도다. 경경(耿耿)히 잠을 이루지 못하여 은우(隱憂)가 있는 듯
하노라. 내가 술이 없어 즐기고 놀 수 없는 것은 아니니라.]"라고 하였다.
13) 『시경』「국풍・용・백주(柏舟)」: "汎彼柏舟, 在彼中河. 彼兩, 實維我儀,
之死, 矢靡他. 母也天只, 不諒人只.[둥둥 떠있는 잣나무 배여 저 황하
(黃河) 가운데 있도다. 더풀거리는 저 양모(兩)한 분이 실로 나의 짝이
니, 죽을지언정 맹세코 다른 데로 가지 않으리라. 어머니는 하늘이시니
이처럼 사람마음 몰라주시는가.]"라고 하였다.

완성하는데, 절름발이는 한 쪽은 바르고 한 쪽은 기울어졌고, 애꾸눈은 한 쪽은 어둡고 한 쪽은 밝은 것이다. 잉첩이 치우친 쪽에서 굽혔지만 오히려 보좌할 수 있으므로 걸을 수 있다고 했다. 그 윽한 사람이 명망을 잃었지만 그 뜻은 밝게 빛나므로 볼 수 있다고 했다.

六三, 歸妹以須, 反歸以娣.

소녀를 시집보내는 데 기다리는 것이니, 잉첩으로 다시 시집보낸
다.

本義

六三陰柔而不中正, 又爲說之主. 女之不正, 人莫之取者也.
故爲未得所適, 而反歸爲娣之象. 或曰 : "須, 女之賤者".

육삼효는 음의 부드러운 자질로 중정(中正)하지 못하고 또 기쁨의
주체가 되었다.

여자가 바르지 않으면 사람이 취하는 자가 없다. 그러므로 갈 곳을
얻지 못하여 돌아와 잉첩이 되는 상(象)이 된 것이다.

어떤 사람은 "수(須)는 천한 여자"라고 한다.

程傳

三居下之上, 本非賤者, 以久德而無正應, 故爲欲有歸而未得
其歸. '須', 待也. 待者, 未有所適也. 六居三不當位, 德不正
也. 柔而尚剛, 行不順也. 爲說之主, 以說求歸, 動非禮也. 上
無應, 無受之者也. 無所適, 故須也. 女子之處如是, 人誰取
之, 不可以爲人配矣. 當反歸而求爲娣滕則可也, 以不正而失
其所也.

육삼효는 아래 괘의 위에 자리하여, 본래 천한 사람이 아니지만, 덕을 잃고 올바른 호응 상대가 없으므로, 시집가려고 해도 시집가지 못하는 것이다.

'수(須)'는 기다린다는 뜻이다. 기다리는 것은 시집갈 적당한 곳이 아직 없는 상태이다.

육(六)이 삼(三)의 자리에 있어, 합당하지 않은 지위이니, 덕이 올바르지 않다. 부드러운 자질로 굳센 자리를 바라니, 행실이 이치를 따르지 않는 것이다.

기쁨의 주인이 되어, 기뻐함으로써 시집가는 것을 구하니, 움직임이 예가 아니다. 위로 호응하는 사람이 없으니, 받아주는 자가 없다. 적절하게 갈 곳이 없으므로, 기다린다. 여자의 처신이 이와 같다면, 누가 그를 취하겠는가? 남자의 짝이 될 수가 없다. 마땅히 다시 돌아와 잉첩이 되기를 구하면 좋을 것이니, 올바르지 않아서 그 합당한 위치를 잃었기 때문이다.

集說

● 陸氏希聲曰 : "在天文, 織女爲貴, 須女爲賤."

육희성(陸希聲)[14]이 말했다. "천문(天文)에서는 직녀(織女)가 귀하고, 수녀(須女)[15]는 천하다."

----

14) 육희성(陸希聲) : 자는 홍경(鴻磬)이고, 호는 군양둔수(君陽遁叟) 혹은 군양도인(君陽道人)이며, 당나라 소주(蘇州) 부인(府人) 사람이다. 박식하며 글을 잘 지었다. 저서에는 『도덕진경전(道德眞經傳)』이 있다.

15) 수녀(須女) : 베와 비단에 관한 일을 맡아본다는 별의 이름이다.

● 胡氏炳文曰 : "初九居下, 娣也. 六三居下之上, 非娣也. 陰柔
而不中正, 又爲兌說之主, 無德之女也. 無德之女, 人無取之者,
故本宜須而反歸以娣也."

호병문(胡炳文)이 말했다. "초구효는 아래에 자리하여 잉첩이다.
육삼효는 아래의 위에 자리하여 잉첩은 아니다. 음의 부드러움으로
하고 중정(中正)하지 못하며, 또 태(兌)괘의 기쁨의 주체가 되어 덕
이 없는 여자이다. 덕이 없는 여자를 취하는 사람이 없으므로, 본
래 마땅히 기다려서 돌아가 잉첩으로 시집간다."

案

'須'當從『本義』'賤女'之解爲是. 三不中正而無應, 故取象於女之
賤者. 人不之取, 但反歸而爲娣也. 然亦唯下卦無應, 有娣之象,
從在上之同類而歸也. 上卦無應, 則並無娣之象矣, 故在四爲愆
期, 在上爲虛筐.

'수(須)'는 『주역본의』에서 말한 '천한 여자'라는 해석을 따르는 것
이 옳다. 육삼효는 중정(中正)을 이루지 못했고 호응 상대가 없으
므로 여자의 천한 것에서 상(象)을 취했다.
남자들이 그를 취하지 않지만 돌아가서 잉첩이 된다. 그러나 또한
오직 하괘에서 호응 상대가 없어 잉첩의 상이 있고, 위에서 같은
부류에서 시집간다.
상괘에 호응 상대가 없으면 잉첩의 상이 없으므로, 구사효의 혼기
가 지난 것이 되고, 상구효에서 빈광주리가 된다.

九四, 歸妹愆期, 遲歸有時.

구사효는 소녀를 시집보내는 데 혼기가 지난 것이니, 돌아갈 곳을
지체하는 것은 때가 있기 때문이다.

本義

九四以陽居上體而無正應, 賢女不輕從人, 而愆期以待所歸
之象, 正與六三相反.

구사효는 양(陽)으로 상체(上體)에 자리하고 올바른 호응 상대가
없으니, 현명한 여자가 경솔하게 사람을 따르지 않아서 혼기(婚期)
가 지나 시집가기를 기다리는 상(象)이니, 육삼효와 정반대이다.

程傳

九以陽居四, 四上體, 地之高也. 陽剛在女子爲正德, 賢明者
也. 無正應, 未得其歸也. 過時未歸, 故云愆期. 女子居貴高
之地, 有賢明之資, 人情所願取, 故其愆期乃爲有時. 蓋自有
待, 非不售也, 待得佳配而後行也. 九居四雖不當位, 而處柔
乃婦人之道, 以無應故爲'愆期'之義. 而聖人推理, 以女賢而
愆期, 蓋有待也.

구사효는 양효로 사(四)의 위치에 자리했으니 사(四)는 상체(上體)
에 속해서 지위가 높다. 양의 굳센 자질은 여자에게서 올바른 덕으

로 현명한 자이다.

올바른 호응 상대가 없어 시집을 가지 못하는 것이다. 시집갈 때가 지났는데 시집가지 못했으므로, 혼기가 지났다고 했다. 여자가 고귀한 지위에 자리하여, 현명한 자질을 가지고 있으면, 인지상정으로 보면 누구나 그와 혼인하기를 바라므로, 혼기가 지난 것은 바로 때가 있어서이다. 이는 스스로 기다리는 것이지, 팔리지 않는 것은 아니라 아름다운 짝을 얻기를 기다린 후에 시집가려는 것이다.

양효인 구(九)가 사(四)의 지위에 자리한 것은 합당한 위치는 아니지만, 부드럽게 처신하는 것이 부인(婦人)의 도이다. 호응하는 사람이 없기 때문에 '혼기가 지났다'는 뜻이 있지만, 성인이 이치를 미루어, 여자가 현명한데도 혼기가 지난 것은 때를 기다리기 때문이라고 한 것이다.

集說

● 胡氏瑗曰 : "以剛陽之質, 居陰柔之位, 不爲躁進, 故待其禮之全備. 俟其年之長大, 然後歸於君子, 斯得其時也, 遲, 待也."[16]

호원이 말했다. "굳센 양의 자질로 음의 부드러운 위치에 자리했으니 조급하게 나아가지 않으므로 그 예가 완전히 갖추어진 것을 기다린다.

그 년 수가 길더라도 기다린 뒤에 군자에게 시집하니, 이것이 그 때를 얻은 것이다. 지체함은 기다리는 것이다."

---

16) 호원(胡瑗), 『주역구의(周易口義)』 「귀매(歸妹)괘」.

六五, 帝乙歸妹, 其君之袂, 不如其娣之袂良, 月
幾望, 吉.

육오효는 제을이 소녀를 시집보내는 데, 본처의 소매가 잉첩의
소매보다 아름답지 못하고, 달이 거의 찼으니, 길하다.

本義

六五柔中居尊, 下應九二, 尙德而不貴飾, 故爲帝女下嫁而服
不盛之象. 然女德之盛, 無以加此, 故又爲"月幾望"之象, 而
占者如之則吉也.

육오효는 부드러우면서도 알맞음을 이루어 존귀한 지위에 자리하
고, 아래로 구이효에 호응하여 덕을 숭상하고 꾸밈을 귀하게 여기
지 않으므로, 제녀(帝女)를 아래로 시집보내는데 의복이 성대하지
않은 상(象)이 된다.
그러나 여자의 덕이 성대함이 이보다 더할 수 없으므로 또 "달이 거의
차 보름이 된" 상(象)이니, 점치는 자가 이와 같이 하면 길하다.

程傳

六五居尊位, 妹之貴高者也. 下應於二, 爲下嫁之象. 王姬下
嫁, 自古而然. 至帝乙而後正婚姻之禮, 明男女之分, 雖至貴
之女, 不得失柔巽之道, 有貴驕之志, 故『易』中陰尊而廉降

者, 則曰"帝乙歸妹", 泰六五是也. 貴女之歸, 唯謙降以從禮,
乃尊高之德也. 不事容飾以說於人也. 娣媵者, 以容飾爲事者
也. 衣袂, 所以爲容飾也. 六五尊貴之女, 尚禮而不尚飾, 故
其袂不及其娣之袂良也. 良, 美好也. 月望, 陰之盈也, 盈則
敵陽矣. "幾望", 未至於盈也. 五之貴高, 常不至於盈極, 則不
亢其夫, 乃爲吉也. 女之處尊貴之道也.

육오효는 존귀한 지위에 자리했으니, 소녀 가운데 가장 존귀하고
높은 자이다. 아래로 구이효와 호응하고 있으니, 아래로 시집가는
모습이다.

임금의 딸이 시집가는 일은 옛날부터 있어 왔다. 그러나 제을(帝
乙)[17]에 이른 뒤에 혼인의 예를 바로잡고, 남녀의 본분을 분명하게
밝혀, 매우 존귀한 여자일지라도, 유순하고 공손한 도를 잃고 존귀
하고 교만한 뜻이 있지 않도록 했다. 그러므로 『역』 가운데에 음
(陰)이 존귀하면서 겸손하게 자신을 낮추는 것은 "제을이 소녀를 시
집보낸다."라고 했으니, 태(泰)괘의 육오효가 그러하다.

존귀한 여자가 시집가는 것은 오직 겸손하게 자신을 낮추어 예를
따르는 일이니, 그것이 바로 존귀하고 고상한 덕이다. 그래서 용모
를 꾸며 남을 기쁘게 하려고 하지 않는다. 잉첩은 용모를 꾸미려고
하는 자이다. 옷의 소매란 모습을 꾸미는 것이다.

육오효는 존귀한 여자로 예를 존중하고 꾸밈을 숭상하지 않으므로
그 소매가 잉첩의 소매보다 아름답지 못한 것이다. '양(良)'은 아름

---

17) 제을(帝乙) : 상(商) 왕조 30대 왕이다. 성은 자(子)이고 이름은 이(羡)이
   다. 상왕인 문정(文丁), 즉 태정(太丁)의 아들이다. 문정이 죽은 후 왕위
   를 계승했다.

다움이다. 보름달은 음(陰)이 가득 찬 것이니, 가득차면 양(陽)을 대적한다.

"거의 찼다."는 말은 아직 완전히 가득 차지 않은 것이다. 존귀하고 고상한 육오효는 항상 완전하게 가득 차는 지경에까지 이르지 않으면, 그 남편에게 대항하지 않으니, 그것이 바로 길함이다. 이것이 여자가 존귀한 지위에 처하는 도리이다.

集說

● 薛氏溫其曰 : "至尊之妹, 必歸於夫, 人倫之正."

설온기(薛溫其)가 말했다. "지극히 존귀한 여자는 반드시 남자에게 시집가는 것이 인륜의 올바름이다."

案

女不待夫家之求而自歸, 非正也, 卦之所以凶也, 然唯天子之女, 則必求於夫家而自歸焉. 是歸妹之義. 在他人則爲越禮犯義而凶, 在天子則爲降尊屈貴而吉矣. 六五居尊而下應九二, 適合此象, 故其辭如此. 卦唯此爻有應, 而又於歸妹之義, 正爲所宜, 而非所病, 則其爲吉宜矣.

여자가 남자 집안의 구함을 기다리지 않고 스스로 시집가는 일은 올바르지 않은 것이니 괘에서 흉이라고 했지만, 오직 천자의 여자는 반드시 남자 집안에게 구하여 스스로 시집가니, 이것이 귀매(歸妹)의 뜻이다.

다른 사람들에게는 예(禮)와 의(義)를 침범하면 흉하지만, 천자는

주역하경(周易下經) 제7권 **239**

존귀함을 낮추고 귀함을 굽혀서 길하다.

육오효는 존귀한 지위에 자리하여 아래로 구이효와 호응하여 이 상(象)에 적합하게 부합하므로 그 효사가 이러하다. 괘에서 오직 이 효가 호응 상태가 있고, 또 귀매(歸妹)의 뜻에 맞아 병통이 아니라 길한 것이 마땅하다.

上六, 女承筐無實, 士刲羊無血, 無攸利.

상육효는 여자가 광주리를 받드나 담겨진 것이 없으며, 남자가
양을 베지만 피가 없으니, 이로울 것이 없다.

本義

上六以陰柔居歸妹之終而無應, 約婚而不終者也, 故其象如
此, 而於占爲無所利也.

상육효는 음의 부드러운 자질로 귀매(歸妹)의 끝에 자리하여 호응
상대가 없으니, 약혼을 하였으나 끝이 없는 자이므로, 그 상(象)이
이와 같고, 그 점(占)은 이로울 것이 없다.

程傳

上六, 女歸之終而无應, 女歸之无終者也. 婦者, 所以承先祖,
奉祭祀. 不能奉祭祀, 則不可以爲婦矣. 筐篚之實, 婦職所供
也. 古者房中之俎殖歌之類, 后夫人職之. 諸侯之祭, 親割牲,
卿大夫皆然, 割取血以祭. 『禮』云 : "血祭, 盛氣也." 女當承事
筐篚而无實, 无實則无以祭, 謂不能奉祭祀也. 夫婦共承宗
廟, 婦不能奉祭祀, 乃夫不能承祭祀也, 故刲羊而无血, 亦无
以祭也, 謂不可以承祭祀也. 婦不能奉祭祀, 則當離絶矣. 是
夫婦之无終者也, 何所往利哉?

상육효는 여자가 시집가는 것의 끝인데 호응하는 사람이 없으니, 여자가 시집가는 데 끝맺음이 없는 자이다. 부인(婦人)은 선조(先祖)를 계승하여 제사를 받드는 사람이다. 제사를 받들 수 없으면, 부인이 될 수가 없다.

광주리에 가득 찬 음식은 부인(婦人)의 직분에서 제공하는 것이다. 옛날에 집에서 도마와 김치 따위를 후부인(后夫人)이 담당했다. 그래서 제후(諸侯)의 제사에서 직접 희생물을 칼로 베었고, 경대부도 모두 그렇게 했는데, 칼로 베어 피를 취해 제사를 올렸다. 『예(禮)』에서 "희생물의 피로 제사하는 것은 기운을 왕성하게 바치는 일이다."[18]라고 했다.

여자는 광주리의 일을 담당해야 하는데 광주리를 채운 음식이 없으니, 채운 음식이 없으면 제사를 할 수 없으므로, 제사를 받들지 못하는 것을 말한다. 부부(夫婦)가 함께 종묘의 제사를 받드니, 부인이 제사를 받들지 못하면, 이는 바로 남편이 제사를 받들지 못하는 것이므로, 양을 칼로 베지만 피가 없어 또한 제사할 수 없으니 제사를 받들 수 없음을 말한다.

부인이 제사를 받들지 못하면, 마땅히 헤어지고 절교해야 한다. 이것은 부부 사이에 결실이 없는 것이니, 어디를 간들 이롭겠는가?

集說

● 胡氏炳文曰: "震有虛筐之象, 兌羊象, 上與三皆陰虛而無應, 故有'承筐無實''刲羊無血'之象. 『程傳』以爲女歸之無終, 『本義』

─────────────────

18) 『예기(禮記)』「교특생(郊特牲)」.

以爲約婚而不終, 蓋曰士曰女, 未成夫婦也. 先女而後士, 罪在女也, 故無攸利之占, 與卦辭同."[19]

호병문(胡炳文)이 말했다. "진(震☳)괘에 빈 광주리의 상이 있고 태(兌☱)괘에 양(羊)의 상이 있어 상육효와 육삼효 모두 음(陰)으로 텅비어 호응 상대가 없으므로 '광주리를 받드나 담겨진 것이 없고', '양을 베지만 피가 없는' 상이 있다.
『정전』에서는 여자가 시집가는 것에 끝이 없다고 했고, 『주역본의』에서는 약혼은 했으나 끝을 맺지 못한 것으로 해석했으니, 남자라 하고 여자라 한 것은 부부(夫婦)를 이루지 못했다는 뜻이다.
먼저 여자를 말하고 나중에 남자를 말한 것은 죄가 여자에게 있기 때문이니 이로울 것이 없다는 점(占)은 괘사와 동일하다."

----

19) 호병문(胡炳文), 『주역본의통석(周易本義通釋)』「귀매(歸妹)괘」.

55. 풍豐괘

震上
離下

豐,「序卦」, 得其所歸者必大, 故受之以豐." 物所歸聚, 必成
其大, 故歸妹之後, 受之以豐也. 豐, 盛大之義. 爲卦震上離
下, 震, 動也, 離, 明也, 以明而動, 動而能明, 皆致豐之道,
明足以照, 動足以亨, 然後能致豐大也.

풍(豐)괘는 「서괘전」에서 "돌아가야 할 곳을 얻은 자는 반드시 성대
해지므로, 풍요를 상징하는 풍괘로 받았다"라고 하였다.

사물들이 돌아가야 할 곳에 돌아가 모이면, 반드시 그 성대함을 이
루므로, 귀매괘의 뒤에 풍괘로 받았다. '풍(豐)'이란 성대하다는 뜻
이다.

괘의 모습은 진(震)괘가 위에 있고 리(離)괘가 아래에 있다. 진괘란
움직임을 상징하고, 리괘는 밝음을 상징한다. 그래서 밝은 지혜로 움
직이고, 움직이되 현명할 수 있는 것은 모두 풍요에 이르는 도이다.
밝음이 세상을 충분히 비출 수 있고, 움직임이 충분히 형통할 수 있
는 뒤에야 성대한 풍요를 이룬다.

豐, 亨, 王假之, 勿憂, 宜日中.

풍요는 형통하니, 임금이 이에 이르러, 근심하지 말고, 마땅히 해
가 중천에 뜬 듯이 해야 한다.

本義

豐, 大也. 以明而動, 盛大之勢也, 故其占有亨道焉. 然王者
至此, 盛極當衰, 則又有憂道焉. 聖人以爲徒憂無益, 但能守
常, 不至於過盛則可矣, 故戒以"勿憂宜日中"也.

풍(豐)은 성대함이다. 밝음으로 움직이는 것은 성대한 세력이므로
그 점(占)에 형통할 도가 있다. 그러나 임금이 이에 이르면 성대함
이 지극하여 마땅히 쇠할 것이니, 또 근심할 도가 있다.
성인이 근심만 하면 유익함이 없으니, 다만 상도(常道)를 지켜 지나
치게 성대함에 이르지 않으면 좋다고 생각했으므로 "근심하지 말
고, 마땅히 해가 중천에 뜬 듯이 해야 한다"고 경계하였다.

程傳

豐爲盛大, 其義自亨. 極天下之光大者, 唯王者能至之. '假',
至也, 天位之尊, 四海之富, 群生之衆, 王道之大, 極豐之道
其唯王者乎! 豐之時, 人民之繁庶, 事物之殷盛, 治之豈易周!
爲可憂慮, 宜如日中之盛明廣照, 無所不及, 然後無憂也.

풍요는 성대함이니, 그 뜻이 본래 형통하다. 세상의 광명정대함을 지극히 하는 것은 임금만이 이에 이를 수 있다. '격(假)'은 이른다는 뜻이다.[1]

천자의 지위가 존귀하고, 세상이 부유하고, 사람이 많고, 왕도가 큰 것이니, 풍요의 도를 지극히 하는 것은 임금만이 가능하다!

풍성한 때에 백성들이 많고, 사물들이 크게 번성하니, 어찌 모두에게 두루두루 풍성하게 다스리기가 쉽겠는가! 우려할 만하니, 마땅히 해가 중천에 뜨듯이 광명정대하고 넓게 비추어, 미치지 않는 곳이 없게 한 뒤에야 근심이 없다.

集說

● 張子曰 : "宜日中, 不宜過中也."[2]

장자(張子 : 張載)[3]가 말했다. "마땅히 해가 중천에 뜬 듯이 해야

------

1) '격(假)'은 이른다는 뜻이다. : 췌괘와 환괘에는 '왕격유묘(王假有廟)'라는 표현이 나온다. 모두 "임금이 종묘를 세우는 것에 이른다"는 뜻이다. '격(假)'을 이른다는 뜻으로 푼다. 정이천은 형통할 수 있는 도인 광명정대함에 이른다로 해석한다.

2) 장재(張載), 『횡거역설(橫渠易說)』 권2, 「풍(豊)괘」.

3) 장재(張載, 1020~1077) : 자는 자후(子厚)이고, 세칭 횡거선생(橫渠先生)이라고 한다. 송대 대양(大梁 : 현 하남성 개봉〈開封〉) 사람으로 거주지는 미현 횡거진(郿縣橫渠鎭 : 현 섬서성 미현〈眉縣〉)이었다. 1057년 진사에 급제했고 운암령(雲巖令)·숭정원교서(崇政院校書) 등을 역임하였다. 젊어서 병법을 좋아하여 범중엄에게 서신을 보냈다가 『중용』을 읽기를 권유받고, 얼마 뒤 『6경(六經)』에 전념하게 되었다. 특히 『역』과 『중용』을 중시하여 『정몽(正蒙)』, 『서명(西銘)』, 『역설(易說)』 등을

하니 마땅히 중(中)을 넘어서는 안 된다."

● 郭氏忠孝曰："豐者盛大之名, 盛大所以亨. 然物極盛大者, 憂必將至, 日過中則昃, 豐過盛則衰. 聖人欲持滿以中, 故言宜日中."[4]

곽효충(郭忠孝)[5]이 말했다. "풍(豐)은 성대함의 이름이니 성대하여 형통하다. 그러나 어떤 것이든 성대함이 지극하면 반드시 우환에 이르니 해가 중천을 지나면 기울어지듯이 풍요가 성대함이 지나치면 쇠락한다. 성인은 중(中)으로 충만을 유지하려고 했기 때문에 마땅히 해가 중천에 뜬 듯이 해야 한다고 말했다."

● 項氏安世曰："豐卦皆以明爲主, 故下三爻皆明而無咎, 上三爻皆暗, 以能求明爲吉, 不能求爲凶, 此所以宜日中也."[6]

항안세(項安世)[7]가 말했다. "풍괘는 모두 밝음을 위주로 하므로 아

지었는데, 이로써 나중에 '관학(關學)'의 창시자가 되었다.
4) 곽옹(郭雍), 『곽씨전가역설(郭氏傳家易說)』 권6, 「풍(豐)괘」.
5) 곽충효(郭忠孝, ?~1128) : 자는 입지(立之)이고 하남(河南) 낙양(洛陽) 사람이다. 신종(神宗) 원풍(元豊) 연간에 진사(進士)가 되었고 휘종(徽宗) 선화(宣和) 연간에 하동로제거(河東路提擧)가 되었다. 금(金)나라 와의 화친에 반대했다. 금나라가 침입해 왔을 때 사망했다. 정이(程頤) 의 제자이다.
6) 항안세(項安世), 『주역완사(周易玩辭)』 권10, 「풍(豐)괘」.
7) 항안세(項安世, ?~ 1208) : 송나라 강릉(江陵) 사람으로 자는 평부(平父) 고, 호는 평암(平庵)이다. 효종(孝宗) 순희(淳熙) 2년(1175) 진사(進士) 가 되고, 교서랑(校書郎)과 지주통판(池州通判) 등을 지냈다. 영종(寧

래 세 효는 모두 밝아서 허물이 없고 위의 세 효는 어두워서 밝음을 구할 수 있으면 길하고 구할 수 없으면 흉하니 이것이 마땅히 해가 중천에 떠 있는 듯 하라는 말이다."

● 胡氏炳文曰：“豐之大有亨道焉，大則必通也．亦有憂道焉，大則可憂也．不必過於憂，如日之中斯可矣．泰晉夬家人升皆曰勿恤，此曰勿憂，皆當極盛之時，常人所不憂，而聖人所深憂．其辭曰勿憂，深切之辭，非謂無憂也．"8)

호병문(胡炳文)9)이 말했다. "풍의 성대함에는 형통할 수 있는 도가 있으니, 성대하면 반드시 통한다. 또한 근심이 있을 수 있는 도리도 있으니 형통하면 근심스럽다. 반드시 지나치게 근심할 필요가 없으니 마치 해가 중천에 있는 듯하면 좋다. 태(泰)괘, 진(晉)괘, 쾌

....

宗)이 즉위하자 양병(養兵)과 궁액(宮掖)에 드는 비용을 줄여야 한다고 건의했다. 경원(慶元) 연간에 글을 올려 주희(朱熹)를 유임하라고 했다가 탄핵을 받고 위당(僞黨)으로 몰려 파직되었다. 나중에 복직되어 여러 벼슬을 거쳤다. 저서에 『주역완사(周易玩辭)』와 『항씨가설(項氏家說)』, 『평암회고(平庵悔稿)』 등이 있다.

8) 호병문(胡炳文), 『주역본의통석(周易本義通釋)』 권2, 「풍(豐)괘」.

9) 호병문(胡炳文, 1250~1333) : 원나라 휘주(徽州) 무원(婺源) 사람으로 자는 중호(仲虎)이고, 호는 운봉(雲峰)이다. 주희(朱熹)의 종손(宗孫)에게 『주역』과 『서경』을 배워 주자학에 잠심했으며, 특히 『주역』에 뛰어났다. 신주(信州) 도일서원(道一書院) 산장(山長)을 지내고, 난계주학정(蘭溪州學正)이 되었는데, 나가지 않았다. 저서에 『주역본의통석(周易本義通釋)』과 『서집해(書集解)』, 『춘추집해(春秋集解)』, 『예서찬술(禮書纂述)』, 『사서통(四書通)』, 『대학지장도(大學指掌圖)』, 『오경회의(五經會義)』, 『이아운어(爾雅韻語)』 등이 있다.

(夬)괘, 가인(家人)괘는 모두 근심하지 말라고 하는데 여기서 근심하지 말라는 의미는 모두 성대한 때 보통사람은 근심하지 않지만 성인은 깊이 근심하는 것이다. 그 효사가 근심하지 말라고 했으니 매우 절실한 말이지 근심이 없음을 말하는 것이 아니다."

● 何氏楷曰：“豐有憂道焉, 而云勿憂, 蓋於此有道焉, 可不必憂也. 其道安在? 亦曰致豐之本, 卽保豐之道. 何以致豐? 離明主之, 而震動將之也. 宜常如日之方中, 使其明無所不及, 則幽隱畢照, 斯可永保夫豐亨矣.”10)

하해(何楷)11)가 말했다. "풍요에는 근심의 도가 있어 근심하지 말라고 했으니, 여기에서 도가 있으니 반드시 근심하지 않아도 좋다. 그 도는 어디에 있는가? 또한 풍요에 이르는 근본은 풍요를 보존하는 도이다. 어떻게 풍요에 이르는가? 리(離)괘의 밝음이 주도하고 진(震)괘의 움직임이 이르게 한다. 마땅히 항상 해가 중천에 있는 듯이 해서 그 밝음이 미치지 않는 곳이 없도록 어둡고 은미한 곳이 모두 비쳐져 풍요로움의 형통함을 영원히 보존할 수 있다."

----

10) 하해(何楷), 『고주역정고(古周易訂詁)』.
11) 하해(何楷) : 자는 현자(玄子)이고 호는 황여(黃如)이다. 명말청초 때 장주 진해위(漳州鎭海衛 : 현 복건성 용해시〈龍海市〉) 사람이다. 천계(天啓) 5년(1625)에 진사에 급제하여 벼슬은 호부주사(戶部主事), 공과급사중(工科給事中), 호부상서(戶部尙書) 등을 역임했다. 직언과 직간으로 유명했는데, 말년에 정성공(鄭成功)의 부친인 정지룡(鄭芝龍)과 뜻이 어긋나서 사직하고 귀향했다. 저서에는 『고주역정고(古周易訂詁)』, 『시경세본고의(詩經世本古義)』 등이 있다.

初九, 遇其配主, 雖旬无咎, 往有尚.

초구효는 짝이 되는 주인을 만났으되, 대등한 관계지만 허물이 없으니, 그대로 가면 칭찬받을 일이 있다.

本義

配主, 謂四. '旬', 均也, 謂皆陽也. 當豐之時, 明動相資, 故初九之遇九四, 雖皆陽剛, 而其占如此也.

짝이 되는 군주는 사효를 말한다. '순(旬)'은 균등함이니, 모든 양(陽)을 말한다.
풍(豐)의 때를 당하여 밝음과 움직임이 서로 바탕으로 삼으므로 초구효가 구사효를 만나는데 모두 양의 굳셈이나 그 점(占)이 이와 같다.

程傳

雷電皆至, 成豐之象. 明動相資, 致豐之道. 非明無以照, 非動無以行, 相須猶形影, 相資猶表裏. 初九明之初, 九四動之初, 宜相須以成共用, 故雖旬而相應. 位則相應, 用則相資, 故初謂四爲配主, 己所配也. 配雖匹稱, 然就之者也, 如配天以配君子, 故初於四云'配', 四於初云'夷'也.

우레와 번개가 모두 이르는 것은 풍요를 이룬 모습이다. 밝음과 움

직임이 서로 의지하며 바탕을 이루는 것이 풍요를 이르게 하는 방
도이다.

밝음이 아니라면 세상을 광명정대하게 비출 수 없고, 위엄의 진동
이 아니라면 현실에서 시행할 수가 없으니, 서로 필요로 하는 것이
마치 형체와 그림자의 관계와 같고, 서로 의지하여 바탕을 이루는
것이 겉과 속의 관계와 같다.

초구효는 밝은 빛의 시초이고 구사효는 위엄의 진동이 시작하는 시
초이니, 마땅히 서로 의지하고 바탕으로 해서 그 쓰임을 완성해야
하므로, 대등하지만 서로 호응하는 것이다. 지위로 보면 서로 호응
하는 관계이고, 그 작용으로 보면 서로 의지하여 바탕으로 삼는 것
이므로, 초구효가 구사효를 짝이 되는 주인이라고 한 것이니, 자신이
주인과 짝하는 것이다.

짝이란 필적할 만한 상대이지만, 그를 취하는 자이다. 하늘과 짝해
서[12] 주인과 짝한다는 것과 같으므로, 초구효는 구사효에 대해 '배
(配 : 짝)'이라고 하고, 구사효는 초구효에 대해 '이(夷 : 대등한 상
대)'[13]라고 한 것이다.

"雖旬無咎", '旬', 均也. 天下之相應者, 常非均敵, 如陰之應
陽, 柔之從剛, 下之附上, 敵則安肯相從. 唯豐之初四, 其用

----

12) 하늘에 짝하여 : '배천(配天)'을 말한다. 『중용(中庸)』 26장, "高明配天
   [고명함이 하늘과 짝한다.]"라고 하였다.

13) '이(夷 : 대등한 상대)' : 구사효에 이주(夷主)라는 말이 나온다. "九四,
   豊其蔀, 日中見斗, 遇其夷主, 吉.[구사효는 덮개를 풍요하게 한 것이다.
   해가 중천에 떴는데도 북두성을 보니 대등한 상대를 만나면 길하다.]"라
   고 하였다.

則相資, 其應則相成, 故雖均是陽剛, 相從而無過咎也. 蓋非
明則動無所之, 非動則明無所用, 相資而成用, 同舟則胡越一
心, 共難則仇怨協力, 事勢使然也. 往而相從, 則能成其豐,
故云有尚, 有可嘉尚也. 在它卦則, 不相下而離隙矣.

"대등하지만 허물이 없다"는 말에서 '순(旬)'은 대등하다는 말이
니[14], 세상에서 서로 호응하는 자들이 항상 대등한 관계는 아니다.
예를 들어 음(陰)이 양(陽)에 호응하고, 유(柔)함이 강(剛)함을 따르
고, 아래가 위에 붙는 것과 같으니, 대등하다면 어찌 서로 복종하여
따르려고 하겠는가? 오직 풍괘의 초구효와 구사효만이 그 작용이
서로 의지하여 바탕을 삼고, 그 호응 관계가 서로를 완성해주므로,
균등하게 양의 굳셈이지만, 서로 따르더라도 허물이 없다.
밝은 빛이 아니면 위엄의 진동이 나아가 시행할 바가 없고, 위엄의
진동이 아니라면 밝은 빛은 소용이 없으니, 서로 의지하여 바탕을
이루어 그 쓰임을 완성하기 때문이다. 같은 배를 타면 북쪽에 있는
오랑캐와 남쪽에 있는 월(越)나라가 한 마음이 되고, 난리를 함께
하면 원수가 협력하게 되는 것은 상황의 형세(形勢)가 그렇게 만드
는 것이다.
그대로 가서 서로 따르면, 풍요를 완성할 수 있으므로, 칭찬받을 일
이 있다고 했으니, 가상할 만한 일이 있다. 다른 괘에서는 서로 자
신을 낮추지 못하고 떨어져 틈이 있다.

---

14) '순(旬)'은 대등하다는 말이니 : 초구효와 구사효가 서로 양(陽)이기 때문에
대등하다.

集說

● 胡氏瑗曰 : "'旬'者, 十日也, 謂數之盈滿也. 言初與四其德相
符, 雖居盈滿盛大之時, 可以無咎. 以此而往, 則行有所尙也."[15]

호원(胡瑗)이 말했다. "'순(旬)'은 10일이니 수가 가득 찬 것을 말한
다. 초구효와 구사효는 그 덕이 서로 부합하여 가득차고 성대한 때
에 자리하지만 허물이 없을 수 있다. 이대로 가면 행하는 데 숭상
하는 것이 있다."

● 蘇氏軾曰 : "凡人知生於憂患, 而愚生於安佚. 豐之患常在於
闇, 故爻皆以明闇爲吉凶也. 初九六二九三, 三者皆離也, 而有
明德者也. 九四六五上六, 則所謂豐而暗者也. 離, 火也, 日也.
以下升上, 其性也. 以明發闇, 其德也. 故三離皆上適於震. 初
九適四, 其配之所在也, 故曰配主."[16]

소식(蘇軾)[17]이 말했다. "사람의 총명함은 우환에서 생기고 어리석

---

15) 호원(胡瑗), 『주역구의(周易口義)』「풍(豐)괘」.

16) 소식(蘇軾), 『동파역전(東坡易傳)』「풍(豐)괘」.

17) 소식(蘇軾, 1037~1101) : 자는 자첨(子瞻), 화중(和仲)이고, 호는 동파거
사(東坡居士), 설당(雪堂), 단명(端明), 미산적선객(眉山謫仙客), 소염
경(笑髥卿), 적벽선(赤壁仙) 등이며, 북송 미주 미산(眉州眉山 : 현 사천
성 미산〈眉山〉) 사람이다. 소순(蘇洵)의 아들이고 소철(蘇轍)의 형으로
대소(大蘇)라고도 불렸다. 송대 저명한 문필가로 당송팔대가(唐宋八大
家)의 한 사람이다. 북송 인종(仁宗) 가우(嘉祐) 2년(1057) 진사에 급제
하여, 벼슬은 중서사인(中書舍人), 한림학사겸시독(翰林學士兼侍讀),
한림승지(翰林承旨), 예부상서(禮部尙書) 등을 역임했다. 저서에 『동파
칠집(東坡七輯)』, 『동파역전(東坡易傳)』, 『동파서전(東坡書傳)』, 『동파

음은 안일에서 생겨난다. 풍요의 근심은 항상 어두움에 있으므로 효는 모두 밝음과 어둠으로 길흉을 삼았다. 초구효와 육이효와 구삼효, 세 효는 모두 리(離☲)괘이니 밝은 덕이 있는 자들이다. 구사효와 육오효와 상육효는 풍요하면서도 어두운 자들이다. 리(離)괘는 불이고 태양이다. 아래에서 위로 올라가는 것이 그 성질이다. 밝음으로 어둠을 밝히는 것이 그 덕이다. 그러므로 세 리(離)는 모두 진(震)으로 올라 간다. 초구효는 구사효로 가니 그 짝이 있는 곳이므로 짝이 되는 군주라고 했다.

● 項氏安世曰 : "初以四爲配, 四以初爲夷, 上下異辭也, 自下並上曰配."[18]

항안세가 말했다. "초구효는 구사효와 짝이 되고 구사효는 초구효와 대등한 상대이니 위와 아래가 다른 말이지만 아래에서 위를 아울러 짝이라고 한다."

● 胡氏炳文曰 : "初不言豐, 初未至豐也. 五亦不言豐者, 陰虛歉然, 方賴在下之助, 不知有其豐也. 凡卦爻取剛柔相應, 豐則取明動相資. 初之剛與四之剛, 同德而相遇, 雖兩陽之勢均敵, 往而從之, 非特無咎, 且有尙矣. 或曰, 十日爲旬."[19]

호병문이 말했다. "초구효에서는 풍요를 말하지 않았으니, 초구효는 풍요에 이르지 않았다. 육오효 역시 풍요를 말하지 않았는데 음

악부(東坡樂府)』, 『논어설(論語說)』 등이 있다.

18) 항안세(項安世), 『주역완사(周易玩辭)』 권10, 「풍(豊)괘」.
19) 호병문(胡炳文), 『주역본의통석(周易本義通釋)』 권2, 「풍(豊)괘」.

의 빈 것은 부족하여 비로소 아래의 도움에 의지하니 그 풍요가 있음을 알지 못하기 때문이다. 괘효(卦爻)는 강(剛)과 유(柔)가 서로 호응하는 것을 취했으니, 풍요하면 현명함과 움직임이 서로 의지하는 것을 취했다. 초구효의 강함과 구사효의 강함은 같은 덕으로 서로 만났으니, 두 양의 세력이 대등하지만 가서 따르면 허물이 없을 뿐만 아니라 또한 숭상함이 있다. 어떤 사람은 10일을 순(旬)이라고 했다."

● 來氏知德曰:"因宜日中旬, 爻辭皆以日言, 文王象豐, 以一日象之, 故曰勿憂宜日中. 周公象豐, 以十日象之, 故曰雖旬無咎. 十日爲旬, 言初之豐, 以一月論, 已一旬也, 正豐之時也."[20]

래지덕(來知德)[21]이 말했다. "마땅히 해가 중천에 뜬 듯하라는 구절에 이어서 효사는 모두 해를 가지고 말했다. 문왕은 풍괘를 상징하여 1일로 하였으므로 근심하지 말고 마땅히 해가 중천에 있는 듯하다고 했다. 주공은 풍괘를 상징하여 10일로 하였으므로 10일이지만 허물이 없다고 했다. 10일이 순(旬)이니 초효의 풍요함을 한 달로 논하여 10일이 지났으니 바로 풍요로운 때임을 말했다."

....

20) 래지덕(來知德), 『주역집주(周易集註)』권11, 「풍(豐)괘」.
21) 래지덕(來知德, 1525~1604)은 양산(梁山)현 사람으로 자는 의선(矣鮮)이고 호는 구당(瞿塘)이다. 명나라 때 이학자이다. 가정(嘉靖) 31년 고향에서 천거되어 만력(萬曆) 30년 총독왕상건(總督王象乾)을 지내고 한림시조翰林侍詔)를 지냈다. 상수와 의리를 결합하여 『역』을 주석하여 큰 성취를 이루었다. 『주역집주(周易集注)』, 『대학고본장구(大學古本章句)』등이 있다.

六二, 豐其蔀. 日中見斗, 往得疑疾, 有孚發若, 吉.

육이효는 덮개를 풍성하게 했다. 해가 중천에 떴는데도 북두성을 보니, 가면 의심과 질시를 얻으리니, 믿음을 가지고 감동시키면, 길하다.

本義

六二居豐之時, 爲離之主, 至明者也. 而上應六五之柔暗, 故爲豐蔀見斗之象. 蔀, 障蔽也, 大其障蔽, 故日中而昏也. 往而從之, 則昏暗之主, 必反見疑. 唯在積其誠意以感發之則吉, 戒占者宜如足也. 虛中, 有孚之象.

육이효가 풍요의 때에 자리하여 리(離)괘의 주효가 되었으니, 지극히 밝은 자이다. 위로 육오효의 부드럽고 어두운 자와 호응하므로 덮게를 풍성하게 해서 북두성을 보는 상(象)이다.

'부(蔀)'는 막고 가리는 것이니, 막고 가리는 것을 크게 하기 때문에 대낮에도 어둡다. 가서 따르면 어리석고 어두운 군주가 반드시 도리어 의심할 것이다.

오직 진실한 뜻을 쌓아 감동시켜 일깨우면 길(吉)하니, 점치는 자가 마땅히 이와 같이 하라고 경계하였다.

가운데가 텅 빈 것은 믿음이 있는 상(象)이다.

明動相資, 乃能成豐. 二爲明之主, 又得中正, 可謂明者也.
而五在正應之地, 陰柔不正, 非能動者. 二五雖皆陰, 而在明
動相資之時, 居相應之地, 五才不足, 旣其應之才不足資, 則
獨明不能成豐, 旣不能成豐, 則喪其明功, 故爲"豐其蔀".

밝음과 진동이 서로 의지하고 바탕으로 삼아, 풍요를 이룰 수 있다.
육이효는 밝음의 주체이고, 또 중정(中正)을 얻었으니, 현명한 지혜
를 가진 자라고 할 만하다. 그러나 육오효가 올바른 호응 관계의 자
리에 있고, 음의 부드러운 자질로 올바르지 못하니, 움직여 나아갈
수 있는 자가 아니다.
육이효와 육오효는 모두 음(陰)의 자질이지만, 밝음과 진동이 서로
의지하고 바탕으로 삼는 때이고, 서로 호응하는 위치에 자리하며,
육오효의 재능이 부족하다. 호응하는 사람의 재능이 의지하여 바탕
으로 삼기에 부족하다면, 홀로 밝음을 가지고 있더라도 풍요를 이
룰 수가 없다. 그래서 풍요를 이룰 수 없다면, 그 밝음이 이룰 수
있는 공은 상실되므로, "덮개를 풍성하게 했다"[22]고 하였다.

"日中見斗", 二至明之才, 以所應不足與, 而不能成其豐, 喪
其明功, 無明功則爲昏暗, 故云'見斗'. '斗', 昏見者也. '蔀', 周
匝之義, 用障蔽之物, 掩晦於明者也. '斗'屬陰而主運乎, 象五

---

22) 덮개를 풍성하게 했다. : 육오효는 어리석고 덕이 부족한 군주이다. 그래
서 육이효의 밝은 덕이 육오효에 의해 가려지는 것을 상징한다. 태양이
가려져 대낮에도 어두워지고 별이 보이는 것과 같다. 덮개를 풍성하게
했다는 것은 밝은 빛이 가려진다는 말이다.

以陰柔而當君位. 日中盛明之時乃見斗, 猶豐大之時, 乃遇柔
弱之主. 斗以昏見, 言見斗, 則是明喪而暗矣. 二雖至明中正
之才, 所遇乃柔暗不正之君, 旣不能下求於己.

"해가 중천에 떴는데도 북두성을 본다"라고 했는데, 육이효는 매우
현명한 재능을 가졌지만, 호응하는 사람이 함께 하기에는 부족하여
풍요를 이룰 수가 없어 그 현명한 재능이 이룰 수 있는 공을 상실했
다. 현명한 재능이 이룰 수 있는 공이 없다면 어두워 깜깜해지기 때
문에, "북두성을 본다"고 했다. '북두성'이란 어두울 때 드러나는 것
이다.

'덮개'는 완전히 가린다는 뜻이니, 엄폐하는 것을 사용하여 밝은 빛
을 덮어 가려서 어둡게 한다. '북두성'은 음(陰)에 속하고, 사계절을
운행하고 조절하는 것23)이니, 육오효가 음의 부드러운 자질로 군주
의 지위를 담당하는 것을 상징한다.

해가 중천에 떠서 가장 밝은 때 북두성을 본다는 것은 풍요하고 성
대한 때 유약한 군주를 만났다는 것과 같다. 북두성은 어두울 때 나
타나니, 북두성을 본다고 말했다면, 밝은 빛이 없어지고 어둡다는
말이다.

육이효가 지극히 현명하고 중정(中正)의 재능을 지니고 있더라도, 만
난 사람이 유약하고 어리석고 올바르지 못한 군주라면, 그러한 군주
가 자신을 낮추고 겸손하게 자신에게 와서 도움을 구할 수가 없다.

---

23) 운행하고 조절하는 것 : 운평(運平)이란 운행 조절하는 것을 말한다. 『후
　　한서(後漢書)』「이고전(李固傳)」, "지금 폐하께서 『상서』를 가지신 것은
　　하늘에 북두가 있는 것과 같으니 …… 북두가 원기를 장악하여 사계절을
　　운행 조절하는 것과 같습니다.[今陛下之有尙書, 猶天之有北斗也 ……
　　斗斟酌元氣, 運平四時.]"라고 하였다.

若往求之, 則反得疑猜忌疾, 暗主如是也. 然則如之何而可?
夫君子之事上也, 不得其心, 則盡其至誠, 以感發其志意而
已. 苟誠意能動, 則雖昏夢可開也, 雖柔弱可輔也, 雖不正可
正也. 古人之事庸君常主, 而克行其道者, 己之誠意上達, 而
君見信之篤耳. 管仲之相桓公, 孔明之輔後主是也. 若能以誠
信發其志意, 則得行其道, 乃爲吉也.

그런데 만약 이런 군주에게 가서 함께 정치를 하자고 한다면, 오히
려 의심과 질투를 받게 될 것이니, 어리석은 군주가 이와 같을 뿐이
다. 그러나 어떻게 해야 옳을 것인가?

군자가 윗사람을 섬기는 데 군주의 마음을 얻지 못하면, 스스로 지
성(至誠)으로 군주의 뜻과 의도를 감동시켜야 할 뿐이다. 지성으로
감동시킬 수 있다면, 어리석은 군주일지라도 깨우칠 수 있고, 유약
한 군주일지라도 보좌할 수가 있고, 올바르지 못한 군주라도 올바
르게 할 수 있다.

옛 사람들이 용렬한 군주와 보통의 군주를 섬기면서도, 그 도를 세
상에 시행할 수 있었던 것은 자신의 정성스럽고 진실한 의도가 위
로 통하여, 군주로부터 신임을 돈독하게 얻었을 뿐이다. 관중(管
仲)24)이 환공(桓公)25)을 재상으로 도운 것과 제갈공명26)이 후주(後

---

24) 관중(管仲, 기원전 723~기원전 645) : 이름이 이오(夷吾)이고 시호는 경
중(敬仲)이다. 한족(漢族)으로 영상(潁上) 사람이다. 춘추시기 제나라의
유명한 정치가, 군사가이다. 관중은 어릴 적에 아버지를 잃고 생활이 빈
곤하여 어쩔 수 없이 어려서부터 가정을 책임지게 되었다. 포숙아(鮑叔
牙)와 함께 장사를 하다가 군대에 갔다가 제나라에 이르렀다. 우여곡절
끝에 포숙아의 추천을 받아 제나라의 승상이 되었다. 제나라 환공을 보
좌하여 춘추 시기 첫 번째 패주가 되도록 했다. 제(齊)나라 환공(桓公)

때에 경(卿)의 벼슬에 올랐던 그는 환공의 개혁 추진을 도와 제나라를 춘추시대 가장 막강한 맹주(盟主)로 만들었다. 『관자(管子)』의 「목민(牧民)」에서 "창고가 가득 찬 뒤에야 예절을 알게 되고, 먹을 것과 입을 것이 넉넉해야 영예와 치욕을 안다."라고 하면서 도덕교화(道德敎化)가 물질생활을 기초로 하고 있다고 했다. 또한 "4유(四維 : 禮·義·廉·恥)가 널리 퍼지지 않으면 나라가 곧 망한다."라고 강조함으로써 도덕교화의 역할을 중시했다. 관중의 이름을 딴 『관자(管子)』는 86편 가운데 현재 76편만 전한다.

25) 환공(桓公, 기원전 716~기원전 643) : 춘추시기의 제나라 군주로 성은 강(姜)이고 씨는 여(呂)이며 이름은 소백(小白)이다. 희공(僖公)의 세 번째 아들이고 양공(襄公)의 동생이다. 재위 시기에는 관중을 등용하여 개혁했다. 현자들을 등용했으며 경제를 발전시켰다. '존왕양이'를 주장하며 주 왕실의 내란을 안정시키고 여러차례 제후들과 회맹(會盟)하여 중원의 패주가 되었다.

26) 제갈량(諸葛亮, 181~234) : 자는 공명(孔明)이고, 시호는 충무후(忠武侯)이며, 낭야군(瑯琊郡) 양도현(陽都縣 : 현 산동성 기남현〈沂南縣〉) 사람이다. 호족(豪族) 출신이었으나 어릴 때 아버지와 사별하여 형주(荊州)에서 숙부 제갈현(諸葛玄)의 손에서 자랐다. 후한 말의 전란을 피하여 벼슬하지 않았으나 촉한(蜀漢)의 정치가 겸 전략가로 명성이 높아 와룡선생(臥龍先生)이라 불렸다. 207년 위(魏)의 조조(曹操)에게 쫓겨 형주에 와 있던 유비(劉備)가 '삼고초려(三顧草廬)'의 예로 초빙하여 '천하삼분지계(天下三分之計)'를 진언하고, 군신 관계를 맺었다. 유비(劉備)를 도와 오(吳)나라의 손권(孫權)과 연합하여 남하하는 조조(曹操)의 대군을 적벽(赤壁)의 싸움에서 대파하고, 형주(荊州)와 익주(益州)를 점령하였다. 221년 한나라의 멸망을 계기로 유비가 제위에 오르자 승상이 되었다. 유비가 죽은 뒤에는 어린 후주(後主) 유선(劉禪)을 보필하여 오(吳)와 연합해 위(魏)와 항쟁하며, 생산을 장려하여 민치(民治)를 꾀하고, 운남(雲南)으로 진출하여 개발을 도모하는 등 촉(蜀)의 경영에 힘썼다. 그러다가 위의 장군 사마의(司馬懿)와 오장원(五丈原)에서 대진하다가 병으로 죽었다.

主)인 유선(劉禪)[27]을 보필 한 경우가 그러하다. 진실과 믿음으로 군주의 뜻과 의도를 감동시킬 수 있다면, 자신의 도를 세상에 시행할 수 있으니, 그래서 길한 것이다.

集說

● 服氏虔曰 : "日中而昏也."

복건(服虔)[28]이 말했다. "해가 중천에 떠 있는데도 어둡다."

● 張子曰 : "凡言往者, 皆進而之上也. 初進而上, 則遇陽而有尙, 二旣以陰居陰, 又所應亦陰, 故往增疑疾."[29]

장자(張子 : 張載)가 말했다. "간다고 하는 것은 나아가 위로 감이다. 초구효는 나아가 위로 올라가면 양을 만나 숭상함이 있고, 구이효는 음(陰)으로 음(陰)의 위치에 자리하고 또 호응 상대 역시 음이므로 가면 의심과 질투를 받는다."

....

27) 유선(劉禪, 207~271) : 촉한(蜀漢)의 제2대이자 마지막 황제이다. 자는 공사(公嗣)이다. 유비(劉備)의 적장남이며 아명은 아두(阿斗)이다. 승상 제갈량(諸葛亮)에게 내정과 외정을 총괄케 하고, 신료들을 감독하게 했다.

28) 복건(服虔) : 복건(服虔)은 동한(東漢)의 경학자이다. 자는 자신(子愼)이고 처음 이름은 중(重)이었다가 또 지(祇)라고 했다가 다시 건(虔)으로 바꿨다. 하남(河南) 형양(滎陽) 동북 사람이다. 관직은 상서시랑(尙書侍郎), 고평령(高平令), 중평말(中平), 구강태수(九江太守) 등을 지냈고, 세상이 혼란해지자 병으로 죽었다.

29) 장재(張載), 『횡거역설(橫渠易說)』 권2, 「풍(豊)괘」.

● 郭氏雍曰 : "六二爲離明之中, 而有豐蔀之闇者, 以陰居陰, 上非正應, 所以有從闇之象也. 天下之理明則無疑, 闇則疑. 六二用明投闇, 往得疑疾, 乃其宜也. 然任其中正, 有孚而發, 則動無不吉."30)

곽옹(郭雍)이 말했다. "육이효는 리(離)괘에서 밝음의 가운데이고 덮개가 풍성한 어두운 자이며, 음으로 음의 위치에 자리하고 위로 올바른 호응 상대가 아니므로 어두움을 따르는 상이다. 천하의 이치에 밝으면 의심이 없고, 어두우면 의심한다. 육이효는 밝음을 사용하여 어두움을 던지고 가서 의심과 질투를 얻으나 그의 마땅함이다. 그러나 중정(中正)에 임하고 믿음이 있어서 발현하면 움직여 길하지 않음이 없다."

● 徐氏幾曰 : "卦言'宜日中', 以下體言之, 則二爲中. 以一卦言之, 則三四爲中, 故二三四皆言'日中'. 剛生明, 故初應四則爲'往有尙'. 柔生闇, 故二應五爲'往得疑疾'也."

서기(徐幾)31)가 말했다. "괘에서 '마땅히 해가 중천에 뜬 것처럼 하라'는 것은 하체(下體)를 가지고 말한 것이니, 육이효가 가운데이다. 한 괘로 말하면 삼효와 사효가 가운데이므로 이효와 삼효와 사

---

30) 곽옹(郭雍), 『곽씨전가역설(郭氏傳家易說)』 권6, 「풍(豊)괘」.
31) 서기(徐幾) : 자는 자여(子輿)이고, 호는 진재(進齋)이다. 송대 숭안(崇安 : 현 복건성 무이산시〈武夷山市〉) 사람이다. 송 리종(理宗) 경정(景定) 5년(1264)에 적공랑(迪功郎)에 천거되고, 건녕부교수(建寧府敎授) 겸 건안서원산장(建安書院山長) 겸 숭정전설서(崇政殿說書)를 제수받았다. 박학다재(博學多才)하였고 특히 역학에 정통하여 『역집(易輯)』· 『역의(易義)』 등을 저술하였다.

효 모두 '해가 중천에 있다'고 말했다. 굳셈은 밝음을 낳으므로 초효가 사효에 호응하면 '가면 숭상함이 있다'는 것이다. 부드러움은 어두움을 낳으므로, 이효가 오효에 호응하면 '가면 의심과 질투를 얻는다'는 것이다."

九三, 豐其沛. 日中見沫, 折其右肱, 無咎.

구삼효는 휘장을 풍요하게 했다. 해가 중천에 떴는데도 작은 별을 보고, 오른 팔이 부러졌으나 허물이 아니다.

'沛', 一作旆, 謂幡幔也. 其蔽甚於蔀矣. '沫', 小星也. 三處明極, 而應上六, 雖不可用, 而非咎也, 故其象占如此.

'패(沛)'는 어떤 판본에는 '패(旆)'로 되어 있으니, 휘장을 말한다. 그 가림이 덮개보다 심하다. '매(沫)'는 작은 별이다.
삼효는 밝음의 극한에 처했는데 상육효와 호응하여 비록 쓸 수 없으나 그의 허물이 아니므로 그 상(象)과 점(占)이 이와 같다.

'沛'字古本有作'旆'字者. 王弼以爲'幡幔', 則是'旆'也. 幡幔圍蔽於內者, "豐其沛", 其暗更甚於'蔀'也. 三明體而反暗於四者, 所應陰暗故也. 三居明體之上, 陽剛得正, 本能明者也. 豐之道, 必明動相資而成. 三應於上, 上陰柔, 又無位而處震之終, 旣終則止矣. 不能動者也. 它卦至終則極, 震至終則止矣. 三無上之應, 則不能成豐.

'패(沛)'라는 글자는 고본(古本)에 '패(旆)'라는 글자로 쓰였다. 왕필

(王弼)은 '휘장'이라고 했으니, 이것이 '패(斾)'이다.

휘장은 안에서 둘러싸 가리는 것이다. "휘장을 풍성하게 하면", 그 어둠이 '덮개'를 가린 것보다 심하다. 구삼효는 밝은 형체인데, 도리어 구사효보다 어두운 것은 호응하는 사람이 음으로 어둡기 때문이다.

구삼효는 밝은 빛을 상징하는 리(離)괘의 형체에서 가장 윗자리에 있고, 양의 굳센 자질로 올바름을 얻었으니, 본래 현명한 자이다. 그러나 풍요의 도는 반드시 밝은 현명함과 진동의 위엄이 서로 의지하고 바탕으로 삼아서 이루어진다.

그런데 구삼효가 상육효와 호응하니, 상육효는 음의 부드러운 자질이고, 또 정치적 지위가 없으면서 진동의 끝에 있어, 끝났다면 멈추어 진동할 수 있는 자가 아니다. 다른 괘에서는 끝에 이르면 극한이 되지만, 진동은 끝에 이르면 그친다.

구삼효는 위로 호응하는 사람이 없으면, 풍요를 이룰 수가 없다.

'沬', 星之微小無名數者. '見沬', 暗之甚也. 豐之時而遇上六, '日中'而'見沬'者也. '亡肱', 人之所用, 乃折矣, 其無能爲可知. 賢智之才遇明君, 則能有爲於天下. 上無可賴之主, 則不能有爲, 如人之折其右肱也. 人之爲有所失, 則有所歸咎, 曰 "由是故致是", 若欲動而無右肱, 欲爲而上無所賴, 則不能而已, 更復何言, 無所歸咎也.

'매(沬)'는 별이 희미하고 작아서 이름과 별자리가 없는 작은 별이다. '작은 별을 본다'는 매우 어두운 것을 말한다. 풍요의 때에 상육효라는 윗사람을 만났으니, '해가 중천에 떴는데'도 '작은 별을 보는 것'이다.

'오른팔'은 사람이 사용하는 것인데, 이것이 부러졌다면, 할 수 있는 것이 없음을 알 수 있다. 어질고 지혜로운 재능으로 현명한 군주를 만났다면 세상에서 도를 실현할 수 있는 일을 도모할 수 있다. 그러나 위로 의지할 수 있는 군주가 없다면, 일을 도모할 수 없으니, 마치 사람이 오른팔이 부러진 것과 같다.

사람의 행위에서 잘못된 점이 있으면, 그 잘못의 책임을 돌리려고 "이러한 이유 때문에 이렇게 되었다."라고 한다. 움직이려고 하지만 오른쪽 팔이 없고, 일을 도모하려는 데 의지할 만한 윗사람이 없다면, 어떻게 할 수 없는 것일 뿐이니, 다시 무슨 말을 하겠는가? 잘못의 책임을 돌려 탓할 곳이 없다.

案

九三之蔽, 又甚於二四者, 爻取日中爲昏義. 二三四在一卦之中, 而九三又在三爻之中也. 且二應五, 爲柔中之主. 四應初, 爲同德之助. 三所應者, 乃過中處極之陰, 其蔽安得不甚哉? 上六以其昏昏, 使人昏昏, 故九三雖以剛明之才, 爲之股肱, 而不免於毁折. 然於義爲無咎者, 守其剛正以事上, 反己無怍而衆無尤也.

구삼의 가려짐은 이효와 사효보다 심하니, 효에서 해가 중천에 떳으나 어둡다는 의미를 취했다. 이효와 삼효와 사효는 한 괘의 가운데 있고, 구삼효는 또 세 효의 가운데이다.

또한 육이효는 육오효와 호응하여 부드러우면서 알맞음의 주인이 되었다. 구사효는 초육효와 호응하여 같은 덕의 도움이 되었다. 구삼효가 호응하는 자는 가운데를 지나쳐 극한에 처한 음이니 그 가려짐이 어찌 심하지 않을 수 있겠는가?

상육효는 그 어둡고 어두운 것으로 사람들을 어둡게 하므로 구삼효는 군세면서 밝은 재능을 가지고 있어 넓적다리와 팔이 될 수 있지만 꺾이는 것을 면하지 못한다. 그러나 의리(義理)에서 허물이 없는 것은 그 군셈과 올바름을 지키면서 윗사람을 섬기고 돌이켜 자신에게도 부끄러움이 없고 사람들에게는 허물이 없다는 뜻이다.

又案

『易』中所取者雖虛象, 然必天地間有此實事, 非憑虛造設也. "日中見斗", 甚而至於"見沫", 所取喩者, 固謂至昏伏於至明之中. 然以實象求之, 則如太陽食時是也. 食限多則大星見, 食限甚則小星亦見矣. 所以然者, 陰氣蔽障之故, 故所謂"豐其蔀""豐其沛"者, 乃蔽日之物, 非蔽人之物也. 且此義亦與「象傳」"日中則昃月盈則食"相發.

『역』에서 취한 것은 허상(虛像)이지만 반드시 천지 사이에는 이러한 일이 실제 있으니, 헛되이 가정한 것이 아니다. "해가 중천에 떴는데 북극성을 보거나" 심지어 "작은 별을 보니", 비유를 취한 것은 분명 지극히 어두운 것이 지극히 밝은 것 속에 잠복해 있음을 말한다.
그러나 실상(實象)에서 구하면 태양이 먹히는 때가 이것이다. 먹히는 것이 많으면 큰 별이 나타나고 먹히는 것이 심하면 작은 별 역시 나타난다. 그러한 이유는 음기(陰氣)가 가렸기 때문이므로, "덮개가 풍성하다" 혹은 "휘장을 풍성하게 한다"는 해를 가리는 것이지 사람을 가리는 일이 아니다. 이러한 의미는 「단전」에서 "해가 중천에 뜨면 기울고, 달이 차면 이지러진다"는 말과 서로 통한다.

九四, 豐其蔀, 日中見斗, 遇其夷主, 吉.

구사효는 덮개를 풍요하게 했다. 해가 중천에 떴는데도 북두성을
보니, 대등한 주인을 만나면, 길하다.

本義

象與六二同. '夷', 等夷也. 謂初九也. 其占爲當豐而遇暗主,
下就同德則吉也.

상(象)이 육이효와 같다. '이(夷)'는 대등하다는 것이니, 초구효를
말한다.
그 점(占)은 풍요한 때 어둡고 어리석은 군주를 만났으니, 아래로
덕이 같은 자에게 나아가면 길(吉)하다.

程傳

四雖陽剛, 爲動之主, 又得大臣之位, 然以不中正, 遇陰暗柔
弱之主, 豈能致豐大也, 故爲"豐其蔀". 蔀, 周圍掩蔽之物. 周
圍則不大, 掩蔽則不明. "日中見斗", 當盛明之時反昏暗也.
夷主, 其等夷也, 相應故謂之主. 初四皆陽而居初, 是其德同.
又居相應之地. 故爲夷主. 居大臣之位, 而得在下之賢, 同德
相輔, 其助豈小也哉, 故吉也.

구사효가 양의 굳센 자질로 진동의 주체가 되고, 또 대신(大臣)의

지위를 얻었으나, 중정(中正)을 이루지 못했고, 음의 어둡고 유약
(柔弱)한 군주를 만났으니, 어떻게 풍요의 성대함을 이룰 수 있겠는
가? 그러므로 "덮개를 풍요하게 했다"고 했다.

덮개란 두루 덮어 가리는 것이다. 두루 덮으면 클 수가 없고, 가려
서 엄폐하면 빛을 밝게 비추지 못한다. "해가 중천에 떴는데도 북두
성을 본다"고 했으니, 성대하게 밝은 때에 도리어 어두운 것이다.
'이주(夷主)'는 대등한 주인이니, 서로 호응했으므로 상대라고 했다.
초구효와 구사효는 모두 양(陽)효이고 처음에 자리하고 있으니, 이
는 그 덕(德)이 같고, 또 서로 호응하는 위치에 자리하므로, 대등한
상대가 된다.

대신(大臣)의 지위에 자리하여, 아래에 있는 현자를 얻어 덕을 함께
하여 서로 보좌하면, 그 도움이 어찌 작겠는가? 그러므로 길하다.

"如四之才, 得在下之賢爲之助, 則能致豐大乎?" 曰 : "在下者
上有當位爲之與, 在上者下有賢才爲之助, 豈無益乎, 收吉
也. 然而致天下之豐, 有君而後能也, 五陰柔居尊而震體, 無
虛中巽順下賢之象. 下雖多賢, 亦將何爲. 蓋非陽剛中正, 不
能致天下之豐也."

"구사효와 같은 사람의 재능으로 아랫자리에 있는 현자를 얻어 도
움을 받는다면, 풍요의 성대함을 이룰 수 있겠는가?"

이렇게 답하겠다. "아랫자리에 있는 자는 합당한 지위에 있는 윗사
람이 그를 위해 함께 연대하고, 윗자리에 있는 자는 현명한 재능을
가진 아랫사람이 그를 위해 도와준다면, 어찌 유익하지 않겠는가?
그러므로 길하다.

그러나 세상의 풍요를 이루는 것은 군주가 있은 뒤에야 가능하다.

육오효는 음의 부드러운 자질로 존귀한 지위에 자리하고, 진(震)괘가 상징하는 진동하는 형체라 마음을 비우고 겸손하게 이치에 따라 현자에게 자신을 낮추는 모습이 없으니, 아래에 현자가 많더라도 또한 무엇을 할 수 있겠는가? 군주가 양의 굳센 자질과 알맞고 바른 덕을 지니지 않으면 세상의 풍요를 이룰 수 없다."

集說

● 孔氏穎達曰 : "據初適四, 則以四爲主, 故曰'遇其配主'. 自四之初, 則以初爲主, 故曰'遇其夷主'也."[32]

공영달(孔穎達)[33]이 말했다. "초구효에 근거하여 구사효에 가면 구사효가 주가 되므로 '짝이 되는 주인을 만난다'고 했다. 구사효에서 초구효로 가면 초구효가 주가 되므로 '대등한 주인을 만난다'고 했다.

....

32) 공영달(孔穎達) :『주역정의(周易正義)』「풍(豊)괘」.
33) 공영달(孔穎達, 574~648) : 자는 중달(仲達)이고 시호는 헌공(憲公)이며, 기주 형수(冀州衡水 : 현 하북성 형수(衡水)) 사람이다. 동란의 와중에서 학문을 닦았으며 남북 두 학파의 유학은 물론 산학(産學)과 역법(曆法)에도 정통했다. 당 태종(唐太宗)에게 중용되어, 벼슬은 국자박사(國子博士)를 거쳐 국자감의 좨주(祭酒)·동궁시강(東宮侍講) 등을 역임하였다. 특히 문장·천문·수학에 능통하였으며, 위징(魏徵)과 함께 『수서(隋書)』를 편찬하였다. 당 태종의 명에 따라 고증학자 안사고(顔師古) 등과 더불어 오경(五經) 해석의 통일을 시도하여 『오경정의(五經正義)』170권을 편찬하였다. 이는 위진 남북조 이래 경학의 집대성이라고 할 수 있다.

● 張子曰 : "近比於五, 故亦云見斗, 正應亦陽, 故云夷主."[34]

장자(張子 : 張載)가 말했다. "육오효와 가까이 나란히 있으므로 또한 북두성을 본다고 했고, 올바른 호응 상대 역시 양(陽)이므로 대등한 상대라고 했다."

● 郭氏雍曰 : "二之豐蔀見斗, 以重陰而非正應也. 而'有孚發若吉'者, 中正也. 四之豐蔀見斗, 非中正也. 而'遇其夷主吉'者, 應初而有遇也. 二爻之義相類, 故其辭同, 而皆終之以吉. 有爲之時, 明動必相濟, 然後有成, 故初謂四爲配主, 四謂初爲夷主. 迭稱主者, 明動相須, 莫適爲主. 唯明者知求動以爲主, 動者知求明以爲主故也."[35]

곽옹(郭雍)이 말했다. "육이효의 덮개가 풍성하여 북극성을 본다는 것은 음이 중첩되어 올바른 호응 상대는 아니다. '믿음을 가지고 감동시킨' 것은 중정(中正)이다. 구사효의 휘장을 풍성하게 하여 북극성을 본다는 것은 중정(中正)이 아니다.

'짝이 되는 군주를 만나니 길하다'는 것은 초육효에 호응하여 만남이 있다. 두 효의 뜻은 서로 유사하므로 그 말이 같고 모두 결국에는 길하다. 어떤 일을 할 때 현명함과 진동이 반드시 서로 도운 뒤에 이룸이 있으므로 초육효가 구사효를 짝이 되는 군주라 하고 구사효는 초육효를 대등한 상대라고 했다.

번갈아 주인이라고 칭한 것은 현명함과 진동의 위엄이 서로 의존하여 바로 주인이 되는 것은 아니다. 오직 현명한 자는 진동의 위엄을 구하여 주인이 되게 하고, 진동의 위엄은 현명한 자를 구하여

---

34) 장재(張載), 『횡거역설(橫渠易說)』 권2, 「풍(豐)괘」.
35) 곽옹(郭雍), 『곽씨전가역설(郭氏傳家易說)』 권6, 「풍(豐)괘」.

주인이 되게 하기 때문이다."

● 鄭氏汝諧曰 : "初視四爲配, 以下偶上也, 四視初爲夷, 降上就下也."[36]

정여해(鄭汝諧)[37]가 말했다. "초구효는 구사효를 짝으로 보고, 아래 사람으로 윗사람에 짝하고, 구사효는 초구효를 대등한 상대로 보고 위에서 내려가 아래로 간다."

---

36) 정여해(鄭汝諧), 『역익전(易翼傳)』「풍(豊)괘」.
37) 정여해(鄭汝諧, 1126~1205) : 자가 순거(舜擧)이호 호는 동곡거사(東谷居士)이다. 청전현성(靑田縣城) 사람이다. 송나라 소흥(紹興) 27년(1157)에 진사가 되어 건도(乾道) 4년(1168) 양절(兩浙) 전운판관(轉運判官)에 임명되었다. 여러 관직을 거쳐 고향으로 돌아가 석개서원(介石書院)을 세웠다. 개희(開禧) 원년(1205)에 죽었다. 『동곡역익전(東谷易翼傳)』, 『논어의원(論語意源)』, 『동곡집(東谷集)』 등이 있다.

六五, 來章, 有慶譽, 吉.
육오효는 아름다움을 오게 하면 경사와 영예가 있어, 길하다.

質雖柔暗, 若能來致天下之明, 則有慶譽而吉矣. 蓋因其柔
暗, 而設此以開之. 占者能如是, 則如其占矣.

체질이 비록 부드러우면서 어둡지만 만일 천하의 밝은 자를 오게
하면 경사와 영예가 있어 길하다.
부드러우면서 어두운 체질을 바탕으로 해서 이것을 가설해서 열어
놓았으니, 점치는 자가 이와 같을 수 있다면 이 점(占)과 같다.

五以陰柔之才, 爲豐之主, 固不能成其豐大. 若能來致在下章
美之才而用之, 則有福慶, 復得美譽, 所謂吉也. 六二文明中
正, 章美之才也. 爲'五'者誠能致之在位而委任之, 可以致豐
大之慶, 名譽之美, 故吉也. 章美之才, 主二而言. 然初與三
四, 皆陽剛之才, 五能用賢則彙征矣. 二雖陰, 有文明中正之
德, 大賢之在下者也. 五與二雖非陰陽正應, 在明動相資之
時, 有相爲用之義. 五若能來章, 則有慶譽而吉也. 然六五無
虛己下賢之義, 聖人設此義以爲敎耳.

육오효는 음의 부드러운 자질로 풍요의 주인이 되니, 분명히 그 풍요의 성대함을 이룰 수 없다. 그러나 아랫자리의 아름다운 재능을 가진 사람을 오게 하여 등용시킬 수 있다면, 복과 경사가 있고, 아름다운 영예를 얻을 것이니, 길하다고 했다.

육이효는 문명(文明)하고 중정(中正)을 이루고 있으니, 아름다운 재능이다. '오(五)'라는 군주의 지위를 얻은 자가 진실로 그를 정치적 지위에 있게 하여 모든 일을 위임할 수 있으면, 풍요의 성대함이라는 경사스런 일과 영예로운 아름다움을 이르게 할 수 있으므로 길하다.

아름다운 재능을 가진 사람이란 육이효를 중심으로 말한 것이다. 그러나 초구효와 구삼효, 구사효 모두 양의 굳센 자질이니, 육오효가 이 현자들을 등용할 수 있다면, 같은 부류의 현자들이 무리지어 올 것이다. 육이효는 음(陰)효이지만 문명(文明)하고 중정(中正)의 덕(德)이 있으니, 아래 지위에 있는 위대한 현자이다.

육오효와 육이효는 음과 양의 올바른 호응 관계는 아니지만, 밝음과 진동이 서로 의지하고 바탕을 이루는 때에 서로 쓰임이 되는 뜻이 있다. 육오효가 아름다운 능력을 가진 사람을 오게 하면, 경사와 영예가 있어 길하다. 그러나 육오효는 마음을 비우고 현자에게 자신을 낮추려는 뜻이 없으니, 성인이 이러한 의미를 가정하여 가르침으로 삼았을 뿐이다.

集說

● 馮氏當可曰 : "六二言往, 六五言來, 往來交合, 章明之象."

풍당가(馮當可)[38]가 말했다. "육이효는 간다고 말하고 육오효는 온다고 말하니, 가고 오는 것이 교차하고 합치하여 아름답고 빛나는 상이다."

● 項氏安世曰 : "六二以五爲蔀, 在上而暗也, 六五以二爲章, 在下而明也."[39]

항안세가 말했다. "육이효는 육오효가 덮개가 되어 위에서 어둡고, 육오효는 육이효가 아름다운 것이 되어 아래에서 밝다."

● 陳氏曰 : "五陰暗則往而疑, 二文明則來而章, 章者離體文明之象."

진씨(陳氏)가 말했다. "육오효는 음으로 어두워가면 의심하고, 육이효는 문명(文明)하니 오면 아름답다. 아름다운 자는 리(離)괘의 형체로 문명(文明)의 상이다."

● 胡氏炳文曰 : "三爻稱日中, 皆有所蔽. 六五不稱日中, 蓋宜日中, 無蔽也."

....

38) 풍시행(馮時行, 1100~1163) : 자는 당가(當可)이고 호는 진운(縉雲)이다. 송나라 휘종(徽宗) 선화(宣和) 6년 장원급제하여 봉절위(奉節尉), 강원현승(江原縣丞), 좌조봉의랑(左朝奉議郞) 등을 지냈다. 후에 항금(抗金)을 주장했다가 폐직되었다가 다시 기용되어 성도부노제형(成都府路提刑)까지 지냈다. 사천(四川) 아안(雅安)에서 서거했다. 『진운문집(縉雲文集)』과 『역륜(易倫)』 등이 있다.
39) 항안세(項安世), 『주역완사(周易玩辭)』 권10, 「풍(豊)괘」.

호병문(胡炳文)이 말했다. "세 효는 해가 중천에 떴다고 일컬었으니 모두 가림이 있다. 육오효는 해가 중천에 떴다고 일컫지 않았으니 마땅히 해가 중천에 뜬 듯이 하여 가림이 없기 때문이다.

五, 君位也.「象辭」所謂"王假之"者, 卽此位, 則五乃卦主也, 卦義所重, 在明以照天下. 六五雖非明體, 然下應六二爲文明之主, 而五有柔中之德, 能資其章明以自助, 則卦義所謂勿憂宜日中者, 實與此爻義合.

오(五)는 군주의 지위이다.「단사」에서 "임금이 이른다"고 말한 것이 이 자리이 오효가 괘의 주효이다.
괘의 의미에서 중요한 것은 밝음으로 천하를 비추는 것이다. 육오효는 밝음의 형체는 아니지만 아래로 육이효와 호응하여 문명(文明)의 주인이 되고, 육오효는 부드러우면서 알맞은 덕을 지니고 그 아름답고 밝은 사람을 바탕으로 하여 스스로 도움을 줄 수 있으니, 괘의 의미에서 근심하지 말고 마땅히 해가 중천에 있는 듯이 하라는 것은 실제로 이 효의 뜻과 합치한다.

上六, 豐其屋, 蔀其家. 窺其戶, 闃其無人, 三歲
不覿, 凶.

상육효는 집을 풍요하게 하고 그 집을 덮개로 덮어놓았다. 그 문을
엿보니, 고요하고 사람이 없어, 삼년이 지나도록 만나지 못하니,
흉하다.

以陰柔居於極, 處動終, 明極而反暗者也, 故爲豐大其屋, 而
反以自蔽之象. 無人不覿, 亦言障蔽之深, 其凶甚矣.

음의 부드러움으로 풍요의 극한에 자리하고 진동의 끝에 처했으니,
밝음이 지극하여 도리어 어두운 자이므로, 집을 풍요하게 하고 도
리어 스스로 가리는 상(象)이다.
사람이 없어 만나지 못함은 또한 가로막혀 가려진 것이 심함을 말
하니, 그 흉함이 심하다.

六以陰柔之質, 而居豐之極, 處動之終, 其滿假躁動甚矣. 處
豐大之時, 宜乎謙屈, 而處極高, 致豐大之功, 在乎剛健, 而
體陰柔, 當豐大之任, 在乎得時, 而不當位. 如上六者, 處無
一當, 其凶可知. "豐其屋", 處太高也, "蔀其家", 居不明也.
以陰柔居豐大, 而在無位之地, 乃高亢昏暗, 自絶於人, 人誰

與之, 故"窺其戶, 闃其無人"也. 至於三歲之久, 而不知變, 其 '凶'宜矣. '不覿', 謂尙不見人, 蓋不變也. 六居卦終, 有變主 義, 而不能遷, 是其才不能也.

상육효는 음의 부드러운 자질로 풍요의 극한에 자리하고, 진동의 끝에 처했으니, 자만과 위선과 조급함과 동요가 매우 심하다. 성대한 풍요의 때에 처하면, 마땅히 겸손하고 자신을 낮추어야 하는데, 매우 높은 곳에 자리했다.

성대한 풍요의 공을 이르게 하는 것은 강건한 자질에 달려 있는데, 체질이 음으로 부드럽다. 성대한 풍요를 이르게 하는 소임을 담당하는 것은 때를 얻는데 달려 있으니, 합당한 지위가 아니다. 상육효와 같은 자는 합당한 것이 하나도 없는 자리에 처했으니, 그 흉함을 알 수 있다.

"집을 풍요하게 했다"는 너무도 높은 곳에 자리한 것이다. "그 집을 덮개로 덮어놓았다"는 밝지 못한 곳에 자리한 것이다. 음의 부드러운 자질로 성대한 풍요에 자리하면서, 지위가 없는 곳에 있으니, 이것이 바로 오만하면서 어리석어, 스스로 타인과의 관계를 단절하는 일이니, 누가 그와 함께 하려고 하겠는가? 그러므로 "그 문을 엿보니, 고요하고 사람이 없다." 3년이란 오랜 세월이 지나도록 변할 줄을 모르니, 그 '흉함'은 당연하다.

'만나지 못한다'는 여전히 사람을 보지 못한다는 것을 말하니, 변화하지 않았기 때문이다. 상육효는 괘의 끝에 자리하여, 변화하는 뜻이 있는데도, 마음을 바꾸어 실천할 수가 없으니, 그 나약한 자질이 그렇게 할 수 없는 것이다.

● 龔氏煥曰："豐卦與明夷相似, 唯變九四一爻. '豐其蔀蔽', 皆
六五上六二陰所爲. 二'豐其蔀', 以五爲應也. 三'豐其沛', 以上
爲應也. 四'豐其蔀', 以承五也. 然五雖柔暗, 以其得中, 故有'來
章'之吉. 上居豐極, 始則蔽人之明, 終以自蔽, 與明夷上六相
似."40)

공환(龔煥)41)이 말했다. "풍(豐☷☳)괘는 명이(明夷☷☲)괘와 유사하니,
오직 풍괘의 구사효 한 효만 변한 것이다. '그 덮개를 풍성하게 한
것'은 모두 육오효와 상육효 두 음효가 한 것이다. 육이효의 '그 덮
개를 풍성하게 한다'는 육오효가 호응하는 것이다. 구삼효의 '휘장
을 풍성하게 한다'는 상육효가 호응하는 것이다. 구사효의 '덮개를
풍성하게 한다'는 육오효를 잇는 것이다. 그러나 육오효는 부드럽
고 어둡지만 그가 중도(中道)를 얻어 '아름다움을 오게하는' 길힘이
있다. 상육효는 풍요의 끝에 자리하여 비로소 사람의 밝음을 가리
고 결국에는 스스로도 가려서 명이괘 상육효와 유사하다."

● 何氏楷曰："處豐之極, 亢然自高. 豐大其居以明得意, 方且
深居簡出, 距人於千里之外, 豈知凶將及矣, 能無懼乎?"42)

---

40) 정정조(程廷祚),『대역택언(大易擇言)』「풍(豐)괘」.
41) 공환(龔煥) : 자는 유문(幼文)이고, 천봉선생(泉峯先生)이라고 불렸다.
   원(元)대 임천(臨川)사람이다. 요응중(饒應中)에게 사사하여 본체를 밝
   히고 실천에 옮기는 데 힘썼다. 당시 아직 과거제도가 시행되지 못했는
   데, 시행되면 반드시 정자와 주자의 학문을 법식으로 삼아야 한다고 주
   장했다. 과연 뒤에 그의 말대로 시행되었다.
42) 하해(何楷),『고주역정고(古周易訂詁)』.

하해(何楷)가 말했다. "풍요의 극한에 처해 오만하게 홀로 고고하다. 그 자리를 풍성하고 크게 하여 밝음으로 득의양양하고, 깊숙하게 거처하되 간략하게 나가니, 천 리의 밖에 떨어져 있는 사람인데, 어찌 흉함을 알고 미칠 것이며 두려움이 없을 수 있겠는가?"

總論

● 熊氏良輔曰 : "豐六爻以不應爲善, 初四皆陽, 初曰'遇其配主', 四曰'遇其夷主'. 二五皆陰, 二曰'有孚發若吉', 五曰'來章有慶譽吉'. 三與上爲正應, 三不免於折肱, 而上則甚凶. 當豐大之時, 以同德相輔爲善, 不取陰陽之應也."

웅량보(熊良輔)[43]가 말했다. "풍괘의 여섯 효는 호응하지 않는 것이 좋으니 초육효와 구사효 모두 양(陽)이니, 초구효는 '그 짝이 되는 주인을 만난다'고 하고, 구사효는 '그 대등한 주인을 만난다'고 했다. 육이효와 육오효는 모두 음(陰)이니, '진실하게 감동시키면 길하다'고 했고, 육오효는 '아름다움을 오게 하면 경사와 영예가 있어 길하다'고 했다. 구삼효와 상육효는 올바른 호응 상대인데 구삼효는 팔이 잘리는 것을 면하지 못하고 상육효는 매우 흉하다. 풍성한 때에 같은 덕으로 서로 도우는 것이 좋으니, 음양의 호응을 취하지 않았다."

....

43) 웅량보(熊良輔, 1310~1380) : 자는 임중(任重)이고, 호는 매변(梅邊)이다. 원(元)대 남창(南昌) 사람이다. 웅개(熊凱)에게 학문을 배웠는데, 특히 『역』에 정통했다. 저서에 주희(朱熹)의 학설을 주로 하고 자기의 논의를 가미한 『주역본의집성(周易本義集成)』과 『풍아유음(風雅遺音)』, 『소학입문(小學入門)』 등이 있다.

周易下經

주역하경

제8권

여旅☲☶ 손巽☴☴ 태兌☱☱ 환渙☴☵ 절節☵☱ 중부中孚☴☱
소과小過☳☶ 기제旣濟☵☲ 미제未濟☲☵

56. 여旅괘

離上
艮下

旅,「序卦」, "豐, 大也. 窮大者必失其居, 故受之以旅." 豐盛
至於窮極, 則必失其所安, 旅所以次豐也. 爲卦離上艮下. 山
止而不遷, 火行而不居, 違去而不處之象, 故爲旅也. 又麗乎
外, 亦旅之象.

여(旅)괘는「서괘전」에서 "풍요는 성대함이니, 그 성대함이 궁극에
이른 것은 반드시 그 자리를 잃게 되므로 방랑을 상징하는 여괘로
받았다"라고 하였다. 풍요의 성대함이 궁극에 이르면, 반드시 그 편
안한 자리를 잃게 되니, 여괘가 풍괘 다음이 된다.

괘의 모습은 불을 상징하는 이(離☲)괘가 위에 있고 산을 상징하는
간(艮☶)괘가 아래에 있다. 산은 멈추어 자리를 바꾸지 않고, 불은
활활 타오르면서 머물지 않아, 서로 어긋나 떠나가서 처하지 않는
모습이므로 방랑이다. 또 밖에 붙어 있는 것도 방랑하는 모습이다.

旅, 小亨, 旅貞吉.

방랑은 조금 형통하고, 방랑하는 도가 올바르면 길하다.

本義

旅, 羈旅也, 山止於下, 火炎於上, 爲去其所止而不處之象,
故爲旅. 以六五得中於外, 而順乎上下之二陽, 艮止而離麗於
明, 故其占可以小亨, 而能守其旅之貞則吉. 旅非常居, 若可
苟者, 然道無不在, 故自有其正, 不可須臾離也.

여(旅)는 타관살이 나그네이니, 산이 아래에 멈추고 불이 위로 타올
라, 멈추어 머물던 곳을 떠나 거처하지 않는 상(象)이므로, 방랑이
된다.

육오효는 밖에서 중(中)을 얻고 위와 아래 두 양(陽)효에 순종하며,
간(艮)괘는 멈추고 리(離)괘는 밝음에 붙어 있으므로, 점(占)이 조
금 형통할 수 있고, 방랑의 올바름을 지킬 수 있다면 길하다.

방랑은 일정한 거처가 있는 것이 아니니, 구차할 수 있을 듯하지만,
살아갈 길이 어디에나 있고 정도(正道)가 본래 있으니, 그 정도를
잠시라도 떠나서는 안 된다.

程傳

以卦才言也. 如卦之才, 可以小亨, 得旅之貞正而吉也.

괘의 자질로 말했다. 이 괘의 자질 구조와 같으면, 조금 형통할 수 있고, 방랑의 올바름을 얻어 길하다.

集說

● 胡氏炳文曰 : "在旅而亨, 亨之小者也. 然事有小大, 道無不在, 大亨固利於貞, 不可以亨之小而失其貞也, 正道果可須臾離哉?"[1]

호병문(胡炳文)[2]이 말했다. "타관살이 나그네로 방랑하는 데 형통하지만 형통함이 작은 것이다. 일에는 크고 작은 것이 있지만 도는 없는 곳이 없어, 크게 형통하는 것은 올바름을 굳게 지킴이 분명 이롭지만, 형통함이 작다고 하여 그 올바름을 잃어서는 안 되니, 정도(正道)를 어찌 잠시라도 떠날 수 있겠는가?"

---

1) 호병문(胡炳文), 『주역본의통석(周易本義通釋)』 권2, 「여(旅)괘」.
2) 호병문(胡炳文, 1250~1333) : 원나라 휘주(徽州) 무원(婺源) 사람으로 자는 중호(仲虎)이고, 호는 운봉(雲峰)이다. 주희(朱熹)의 종손(宗孫)에 게 『주역』과 『서경』을 배워 주자학에 잠심했으며, 특히 『주역』에 뛰어났다. 신주(信州) 도일서원(道一書院) 산장(山長)을 지내고, 난계주학정(蘭溪州學正)이 되었는데, 나가지 않았다. 저서에 『주역본의통석(周易本義通釋)』과 『서집해(書集解)』, 『춘추집해(春秋集解)』, 『예서찬술(禮書纂述)』, 『사서통(四書通)』, 『대학지장도(大學指掌圖)』, 『오경회의(五經會義)』, 『이아운어(爾雅韻語)』 등이 있다.

初六, 旅瑣瑣, 斯其所取災.

초육효는 방랑하는 자가 비루하고 쩨쩨한 것이니, 이 때문에 재앙을 취하게 된다.

當旅之時, 以陰柔居下位, 故其象占如此.

방랑하는 때에 음의 부드러운 자질로 낮은 지위에 자리했으므로, 그 상(象)과 점(占)이 이와 같다.

六以陰柔在旅之時, 處於卑下, 是柔弱之人, 處旅困而在卑賤, 所存汚下者也. 志卑之人, 旣處旅困, 鄙猥瑣細, 無所不至, 乃其所以致侮辱, 取災咎也. '瑣瑣', 猥細之狀. 當旅困之時, 才質如是, 上雖有援, 無能爲也. 四陽性而離體, 亦非就下者也. 又在旅, 與他卦爲大臣之位者異矣.

음효인 육(六)이 음의 부드러운 자질로 방랑하는 때에 있으면서, 낮은 아래 지위에 처했으니, 이는 나약한 사람이 방랑의 곤궁에 처하고 비천한 지위에 있으면서, 마음에 간직함이 추하고 비루한 것이다. 뜻이 낮은 사람은 방랑의 곤궁에 처하게 되면, 비루하고 쩨쩨하게 되어 못하는 일이 없게 되니, 이는 후회와 치욕을 부르고, 재앙과 허물을 자초하게 되는 일이다.

'쇄쇄(瑣瑣)'란 야비하고 추잡하고 쩨쩨한 모습이다. 방랑의 곤궁할 때에 처하여 자질이 이와 같으니, 위에서 도와주려는 사람이 있더라도 큰 일을 할 수 없다.

구사효는 양(陽)의 성질이면서 밝은 빛을 상징하는 리(離)괘의 형체에 속해서, 또 아랫사람을 취하려는 자가 아니고, 또 방랑하는 때에 있으니, 다른 괘에서 대신의 지위가 되는 것과는 다르다.

集說

● 王氏應麟曰 : "旅, 初六'所其所取災', 王輔嗣注云 : '爲斯賤之役', 唐郭京謂'斯'合作'㒋'. 愚按『後漢』「左雄傳」'職斯祿薄', 注云 : '斯, 賤也.' 不必改'㒋'字."[3]

왕응린(王應麟)이 말했다. "여괘, 초육효에서 '이 때문에 재앙을 취하게 된다'는 말에 대해 왕보사(王輔嗣)[4]의 주에서 '천한 노역이 된다'고 했는데 당나라 곽경(郭京)은 '사(斯)'라는 글자는 심부름꾼을

---

3) 왕응린(王應麟),『곤학기문(困學紀聞)』권1.

4) 왕보사(王輔嗣) : 왕필(王弼, 226~249)을 말하는 데, 자는 보사(輔嗣)이고, 산양(山陽) 고평(高平 : 현 산동성 금향 현〈金鄕縣〉) 사람이다. 중국 삼국시대 위(魏)나라의 철학자이며, 상서랑(尙書郎)을 지냈다. 왕필은 24세의 나이로 죽을 때 이미 도가경전『도덕경(道德經)』과 유교경전『주역(周易)』의 탁월한 주석가였다. 이러한 주석서들을 통해 중국 사상에 형이상학을 소개하는 데 기여했으며, 유가와 도가가 회통할 수 길을 열었다. 저서로는『주역주(周易注)』,『주역약례(周易略例)』,『노자주(老子注)』·『노자지략(老子指略)』,『논어역의(論語繹疑)』등이 있다.

뜻하는 '시(廝)'자와 합해서 쓰인다. 내가 생각하건대, 『후한서(後漢書)』「좌웅전(左雄傳)」의 '직분이 천하고, 녹봉이 박하다'라는 글에서 '사(斯)라는 글자를 천(賤)하다고 했으니, 반드시 심부름꾼을 뜻하는 '시(廝)'자로 고칠 필요가 없다."

案

『易』中初爻, 多取童稚小子之象, 在旅則童僕之象, 王氏之說是也.

『역』 가운데 초효는 나이어린 어린아이의 상을 취하는 경우가 많아, 여괘에서도 어린 종복의 상이니, 왕응린의 말이 옳다.

六二, 旅卽次, 懷其資, 得童僕貞.

육이효는 방랑하는 자가 머무는 곳에 가서, 물자를 가지고, 어린 종복의 믿음직함을 얻는다.

本義

卽次則安, 懷資則裕, 得其童僕之貞信, 則無欺而有賴, 旅之最吉者也. 二有柔順中正之德, 故其象占如此.

머무는 곳에 나아가면 편안하고, 물자를 가지면 여유가 있고, 어린 종복이 믿음직함을 얻으면, 속이지 않아 신뢰가 있으니, 나그네로서 가장 길한 것이다.

육이효는 유순(柔順)하고 중정(中正)한 덕(德)이 있으므로, 그 상(象)과 점(占)이 이와 같다.

程傳

二有柔順中正之德, 柔順則衆與之, 中正則處不失當, 故能保其所有, 童僕亦盡其忠信. 雖不若五有文明之德, 上下之助, 亦處旅之善者也. '次舍', 旅所安也. '財貨', 旅所資也. '童僕', 旅所賴也. 得就次舍, 懷蓄其資財, 又得童僕之貞良, 旅之善也. 柔弱在下者童也, 剛壯處外者僕也. 二, 柔順中正, 故得內外之心. 在旅所親比者, 童僕也. 不云吉者, 旅寓之際, 得免於災屬, 則已善矣.

육이효는 유순(柔順)하고 중정(中正)을 이룬 덕(德)이 있으니, 유순
하면 사람들이 함께 협력하고, 중정(中正)을 이룬 덕을 지니면 처신
하는데 합당함을 잃지 않으므로, 그가 소유한 것을 보존할 수가 있
고, 어린 종복 역시 그의 충정과 신뢰를 다한다. 비록 문명(文明)한
덕과 위와 아래의 도움이 있는 육오효만 못하지만, 또한 방랑에 대
처하기를 잘 하는 자이다.
'머무는 곳'은 방랑자가 편안하게 쉴 수 있는 곳이다. '물자'는 방랑
자가 자본으로 삼는 것이다. '어린 종복'은 방랑자가 의지하는 사람
이다. 머무는 곳을 얻어, 재물과 물자를 가지고, 또 어린 종복의 믿
음과 선량함을 얻으니, 방랑자로서는 최선이다. 유약(柔弱)하고 아
래에 있는 자는 어린아이이고, 장성하고 밖에 있는 자는 종복이다.
육이효는 유순하면서 중정의 덕을 가지고 있으므로, 안팎으로 사람
들의 마음을 얻는다. 방랑하는 처지에 있으면 친하게 관계 맺는 사
람은 어린 종복이다. 길하다고 말하지 않는 것은 방랑하는 자로 사
람들에게 붙어 살 때는 재앙과 위태로움을 면하는 것만으로도 이미
좋은 일이기 때문이다.

集說

● 胡氏炳文曰 : "旅中不能無賴乎童僕之用, 亦多不免乎童僕之
欺, 惟得其貞信者, 則無欺而有賴."[5]

---

5) 호병문(胡炳文), 『주역본의통석(周易本義通釋)』 권2, 「여(旅)괘」.

호병문이 말했다. "방랑하는 중에는 종복의 쓰임에 의지하지 않을 수가 없으나 또한 종복의 속임을 면하지 못하니, 오직 종복의 믿음 직함을 얻으면 속임을 당하지 않고 의지할 수 있다."

● 趙氏玉泉曰 : "二處旅而有柔順中正之德, 則內不失己, 而己無不安, 外不失人而人無不與. 凡旅之所恃以不可無者, 皆有以全之也."

조옥천(趙玉泉)이 말했다. "육이효는 방랑하는 때에 처하여 유순 (柔順)하고 중정(中正)의 덕을 가지고 안으로 자신을 잃지 않아 자신은 편안하지 않음이 없으며, 밖으로는 사람을 잃지 않아 함께 하지 않는 사람이 없다. 방랑하는 데 믿을 만한 것이 없을 수가 없으니, 모두 그것으로 보전한다."

案

二得位得中, 故曰"卽次懷資", 與九四之旅處而得其資斧者異矣. 下有初六比之, 故曰"得童僕", 與九三之喪其童僕者異矣. 在初則爲童僕之瑣瑣者, 自二視之, 則爲童僕之貞者, 義不相害也.

육이효는 자리를 얻고 중도를 얻었으므로 "머무는 곳에 가고, 물자를 가졌다"고 했으니, 구사효의 나그네가 거처하고, 물자와 도끼를 얻는 것과는 다르다. 아래로 초육효가 나란히 하고 있으므로 "종복을 얻었다"고하니 구삼효의 그 종복을 잃은 것과는 다르다. 초효에서는 종복의 쩨쩨함이 되었는데 육이효의 관점에서 보면 종복의 올바름이 되니, 뜻이 서로 해치지 않는다.

九三, 旅焚其次, 喪其童僕, 貞厲.

구삼효는 방랑하는 자가 머무는 곳을 불태우고, 어린 종복을 잃었으니, 올바르더라도 위태롭다.

本義

過剛不中, 居下之上, 故其象占如此. 喪其童僕, 則不止於失其心矣, 故'貞'字連下句爲義.

지나치게 굳세어 중(中)을 이루지 못하면서 하괘(下卦)의 위에 자리하였으므로, 그 상(象)과 점(占)이 이와 같다.

종복을 잃으면 마음을 잃는데만 그치지 않으므로 '정(貞)'이라는 말을 아래 구절과 연결하여 해석했다.

程傳

處旅之道, 以柔順謙下爲先. 三剛而不中, 又居下體之上, 與艮之上, 有自高之象. 在旅而過剛自高, 致困災之道也. 自高則不順於上, 故上不與而焚其次, 失所安也. 上離爲焚象. 過剛則暴下, 故下離而喪其童僕之貞信, 謂失其心也. 如此則危厲之道也.

방랑하는 자로 처신하는 도리는 유순(柔順)하면서 겸손하게 자신을 낮추는 자세가 우선이다. 구삼효는 강하지만 중도(中道)를 이루지

못했고, 또 하체(下體)의 윗자리와 멈춤을 상징하는 간(艮)괘의 윗
자리에 자리하여, 스스로 자만하는 모습이다.

방랑하는 때에 과도하게 강하면서 스스로 자만하는 태도는 곤궁과
재앙을 자초하는 길이다. 자만하면 윗사람에게 순종하지 못하므로,
윗사람이 함께 하지 않고 그 머무는 곳을 불태우니, 편안한 곳을 잃
는다.

위의 리(離)괘는 불타는 모습이다. 과도하게 굳세면 아랫사람에게
포악하게 대하므로, 아랫사람들이 떠나고 어린 종복의 믿음을 잃
는 것이니, 그 마음을 잃는다고 말하였다. 이와 같으면 위태로운
도이다.

集說

● 潘氏夢旂曰:"居剛而用剛, 平時猶不可, 況旅乎! 以此與下,
焚次喪僕, 固其宜也. 九三以剛居下體之上, 則焚次. 上九以剛
居上體之上, 則焚巢. 位愈高, 剛愈亢, 則禍愈深矣."

반몽기(潘夢旂)[6]가 말했다. "굳셈에 자리하면서 굳셈을 쓰니 평상
시에도 옳지 않은데 방랑하는 때에서 말해 무엇하랴! 이것으로 아
랫사람과 함께 하면 머무는 곳을 불태우고, 어린 종복을 잃는 것은
마땅하다. 구삼효는 굳셈으로 하체(下體)의 가장 위에 자리하니,
머무는 자리를 불태운다. 상구효는 굳셈으로 상체(上體)의 가장 위
에 자리하니 둥지를 불태운다. 지위가 높으면 높을수록 굳셈이 더
욱 거세지면 재앙은 더욱 심해진다."

....

6) 반몽기(潘夢旂): 남송의 역학자로 자는 천석(天錫)이다. 저서로는 『대
   역약해(大易約解)』 9권이 있다.

● 邱氏富國曰 : "九三爻辭, 全與二反. 二卽次而三焚, 二得童
僕而三喪, 二之貞無尤, 而三之貞則厲者, 二柔順得中, 三過剛
不中故也. 過剛豈處旅之道哉!"[7]

구부국(邱富國)[8]이 말했다. "구삼효의 효사는 육이효의 효사와 완
전히 상반된다. 육이효는 머무는 곳에 나아가고 구삼효는 불태우
며, 육이효는 종복을 얻는데 구삼효는 잃으며, 육이효의 올바름은
허물이 없는데 구삼효의 올바름은 위태로우니, 육이효는 유순하고
중도를 얻었지만 구삼효는 지나치게 굳세고 중도를 얻지 못했기 때
문이다. 과도하게 굳센 것이 어찌 방랑을 대처하는 도리이겠는가!"

案

三得位, 故亦有卽次象. 以其過剛, 故焚之也. 六爻惟二三言次,
得位故也.

구삼효는 자리를 얻었으므로 자리로 나아가는 상이다. 그러나 과도
한 굳셈을 가지고 있기 때문에 그것을 불태운다. 여섯 효에서 육이
효와 구삼효에서만 머무는 일을 말한 것은 자리를 얻었기 때문이다.

----

7) 구부국(丘富國), 『주역집해(周易輯解)』「여(旅)괘」.
8) 구부국(丘富國) : 자는 행가(行加)이고, 남송 건안(建安 : 현 복건성 건구
〈建甌〉) 사람이다. 주자의 문인으로 주자의 역학사상을 주로 계승 발전
시켰다. 이종(理宗) 순우(淳祐) 7년(1247)에 진사에 급제하여 벼슬은 단
주첨판(端州僉判)을 역임했다. 남송이 망하자 은거하고 벼슬하지 않았
다. 저서에는 『주역집해(周易輯解)』, 『역학설약(易學說約)』, 『경세보유
(經世補遺)』 등이 있다.

九四, 旅於處, 得其資斧, 我心不快.

구사효는 방랑하는 사람이 거처하고, 물자와 도끼를 얻었지만,
나의 마음은 불쾌하다.

本義

以陽居陰, 處上主下, 用柔能下, 故其象占如此. 然非其正位,
又上無剛陽之與, 下唯陰柔之應, 故其心有所不快也.

양(陽)으로 음(陰)에 위치에 자리하고 상괘(上卦)의 아래에 처하여
부드러움을 쓰고 몸을 낮추기 때문에 그 상(象)과 점(占)이 이와 같
다. 그러나 올바른 자리가 아니고, 또 위에 굳센 양이 있으면서 사
람의 도움이 없고, 아래에 오직 음의 부드러운 사람이 호응하므로
그 마음이 불쾌한 점이 있다.

程傳

四陽剛雖不居中, 而處柔在上體之下, 有用柔能下之象, 得旅
之宜也. 以剛明之才, 爲五所與, 爲初所應, 在旅之善者也.
然四非正位, 故雖得其處止, 不若二之就次舍也. 有剛明之
才, 爲上下所與, 乃旅而得貨財之資, 器用之利也. 雖在旅爲
善, 然上無剛陽之與, 下唯陰柔之應, 故不能伸其才, 行其志,
"其心不快"也. 云'我'者, 據四而言.

구사효는 양의 굳센 자질로 중(中)의 위치에 자리하지 못했지만, 부드러움에 처했고 상체(上體)의 아랫자리에 있어서, 유연한 태도로 자신을 낮출 수 있는 모습이 있으니, 방랑하는 자의 마땅함을 얻었다. 굳세고 밝은 자질로 구오효가 함께 하는 자이고, 초육효가 호응하는 자이니, 방랑하는 자의 최선에 있는 자이다.

그러나 구사효는 올바른 자리가 아니므로, 그가 처신하는 데 멈출 곳을 얻더라도, 머무는 곳을 얻은 육이효만 못하다. 굳세고 밝은 자질을 가지고 위와 아랫사람이 함께 하니, 방랑하는 자로 떠돌면서도 재화의 밑천과 쓸모 있는 기구들의 이로움을 얻었다.

방랑하는 자의 최선일지라도, 위로 굳센 양을 지닌 사람이 함께 하지 못하고, 아래로 오직 음의 부드러운 사람들의 호응만이 있으므로, 그 재능을 현실에서 펼치고, 그 뜻을 행할 수 없으니, "그 마음이 불쾌하다." '나'라고 한 것은 구사효의 입장에 준거하여 말하였다.

集說

● 蔣氏悌生曰 : "凡卦爻陽剛皆勝陰柔, 惟旅卦不然. 二五皆以柔順得吉, 三上皆以陽剛致凶. 六爻六五最善, 二次之, 上九最凶, 三次之. 九四雖得其處, 姑足以安其身而已, 豈得盡遂其志?"9)

장제생(蔣悌生)10)이 말했다. "모든 괘에서 효가 양의 굳셈이면 모

---

9) 장제생(蔣悌生), 『오경여측(五經蠡測)』 권1, 「여(旅)괘」.
10) 장제생(蔣悌生) : 명나라 복건(福建) 복녕(福寧) 사람으로 자는 인숙(仁叔)이다. 홍무(洪武) 연간에 명경(明經)으로 천거되어 복주훈도(福州訓

두 음의 부드러움을 이겼으나 오직 여(旅)괘는 그렇지 않다. 육이효와 육오효는 모두 유순한 자질로 길하지만, 구삼효와 상구효는 양의 굳센 자질로 흉함에 이르렀다. 여섯 효 가운데 육오효가 가장 최선이고 육이효는 그 다음이며, 상구효가 가장 흉하고 구삼효가 그 다음이다. 구사효는 그 처할 곳을 얻었지만 잠시 그 몸을 편하게 하기에 만족할 뿐이니, 어찌 그 뜻을 온전히 실현할 수 있겠는가?"

案

四居位非正, 故不曰"卽次". 而曰"於處". 在旅而處多懼之地, 故雖得資與六二同, 而未免加斧以自防衛, 其未忘戒心可知, 安得快然而安樂乎?

구사효는 자리에 있지만 올바르지 않으므로, "머무는 곳에 나아간다"고 하지 않고, "거처한다"고 했다. 방랑하는 때에 근심이 많은 곳에 처하였으므로 밑천을 얻어 육이효와 동일하지만, 도끼를 얻어 스스로 방위하는 일을 면하지는 못해, 마음에서 경계함을 잊지 못한 것을 알 수 있으니, 어떻게 기쁘고 편안하게 즐길 수 있겠는가?"

導)를 지냈다. 저서에 『오경려측(五經蠡測)』이 있다.

六五, 射雉, 一矢亡, 終以譽命.

육오효는 꿩을 쏘아 맞추는 것이니, 한 화살을 잃어버리나, 끝내 영예와 복록을 얻는다.

雉, 文明之物, 離之象也. 六五柔順文明, 又得中道, 爲離之主, 故得此爻者, 爲射雉之象. 雖不無亡失之費, 而所喪不多 終有譽命也.

꿩은 문명(文明)한 동물이니, 리(離 : 밝음)의 상(象)이다. 육오효는 유순(柔順)하고 문명(文明)하며 또 중도(中道)를 얻어 밝음의 주체 이므로, 이 효를 얻은 자는 꿩을 쏘아 맞히는 상(象)이다. 화살을 잃는 허비함이 없지 않으나 잃어버리는 것이 많지 않아서, 끝내 영예와 복록이 있다.

六五有文明柔順之德, 處得中道而上下與之, 處旅之至善者也. 人之處旅, 能合文明之道, 可謂善矣. 羈旅之人, 動而或失, 則困辱隨之, 動而無失, 然後爲善. 離爲雉, 文明之物, "射雉"謂取則於文明之道而必合. 如射雉一矢而亡之. 發無不中, 則終能致譽命也. '譽', 令聞也. '命', 福祿也. 五居文明之位, 有文明之德, 故動必中文明之道也. 五君位, 人君無旅,

旅則失位, 故不取君義.

육오효는 문명(文明)하고 유순(柔順)한 덕이 있고, 처신하는 데 중도를 얻어, 윗사람과 아랫사람들이 함께 하니, 방랑 생활을 아주 잘 대처하는 자이다. 사람이 방랑 생활에 처했을 때 문명(文明)한 방도에 부합할 수 있다면, 최선이라고 할 만하다. 타향을 방랑하는 자가 행동에 실수라도 있으면, 곤궁과 치욕이 뒤따르니, 행동하여 실수가 없고 난 다음에야 최선이 된다.

리(離)괘는 꿩11)을 상징하여, 문명(文明)한 것이니, "꿩을 쏘아 맞추는" 일은 문명(文明)한 방도를 취하여 반드시 그것에 부합하도록 행하는 상황이다. 이는 꿩을 쏘아 화살 한 발로 죽게 하는 것과 같다. 화살을 발사하여 모두 명중하게 되면, 결국에는 영예와 천명(天命)을 이룰 수 있다.

'예(譽)'란 아름다운 명성이다. 천명이란 복과 녹봉을 말한다. 육오효는 문명(文明)한 지위에 자리하여, 문명(文明)한 덕을 지니고 있으므로, 행하는 데 반드시 문명(文明)한 방도에 적중할 수 있다. 오(五)라는 지위는 군주의 자리이지만, 군주는 타향을 방랑하는 자가 될 수 없으니, 방랑하면 군주의 지위를 잃는 것이므로, 군주의 뜻을 취하지 않았다.

集說

● 朱氏震曰：“五在旅卦, 不取君象. 有文明之德, 則令譽升聞

---

11) 꿩 : 치(雉)는 야생 닭을 말한다. 수컷은 날개의 색이 아름답고 꼬리가 길어서 장식품으로 사용할 수 있고 암컷은 꼬리가 짧고 회갈색이다. 잘 달리지만 멀리까지 날지는 못한다. 고기 맛이 좋다고 한다.

而爵命之矣."12)

주진(朱震)13)이 말했다. "육오효는 여괘에서 군주의 상을 취하지 않았다. 문명(文明)한 덕을 가지고 있으면 영예가 올라가고 작위를 받는다."

● 『朱子語類』云 : "亡字, 正如'秦無亡矢遺鏃'之'亡', 不是如伊川之說, 『易』中凡言'終吉'者, 皆是初不甚好也."14)

『주자어류(朱子語類)』에서 말했다. "망(亡)이라는 글자는 '진나라에서 화살을 잃고 화살촉을 잃는 일이 없었다.'15)의 '잃는다[亡]'와 같아서, 이천의 설명과는 다르다. 『역』에서 말하는 '끝내 길하다'는 말은 모두 애초에 그리 좋지는 않은 것이다."

● 王氏申子曰 : "一矢亡, 言中之易也."16)

왕신자(王申子)17)가 말했다. "하나의 화살로 잡았다는 말은 적중하

---

12) 주진(朱震), 『한상역전(漢上易傳)』 권6, 「여(旅)괘」.
13) 주진(朱震, 1072~1138) : 자는 자발(子發)이고, 당시 한상선생(漢上先生)이라 불리었다. 송대 형문군(荊門軍 : 현 호북성 소속) 사람으로 한림학사(翰林學士)를 여러 번 역임하였다. 저서에 『한상역전(漢上易傳)』이 있다.
14) 『주자어류(朱子語類)』 73권 85조목.
15) 『사기(史記)』 「진시황본기(秦始皇本紀)」.
16) 왕신자(王申子), 『대역집설(大易緝說)』 권8, 「여(旅)괘」.
17) 왕신자(王申子) : 원나라 공주(邛州, 사천성 邛崍) 사람으로 자는 손경(巽卿)이다. 인종(仁宗) 황경(皇慶) 연간에 무창로(武昌路) 남양서원(南

는 데 수월함을 말한다."

案

五在旅卦, 不取君義, 『程傳』之說是也. 古者士大夫出疆則以贄
行, 而士執雉以相見, 射雉而得, 是進身而有階之象也. 信於友
則有譽, 獲乎上則有命.

육오효는 여괘에서 군주의 의미를 취하지 않았으니, 『정전(程傳)』의
말이 옳다. 옛날에 사대부는 경계를 벗어나면 예물을 가지고 가는
데 사대부가 꿩을 잡고 서로 만나 꿩을 화살로 쏘아 얻으니, 이는
몸이 나아가는 데 계단과 같은 순서가 있는 모습이다. 벗에게 신임
을 얻으면 영예가 있고 윗사람에게서 신임을 얻으면 복록이 있다.

陽書院)의 산장(山長)을 지냈다. 나중에 30여 년 동안 자리주(慈利州)
천문산(天門山)에 은거했다. 저서에 『춘추류전(春秋類傳)』과 『대역집설
(大易集說)』, 『주례정의(周禮正義)』 등이 있다.

上九, 鳥焚其巢, 旅人先笑後號咷. 喪牛於易, 凶.

상구효는 새가 둥지를 불태우는 일이니, 방랑하는 사람이 먼저 웃고 나중에는 울부짖는다. 소홀히 하여 소를 잃어버리니, 흉하다.

本義

上九過剛, 處旅之上, 離之極, 驕而不順, 凶之道也, 故其象 占如此.

상구효는 지나치게 굳세어 방랑하는 끝에 처하고 리(離)괘의 극한 에 처하여 교만하고 유순하지 못하니, 흉한 도이므로 그 상(象)과 점(占)이 이와 같다.

程傳

鳥, 飛騰處高者也. 上九剛不中而處最高, 又離體, 其亢可知, 故取鳥象. 在旅之時, 謙降柔和, 乃可自保, 而過剛自高, 失 其所安, 宜矣. 巢, 鳥所安止. "焚其巢", 失其所安, 無所止也. 在離上爲焚象, 陽剛自處於至高, 始快其意, 故"先笑", 旣而 失安莫與, 故"號咷." 輕易以喪其順德, 所以凶也. 牛, 順物, "喪牛於易", 謂忽易以失其順也. 離火性上, 爲躁易之象. 上 承"鳥焚其巢", 故更加"旅人"字. 不云"旅人", 則是鳥笑哭也.

새는 날아올라서 높은 곳에 처한다. 상구효는 굳세지만 중도를 이루지 못했으면서 가장 높은 자리에 처하고, 또 리(離)괘가 상징하듯이 불의 체질에 속했으니, 그 교만함을 알 수 있으므로, 새의 모습을 취하여 상징했다. 타향을 방랑할 때는 겸손하고 자신을 낮추고 유연하면서 조화를 이루어야, 스스로를 보존할 수 있는데, 지나치게 굳세게 굴면서 자만하게 되면, 안정된 자리를 잃게 되는 것이 마땅하다.

둥지는 새가 편안하게 머무는 곳이다. "그 둥지를 불태운다"는 편안한 곳을 잃어, 자신이 멈출 곳을 잃는 것이다. 리(離)괘가 상징하는 불 위에 있는 것이 불타는 모습이니, 양의 굳센 자질로 지극히 높은 곳에 자처하여, 처음에는 그 뜻이 유쾌하므로, 먼저 "웃고", 편안한 자리를 잃고 함께 하는 사람도 없게 되므로, "나중에 울부짖는다." 경솔하고 소홀히 하여 그 순종하는 덕을 잃으니, 그래서 흉하게 된다.

소는 순종하는 동물이니, "소홀히 하여 소를 잃는다"는 것은 소홀히 해서 그 순종하는 마음을 잃는 것이다. 리(離)괘는 불을 상징하고, 불의 성질은 불타올라가는 것이니, 조급하고 경솔한 모습이다. 위로 "새가 둥지를 불태운다"는 말을 이었으므로, 다시 '방랑하는 사람'이라는 글자를 덧붙였다. '유랑하는 사람'이라고 말하지 않으면, 주어가 새가 되어 새가 웃고 우는 것이 되어 버리기 때문이다.

集說

● 王氏宗傳曰 : "上九之視九三, 尤爲剛亢者也. 凡物棲高處亢, 而寄諸危地者, 鳥之巢是也. 故旅之上取以爲象. 夫高極必危, 離火有焚象也, 故曰'鳥焚其巢'. '先笑', 謂喜居物上也. '後號眺',

謂巢焚之故也. 夫牛, 順物也, 旅道以柔順謙下爲本. 上九喪其
至順之德, 此所以凶也."[18]

왕종전(王宗傳)이 말했다. "상구효가 구삼효를 보면 더욱 굳세어
교만한 자이다. 높은 데 자리하고 교만하여 위태로움에 깃든 것은
새의 둥지가 그렇다. 그러므로 여괘의 상구효는 둥지의 상을 취하
였다. 지극하게 높으면 반드시 위태롭다. 리(離)괘의 불에는 불타
는 상이 있으므로, '새가 그 둥지를 불태운다'고 했다. '먼저 웃는다'
는 사람들 위에 자리하는 일을 기뻐하는 일을 말한다. '나중에 울부
짖는다'는 것은 둥지가 불태워졌기 때문이다. 소란 유순한 동물인
데 방랑하는 도는 유순하고 겸손한 태도를 기본으로 한다. 상구효
는 지극히 유순한 덕을 잃었기 때문에 흉하게 된다."

● 徐氏幾曰 : "旅貴柔順中正, 三陽爻皆失之, 而最亢者上九也."

서기(徐幾)[19]가 말했다. "방랑할 때는 유순하고 중정(中正)한 덕을
귀하게 여기니 세 양효는 모두 잃었고, 가장 교만한 자는 상구효
이다."

....

18) 왕종전(王宗傳), 『동계역전(童溪易傳)』 권24, 「여(旅)괘」.
19) 서기(徐幾) : 자는 자여(子輿)이고, 호는 진재(進齋)이다. 송대 숭안(崇
安 : 현 복건성 무이산시〈武夷山市〉) 사람이다. 송 리종(理宗) 경정(景
定) 5년(1264)에 적공랑(迪功郞)에 천거되고, 건녕부교수(建寧府教授)
겸 건안서원산장(建安書院山長) 겸 숭정전설서(崇政殿說書)를 제수받
았다. 박학다재(博學多才)하였고 특히 역학에 정통하여 『역집(易輯)』,
『역의(易義)』 등을 저술하였다.

● 范氏仲淹曰 : "內止而不動於心, 外明而弗迷其往, 以斯適旅, 故得'小亨'而'貞吉'. 夫旅人之志, 卑則自辱, 高則見疾, 能執其中, 可謂智矣. 故初瑣瑣, 卑以自辱者也. 三焚次而上焚巢, 高而見疾者也. 二懷資而五譽命, 柔而不失其中者也."[20]

범중엄(范仲淹)[21]이 말했다. "마음속에 멈춤이 있어 마음에 요동이 없고, 밖으로 사리에 밝아 그 가는 것을 혼동하지 않아 이대로 방랑하므로 '작게 형통하고' '올바름을 굳게 지키면 길하다.' 방랑하는 사람의 뜻은 비굴하면 스스로 치욕스럽고, 교만하면 미움을 받으니, 그 중도를 잡을 수 있는 것을 지혜롭다고 할 수 있다. 그러므로 초육효의 비루하고 쩨쩨한 것은 비굴하여 스스로 치욕스러운 자이다. 구삼효는 머무는 곳을 불태우고 상구효는 둥지를 불태우니, 교만하여 미움을 받는 자이다. 육이효는 밑천을 가지고 육오효는 영예와 복록을 얻으니, 유순하면서도 중도를 잃지 않은 자들이다."

---

20) 범중엄(范仲淹), 『범문정집(范文正集)』 권5.

21) 범중엄(范仲淹, 989~1052) : 송(宋)대 오현(吳縣 : 현 강소성 소주〈蘇州〉) 사람으로, 사상가이자 정치가, 군사가, 문학가이다. 자는 희문(希文)이다. 대중상부(大中祥符) 8년(1015)에 진사(進士)로 급제하여, 벼슬은 비각교리(秘閣校理), 추밀부사(樞密副使), 참지정사(參知政事), 하동섬서선무사(河東陜西宣撫使) 등을 역임하였다. 송 인종(仁宗)에게 올린 10개항의 개혁 상소문은 나중에 왕안석(王安石) 신법의 선구가 되었다. 1043년에 경력신정(慶曆新政)에 참여했고, 『답수조조진십사(答手詔條陳十事)』라는 상소문을 올려 10가지 개혁을 주장했다. 1045년, 신정(新政)이 실패하자 좌천되어 나주지주(邢州知州), 항주지주(杭州知州), 청주지주(靑州知州)를 지냈다. 시호는 문정(文正)이고, 세인들은 '범문정공(范文正公)'이라고 불렀다. 문학 방면에서의 성취도 커서 후세에 많은 영향을 끼쳤다. 저서로 『범문정공문집(范文正公文集)』이 있다.

57. 손巽괘

巽上
巽上

程傳

巽,「序卦」, "旅而無所容, 故受之以巽, '巽'者, 入也." 羈旅親
寡, 非巽順何所取容? 苟能巽順, 雖旅困之中, 何往而不能入?
巽所以次旅也. 爲卦一陰在二陽之下. 巽順於陽, 所以爲巽也.

손(巽)괘는 「서괘전」에서 "방랑하게 되어 받아들이는 사람이 없으
므로, 손괘로 받았다. 손(巽)은 들어가는 뜻이다"라고 하였다.
타향을 방랑하는 자가 되어 친한 사람이 적으니, 공손하여 순종하
는 태도가 아니라면 어떻게 다른 사람들의 호감이 얻어 받아들여질
수 있겠는가? 만일 공손하고 순종하는 태도를 취할 수 있다면, 떠돌
아 곤궁한 때일지라도 어디를 간들 수용될 수 없겠는가? 그래서 손
(巽)괘가 여(旅)괘 다음에 오는 까닭이다.
괘의 모습은 하나의 음효가 두 양효 아래에 있어, 양효에게 공손하
고 순종하는 태도를 보이는 것이니, 손괘가 된다.

巽, 小亨, 利有攸往, 利見大人.

공손은 조금 형통할 수 있으니, 나아갈 바를 둠이 이롭고, 대인(大人)을 만남이 이롭다.

巽, 入也. 一陰伏於二陽之下, 其性能巽以入也, 其象爲風, 亦取入義. 陰爲主, 故其占爲"小亨". 以陰從陽, 故又利有所往. 然必知所從乃得其正, 故又曰"利見大人"也.

손(巽)은 들어감이다. 하나의 음(陰)효가 두 양(陽)효의 아래에 엎드려 있으니, 성질이 공손하여 들어갈 수 있고, 그 상(象)은 바람이 되니, 또한 들어가는 뜻을 취했다.

음(陰)효가 주효가 되기 때문에 그 점(占)이 "조금 형통하다"고 했고, 음(陰)으로 양(陽)을 따르기 때문에 또 나아갈 바를 두는 것이 이롭다. 그러나 반드시 따를 바를 알아야 올바름을 얻기 때문에 또 "대인(大人)을 만남이 이롭다"고 했다.

卦之才, 可以"小亨", "利有攸往", "利見大人"也. 巽與兌皆剛中正, 巽說義亦相類, 而兌則亨, 巽乃小亨者, 兌, 陽之爲也. 巽, 陰之爲也. 兌柔在外, 用柔也, 巽柔在內, 性柔也, 巽之亨所以小也.

괘의 자질 구조 자체가 "조금 형통할" 수 있으니, "나아갈 바를 둠이 이롭고", "대인을 만남이 이롭다." 손(巽)괘와 태(兌)괘는 모두 굳세면서 중정(中正)을 이루었고 공손하며 기뻐하니, 뜻이 또한 서로 유사하다.

태괘는 형통하지만 손괘는 조금 형통할 수 있는 것은 태괘는 양(陽)의 성질이 행하는 것이고, 손괘는 음(陰)의 성질이 행하는 것이며, 태(兌☱)괘는 부드러운 것이 겉으로 드러나[1] 유연하게 행하는 것이고, 손(巽☴)괘는 부드러운 것이 안에 있어[2] 성질이 유순한 것이니, 그래서 손괘의 형통함이 작은 것이다.

● 郭氏雍曰："巽, 入也, 能入故利有攸往, 故利見大人. 是亦沈潛剛克之意與."[3]

곽옹(郭雍)이 말했다. "손(巽)은 들어감이니, 들어갈 수 있으므로 가는 바를 둠이 이롭고, 대인을 만남이 이롭다. 이는 또한 침잠하여 굳셈을 이길 수 있는 뜻이던가!"

● 『朱子語類』云："巽有入之義, 巽爲風, 如風之入物. 只爲巽便

---

1) 겉으로 드러나 : 태(兌)괘의 모습은 ☱이다. 세 번째 음효가 겉으로 드러나 있다.
2) 안에 있어 : 손(巽)괘의 모습은 ☴이다. 첫 번째 음효가 안으로 감추어 있다.
3) 곽옹(郭雍), 『곽씨전가역설(郭氏傳家易說)』 권6, 「손(巽)괘」.

能入, 義理之中, 無細不入."[4]

『주자어류』에서 말했다. "손(巽)에는 들어간다는 뜻이 있는데, 손은 바람이라 바람이 사물에 들어간다는 말과 같다. 다만 손(巽)은 들어갈 수 있기에 의리 가운데 미세하여 들어가지 못할 것은 없기 때문이다."

● 趙氏汝楳曰 : "一陰生於下, 二陽巽之於上, 卦以剛爻得名, 陰生而陽巽之."[5]

조여매(趙汝楳)[6]가 말했다. "하나의 음(陰)이 아래에서 생겨나고, 두 양(陽)이 손괘의 위에 있으니, 괘는 굳센 효로 이름을 얻었고, 음이 생겨나니 양이 공손하다."

● 蔡氏清曰 : "順字解巽字不盡, 潛心懇到方爲巽也. 『程傳』只說順, 然孔子不曰順, 而每仍卦名曰巽, 是必巽字與順字有辨矣. 『大傳』曰'巽, 入也.' 又曰'巽, 德之制也.' 又曰'巽, 稱而隱', 未嘗

---

4) 『주자어류(朱子語類)』 권73, 88조목.
5) 조여매(趙汝楳), 『주역집문(周易輯聞)』 권6, 「손(巽)괘」.
6) 조여매(趙汝楳) : 조여매(趙汝楳)는 남송(南宋) 시대 학자로서 상왕원분(商王元份) 7세손이고 자정전대학사(資政殿大學士) 선상(善湘)의 아들이다. 이종(理宗) 대에는 호부시랑(戶部侍郎)까지 올랐다. 『주역집문(周易輯聞)』 6권이 있다. 『송사(宋史)』 「조선상전(趙善湘傳)」에 따르면 조선상이 『역』에 대해 말한 책에는 『약설(約說)』 8권, 『혹문(或問)』 4권, 『지요(指要)』 4권, 『속문(續問)』 8권 등이 있는데 이 『역』을 연구한 것이 가장 오래되었다고 하니, 조여매는 가학(家學)을 이어서 이 『주역집문』을 지었을 것이다.

只以順字當之也."7)

채청(蔡淸)8)이 말했다. "순종을 뜻하는 순(順)자는 공손의 손(巽)자
로 해석하기에는 완전하지 못하니, 마음을 침잠하여 정성을 다해야
공손이 된다. 『정전(程傳)』에서는 단지 순종으로 말했지만, 공자가
순(順)이라 말하지 않고 매번 손(巽)이라 했으니 반드시 손(巽)과
순(順)이라는 글자를 분별해야만 한다. 『대전(大傳)』에서는 '손(巽)
은 들어간다'9)고 했으며, 또 '손(巽)은 덕의 제어이다'10)고 했고,
또, '손(巽)은 저울질하여 숨는'11) 것이라 했으니, 순(順)이라는 글
자에 해당시킨 적이 없다."

● 何氏楷曰 : "凡巽之所以致亨, 皆陽之爲也. 所謂申命乃陽事
也, 有陽以巽之於上, 故小亨."12)

....

7) 채청(蔡淸), 『역경몽인(易經蒙引)』 권6상, 「손(巽)괘」.
8) 채청(蔡淸, 1453~1508) : 명(明)대 진강(晉江) 사람으로, 자는 개부(介
夫)이고 별호는 허재(虛齋)이다. 31세에 진사에 급제하여 벼슬은 남경문
선랑중(南京文選郎中)·강서제학부사(江西提學副使) 등을 역임하였다.
명대의 저명한 이학가(理學家)로서 주로 이정(二程)과 주희(朱熹)의 저
술 연구를 통해 그들의 사상을 계승하였다. 특히 천주(泉州) 개원사(開
元寺)에서 역학연구단체를 결성하여 90여 책을 출간하면서 청원학파
(淸源學派)를 이루었다. 이정기(李廷機)·장악(張嶽)·임희원(林希元)·
진침(陳琛) 등의 학자들이 그 학파의 주요 구성원이었다. 저술로는 『사
서몽인(四書蒙引)』·『역경몽인(易經蒙引)』·『허재문집(虛齋文集)』 등
이 있다.
9) 『주역』「설괘전(說卦傳)」.
10) 『주역』「계사하(繫辭下)」.
11) 『주역』「설괘전(說卦傳)」. 주희는 "사물의 마땅함을 저울질하여 침잠하
여 드러내진 않는다.[稱物之宜而潛隱不露.]"라고 주석하고 있다.

하해(何楷)가 말했다. "공손이 형통함에 이를 수 있는 것은 모두 양(陽)이 하는 일이다. 명령을 펼치는 것은 양(陽)의 일인데, 양이 공손하면서 위에 있으므로 작게 형통한다."

案

巽, 入也. 從來說者, 皆以爲一陰入於二陽之下, 非也. 蓋一陰伏於內, 陽必入而散之. 陰性疑滯, 必散而後與陽合德也. 其在造化, 則吹浮雲, 散積陰者也. 其在人心, 則察幾微, 窮隱伏者也. 其在國家, 則除奸慝, 釐弊事者也. 三者皆非入不能, 卦之所以名巽者以此. 亨之所以小者, 如蠱則壞極而更新之, 故其亨大, 巽但修敝擧廢而已. 觀卦爻庚甲之義可見也. 天下之事, 旣察知之, 則必見之於行, 故曰"利有攸往". 非有剛德之人不能濟也, 故又曰"利見大人".

손(巽)은 들어감이다. 종래의 학설들은 모두 하나의 음(陰)이 두 양(陽) 아래로 들어간다고 하는데 잘못되었다. 왜냐하면 하나의 음(陰)은 안에 잠복하고 양(陽)이 반드시 들어가 흩어진다. 음(陰)의 성질은 의심하면서 막히니, 반드시 흩어지고 난 후에야 양과 덕을 합친다.
그것이 조화(造化) 속에 있다면, 떠다니는 구름을 불고 누적된 음(陰)을 흩어지게 한다. 그것이 마음에 있다면 기미를 살피고 잠복된 것을 궁하게 한다. 그것이 국가에 있으면 간사하고 사특한 자들을 제거하고 부패한 일을 다스린다. 세 가지는 모두 들어가지 않으면 불가능하니, 괘가 손(巽)이라고 이름지어진 까닭은 이것 때문이다.

....

12) 하해(何楷). 『고주역정고(古周易訂詁)』 권6, 「손(巽)괘」.

형통함이 작은 것은 고(蠱)괘와 같은 경우 부패가 지극하여 다시 갱신하므로 그 형통함이 크지만, 손괘는 낡은 것을 수리하고 부서진 것을 일으킬 뿐이다. 괘효의 경(庚)과 갑(甲)의 의미를 보면 알 수 있다.

천하의 일들은 살펴서 알면 반드시 행동에 그것이 드러나므로, "나아갈 바가 있는 것이 이롭다"고 했다. 굳센 덕을 지닌 사람이 아니라면 다스릴 수 없으므로, 또 "대인을 만남이 이롭다"고 했다.

初六, 進退, 利武人之貞.

초육효는 나아가고 물러나는 것이니, 무인의 올바름이 이롭다.

本義

初以陰居下, 爲巽之主, 卑巽之過, 故爲進退不果之象. 若以武人之貞處之, 則有以濟其所不及, 而得所宜矣.

초(初)효는 음(陰)으로 아래 위치에 자리하여 공손의 주효가 되었으니, 자신을 낮추고 공손함이 과도하므로, 나아가고 물러나는 것이 과감하지 않은 상(象)이다. 만약 무인(武人)의 굳센 올바름으로 이에 대처하면 모자란 부분을 보충할 수 있어 마땅함을 얻을 것이다.

程傳

六以陰柔居卑, 巽而不中, 處最下而承剛, 過於卑巽者也. 陰柔之人, 卑巽太過, 則志意恐畏而不安, 或進或退, 不知所從, 其所利在武人之貞. 若能用武人剛貞之志, 則爲宜也. 勉爲剛貞, 則无過卑恐畏之失矣.

초육효는 음유(陰柔)한 자질로 자신을 낮추며, 공손한 태도를 취하지만 중도를 이루지 못했고, 가장 낮은 위치에 있으면서 굳센 사람을 받들고 있으니, 지나치게 자신을 낮추고 공손한 자이다.
음의 부드러운 사람이 너무나 지나치게 자신을 낮추고 공손하면,

마음이 두렵고 불안하여, 나아갔다 물러났다 하면서, 따라야 할 것
이 무엇인지를 모르니, 그에게 이로운 것은 무인(武人)과 같은 굳센
올바름이다. 무인과 같이 강직한 올바름의 뜻을 가지면 마땅하다.
힘써 굳센 올바름을 지키려 한다면, 지나치게 자신을 낮추고 두려
워하는 잘못이 없을 것이다.

集說

● 王氏弼曰 : "處令之初, 未能服令者也, 故進退也. 成命齊邪,
莫善武人, 故'利武人之貞'以整之."13)

왕필(王弼)이 말했다. "명령에 대처하는 초기에 명령에 복종할 수
없는 자이므로 나아갔다가 물러난다. 명을 받들어 사특함을 다스리
는 데는 무인보다 잘하는 자가 없으므로 '무인의 굳센 올바름이 이
롭다'고 하여 정리했다."

● 胡氏瑗曰 : "初六以陰柔之質, 復在一卦之下, 是以有進退之
疑, 利在武人之正, 勇於行事, 然後可獲其吉也."14)

호원(胡瑗)이 말했다. "초육효는 음의 부드러운 자질로 다시 한 괘
의 가장 아래에 있으니 나아가고 물러나는 데 의심이 있어 무인의
올바름이 이로우니, 일을 행하는 데 용맹한 다음에 그 길함을 얻을
수 있다."

13) 왕필(王弼), 『주역주(周易註)』 권6, 「손(巽)괘」.
14) 호원(胡瑗), 『주역구의(周易口義)』 권7, 「손(巽)괘」.

● 俞氏琰曰 : "巽, '申命行事'之卦也. 令出則務在必行, 豈宜或
進或退! 初六卑巽而不中, 柔懦而不武, 故或進或退而不能自決
也. 若以武人處之, 則'貞固足以幹事'矣. 故曰'利武人之貞'."[15]

유염(俞琰)[16]이 말했다. "손괘는 '명령을 거듭하고 정치적인 일을
행하는'[17] 괘이다. 명령이 나아가면 반드시 행하는 데 힘써야 하는
데 어찌 나아가고 물러나는 것이 마땅하겠는가! 초육효는 자신을
낮추고 겸손하여 중도(中道)를 이루지 못하여 유약하고 나약하여
용맹하지 못하므로 나아갔다가 물러나서 스스로 결단할 수가 없다.
만약 무인과 같이 용맹하게 대처하면 '올바름을 굳게 견지하여 모
든 일을 충분히 수행할 수 있다.'[18] 그러므로 '무인의 굳센 올바름
이 이롭다'고 했다."

---

15) 유염(俞琰), 『주역집설(周易集說)』 권9, 「손(巽)괘」.
16) 유염(俞琰) : 자는 옥오(玉吾)이고, 호는 전양자(全陽子), 임옥산인(林屋
山人), 석간도인(石澗道人) 등이다. 남송 말 원대 초기에 활동한 학자로
송대 오군(吳郡 : 현 강소성 소주〈蘇州〉) 사람이다. 어려서 가학을 익히
고 젊어서는 기서(奇書)를 즐겨 연구하다가, 뒤늦게 과거시험 준비를 했
다. 남송이 멸망하고 원대 조정이 들어서자 과거응시를 포기하고 은거하
여 역학 연구에 전념하였다. 역학 관련 저술이 특히 많았는데, 대표적인
것으로『주역집설(周易集說)』,『독역거요(讀易擧要)』,『역외별전(易外
別傳)』 등이 있다.
17) 『주역』「손(巽)괘」 : "象曰, 隨風巽, 君子以申命行事.[잇따르는 바람이
손괘의 모습이니, 군자는 이것을 본받아 명령을 거듭하고 정치적인 일을
행한다.]"라고 하였다.
18) 『주역』「건(乾)괘」, 「문언전」 : "貞固, 足以幹事.[올바름을 굳게 견지하는
것이 모든 일을 충분히 수행할 수 있다.]"라고 하였다.

九二, 巽在床下, 用史巫紛若, 吉, 無咎.

구이효는 공손함이 침상 아래에 있는 것이니, 축사와 무당을 많이 쓰면, 길하고 허물이 없다.

本義

二以陽處陰而居下, 有不安之意. 然當巽之時, 不厭其卑, 而二又居中, 不至已甚. 故其占爲能過於巽, 而丁寧煩悉其辭以自道達, 則可以吉而無咎. 亦竭誠意以祭祀之吉占也.

이(二)효는 양(陽)으로 음(陰)의 위치에 처하고 아래에 자리하여 불안한 뜻이 있다. 공손해야 할 때 자신을 낮추는 일을 싫어하지 않고, 이(二)효가 또 중(中)에 자리하였으니, 지나치게 심한 것에 이르지 않는다. 그러므로 그 점(占)이 공손함이 지나쳐 그 말을 간곡하고 번잡스럽게 자세히 하고 스스로 성의를 다하면 길하고 허물이 없다. 또한 성의를 다하여 제사하는 길한 점이다.

程傳

二居巽時, 以陽處陰而在下, 過於巽者也. '床', 人之所安. "巽在床下", 是過於巽, 過所安矣. 人之過於卑巽, 非恐怯則諂說, 皆非正也. 二實剛中, 雖巽體而居柔, 爲過於巽, 非有邪心也. 恭巽之過, 雖非正禮, 可以遠恥辱, 絶怨咎, 亦吉道也. '史巫'者, 通誠意於神明者也. "紛若", 多也. 苟至誠安於謙巽,

能便通其誠意者多, 則吉而無咎, 謂其誠足以動人也. 人不察
其誠意, 則以過巽爲詔矣.

구이효는 공손해야 할 때에 자리하여, 양(陽)한 자질로 음(陰)의 위
치에 처하고 아래에 자리하니, 지나치게 공손한 자이다. '침상'이란
것은 사람이 편안하게 쉬는 곳이다. "공손함이 침상 아래에 있다"는
공손함이 지나친 것이니, 편안한 바가 지나쳤다. 사람이 지나치게
자신을 낮추고 공손한 것은 두려워 겁 먹은 일이 아니면 아첨하여
상대를 기쁘게 하려는 것이니, 모두 정도(正道)가 아니다.

구이효는 실제로는 강중(剛中)한 자질이니, 공손을 상징하는 손괘
의 형체에 속하고 부드러운 위치에 자리하여 지나치게 공손할지라
도, 거짓된 마음이 있는 것은 아니다. 지나치게 공손함은 올바른 예
(禮)는 아니지만, 수치와 모욕을 멀리하고 원한과 허물을 끊을 수
있으니 또한 길한 방도이다.

'축사와 무당'19)은 성의를 다해 신명(神明)에게 통하는 자이다. '분
약(紛若)'이란 많다는 말이다. 그래서 지성(至誠)으로 겸손하고 공
손함에 마음을 편안히 하여 그 성의를 통하게 하는 사람이 많을 수
있다면, 길하고 허물이 없으니, 그 진실한 정성이 사람을 감동시키
기에 충분하다는 말이다. 사람들이 그 성의를 살피지 못하면, 지나
친 공손함을 아첨이라고 생각할 것이다.

---

19) 축사와 무당 : 사무(史巫)는 축사(祝史)와 무격(巫覡)을 말한다. 고대사
회에서 제사할 때 귀신을 섬기며 귀신과 통하는 사람을 말한다. 공영달
(孔穎達)은 "사(史)는 축사이고 무(巫)는 무격이다. 모두 귀신과 접하여
섬기는 사람이다.[史, 謂祝史,巫, 謂巫覡. 並是接事鬼神之人也.]"라고
설명하였다.

● 馮氏椅曰 : "周官史掌卜筮, 巫掌祓禳. 卜筮所以占其吉凶, 祓禳所以除其災害."[20]

풍의(馮椅)[21]가 말했다. "주나라 관리인 사(史)는 복서(卜筮)를 관장하고 무(巫)는 푸닥거리 제사를 관장한다. 복서는 그 길흉을 점치는 일이고 푸닥거리 제사는 그 재해를 없애는 일이다."

案

床下者, 陰邪所伏也. 入於床下, 則察之深矣. 於是旣以史占而知之, 復以巫祓而去之, 雖有物妖神怪, 無能爲害矣. '紛若'者, 以喩'申命'之頻煩, 而'行事'之纖悉也. 二與五, 皆所謂"剛巽乎中正而志行"者, 卦之主也. 故能盡"申命行事"之道如此.

침상 아래는 음흉한 것이 숨어 있는 곳이다. 침상 아래로 들어가면 살피는 것이 자세하다. 그래서 사(史)들의 점으로 알고 다시 무(巫)의 푸닥거리로 제거하여 요사스럽고 괴이한 것이 있더라도 해가 될

---

20) 풍의(馮椅), 『후재역학(厚齋易學)』 권29, 「손(巽)괘」.

21) 풍의(馮椅) : 송나라 남강(南康) 도창(都昌) 사람으로 자는 기지(奇之) 또는 의지(儀之)이고, 호는 후재(厚齋)이다. 광종(光宗) 소희(紹熙) 4년 (1193) 진사(進士)가 되고, 강서운사간판공사(江西運司幹辦公事)와 상고현령(上高縣令) 등을 지냈다. 이후 사직하고 강학(講學)과 연구에 전념했다. 주희(朱熹)에게 수학했고, 역학(易學)에 정밀했다. 저서에 『후재역학(厚齋易學)』과 『주역집설명해(周易輯說明解)』, 『경설(經說)』, 『서명집설(西銘輯說)』, 『효경장구(孝經章句)』, 『상례소학(喪禮小學)』, 『공자제자전(孔子弟子傳)』, 『속사기(續史記)』, 『시문지록(詩文志錄)』 등이 있다.

수가 없다.

'분약(紛若)'은 '명령을 거듭하는 빈번함'과 '일을 실행하는' 자세함을 비유한 것이다.

구이효와 구오효는 모두 "굳센 것이 중정(中正)의 도에 공손하게 따라 뜻을 행한다"[22]는 것을 말하니 괘의 주효이다. 그러므로 "명령을 거듭하고 정치적인 일을 행하는"[23] 도를 이렇게 다할 수 있다.

---

22) 『주역』「손(巽)괘」「단전」: "剛巽乎中正而志行, 柔皆順乎剛, 是以小亨. [굳센 것이 중정(中正)의 도에 공손하게 따라 뜻을 행하며, 부드러운 것이 모두 굳센 것에 순종하여, 그래서 조금 형통하다.]"라고 하였다.

23) 『주역』「손(巽)괘」: "象曰, 隨風巽, 君子以申命行事.[잇따르는 바람이 손괘의 모습이니, 군자는 이것을 본받아 명령을 거듭하고 정치적인 일을 행한다.]"라고 하였다.

九三, 頻巽, 吝.

구삼효는 빈번하게 공손함이니, 부끄럽다.

過剛不中, 居下之上, 非能巽者, 勉爲屢失, 吝之道也, 故其
象占如此.

지나치게 굳세고 중(中)을 이루지 못하면서 하체(下體)의 위에 자
리하였으니, 공손할 수 있는 자가 아니고, 힘써 억지로 해서 누차
실수를 하니, 부끄러운 도이므로 그 상(象)과 점(占)이 이와 같다.

三以陽處剛, 不得其中, 又在下體之上, 以剛亢之質, 而居巽
順之時, 非能巽者, 勉而爲之, 故屢失也. 居巽之時, 處下而
上臨之以巽, 又四以柔順相親, 所乘者剛, 而上復有重剛, 雖
欲不巽得乎! 故頻失而‘頻巽’, 是可吝也.

구삼효는 양(陽)의 자질로 강한 위치에 처하여, 중도(中道)를 얻지
못하고, 또 하체(下體)의 윗자리에 있으니, 강경하고 오만한 성질로
공손하게 따라야 할 때에 자리하여, 공손할 수 없는 자인데, 억지로
공손한 척하려는 자이므로, 여러 차례 실수를 한다.

공손해야 할 때 낮은 자리에 처해 있고, 윗사람이 공손하게 다가오

며, 또 육사효는 부드럽고 공손하게 서로 친해지려 하고, 올라타고 있는 구이효가 굳센 자인데, 또 위로 중복된 굳셈이 있으니, 공손하지 않으려 할지라도, 가능하겠는가? 그러므로 빈번하게 실수하면서 '빈번하게 공손한' 척하니, 이것이 부끄러워할 만한 일이다.

集說

● 趙氏汝楳曰 : "頻巽者, 旣巽復巽, 猶頻復也."[24]

조여매(趙汝楳)가 말했다. "빈번하게 공손한 것은 공손한데 다시 공손하여 반복하는 일과 같다."

案

巽者, 入也. 然又曰'德之制', 若不能斷制, 則其入之深者, 徒足使弊益以滋, 而奸無所畏, 非唯無益而又害之也. 夫子曰"再思可矣", 言事貴斷也. 九三上九, 皆過於中, 則是蓄疑以敗謀, 多思而少斷. 然三未如上九之甚也, 故但爲'頻巽'之象而占曰吝.

손(巽)은 들어감이다. 그러나 또 '덕의 제어'[25]라고 했으니, 만약 결단할 수 없다면 깊이 들어간 것은 도리어 더욱 부패되어 더욱 불어가게 하고 간사한 것은 두려워하지 않아 무익할 뿐 아니라 또한 해가 된다.
공자가 "두 번 생각하는 것은 좋다"[26]고 했으니 일을 행하는데 결

24) 조여매(趙汝楳), 『주역집문(周易輯聞)』 권6, 「손(巽)괘」.
25) 『주역』 「설괘전(說卦傳)」.

단이 중요하다는 말이다.

구삼효와 상구효는 모두 중도에서 지나칠 때 이는 의심이 쌓여 도모함을 실패하니, 생각이 많고 결단이 적은 것이다. 그러나 구삼효는 상구효의 심함과 같지 않으므로 단지 '빈번하게 공손한' 상이 되어 점에서는 부끄럽다고 했다.

---

26) 『논어』「공야장」, "계문자(季文子)가 세 번 생각한 뒤에야 행하였다. 공자가 이 말을 듣고 말했다. '두 번이면 괜찮다.'[季文子三思而後行, 子聞之. 曰. 再斯可矣.]"라고 하였다.

六四, 悔亡, 田獲三品.

육사효는 후회가 없어지니, 사냥하여 세 등급의 짐승을 얻는다.

陰柔無應, 承乘皆剛, 宜有悔也, 而以陰居陰, 處上之下, 故
得悔亡, 而又爲卜田之吉占也. "三品"者, 一爲乾豆, 一爲賓
客, 一以充庖.

음의 부드러운 성질로 호응하는 사람이 없고, 이어서 올라탄 사람
이 모두 굳세니, 마땅히 후회가 있지만, 음(陰)으로 음(陰)의 위치
에 자리하고, 상체(上體)의 아래에 처하였으므로, 후회가 없어지고,
또 사냥을 점치는 길한 점(占)이 된다.

"삼품(三品)"은 하나는 건두(乾豆)를 만들고, 하나는 빈객(賓客)의
찬을 만들고, 하나는 군주의 푸줏간에 채우는 일이다.

陰柔無援, 而承乘皆剛, 宜有悔也. 而四以陰居陰, 得巽之正,
在上體之下, 居上而能下也. 居上之下, 巽於上也, 以巽臨下,
巽於下也. 善處如此, 故得"悔亡". 所以得悔亡, 以如田之"獲
三品"也. "田獲三品", 及於上下也. 田獵之獲分三品:一爲乾
豆, 一供賓客與充庖, 一頒徒禦. 四能巽於上下之陽, 如田之
"獲三品", 謂遍及上下也. 四之地本有悔, 以處之至善, 故悔

亡. 而復有功, 天下之事, 苟善處, 則悔或可以爲功.

음유(陰柔)한 성질로 호응하여 도와주는 사람이 없고, 받들고 있는 사람과 올라타고 있는 사람이 모두 굳세니, 마땅히 후회가 있다. 그러나 육사효는 음(陰)의 자질로 음(陰)의 위치에 자리하여, 공손의 올바름을 얻었고, 상체(上體)의 아랫자리에 있으니, 윗자리에 있으면서 자신을 낮출 수 있다. 상체(上體)의 아랫자리에 있는 것은 윗사람에게 공손하고, 공손함으로 아랫사람에게 다가가는 것은 아랫사람에게 공손한 것이다. 잘 처신하기를 이렇게 하기 때문에 "후회가 없어진다."

후회가 없어지는 이유는 사냥하여 세 등급의 짐승을 얻은 것과 같다. "사냥하여 세 등급을 얻으면" 윗사람과 아랫사람에게 영향을 미친다. 사냥하여 획득한 짐승을 세 등급으로 분배하여, 하나는 제사를 위한 마른 고기[27]를 만들고, 하나는 손님에게 주거나 군주의 푸줏간을 채우며, 하나는 수레와 말몰이꾼에게 나누어준다.

육사효가 위와 아래의 양(陽)효들에게 공손할 수 있는 것이 마치 수렵하여 얻은 세 등급의 짐승을 나누어주는 일과 같으니, 윗사람과 아랫사람에게 두루 영향을 미친다는 말이다. 육사효의 처지는 본래 후회가 있는 것이지만, 처신하기를 매우 잘하기 때문에, 후회가 없어지고 나중에 공이 있다. 세상의 일들은 잘 처신하면 후회할 사안

---

27) 제사를 위한 마른 고기 : 건두(乾豆)를 말한다. 제사 기물에 놓고 쓰는 마른 고기를 말한다. 건(乾)이란 마른 고기이고 두(豆)는 제사 기물을 말한다. 『예기(禮記)』「왕제(王制)」: "천자와 제후가 일이 없으면 1년에 세 번 사냥을 나가니, 한 번은 건두를 위해서이고, 두 번째는 빈객을 위해서이며, 세 번째는 군주의 푸줏간을 채우기 위해서이다.[天子諸侯無事, 則歲三田, 一爲乾豆, 二爲賓客, 三爲充君之庖.]"라고 하였다.

도 간혹 공이 될 수 있다.

集說

● 王氏弼曰 : "雖以柔遇剛, 而依尊履正, 以斯行命, 必能獲强
暴, 遠不仁者也. 獲而有益, 莫善三品, 故曰'悔亡, 田獲三品'."[28]

왕필(王弼)이 말했다. "부드러움으로 굳셈을 만났지만 존중하고 올
바름을 밟고 있으니, 이것으로 명령을 행하면 반드시 강하고 사나
움을 얻어 어질지 않은 것을 멀리할 수 있다. 얻어서 유익함은 세
등급을 얻는 일보다 좋은 것이 없으므로 '후회가 없어지니, 사냥하
여 세 등급의 짐승을 얻는다'고 했다.

● 王氏安石曰 : "田者, 興事之大者也. 三品, 有功之盛者也."

왕안석(王安石)[29]이 말했다. "사냥은 일을 일으키는 큰 사안이다.

---

28) 왕필(王弼), 『주역주(周易註)』 권6, 「손(巽)괘」.
29) 왕안석(王安石, 1021~1086) : 북송(北宋)시대 사상가, 정치가, 문필가로
서 임천(臨川 : 현 강서성 무주시 임천구〈撫州市臨川區〉) 사람이다. 자
는 개보(介甫)이고 호는 반산(半山)이다. 1042년 진세에 급제하여 벼슬
은 양주첨판(揚州簽判), 은현지현(鄞縣知縣), 서주통판(舒州通判) 등을
역임하고, 1069년 참지정사(參知政事)가 되어 변법(變法) 즉 신법(新
法)을 주도하였으나, 구당파의 반대로 1074년 파직되었다. 1년 뒤 송
신종(神宗)이 재상에 재임용하여 신법(新法)을 시행하였으나, 또 파직
되어 1086년 마침내 신법이 폐지되었다. 문학으로는 당송팔대가의 한
사람으로서, 특히 그의 시(詩)는 왕형공체(王荊公體)라는 하나의 문체
를 이루었다. 경학(經學) 방면으로도 당시에 통유(通儒)라고 불릴 정도

세 등급이란 성대한 공이 있는 것이다."

● 郭氏雍曰 : "六四近君, 志決於進, 無初六之疑, 則悔亡矣. 是
以有'田獲三品'之功也. 六四至柔, 不當有田獲之功, 而此以順
乎剛得之, 由是觀之, 則巽之爲道, 豈柔弱畏懦之謂哉!"[30]

곽옹(郭雍)이 말했다. "육사효는 군주와 가까이 있지만 뜻은 나아
가기로 결단하였으니 초육효의 의심이 없다면 후회가 없어진다. 그
래서 '사냥하여 세 등급의 짐승을 얻는' 공이 있다. 육사효는 지극
히 유순하여 사냥하여 포획하는 공이 있을 수 없지만 이렇게 굳셈
에 순종하여 공을 얻었으니, 이것으로 보건대 공손의 도가 어찌 유
약하고 두려워하고 나약함을 말하는 것이겠는가!"

● 沈氏該曰 : "'田獲三品', 令行之效也. 田, 除害也. 獲, 得禽也.
行君之令而致之民, 將以興利除害也, 害去利獲, 令行而功著.
是以'田獲三品也.'"

심해(沈該)[31]가 말했다. "'사냥하여 세 등급의 짐승을 얻다'는 말은

로 경전에 두루 해박하였으며, 특히 북송대의 의경변고학풍(疑經變古
學風)을 촉진하는 데에 기여하였다. 저서로 『왕임천집(王臨川集)』, 『임
천집습유(臨川集拾遺)』 등이 전해지고 있다.
30) 곽옹(郭雍), 『곽씨전가역설(郭氏傳家易說)』 권6, 「손(巽)괘」.
31) 심해(沈該) : 남송 호주(湖州) 귀안(歸安) 사람으로 자는 수약(守約)이
고, 심시승(沈時升)의 아들이다. 고종(高宗) 소흥(紹興) 8년(1138) 금나
라 사람이 회사(淮泗)에서 사신을 보내 화친을 청하자 글을 올렸는데,
바로 불려갔다. 16년(1146) 양절전운판관(兩浙轉運判官)으로 임안(臨

명령을 시행한 효과이다. 사냥이란 해로움을 제거하는 일이다. 얻
는다는 뜻은 짐승을 얻는 것이다. 군주의 명령을 행하여 백성에 이
르게 해서 이로움을 늘려 해로움을 제거하고, 해로움을 없애 이로
움을 얻으니, 명령이 시행되어 공이 드러난다. 그래서 '사냥하여 세
등급의 짐승을 얻는다.'"

● 胡氏炳文曰 : "田, 武事也. 初'利武人之貞', 四之田獲, 用武
而有功者也."[32]

호병문(胡炳文)이 말했다. "사냥이란 무인들의 일이다. 초효에서
'무인의 군센 올바름이 이롭다'고 했는데, 육사효가 사냥하여 포획
하는 일은 무력을 써서 공이 있는 것이다."

案

以卦義論, 則初與四皆伏陰也, 陽所入而制之者也. 有以制之,
則柔順乎剛, 而在內者無陰慝矣. 以爻義論, 則初與四能順乎剛,
是皆有行事之責者. 蓋質雖柔, 而能以剛克, 則所謂柔而立者
也. 初居重巽之下, 猶有進退之疑. 至四則居高當位, 上承九五,
視初又不同矣. 故在初'利武人之貞'. 四則載纘武功, 而田害悉
去, 解獲三狐. 而此"獲三品", 所獲者多, 不止於狐也.

安)을 다스렸다. 다음 해 권예부시랑(權禮部侍郞)이 되고, 외직으로 나
가 기주지주(夔州知州)가 되었다. 불려 참지정사(參知政事)에 오르고
좌복야(左僕射)에 오른 뒤 나이가 들어 퇴직을 청했다. 『주역』에 정통했
다. 저서에 문집과 『역소전(易小傳)』, 『중흥성어(中興聖語)』 등이 있다.
32) 호병문(胡炳文), 『주역본의통석(周易本義通釋)』 권2, 「손(巽)괘」.

괘의 뜻으로 논하자면 초육효와 육사효는 잠복된 음(陰)인데, 양(陽)이 개입하여 제어한 것이다. 제어하게 되면 부드러움은 굳셈을 따라 안에 있어 몰래 은닉한 것이 없게 된다.

효의 뜻으로 논하자면 초육효와 육사효는 굳셈을 따를 수 있으니 이것은 일을 행하는 책임이 있는 것이다. 성질이 부드러운데도 굳셈으로 극복할 수 있다면 부드러우면서도 독립한 것이라 한다.

초육효는 중첩된 손(巽)괘에서 가장 낮은 위치에 있지만 오히려 나아갔다가 물러나는 의심이 있다. 육사효에 이르러 높고 합당한 지위에 자리하고 위로 구오효를 잇고 있으니, 초육효와 또 다름을 본다.

그러므로 초육효에서는 '무인의 굳센 올바름이 이롭다'고 했고, 육사효는 무공을 가지고 사냥하여 해로움이 모두 제거되고 해결하여 세 마리를 여우를 포획한다. 이것이 "세 등급의 짐승을 얻는다"는 뜻이니, 포획한 것이 많아서 여우에만 그치지 않는다.

九五, 貞吉悔亡, 無不利, 無初有終, 先庚三日, 後庚三日, 吉.

구오효는 굳센 올바름을 지키면 길하여 후회가 없어져, 이롭지 않음이 없으니, 처음에는 아무 것도 없지만 끝에는 결말이 있다. 선경(先庚) 삼일하고 후경(後庚) 삼일하면 길하다.

本義

九五剛健中正, 而居巽體, 故有悔, 以有貞而吉也. 故得亡其悔而無不利. 有悔, 是"無初"也. 亡之, 是"有終"也. 庚, 更也, 事之變也, "先庚三日", 丁也. "後庚三日", 癸也. 丁, 所以丁寧於其變之前. 癸, 所以揆度於其變之後. 有所變更而得此占者, 如是則吉也.

구오효는 강건(剛健)하고 중정(中正)하며 손(巽)괘의 형체에 있으므로 후회가 있지만 올바름을 지켜서 길하다. 그러므로 후회가 없어져 이롭지 않음이 없다. 후회가 있는 것은 "처음에는 아무 것도 없어서"이고, 후회가 없어지는 것은 결말이 있기 때문이다.

경(庚)은 변경함이니, 일이 변하는 것이다. "경(庚)보다 3일을 먼저 한다"는 것은 십간(十干)에서 정(丁)이고, "경(庚)보다 3일을 뒤에 한다"는 것은 십간(十干)에서 계(癸)이니, 정(丁)은 변경하기 전에 정성을 다하고, 계(癸)는 변경한 뒤에 헤아리는 것이다. 변경하는 바가 있으면서 이 점(占)을 얻은 자는 이와 같이 하면 길하다.

程傳

五居尊位, 爲巽之主, 命令之所出也. 處得中正, 盡巽之善.
然巽者柔順之道, 所利在貞, 非五之不足, 在巽當戒也. 旣貞
則古而悔亡, 無所不利. 貞, 正中也. 處巽出令, 皆以中正爲
吉. 柔巽而不貞則有悔, 安能無所不利也. 命令之出, 有所變
更也. "無初", 始未善也. "有終", 更之始善也. 若己善, 則何用
命也, 何用更也. "先庚三日, 後庚三日, 吉". 出命更改之道,
當如是也. 甲者, 事之端也. '庚'者, 變更之始也. 十干戊己爲
中, 過中則變, 故謂之庚. 事之改更, 當原始要終, 如'先甲後
甲'之義, 如是則吉也. 解在蠱卦.

구오효는 존귀한 지위에 자리하여 공손의 주체가 되었으니, 명령이
나오는 곳이다. 처신하는 데 중정(中正)을 이루어, 공손의 최선을
다했다. 그러나 공손함은 유순(柔順)한 도리이니, 이로운 것은 굳센
올바름에 달려 있는데, 이는 구오효가 부족한 것이 아니라, 공손한
때에 있어 마땅히 경계한 것이다. 그래서 굳센 올바름을 지켰다면
길하고 후회가 없어져 이롭지 않는 바가 없다.
올바름이란 올바름이 상황에 적중한 중정(中正)을 말한다.[33] 공손
하게 처신하는 일과 명령을 내는 것 모두는 중정(中正)을 이룰 때
길하다. 부드럽고 공손하지만 올바르지 못하면, 후회가 있으니, 어
떻게 이롭지 않는 것이 없겠는가? 명령을 낸다는 것은 변화하여 혁
신하려는 뜻이 있는 것이다.

----

33) 중정(中正)을 말한다 : 「상전」에서 "자리가 바르고 알맞다.[位正中也]"라
고 설명하고 있기는 하지만, 「상전」에서 말하는 정중(正中)은 "올바르게
중도(中道)를 이루었다."는 의미이다. 정이천도 그렇게 해석하고 있다.
그래서 중정(中正)의 의미로 해석하는 것이 옳다.

"처음에는 아무 것도 없다"는 말은 처음에는 좋지 못한 것이고, "끝에는 결말이 있다"는 말은 혁신해서 좋게 만드는 것이다. 처음부터 좋았다면, 어째서 명령할 것인가? 어째서 혁신하려고 하겠는가? "선경(先庚) 삼일(三日)하고 후경(後庚) 삼일(三日)하면 길하다"는 말은 명령을 내려 혁신하고 개혁하려는 방도가 마땅히 이와 같아야 한다는 말이다. '갑(甲)'이란 일의 시작이다. '경(庚)'이란 변화와 혁신의 시작이다. 십간(十干)에서는 무(戊)와 기(己)가 중간이니, 중간을 넘기면 변화하므로 '경(庚)'이라 한 것이다. 일의 개혁과 혁신은 마땅히 처음을 궁구하여 결말을 살펴야만 하니[34], 고(蠱)괘에 나온 '선갑후갑(先甲後甲)'[35]의 뜻과 같다. 이와 같이 하면 길하니 그 자세한 해설은 고괘에 있다.

集說

● 張氏浚曰 : "巽孰爲貞? '先庚'"後庚', 巽之貞也. 先三日, 蓋愼始而圖其幾. 後三日, 蓋思終而考其成. 愼始思終, 權斯行矣. 庚有制變之義, 當以剛德爲主. 不然, 其弊將淪溺而入於蠱矣."[36]

....

34) 처음을 궁구하여 결말을 살펴야만 하니 : 『주역』「계사상(繫辭下)」: "역이라는 책은 처음을 궁구하고 결말을 살피는 것을 바탕으로 삼는다.[易之爲書也, 原始要終以爲質也.]"라고 하였다.

35) '선갑후갑(先甲後甲)' : 고(蠱)괘의 선갑후갑(先甲後甲)에 대해 이천은 이렇게 설명하고 있다. "선후관계를 근본에서부터 연구하면 폐단을 구하여 오래 지속할 수 있는 방도를 삼아야 한다. 선갑(先甲)이란 이것보다 앞선 것으로 어떤 일이 일어나게 된 원인을 연구하는 것을 말한다. 후갑(後甲)이란 이것보다 뒤선 것으로 앞으로 일어날 일을 처리하는 것을 말한다."

장준(張浚)[37]이 말했다. "공손은 어떻게 해서 올바름 굳세고 올바름이 되는가? '선경(先庚)'과 '후경(後庚)'이 공손의 굳센 올바름이다. 3일을 먼저 하는 것은 처음을 신중히 하여 그 기미를 도모하는 일이다. 3일을 나중에 하는 것은 결과를 사려하여 그 완성을 고려하는 일이다. 처음을 신중히 하고 결말을 사려하는 것은 권도(權道)를 행하는 일이다. '경(庚)'에는 제어하여 변화하는 뜻이 있으니 마땅히 굳센 덕을 주로 해야 한다. 그렇지 않으면 폐단에 초래하고 부패에 빠진다."

● 郭氏雍曰 : "愼乃出令, 君人之道也. 先後三日而申命之者, 愼之至也. 愼之至者, 令出惟行弗惟反故也. 命令之出, 有必可行之善, 而無不可行復反之失, 是以吉也. 上曰'貞吉', 九五之貞吉也, 下曰'吉', 蓋命令以是爲吉也. 庚, 卽命令也. '先庚', 謂'申命'. '後庚', 謂出令之後而'行事'也."[38]

곽옹(郭雍)이 말했다. "신중하게 명령을 내는 것이 군주의 도리이

---

36) 장준(張浚), 『자암역전(紫巖易傳)』 권6, 「손(巽)괘」.
37) 장준(張浚, 1094~1164) : 송나라 한주(漢州) 면죽(綿竹) 사람으로 자는 덕원(德遠)이고, 세칭 자암선생(紫巖先生)으로 불리며, 시호는 충헌(忠獻)이다. 장함(張咸)의 아들이다. 장식(張栻)의 아버지고, 초정(譙定)의 문인이며, 정이(程頤)와 소식(蘇軾)의 재전제자(再傳弟子)이자, 당나라의 명재상 장구고(張九皐)의 후손이다. 당시 일류 학자인 정이천(程伊川)의 제자 천수(天授)에게 배워 이락(伊洛)의 학문을 남송에 전한 공이 있다. 저서에 『자암역전(紫巖易傳)』과 『주역해(周易解)』, 『상서해(尙書解)』, 『시경해(詩經解)』, 『예기해(禮記解)』, 『춘추해(春秋解)』, 『중용해(中庸解)』, 『중흥비람(中興備覽)』 등이 있다.
38) 곽옹(郭雍), 『곽씨전가역설(郭氏傳家易說)』 권6, 「손(巽)괘」.

다. 3일을 먼저 하고 나중에 해서 '명령을 거듭하는'39) 것이 신중함의 지극함이다. 신중함의 지극함은 명을 내려 오직 시행되고 되돌아오지 않기 때문이다. 명령이 내려지면 반드시 행해질 수 있는 선함이 있을 뿐 시행될 수 없어 다시 돌아오는 실책이 없기 때문에 길하다. 앞에서 '굳세고 올바름을 지키면 길하다'고 것은 구오효의 굳센 올바름을 지키면 길하다는 뜻이고, 뒤에서 '길하다'고 한 것은 명령이 이렇게 해서 길하다는 말이다. '경(庚)'은 명령이다. '선경(先庚)'은 '명령을 거듭한다'는 뜻이고, '후경(後庚)'은 명령을 내린 후에 '정치적인 일을 행한다'40)는 말이다.

● 胡氏炳文曰 : "蠱者事之壞, '先甲''後甲'者, 飭之使復興起, 巽者事之權, '先庚''後庚'者, 行之使適變通."41)

호병문(胡炳文)이 말했다. "고(蠱)괘는 일의 부패이니, '선갑(先甲)', '후갑(後甲)'은 칙령을 내려 다시 일어나도록 하는 것이고, 손(巽)괘는 일의 권도이니, '선경(先庚)', '후경(後庚)'은 일을 시행하여 적절하게 변통하게 하는 것이다."

● 張氏清子曰 : "甲者十干之首, 事之端也, 故謂之'終則有始'.

---

39) 『주역』「손(巽)괘」: "象曰, 隨風巽, 君子以申命行事.[잇따르는 바람이 손괘의 모습이니, 군자는 이것을 본받아 명령을 거듭하고 정치적인 일을 행한다.]"라고 하였다.
40) 『주역』「손(巽)괘」: "象曰, 隨風巽, 君子以申命行事.[잇따르는 바람이 손괘의 모습이니, 군자는 이것을 본받아 명령을 거듭하고 정치적인 일을 행한다.]"라고 하였다.
41) 호병문(胡炳文), 『주역본의통석(周易本義通釋)』 권2, 「손(巽)괘」.

庚者十干之過中, 事之當更者也, 故謂之'無初有終'. 況巽九五
乃蠱六五之變, 以造事言之, 故取諸甲. 以更事言之, 故取諸庚.
『易』於甲庚皆曰, 先後三日者, 蓋聖人謹其始終之意也."

장청자(張淸子)가 말했다. "갑(甲)은 십간(十干)에서 첫 번째로 일
의 단서이므로 '끝나면 시작이 있다'고 했다. 경(庚)은 십간에서 중
간을 넘어서는 것이니 일이 마땅히 갱신되는 곳이므로 '처음에는
없지만 결말이 있다'고 했다. 게다가 손(巽☰)괘 구오효는 고(蠱☰)
의 육오효가 변한 것이니, 일의 단서를 시작하는 것으로 말하였으
므로 갑(甲)을 취했고, 갱신하는 것으로 말하였으므로 경(庚)을 취
했다. 『역』에서 갑(甲)과 경(庚)에 대해 모두 3일을 전후로 한다고
했으니 성인이 그 시작과 끝을 신중히 하는 뜻이다."

● 梁氏寅曰:"五居尊位, 乃命令之所自出也. 巽之義爲入, 入
於理者深, 而見於行者決, 巽之道然後爲盡矣. 不然, 優遊牽制.
其多思者乃其所以爲累者也, 曷足貴乎?"[42]

양인(梁寅)[43]이 말했다. "구오효는 존귀한 지위에 자리하여 명령이

---

42) 양인(梁寅), 『주역참의(周易參義)』 권2, 「손(巽)괘」.
43) 양인(梁寅, 1309~1390) : 원말명초 강서(江西) 신유(新喩) 사람으로 자
는 맹경(孟敬)이고, 호는 양오경(梁五經) 또는 석문선생(石門先生)이
다. 대대로 농사를 지어 가난했다. 스스로 배우기를 게을리 하지 않아
오경(五經)에 정통했고, 백가(百家)의 학설을 두루 익혔다. 여러 차례
과거에 응시했지만 떨어졌다. 원나라 말에 일찍이 집경로유학훈도(集慶
路儒學訓導)로 부름을 받아 2년 동안 있다가 사직하고 은거하여 학생들
을 가르쳤다. 명나라 초기에 명유(名儒)로 불려 예국(禮局)에서 각종 예
제(禮制)에 대해 토론했는데, 논리가 정확하고 예리해 여러 학자들이 탄

나오는 곳이다. 손(巽)괘의 의미는 들어감이니 이치에 들어감이 깊고 행동으로 드러남이 결단적이니, 공손의 도리가 이런 뒤에야 다한다. 그렇지 않으면 우유부단하고 휘둘리고 얽매인다. 사려가 많은 것이 얽매이는 까닭이니 어찌 귀하겠는가?"

● 鄭氏維嶽曰 : "九五一爻, 正所謂'剛巽乎中正而志行'者. 五居巽體, 有蠱壞之病, 故有悔, 而以剛小正之道, 渙號更命, 得其貞正, 故'吉悔亡'而'無不利'. 先三後三, 卽是'申命行事', 卽是貞處."

정유악(鄭維嶽)이 말했다. "구오 한 효는 바로 '굳센 것이 중정(中正)의 도에 공손하게 따라 뜻을 행한다'[44]는 뜻이다. 구오효는 손(巽)의 형체에 자리하여 부패하는 병이 있으므로 후회가 있지만 강직하되 작은 올바름의 도로 갱신된 명령을 말하면 그 올바름을 얻으므로 '길하여 후회가 없어지고' '이롭지 않음이 없다.' 3일 먼저 하고 3일 뒤에 하라는 것은 '명령을 거듭하고 정치적인 일을 행한다'[45]는 뜻이니 바로 올바른 곳이다."

....

복했다. 예악서(禮樂書)를 찬수하고 벼슬을 내렸지만 사양하고 귀향하여 석문산(石門山)에서 학문을 강론했다. 저서에 『예서연의(禮書演義)』, 『주례고주(周禮考注)』, 『춘추고서(春秋考書)』 등이 있었지만 전해지지 않고, 『석문집』과 『주역참의(周易參義)』, 『시연의(詩演義)』만 남아 있다.
44) 『주역』「손(巽)괘」「단전」: "剛巽乎中正而志行, 柔皆順乎剛, 是以小亨. [굳센 것이 중정(中正)의 도에 공손하게 따라 뜻을 행하며, 부드러운 것이 모두 굳센 것에 순종하여, 그래서 조금 형통하다.]"라고 하였다.
45) 『주역』「손(巽)괘」: "象曰, 隨風巽, 君子以申命行事.[잇따르는 바람이 손괘의 모습이니, 군자는 이것을 본받아 명령을 거듭하고 정치적인 일을 행한다.]"라고 하였다.

● 吳氏曰愼曰 : "苟有所變, 必丁寧揆度而後行事, 則入於事理, 順於人心, 以得重巽之中, 盡權宜之制, 是以吉也."

오왈신(吳曰愼)[46]이 말했다. "실로 변화하는 것이 있으면 반드시 간곡하면서도 헤아린 뒤에 일을 행하니 사리(事理)에 들어맞고 인심(人心)에 따라 중첩된 손(巽☴)괘의 중(中)을 얻어 권도의 마땅한 제어를 다하니, 그래서 길하다."

---

46) 오왈신(吳曰愼) : 자는 휘중(徽仲)이고 흡현(歙縣 : 현 안휘성 黃山市) 사람으로 제생[諸生 : 명(明)·청(淸) 시대 때, 성(省)에서 실시하는 각종 고시(考試)에 합격한 다음 부(府), 주(州), 현(縣)의 학교에 들어가 공부 하는 자들]을 지냈다. 북송오자의 책에 마음을 다 쏟았고, 학문을 논함에 경을 주로 하기 때문에 정암(靜菴)이라고 스스로 호를 붙였다. 초년에 양계(梁溪)를 유람하다가 동림(東林)서원에서 강학을 했다. 얼마 뒤 흡 현으로 돌아와 자양서원과 환고서원 두 서원에서 제자들을 모아 강학했 는데, 흥기하는 자들이 많았다.

上九, 巽在床下, 喪其資斧, 貞凶.

상구효는 공손함이 침상 아래에 있어, 밑천과 도끼를 잃으니, 올바름에서 보면 흉하다.

本義

"巽在床下", 過於巽者也. "喪其資斧", 失所以斷也. 如是則雖貞亦凶矣. 居巽之極, 失其陽剛之德, 故其象占如此."

"공손함이 침상 아래에 있는" 것은 공손함이 지나친 것이고, "밑천과 도끼를 잃은" 것은 과감한 결단력을 잃음이니, 이와 같으면 올바를지라도 또한 흉하다.
공손함의 극한에 자리하여 양의 군센 덕을 잃었기 때문에 그 상(象)과 점(占)이 이와 같다.

程傳

床, 人所安也. 在床下, 過所安之義也. 九居巽之極, 過於巽者也, 資, 所有也. 斧, 以斷也. 陽剛本有斷, 以過巽而失其剛斷, 失其所有, "喪資斧"也. 居上而過巽, 至於自失, 在正道爲凶也.

침상은 사람이 편안히 쉬는 곳이다. 침상 아래에 있는 것은 편안한 곳에서 지나쳤다는 뜻이다. 양효인 구(九)가 공손의 극한에 자리했으니, 지나치게 공손한 자이다.

밑천은 소유하고 있는 것이다. 도끼는 결단하는 것이다. 양의 굳센 자질은 본래 결단력이 있는 사람인데, 지나치게 공손하여 굳세게 결단하는 능력을 잃었으니, 가지고 있는 것을 잃는다. 이것이 "밑천과 도끼를 잃었다"는 말이다.

가장 높은 위치에 자리하고 지나치게 공손하여, 자신을 잃는 지경에 이르니, 정도(正道)에서 보면 흉하다.

集說

● 王氏弼曰 : "處巽之極, 極巽過甚, 故曰'巽在床下'. 斧, 所以斷者也. 過巽失正, 喪所以斷, 故曰'喪其資斧'."[47]

왕필(王弼)이 말했다. "손괘의 극한에 처하여 공손함이 지나치게 심하므로 '공손이 책상 아래에 있다'고 했다. 도끼는 자르는 것이다. 공손함이 지나쳐 올바름을 잃었으니 결단하는 것을 잃었으므로 '그 밑천과 도끼를 잃었다'고 했다."

● 胡氏瑗曰 : "斧, 斤也, 善於斷割. 處無位之地, 無剛明之才, 不能斷割以自決其事, 故凶也."[48]

호원(胡瑗)이 말했다. "도끼는 베는 것이니 자르는 일을 잘한다. 지위가 없는 곳에 처하고 굳세고 밝은 자질이 없어 결단하여 그 일을

---

47) 왕필(王弼), 『주역주(周易註)』 권6, 「손(巽)괘」.
48) 호원(胡瑗), 『주역구의(周易口義)』 권9, 「손(巽)괘」.

해결할 수 없으므로 흉하다.”

案

‘資斧’古本作‘齊斧’爲是. 蓋因承旅卦同音而誤也.「說卦」‘齊乎
巽.’49) ‘齊斧’者, 所以齊物之斧也.

‘자부(資斧)’는 고본(古本)에는 ‘제부(齊斧)’로 되었으니 옳다. 여
(旅)괘를 이어 같은 음이므로 잘못되었다.「설괘전」에 ‘손(巽)에서
깨끗이 한다’고 했다. ‘제부(齊斧)’란 사물을 깨끗하게 만드는 도끼
이다.

總論

● 蘇氏濬曰 : “巽者, 入也. 然所謂入者, 豈徒藉口於迂徐漸次
之功, 以濟其因循悠緩之習已耶? 是故武人之貞, 不可弛也. 三
品之獲, 不可後也. 史巫紛若, 不以爲激也. 先庚後庚, 不以爲煩
也. 傳曰‘巽以行權.’”

소준(蘇濬)50)이 말했다. “손(巽)은 들어간다는 뜻이다. 그러나 들어

---

49)『주역』「설괘전」: “帝出乎震, 齊乎巽, 相見乎離, 致役乎坤, 說言乎兌,
戰乎乾, 勞乎坎, 成言乎艮.[상제(上帝)가 진(震)에서 나와, 손(巽)에서
깨끗이 하고, 리(離)에서 서로 만나보고, 곤(坤)에 일을 맡기고, 태(兌)에
기뻐하고, 건(乾)에 싸우고, 감(坎)에 위로하고, 간(艮)에 이룬다.]”라고
하였다.

50) 소준(蘇濬, 1542~1599) : 명나라 때 유명한 안찰사이다. 자는 군우(君
禹)이고 호는 자계(紫溪)이다. 진(晋)땅 강소(江蘇) 사람이다. 남경의
형부주사, 협서성 참의, 광서성 안찰사와 광서성 참정을 지냈다. 광서성

간다고 하는 것이 어찌 입에 의지하여 천천히 점차적으로 이룬 공
으로 그 상대를 따르고 유연하게 행동하는 습속이겠는가? 그래서
무인의 굳센 올바름은 늦출 수가 없다. 세 등급의 포획은 뒤로 할
수가 없다. 축사와 무당이 많으니 격렬하지가 않다. 선경(先庚)하
고 후경(後庚)하니 번거롭지 않다. 「계사전」에서 '공손함으로 권도
를 행한다'51)고 했다.

에 있을 때 『광서통지(廣西通志)』를 편찬하였는데 병에 걸로 귀주(貴
州)로 돌아가 연구에 매진했다. 『역경인설(易經儿說)』, 『사서인설(四書
儿說)』 등이 있다.

51) 『주역』「계사하」: "履以和行, 謙以制禮, 復以自知, 恒以一德, 損以遠
害, 益以興利, 困以寡怨, 井以辨義, 巽以行權.[리(履)로써 행함을 조화
하게 하고, 겸(謙)으로써 예(禮)를 따르고, 복(復)으로써 스스로 알고,
항(恒)으로써 덕(德)을 한결같이 하고, 손(損)으로써 해로움을 멀리하고,
익(益)으로써 이로움을 일으키고, 곤(困)으로써 원망을 적게 하고, 정
(井)으로써 의(義)를 분변하고, 손(巽)으로써 권도(權道)를 행한다.]"라
고 하였다.

兌上
兌下

程傳

兌,「序卦」, "巽者, 入也. 入而後說之, 故受之以兌. 兌者, 說
也." 物相入則相說, 相說則相入, 兌所以次巽也.

태(兌)괘는 「서괘전」에서 "공손은 사람의 마음에 드는 것이니, 마음
에 들면 기뻐하므로, 기쁨을 상징하는 태괘로 받았다. 태(兌)란 기
쁨이다"라고 하였다.
어떤 일이건 서로 마음에 들면 서로 기뻐하고, 서로 기뻐하면 서로
마음에 드니, 그래서 태괘가 손괘 다음이 된다.

兌, 亨, 利貞.

기쁨은 형통하고 올바름이 이롭다.

本義

兌, 說也. 一陰進乎二陽之上, 喜之見乎外也. 其象爲澤, 取
其說萬物, 又取坎水而塞其下流之象. 卦體剛中而柔外. 剛
中, 故說而亨. 柔外, 故利於貞. 蓋說有亨道, 而其妄說不可
以不戒, 故其占如此. 又柔外故爲說亨, 剛中故利於貞, 亦一
義也.

태(兌)는 기뻐함이다. 하나의 음(陰)이 두 양(陽) 위로 나아가니, 기
쁨이 겉으로 드러난다. 그 상(象)은 연못이 되니 모든 일을 기쁘게
하는 것을 취했고, 또 감(坎☵)괘의 물을 취하여 물이 아래로 흐르
는 것을 막는 상이다.

괘(卦)의 형체가 굳셈이 가운데 있고 부드러움이 밖에 있다. 굳셈
가운데 있으므로 기뻐하고 형통하며, 부드러움이 밖에 있기 때문에
올바름이 이로운 것이다.

기뻐함은 형통할 도(道)가 있으나 망령되이 기뻐함을 경계하지 않
을 수 없으므로 그 점(占)이 이와 같다. 또 부드러움이 밖에 있기
때문에 기뻐하고 형통하고, 굳셈이 가운데 있기 때문에 올바름이
이로우니, 또한 같은 뜻이다.

兌, 說也, 說, 致亨之道也. 能說於物, 物莫不說而與之, 足以
致亨. 然爲說之道, 利於貞正. 非道求說則爲邪諂而有悔咎,
故戒利貞也.

태(兌)란 기쁨이니, 기쁨은 형통함에 이를 수 있는 도이다. 사람들
을 기쁘게 할 수 있으니, 기뻐하지 않는 사람이 없어 그들과 함께
할 수 있다면, 형통함에 이르기에는 충분하다.

그러나 사람들을 기쁘게 하는 방도는 올바름이 이롭다. 올바르지
않은 방도로 타인이 기뻐하기를 구한다면, 거짓과 아첨이 되어 후
회와 허물이 있게 되므로, 올바른 것이 이롭다고 경계하였다.

● 焦氏竑曰 : "人有喜說必見而在外, 蓋陽假陰之和柔以爲用. 喜
說非由於陰也, 故二陰一陽, 則陽爲之主, 二陽一陰, 則陰非爲
主, 但爲陽之用耳."

초굉(焦竑)[1]이 말했다. "사람이 기뻐하면 반드시 겉으로 드러나니,
양(陽)이 음(陰)을 빌리는 조화가 부드럽게 작용하기 때문이다. 기

---

1) 초굉(焦竑, 1540~1620) : 자가 약후(弱侯)이고 호는 의완(漪园)이다. 강
   령(江寧)에서 태어났다. 조상은 산동 일조(日照)인데 남경(南京)으로 옮
   겨왔다. 신종 만력(萬曆) 17년(1589)에 북경에서 장원으로 급제하여 한
   림원수찬(翰林院修撰)과 남경사업(南京司業)에 부임한다. 명나라 때 유
   명한 학자이다. 『담원집(澹园集)』, 『초씨필승(焦氏笔乘)』, 『초씨유림
   (焦氏類林)』, 『노자익(老子翼)』, 『장자익(庄子翼)』 등이 있다.

뺨은 음으로부터 일어나는 것이 아니므로 두 음(陰)과 하나의 양
(陽)이면 양이 위주가 되고, 두 양과 하나의 음이면 음이 위주가 되
는 것이 아니지만 양의 작용이 될 뿐이다."

案

地有積濕, 春氣至則潤升於上. 人身有血, 陽氣盛則腴敷於色.
此兌爲澤爲說之義, 蓋說雖緣陰, 而所以用陰者陽也. 人有柔和
之質, 而非以忠直之心行之, 則失正而入於邪矣, 故利貞.

땅에 습기가 젖어들어 축축했다가 봄기운이 이르면 윤기가 위로 상
승한다. 사람의 몸에는 피가 있는데 양기(陽氣)가 성대하면 기름기
가 얼굴색에 번진다.
이 태(兌)괘가 연못과 기쁨이 되는 까닭은 기쁨은 음으로부터 연유
하지만 음을 작용하게 하는 것은 양이기 때문이다.
사람에게는 부드럽고 온화한 자질이 있는데, 충직(忠直)의 마음으
로 행하지 않으면 올바름을 잃고 사특함에 빠지므로 올바름이 이
롭다.

初九, 和兑, 吉.

초구효는 조화하면서 기뻐함이니, 길하다.

本義

以陽爻居說體, 而處最下, 又無系應, 故其象占如此.

양효(陽爻)로 기쁨의 형체에 자리하고 가장 낮은 자리에 처했으며 또 얽매이거나 호응하는 상대가 없기 때문에 그 상(象)과 점(占)이 이와 같다.

程傳

初雖陽爻, 居說體而在最下, 無所系應. 是能卑下和順以爲說, 而無所偏私者也. 以和爲說, 而無所偏私, 說之正也. 陽剛則不卑, 居下則能巽, 處說則能和, 無應則不偏, 處說如是, 所以吉也.

초구효는 양(陽)효이지만, 기쁨을 상징하는 태(兑☱)괘의 형체에 자리하고 가장 낮은 자리에 있으며, 얽매이거나 호응하는 사람이 없다. 이는 자신을 낮추고 조화하여 이치에 순종해서 사람들을 기쁘게 하되, 편벽되고 사사로움이 없을 수 있는 자이다. 조화함으로써 기쁘게 하고 편벽되고 사사로움이 없다면, 기쁘게 하는 올바른 방도이다.

양의 굳센 자질은 자신을 낮출 수 있는 것은 아니지만, 낮은 곳에 자리한다면 공손할 수 있고, 기쁨에 처했다면 조화할 수 있으며, 호응하는 사람이 없다면 편벽되지 않으니, 기쁨에 대처함이 이와 같이 때문에 길하다.

● 蔡氏淵曰 : "爻位皆剛, 不比於柔, 得說之正, 和而不流者也, 故吉."

채연(蔡淵)2)이 말했다. "효의 자리는 모두 굳세고, 부드러움과 나란히 하지 않는 것이 기쁨의 올바름을 얻으니 조화하면서도 흘러넘지지 않는 자이므로 길하다."

● 吳氏澄曰 : "六畫唯初不比陰柔, 說道之善. 故曰和."

오징(吳澄)3)이 말했다. "여섯 획에서 초효만이 음의 부드러움과 나

----

2) 채연(蔡淵, 1156~1236) : 자는 백정(伯靜)이고, 호는 절재(節齋)이다. 송대 건양(建陽 : 현 복건성 건양) 사람으로 채원정의 맏아들이다. 부친의 뜻을 이어 주경야독하여, 특히 『역』에 조예가 깊었고 그에 관한 저술이 많다. 저서는 『주역훈해(周易訓解)』, 『역상의언(易象意言)』, 『괘효사지(卦爻辭旨)』 등이 있다.

3) 오징(吳澄, 1249~1333) : 자는 유청(幼淸)이고, 세칭 초려선생(草廬先生)이라 한다. 송원(宋元)교체기 숭인(崇仁 : 현 강서성 소속) 사람으로 국자감사업(國子監司業)·한림학사(翰林學士)를 역임하였다. 시호는 문정(文正)이다. 그의 학문은 주로 주희와 육구연의 사상을 절충하는 경향

란히 하지 않으니, 기쁨의 도리가 좋다. 그러므로 조화한다고 했다."

● 趙氏玉泉曰 : "陽剛則無邪媚之嫌, 居下則無上求之念, 無應
又無私系之累, 其說也不諂不瀆, 中節而無乖戾, 和兌之象. 如
是則說得其正矣."

조옥천(趙玉泉)이 말했다. "양의 굳셈은 간사하고 아첨하는 혐의
가 없고, 아랫 자리에 자리하지만 위로 인정을 구하려는 염원도
없고, 호응하는 사람도 없으며, 사사롭게 얽매이는 관계도 없으니,
그 기쁨도 아첨하지 않고 모독하지도 않아 절도에 들어 어긋남이
없으니 조화롭게 기뻐하는 상이다. 이렇게 하면 기쁨에 그 올바름
을 얻는다."

● 來氏知德曰 : "和, 與『中庸』'發而皆中節謂之和'同. 謂其所說
者無乖戾之私, 皆性情之正, 道義之公也."[4]

래지덕(來知德)[5]이 말했다. "조화는 『중용』의 '발현하여 모두 절도

이 있으며, 특히 주희 이래의 도통(道統)을 은연중에 자임하고 있다. 저
서는 『학기(學基)』, 『학통(學統)』, 『서·역·춘추·예기찬언(書·易·春
秋·禮記纂言)』, 『오문정공집(吳文正公集)』, 『효경장구(孝經章句)』 등
이 있고, 『황극경세서(皇極經世書)』, 『노자(老子)』, 『장자(莊子)』, 『태현
경(太玄經)』, 『팔진도(八陣圖)』, 『곽박장서(郭璞葬書)』를 교정했다.
4) 래지덕(來知德), 『주역집주(周易集註)』 권11 「태(兌)괘」.
5) 래지덕(來知德, 1525~1604) : 양산(梁山)현 사람으로 자는 의선(矣鮮)
이고 호는 구당(瞿塘)이다. 명나라 때 이학자이다. 가정(嘉靖) 31년 고
향에서 천거되어 만력(萬曆) 30년 총독왕상건(總督王象乾)을 지내고 한
림시조翰林侍詔)를 지냈다. 상수와 의리를 결합하여 『역』을 주석하여

에 들어맞는 것을 조화라고 한다'는 말과 같다. 그 기뻐하는 것에
어그러지는 사사로움이 없으니 모두 성정(性情)의 올바름이고, 도
의(道義)의 공정함이다."

큰 성취를 이루었다. 『주역집주(周易集注)』, 『대학고본장구(大學古本章
句)』 등이 있다.

九二, 孚兌, 吉, 悔亡.

구이효는 믿음으로 기쁘게 함이니 길하고, 후회가 없어진다.

本義

剛中爲孚, 居陰爲悔. 占者以孚而說, 則吉而悔亡矣

굳세면서 가운데 있으면 믿음이 되는데 음(陰)의 위치에 자리함은 후회가 된다. 점치는 자가 믿음으로 기뻐하면 길(吉)하고 후회가 없다.

程傳

二承比陰柔, 陰柔小人也. 說之則當有悔, 二剛中之德, 孚信內充, 雖比小人, 自守不失. "君子和而不同", 說而不失剛中, 故吉而悔亡, 非二之剛中則有悔矣, 以自守而亡也.

구이효는 음의 부드러운 사람인 육삼효를 받들어 가까이 관계하고 있는데, 음의 부드러운 사람은 소인이다. 그를 기쁘게 하면, 당연히 후회가 있다.

구이효는 굳세면서 가운데 자리를 이룬 덕으로 믿음이 안으로 충만하여, 소인과 나란히 관계하지만, 스스로 자신을 지키면서 절도를 잃지 않는다. "군자는 조화를 이루되 같아지지 않고"6), 사람을 기쁘

----

6) 『논어』「자로」: "군자는 조화하되 같아지지 않으며, 소인은 같아지되 조

게 하면서도 굳세면서 가운데 자리를 이룬 덕을 잃지 않으므로, 길하고 후회가 없어진다. 구이효의 굳세면서 가운데에 자리한 덕이 아니라면, 후회가 있을 것이니, 스스로 지켜야 후회가 없다.

集說

● 王氏宗傳曰 : "六三陰柔而不正, 所謂非道以說者也. 而二比之, 疑於有悔矣, 然二以剛居中, 誠實之德, 充足於內, 故雖與二同體, 而無失己之嫌, 此其悔所以亡也."[7]

왕종전(王宗傳)이 말했다. "육삼효는 음의 부드러움으로 올바르지 못하니 도가 아닌 방법으로 기쁜 자이다. 구이효가 이 육삼효와 나란히 하니 후회가 생길 것을 의심하였다. 그러나 구이효는 굳세면서 가운데에 자리하고 성실한 덕이 마음에 충만하므로 구이효와 같은 형체에 있지만 자기를 잃는 혐의가 없으니, 이것이 후회가 사라지는 까닭이다."

● 龔氏煥曰 : "九二陽剛得中, 當說之時, 以孚信爲說者也. 己以孚信爲說, 人不得而妄說之, 所以吉也."[8]

공환(龔煥)이 말했다. "구이효는 양의 굳셈이면서 중도를 얻어 기쁠 때 믿음으로 기뻐하는 자이다. 자신이 믿음으로 기뻐하니 타인도 헛되이 기뻐할 수가 없어 길하다."

화하지 않는다.[君子, 和而不同, 小人 同而不和.]"라고 하였다.

7) 왕종전(王宗傳), 『동계역전(童溪易傳)』 권25, 「태(兌)괘」.
8) 정정조(程廷祚), 『대역택언(大易擇言)』 「태(兌)괘」.

六三, 來兌, 凶.

육삼효는 와서 기뻐함이니, 흉하다.

陰柔不中正, 爲兌之主. 上無所應, 而反來就二陽以求說, 凶
之道也.

음의 부드러운 성질로 중정(中正)하지 못하면서 기쁨의 주체가 된
다. 위로 호응하는 사람이 없고, 도리어 두 양에게 찾아가 기뻐함을
구하니, 흉한 도(道)이다.

六三陰柔不中正之人, 說不以道者也. "來兌", 就之以求說也,
比於在下之陽, 枉己非道, 就以求說, 所以凶也. 之內爲來,
葛下俱陽而獨之內者, 以同體而陰性下也, 失道下行也.

육삼효는 음의 부드러운 자질로 중정(中正)을 이루지 못한 사람이니,
사람들을 기쁘게 하는 데 정도(正道)로 하지 않는 사람이다.
"와서 기뻐 한다"는 찾아가서 상대가 기뻐하기를 구하는 일이고, 아
래에 있는 양효와 나란히 관계하고, 자신의 뜻을 굽혀 정도를 따르지
않으면서, 찾아가 상대가 기뻐하기를 구하니, 그래서 흉한 것이다.
안으로 가는 것을 "온다"고 한다. 위와 아래가 모두 양인데, 유독

안으로 가는 것은 같은 형체에 있고 음의 성질은 아래로 내려가기 때문이니, 정도를 잃고 아래로 간다.

集說

王氏宗傳曰 : "六三居兩兌之間, 一兌旣盡, 一兌復來, 故曰'來 兌'. 夫以不正之才, 居兩兌之間, 左右逢迎, 惟以容說爲事, 此 小人之失正者, 故於兌爲凶."[9]

왕종전(王宗傳)이 말했다. "육삼효는 두 태(兌☱)괘 사이에 자리하 고 하나의 태(兌)괘가 끝나고 다시 하나의 태(兌)괘가 오므로 '와서 기뻐함'이라고 했다. 옳지 못한 자질로 두 태괘 사이에 자리하여 좌 우로 사람들을 만나고 맞이하면서 오직 용모로 기쁘게 하는 일을 일삼으니, 이것이 소인이 올바름을 잃는 것이므로 기뻐하는 때에 흉하다."

案

三居內體, 故曰來. 然非來說於下二陽之謂也, 爲說之主. 志在 於說, 凡外物之可說者, 皆感之而來也.

육삼효는 내체(內體)에 자리하므로 온다고 했다. 그러나 와서 아래 의 두 양을 기쁘게 함을 말하는 것이 아니니 기쁨의 주체가 된다. 뜻은 기뻐하게 하는 데 있지만 밖에서 기뻐할만 한 것은 모두 감응 하여 온다.

------

9) 왕종전(王宗傳), 『동계역전(童溪易傳)』 권25, 「태(兌)괘」.

九四, 商兌未寧, 介疾有喜.

구사효는 기뻐함을 헤아려 편안하지 못한 것이니, 절개를 지켜 미워하니, 기쁜 일이 있다.

本義

四上承九五之中正, 而下比六三之柔邪, 故不能決, 而商度所說, 未能有定. 然質本陽剛, 故能介然守正, 而疾惡柔邪也. 如此則"有喜"矣, 象占如此, 爲戒深矣.

구사효는 위로 구오효의 중정(中正)을 받들고 아래로 육삼효의 부드러움과 사특함을 나란히 하고 있으므로 결단하지 못하여 기뻐할 상대를 헤아려 정하지 못하는 상황이다.

그러나 자질이 본래 양의 굳셈으로 단호히 정도(正道)를 지켜 부드러움과 사특한 것을 미워한다. 이와 같으면 "기쁜 일이 있을" 것이다. 상(象)과 점(占)이 이와 같으니, 경계함이 깊다.

程傳

四上承中正之五, 而下比柔邪之三, 雖剛陽而處非正. 三陰柔陽所說也, 故不能決而商度未寧. 謂擬議所從而未決, 未能有定也. 兩間謂之'介', 分限也, 地之界則加田義乃同也, 故人有節守謂之'介', 若介然守正, 而疾遠邪惡, 則"有喜"也. 從五, 正也. 說三, 邪也. 四近君之位, 若剛介守正, 疾遠邪惡, 將得

君以行道, 福慶及物, 爲“有喜”也. 若四者得失未有定, 系所
從耳.

구사효는 위로 중정(中正)의 덕을 지닌 구오효를 받들고, 아래로 유
약하고 사악한 육삼효와 가까이 있으니, 굳센 양의 자질을 가졌더
라도 처한 자리가 올바르지 않다.

육삼효는 음의 부드러운 사람이니, 양효가 기뻐하는 것이므로, 단
호하게 결단할 수가 없어 헤아리느라 마음이 편안하지 못하다. 이
는 따라야 할 사람을 비교하고 계산하지만 결단하지 못하여 정할
수가 없는 것을 말한다.

두 개의 사이를 ‘개(介)’라고 하니, 나누어 한계짓는 것이다. 땅의
경계일 경우는 밭을 뜻하는 전(田)를 붙여서 계(界)라고 했으니 뜻
은 같으므로 사람이 절도를 지키는 것을 ‘절개’라 한다.

단호하게 정도(正道)를 지켜, 사악한 자를 미워하면서 멀리하면,
“기쁜 일이 있다.” 구오효를 따르는 것이 올바른 일이다. 육삼효를
기쁘게 하는 것은 올바르지 않은 일이다. 구사효는 군주와 가까운
자리이니, 강직하고 단호하게 정도를 지켜, 사악한 자를 미워하고
멀리하면, 군주의 신임을 얻어 도를 시행하고 복과 경사가 사람들
에게 미칠 때, “기쁜 일이 있다.” 구사효와 같은 자는 득실(得失)이
정해지지 않았으니, 자신이 따르는 일에 달려 있을 뿐이다.

集說

● 楊氏簡曰 : “九剛四柔, 近比六三諛佞之小人, 心知其非, 而
實樂其柔媚, 故商度所說, 去取交戰於胸中而‘未寧’. 聖人於是
勉之曰, 介然疾惡小人則‘有喜’.”[10]

양간(楊簡)[11]이 말했다. "구(九)는 강하고 사(四)는 약하니 육삼효의 아첨하는 소인과 가까이 나란히 관계하면 마음에서는 그 그름을 알지만 실제로는 그 부드러운 아첨을 즐거워하므로 그 기쁨을 헤아리고 마음속에서 갈등을 일으켜 '편안하지 못하다.' 성인은 이에 힘쓰라고 권면하여 단호하게 소인을 미워하면 '기쁜 일이 있다'고 했다.

案

『易』中'疾'字皆與'喜'對, 故曰"无妄之疾勿藥有喜", 又曰"損其疾使遄有喜". 以此爻例之, 則疾者謂疾病也, 喜者謂病去也. 四比於三, 故曰"介疾", 言介於邪害之間也. 若安而溺焉, 則其爲鴆毒大矣, 惟能商度所說而不以可說者爲安, 則雖"介疾"而"有喜"矣. 『論語』曰 : "君子易事而難說也. 說之不以道不說也," 其商兌之謂乎?

··

10) 양간(楊簡), 『양씨역전(楊氏易傳)』 권18, 「태(兌)괘」.

11) 양간(楊簡, 1141~1226) : 남송 명주(明州) 자계(慈溪) 사람으로 자는 경중(敬仲)이고, 호는 자호선생(慈湖先生)이며, 시호는 문원(文元)이다. 양정현(楊庭顯)의 아들이다. 효종(孝宗) 건도(乾道) 5년(1169) 진사(進士)가 되고, 부양주부(富陽主簿)에 올랐다. 이때 육구연(陸九淵)을 스승으로 섬겨 육씨심학파(陸氏心學派)의 대표적 인물이 되었다. 원섭(袁燮), 서린(舒璘), 심환(沈煥) 등과 함께 녹상사선생(甬上四先生), 사명사선생(四明四先生)으로 일컬어졌다. 육구연의 심학을 우주의 만물(萬物), 만상(萬象), 만변(萬變)이 모두 자신에게 속해 있다는 유아론(唯我論)으로 발전시켰다. 저서에 『자호시전(慈湖詩傳)』과 『양씨역전(楊氏易傳)』, 『계폐(啓蔽)』, 『선성대훈(先聖大訓)』, 『오고해(五誥解)』, 『자호유서(慈湖遺書)』 등이 있다.

『역』에서 미워한다는 의미의 '질(疾)'자는 모두 기뻐한다는 '희(喜)'
와 상대하므로 무망(無妄)괘에서는 "진실무망함의 미움은 약을 쓰
지 않으면, 기쁜 일이 있다"12)라 했고 또 손(損)괘에서는 "그 질병
을 덜어내되, 신속하게 하면 기쁨이 있다"13)고 했다.

이 효를 예로 들면 질(疾)자는 질병을 말하고 희(喜)자는 질병을 제
거하는 일을 말한다.

구사효는 육삼효와 나란히 하므로 "절개를 지켜 미워한다"고 했으
니 사특함과 해로움 사이에서 절개를 지킨다는 말이다. 편안히 여
겨 그것에 빠진다면 독이 되는 것이 크므로 그 기쁨을 헤아려 기뻐
할 만한 것을 편안하게 여기지 않으면 "절개를 지켜 미워할"지라도
"기쁨이 있다."

『논어』에서 "군자는 섬기기는 쉬워도 기뻐하게 하기는 어렵다. 기
뻐하게 하기를 도(道)로써 하지 않으면 기뻐하지 않는다"14)고 했으
니, 이것이 기쁨을 헤아리는 일을 말하는 것이다!

---

12) 『주역』「무망(無妄)괘」: "九五, 無妄之疾, 勿藥, 有喜.[구오효는 진실무
망함의 질병은 약을 쓰지 않으면, 기쁜 일이 있다.]"라고 하였다.

13) 『주역』「손(損)괘」: "六四, 損其疾, 使遄有喜, 无咎.[육사효는 그 미움을
덜어내되, 신속하게 하면 기쁨이 있어, 허물이 없게 된다.]"라고 하였다.

14) 『논어』「자로」: "군자는 섬기기는 쉬워도 기뻐하게 하기는 어렵다. 기
뻐하게 하기를 도(道)로써 하지 않으면 기뻐하지 않으며, 사람을 부리는
데는 그릇에 따라 한다. 소인은 섬기기는 어려워도 기뻐하게 하기는 쉽
다. 기뻐하게 하기를 도(道)에 맞게 하지 않더라도 기뻐하며, 사람을 부
리는 데도 모든 것을 구비하기를 요구한다.[君子, 易事而難說也, 說之
不以道, 不說也, 及其使人也, 器之. 小人, 難事而易說也, 說之雖不以
道, 說也, 及其使人也, 求備焉.]"라고 하였다.

九五, 孚于剝, 有厲.

구오효는 깎으려는 것을 믿으면, 위태로움이 있다

本義

剝, 謂陰能剝陽者也. 九五陽剛中正, 然當說之時而居尊位, 密近上六, 上六陰柔, 爲說之主, 處說之極, 能妄說以剝陽者也. 故其占但戒以信於上六則有危也.

깎으려는 것은 음(陰)을 말하니, 양(陽)을 없앨 수 있는 자이다. 구오효는 양의 굳센 자질로 자질과 중정(中正)을 이루었으나, 기뻐하는 때를 당하여 존귀한 지위에 자리하고 상육효와 매우 가까우니, 상육효는 음의 부드러운 자질로 기쁨의 주체가 되고, 기쁨의 극한에 처했으므로 망령되이 기뻐하여 양(陽)을 소멸시키는 자이다. 그러므로 그 점(占)이 다만 상육효를 믿으면 위태로움이 있다고 경계한 것이다.

程傳

九五得尊位而處中正, 盡說道之善矣. 而聖人復設有厲之戒. 蓋堯舜之盛, 未嘗無戒也, 戒所當戒而已. 雖聖賢在上, 天下未嘗無小人, 然不敢肆其惡也, 聖人亦說其能勉而革面也. 彼小人者, 未嘗不知聖賢之可說也. 如四凶處堯朝, 隱惡而順命

是也. 聖人非不知其終惡也, 取其畏罪而強仁耳. 五若誠心信
小人之假善爲實善, 而不知其包藏, 則危道也. 小人者備之不
至, 則害於善, 聖人爲戒之意深矣. '剝'者, 消陽之名, 陰消陽
者也. 蓋指上六, 故"孚於剝"則危也. 以五在說之時而密比於
上六, 故爲之戒. 雖舜之聖, 且畏巧言令色, 安得不戒也. 說
之惑人, 易入而可懼也如此.

구오효는 존귀한 지위에 자리하고 중정(中正)에 처해, 기쁘게 하는
도리로 최선을 다했지만, 성인에게도 위태로움이 있음을 경계하며
다시 설정했다. 왜냐하면 요순(堯舜) 시대의 성대함일지라도, 경계
함이 없던 적이 없었으니, 마땅히 경계할 것을 경계했을 뿐이다.
성인과 현자가 윗자리에 있더라도, 세상에는 소인이 없던 적이 없
었지만, 그들이 악행을 함부로 자행하지 못했고, 성인도 소인들이
억지로 힘써서라도 얼굴색을 고치는 것[15]을 기뻐했다. 저 소인들은
성인과 현자를 기쁘게 할 수 있는 것을 알지 못했던 적은 없다. 예
를 들어, 사흉(四凶)[16]이 요(堯)의 조정에 있을 때, 사악한 마음을
숨기고 명령에 순종했던 것이 그러하다. 성인은 그들이 결국 사악
하게 행동할 것을 모르지 않았지만, 그 죄를 두려워하여 억지로 착
한 행동을 할 것을 취했을 뿐이다.
구오효가 만약 진실한 마음으로 소인들의 거짓된 선행(善行)들을
진실한 선행이라고 믿고, 그들이 감추고 있는 것을 알지 못한다면,

---

15) 얼굴색을 고치는 것 :『주역』「혁(革)괘」: "상육효는 군자는 표범으로 변
하는 것이고, 소인은 얼굴색만 고치니, 정벌하여 가면 흉하고, 올바름에
거하면 길하다.[上六, 君子豹變, 小人革面, 征凶, 居貞吉.]"
16) 사흉(四凶) : 순 임금 때의 네 사람의 악인(惡人)인 공공(共工)·환도(驩
兜)·삼묘(三苗)·곤(鯀)을 말한다.

위태로운 방도이다. 소인들을 대비하기를 지극히 하지 않으면, 선(善)을 해치니, 성인이 경계하려는 뜻이 깊은 것이다.

'깎으려는 것'은 양(陽)을 소멸시키려는 일을 말한다. 음(陰)은 양(陽)을 소멸시키려는 자이니, 상육효를 가리키므로, "깎으려는 자를 믿으면 위태롭다"고 했다. 구오효가 사람들을 기쁘게 해야 할 때, 상육효와 친밀하게 가까이 하려고 하기 때문에 경계한 것이다.

순임금 같은 성인일지라도, 또한 말 잘하고 얼굴빛이 좋은 자를 두려워했으니, 어찌 경계하지 않을 수 있겠는가? 기쁘게 하는 말들이 사람들을 미혹시키는 것이 쉽게 사람들의 마음에 들어가니 두려워할 만한 것이 이와 같다.

集說

● 王氏弼曰 : "比於上六, 而與相得, 處尊正之位, 不說信乎陽, 而說信乎陰, '孚於剝'之義也. 剝之爲義, 小人道長之謂."[17]

왕필(王弼)이 말했다. "상육효와 나란히 하여 서로 얻음이 있고, 존귀하며 올바른 지위에 처하여 양(陽)을 기뻐하되 믿지 않고 음(陰)을 기뻐하여 믿는 것이 '깎아내려는 것을 믿는다'는 뜻이다. 깎는다는 뜻은 소인의 도가 자라남을 말한다."

● 楊氏簡曰 : "九五親信上六柔媚不正之小人, 故曰'孚於剝'. 剝之爲卦, 小人剝君子, 又剝喪其國家, 故謂小人爲剝. 信小人, 危

---

17) 왕필(王弼), 『주역주(周易註)』 권6, 「태(兌)괘」.

厲之道也."18)

양간(楊簡)이 말했다. "구오효는 상육효라는 유약하고 아첨하는 옳지 못한 소인을 친애하고 믿으므로 '깎아내려는 것을 믿는다'고 했다. 박(剝)괘는 소인이 군자를 깎아내는 일이고 또 그 나라와 가문을 망치는 일이므로 소인이 깎아내는 것이 된다. 소인을 믿으니 위태로운 도이다."

● 胡氏炳文曰 : "說之感人, 最爲可懼, 感之者將以剝之也. 況爲君者, 易狃於所說, 故雖聖人且畏'巧言令色', 況凡爲君子者乎!"19)

호병문(胡炳文)20)이 말했다. "기쁨이 사람을 감동시키는 것은 가장 두려워할 만한 일이니, 감동시킨 자가 깎아내릴 수도 있다. 게다가 군주는 쉽게 기쁨에 빠지므로 성인이 또한 말 잘하고 얼굴빛이 좋은 자를 두려워했으니, 군자는 어떻겠는가?"

---

18) 양간(楊簡), 『양씨역전(楊氏易傳)』 권18, 「태(兌)괘」.
19) 호병문(胡炳文), 『주역본의통석(周易本義通釋)』 권2, 「손(巽)괘」.
20) 호병문(胡炳文, 1250~1333) : 원나라 휘주(徽州) 무원(婺源) 사람으로 자는 중호(仲虎)고, 호는 운봉(雲峰)이다. 주희(朱熹)의 종손(宗孫)에게 『주역』과 『서경』을 배워 주자학에 잠심했으며, 특히 『주역』에 뛰어났다. 신주(信州) 도일서원(道一書院) 산장(山長)을 지내고, 난계주학정(蘭溪州學正)이 되었는데, 나가지 않았다. 저서에 『주역본의통석(周易本義通釋)』과 『서집해(書集解)』, 『춘추집해(春秋集解)』, 『예서찬술(禮書纂述)』, 『사서통(四書通)』, 『대학지장도(大學指掌圖)』, 『오경회의(五經會義)』, 『이아운어(爾雅韻語)』 등이 있다.

● 錢氏一本曰:"兌五說體, 與履五健體不同. 履五健, 恐其和之難, 危在夬, 兌五說, 不覺其人之易, 危在孚, 故皆'有厲'之象."21)

전일본(錢一本)22)이 말했다. "태(兌)괘 구오효의 기쁨의 형체는 리(履)괘 구오효의 강건한 형체와는 다르다. 리(履)괘 구오효는23) 강건하지만 그 조화하기 어려운 점을 두려워하여, 위태로움이 강경함에 있는데, 태(兌)괘 구오효의 기쁨은 그 사람의 쉬움을 깨닫지 못하여 위태로움이 믿음에 있으므로 모두 '위태로움이 있는' 상이다."

案

『易』中凡言厲者, 皆兼內外而言, 蓋事可危而吾危之也. 履五爻及此爻, 皆以剛中正居尊位, 而有厲辭. 夫子又皆以位正當釋之, 是其危也. 以剛中正故能危也. 兌卦有危懼之義, 而九五居尊, 所謂"履帝位而不疚"者, 故能因夬履而常危. 兌有說義, 九五居

---

21) 전일본(錢一本), 『상상관견(像象管見)』권4하, 「태(兌)괘」.
22) 전일본(錢一本, 1546~1617): 무진(武進) 사람으로 자는 국서(國瑞)이고 호는 계신(啓新)이다. 명나라 조정의 학자이다. 만력(萬曆) 11년 진사가 되어 복건수어사(福建道御史)를 제수받았다. 강서순안(江西巡按) 축대주(祝大舟)를 탄핵했다. 「논상(論相)」, 「건저(建儲)」 두 상소를 올려 정치적 폐단을 지적하여 신종을 분노케 해서 파직되었다. 고향으로 내려가 경정당(經正堂)을 짓고 육경(六經)과 염락(濂洛)의 책들을 연구했으며 특히 『역(易)』에 정통했다. 학자들은 그를 계신선생(啓新先生)이라고 칭했다. 동림팔군자(東林八君子)의 하나로 불리기도 한다. 『상상관견(像象管見)』9권, 『상초(像抄)』6권, 『속상초(續像抄)』2권, 『사성일심록(四聖一心錄)』6권이 있다.
23) 『주역』「리(履)괘」: "九五, 夬履, 貞厲.[구오효는 강경하고 과감하게 이행하니, 올바르더라도 위태롭다.]"라고 하였다.

尊, 又比上六, 故亦因"孚於剝"而心有危也. 此"有厲"與夬"有厲"
正同, 皆以九五比近上六, 所謂其危乃光者也.

『역』에서 위태로움이라는 '여(厲)'를 언급할 때는 모두 안과 밖을
겸하여 말한 것이니, 위태로울 만한 일을 내가 위태롭게 여기는 것
이기 때문이다.
리(履)괘 구오효와 이 효는 모두 굳세고 중정(中正)한 덕으로 존귀
한 지위에 자리하면서도 위태롭다는 말이 있다. 공자는 또 모두 지
위의 올바름과 정당함으로 해석했으니 이것이 그 위태로움이다. 굳
세면서 중정(中正)한 덕이므로 위태로울 수 있다.
태(兌)괘는 위태롭고 두려운 뜻이 있으니 구오효는 존귀한 지위에
자리하여 "제왕의 지위를 이행하여, 허물이 없는"[24] 것을 말하므로
강경하게 이행하기 때문에 항상 위태로울 수 있다. 태(兌)는 기쁨
의 뜻이니 구오효는 존귀한 지위에 자리하여 또 상육효와 나란히
하므로 또한 "깎아내려는 것을 믿어" 마음이 위태롭다.
여기에서 "위태로움이 있다"는 말과 쾌(夬)괘의 "위태로움이 있다"
는 것이 바로 같으니 모두 구오효가 상육효와 나란히 가까이 하여
위태로움이 빛남을 말한다.

---

24) 『주역』「리(履)괘」「단전」: "剛中正, 履帝位, 而不疚, 光明也.[굳세되 중
정(中正)을 지킨 태도로, 제왕의 지위를 이행하여, 허물이 없으면, 그 덕
이 빛나리라.]"라고 하였다.

上六, 引兌.

상육효는 이끌어 기쁘게 하는 것이다.

本義

上六成說之主, 以陰居說之極, 引下二陽相與爲說, 而不能必
其從也. 故九五當戒, 而此爻不言其吉凶.

상육효는 기쁨의 주체가 되고 음(陰)으로 기뻐함의 극한에 자리하
여 아래의 두 양(陽)을 이끌어 서로 기뻐하지만 그 따름을 기필할
수 없다. 그러므로 구오효는 마땅히 경계해야 하고, 이 효에서는 길
흉을 말하지 않았다.

程傳

他卦至極則變, 兌爲說, 極則愈說. 上六成說之主, 居說之極,
說不知已者也. 故說旣極矣, 又引而長之. 然而不至悔咎何
也? 曰:方言其說不知已, 未見其所說善惡也. 又下乘九五之
中正, 無所施其邪說. 六三則承乘皆非正, 是以有凶.

다른 괘에서는 극한에 이르면 변하지만, 태괘는 기뻐함이니, 극한
에 이르면 더욱더 기뻐한다. 상육효는 기쁘게 하는 주체가 되고, 기
뻐함의 극한에 자리하니, 기뻐하여 그칠 줄을 모르는 자이다. 그러
므로 기뻐함이 극한에 이르렀는데도, 또 이끌어서 더 기쁨을 길게

하는 것이다.

"그러나 후회와 허물에 이르지 않는 것은 무슨 까닭인가? 이렇게 답하겠다. 기뻐하는 것을 그칠 줄 모르는 것이라고 말했을 뿐이고, 기뻐하는 것이 선한지 악한지를 알지 못하며, 또 아래로 중정(中正)을 이룬 구오효를 타고 있으니, 그 거짓된 말로 사람을 기쁘게 하는 일을 시행할 곳이 없기 때문이다. 육삼효는 받드는 사람과 올라탄 사람이 모두 올바르지 않으니, 그래서 흉함이 있다.

集說

● 劉氏牧曰 : "執德不固, 見誘則從, 故稱'引兌'."

유목(劉牧)[25]이 말했다. "덕을 고집하는 것이 견고하지 못하면 유혹을 받아서 그대로 따르므로 '이끌어서 기쁘게 한다'고 했다."

● 毛氏璞曰 : "所以爲兌者, 三與上也. 三爲內卦, 故曰來, 上爲

---

25) 유목(劉牧, 1011~1064) : 자는 선지(先之) 혹은 목지(牧之)이고 호는 장민(長民)이다. 원래는 항주(杭州) 임안(臨安) 사람이었는데, 조부의 공적으로 인해 서안(西安 : 현 절강성 구현〈衢縣〉) 사람이 되었다. 범중엄(范仲淹)을 스승으로 모시고, 손복(孫復)에게서 『춘추』를 배웠으며, 석개(石介)와도 친분이 두터웠다. 역학방면으로는 범악창(范諤昌)의 역학을 이어받아 진단(陳摶)의 「하도」·「낙서」 상수학을 전승하였다. 벼슬은 범중엄과 부필(富弼) 등의 추천으로 연주(兗州) 관찰사를 거쳐 태상박사(太常博士)까지 역임하였다. 역학 방면의 저술에는 『괘덕통론(卦德通論)』, 『신주주역(新注周易)』, 『주역선유유론구사(周易先儒遺論九事)』, 『역수구은도(易數鉤隱圖)』 등이 있다.

外卦, 故曰引."

모박(毛璞)이 말했다. "태괘가 되는 것은 육삼효와 상육효 때문이다. 육삼효는 내괘이므로 온다고 했고 상육효는 외괘이므로 이끈다고 했다."

案

三與上, 皆以陰柔爲說主. "來兌"者, 物感我而來, 『孟子』所謂 "蔽於物", 『樂記』所謂"感於物而動"者也. "引兌"者, 物引我而去, 『孟子』所謂物交物則引之而已矣, 『樂記』所謂物至而人化物者也. 始於來, 終於引. 此人心動乎欲之淺深也.

삼육효와 상육효는 모두 음의 부드러움으로 기쁨의 주체이다. "와서 기쁘게 하는" 것은 사람들이 나를 감동시켜 온다는 말이니, 『맹자』가 "사물에 가려진다"[26]고 했고, 『악기(樂記)』에서 "사물에 감동

---

[26] 『맹자』「고자상(告子上)」: "공도자(公都子)가 물었다. "똑같이 사람인데, 혹은 대인(大人)이 되며, 혹은 소인(小人)이 되는 것은 어째서입니까?" 맹자가 말했다. "그 대체(大體)를 따르는 사람은 대인이 되고, 그 소체(小體)를 따르는 사람은 소인이 되는 것이다." 공도자가 말했다. "똑같이 사람인데, 혹은 그 대체(大體)를 따르며 혹은 그 소체(小體)를 따름은 어째서입니까?" 맹자가 말했다. "귀와 눈의 기능은 생각하지 못하여 물건에 가려지니, 외물이 이목과 교류하면 거기에 끌려갈 뿐이요, 마음의 기능은 생각할 수 있으니, 생각하면 얻고 생각하지 못하면 얻지 못한다. 이것은 하늘이 우리 인간에게 부여해 주신 것이니, 먼저 그 큰 것에 선다면 그 작은 것이 빼앗을 수 없으니 이것이 대인(大人)이 되는 이유일 뿐이다.[公都子問曰, "鈞是人也, 或爲大人, 或爲小人, 何也? 孟子曰, "從其大體爲大人, 從其小體爲小人." 曰, "鈞是人也, 或從其大體, 或從其小

하여 움직이는" 것이라고 했다.

"이끌어서 기쁘게 한다"는 사물이 나를 이끌어서 가는 것이니, 『맹자』에서 외물과 사물이 교류하면 이끌려 갈 뿐이고, 『악기』에서 사물이 이르면 사람이 사물로 변하는 것이다. 처음에는 온다고 하고 끝에서는 이끈다고 했다. 이는 사람의 마음이 욕심에 요동하는 얕음과 깊음이다.

總論

● 龔氏煥曰 : "兌本以說之見乎外而得名, 然六爻之義, 皆不取說之徇乎外者, 只之所說, 苟能不徇乎外, 則其見於外者, 斯得其正而吉矣."[27]

공환(龔煥)이 말했다. "태(兌)괘는 기쁨이 밖으로 드러나 지어진 이름이지만 여섯 효의 뜻이 모두 기쁨이 밖을 따른다는 것을 취하지는 않고, 단지 기뻐하는 것이 구차하게 바깥의 것을 따르지 않을 수 있다면 겉으로 드러나는 것이 올바름을 얻어 길하다."

● 蔣氏悌生曰 : "當說之時, 剛則有節, 柔則無度, 故此卦初二及四五四爻, 皆以剛陽而得吉. 三上二爻, 皆以陰柔而致凶."[28]

장제생(蔣悌生)[29]이 말했다. "기뻐할 때 굳세면 절도가 있고 부드

體, 何也?" 曰, "耳目之官, 不思而蔽於物, 物交物, 則引之而已矣, 心之官則思, 思則得之, 不思則不得也, 此天之所與我者, 先立乎其大者, 則其小者不能奪也, 此爲大人而已矣.]"라고 하였다.

27) 정정조(程廷祚), 『대역택언(大易擇言)』「태(兌)괘」.
28) 장제생(蔣悌生), 『오경여측(五經蠡測)』 권1, 「태(兌)괘」.

러우면 절도가 없으므로 이 괘의 초효와 이효 및 사효와 오효 네
효는 모두 굳센 양이어서 길하다. 육삼효와 상육효 두 효는 모두
음의 부드러움이어서 흉에 이른다."

<hr />

29) 장제생(蔣悌生) : 명나라 복건(福建) 복녕(福寧) 사람으로 자는 인숙(仁
    叔)이다. 홍무(洪武) 연간에 명경(明經)으로 천거되어 복주훈도(福州訓
    導)를 지냈다. 저서에 『오경려측(五經蠡測)』이 있다.

59. 환渙괘

䷺ 巽上
坎下

程傳

渙, 「序卦」, "兌者, 說也, 說而後散之, 故受之以渙." 說則舒散
也. 人之氣, 憂則結聚, 說則舒散, 故說有散義, 渙所以繼兌也.
爲卦巽上坎下. 風行於水上, 水遇風則渙散, 所以爲渙也.

환(渙)괘는 「서괘전」에서 "태란 기뻐하는 것이니, 기뻐한 뒤에 흩어
지므로, 환괘로 받았다"고 하였다.
기뻐하면 기분이 느긋해지고 풀어진다. 사람의 기분은 우울하면 뭉
쳐 응집되고, 기쁘면 느긋해지고 풀어지므로, 기뻐함에는 흩어지는
뜻이 있으니, 환괘가 태괘를 이었다.
괘의 모습은 손(巽)괘가 위에 있고 태(兌)괘가 아래에 있다. 바람이
물 위에 불어오니, 물이 바람을 만나면 흩어지게 되므로, 그래서 흩
어짐이다.

渙, 亨. 王假有廟, 利涉大川, 利貞.

흩어짐은 형통하다. 임금이 종묘에 이르며, 큰 강을 건넘이 이로우니, 올바름을 지킴이 이롭다.

本義

渙, 散也. 爲卦下坎上巽, 風行水上, 離披解散之象, 故爲渙. 其變則本自漸卦, 九來居二而得中, 六往居三, 得九之位, 而上同於四, 故其占可亨. 又以祖考之精神旣散, 故王者當至於廟以聚之. 又以巽木坎水, 舟楫之象, 故"利涉大川". 其曰"利貞", 則占者之深戒也.

환(渙)은 흩어짐이다. 괘(卦)의 모습은 아래는 감(坎☵)이고 위는 손(巽☴)이니, 바람이 물 위에 불어 어지럽고 흩어지는 상(象)이므로 환(渙)이다.

그 변화는 본래 점(漸☲)괘로부터 왔으니, 점괘의 구(九)가 와서 이(二)의 위치에 자리하여 중(中)을 얻고 육(六)이 가서 삼(三)의 위치에 자리하여 구(九)의 자리를 얻어 위로 사(四)와 함께 하기 때문에 그 점(占)이 형통할 수 있다.

또 조상의 정신이 흩어졌으므로 임금이 마땅히 종묘에 이르러 모으는 것이다. 또 손(巽☴)의 목(木)과 감(坎☵)의 수(水)는 배에 있는 노의 상(象)이므로 "큰 강을 건넘이 이롭다." "올바름을 지킴이 이롭다"고 하여 점치는 자에게 깊이 경계하였다.

渙, 離散也. 人之離散由乎中, 人心離則散矣. 治乎散亦本於
中, 能收拾人心, 則散可聚也. 故卦之義皆主於中, "利貞", 合
渙散之道, 在乎正固也.

환(渙)은 흩어져 떠남이다. 사람이 흩어져 떠나는 것은 마음 가운데
로부터 시작되니, 사람의 마음이 떠나면 흩어진다. 흩어지는 것을
다스리는 일도 마음 가운데 근본하고 있으니, 사람의 마음을 수습
하여 합치할 수 있다면, 흩어져도 모을 수 있다. 그러므로 괘의 뜻
은 모두 중(中)을 주로 했다.
"올바름이 이롭다"는 흩어진 것을 합치하는 도리는 올바름을 굳게
지키는 일에 달렸다는 말이다.

案

渙與萃對. '假廟'者, 所以聚鬼神之旣散也. '涉川'者, 所以聚人力
之不齊也. 蓋盡誠以感格, 則幽明無有不應. 秦越而共舟, 則心
力無有不同. 此二者, 渙而求聚之大端也. 然不以正行之, 則必
有黷神犯難之事, 故曰"利貞".

흩어짐을 상징하는 환(渙)괘와 모임을 상징하는 췌(萃)괘는 상대적
이다. '종묘에 간다'는 것은 이미 흩어진 귀신을 모으려는 뜻이다.
'강을 건너는 것'은 고르지 않은 사람의 힘을 모으는 일이다. 정성
을 다하면 감격하니 어두움과 밝음에 호응하지 않음이 없다.
진나라와 월나라는 같은 배를 탔으니 마음의 힘에 같지 않음이 없
다. 이 두 가지는 흩어져서 모임을 구하는 큰 단서이다. 그러나 올
바름으로 행하지 않으면 반드시 신을 모독하고 힘든 일을 범하는
일이 있으므로 "올바름이 이롭다"고 했다.

初六, 用拯馬壯, 吉.

초육효는 구제하는데 말이 건장하니, 길하다

本義

居卦之初, 渙之始也. 始渙而拯之, 爲力旣易, 又有壯馬, 其
吉可知. 初六非有濟渙之才, 但能順乎九二, 故其象占如此.

괘의 처음에 자리했으니 흩어지는 시초이다. 처음 흩어지려 할 때
구제하면 힘쓰기 쉽고 또 건장한 말이 있으니, 길함을 알 수 있다.
초육효는 흩어지는 것을 구제할 수 있는 자질이 아니지만, 구이효
에 순종하기 때문에 그 상(象)과 점(占)이 이와 같다.

程傳

六居卦之初, 渙之始也. 始渙而拯之, 又得馬壯. 所以吉也.
六爻獨初不云渙者, 離散之勢, 辨之宜早, 方始而拯之, 則不
至於渙也, 爲教深矣. 馬, 人之所托也. 托於壯馬, 故能拯渙.
馬, 謂二也. 二有剛中之才, 初陰柔順, 兩皆無應, 無應則親
比相求. 初之柔順, 而托於剛中之才以拯其渙, 如得壯馬以致
遠, 必有濟矣, 故吉也. 渙拯於始, 爲力則易, 時之順也.

육(六)이 괘의 처음에 자리했으니, 흩어지기 시작하는 때이다. 처음 흩
어지기 시작할 때 구제하며, 또 건장한 말을 얻으니, 그래서 길하다.

여섯 개의 효 가운데 오직 초효만이 흩어진다는 말을 하지 않았으니, 흩어져 떠나는 형세를 마땅히 조기에 분별해야 하는데, 이제 막 흩어지려고 시작할 때 구제하려고 하면, 흩어져 떠나는 지경에까지 이르지 않기 때문이니, 가르치려는 뜻이 깊다.

말은 사람이 달리는 데 의지하는 동물이다. 건장한 말에 의지했으므로, 흩어진 민심을 수습할 수 있다. 말은 구이효를 말한다. 구이효는 강중(剛中)한 재능을 가지고 초육효는 유순(柔順)하고 구이효와 초육효는 모두 호응하는 상대가 없으니, 호응하는 상대가 없으면 서로 친밀하게 관계하면서 서로를 구하게 된다.

초육효의 유순한 태도로 강중(剛中)한 재능을 가진 사람에게 의지하여 흩어진 민심을 구제하기를 마치 건장한 말을 얻어 타고 먼 길을 가는 것과 같이 하니, 반드시 흩어진 일을 해결할 수 있으므로, 길하다. 흩어진 일을 조기에 해결하려고 힘쓰면 쉽게 해결할 수 있으니, 그 때가 순조롭기 때문이다.

集說

● 王氏宗傳曰 : "居渙散之初, 則時未至於渙也. 當此之時, 順此之勢而亟救之, 則用拯之道得矣, 故必馬壯而後吉."[1]

왕종전(王宗傳)이 말했다. "흩어지는 시초에 자리한 것은 아직 흩어지는 지경에 이르지 않은 때이다. 이러한 때에 이러한 형세에 순응하면서 빠르게 구제하면 구제하는 도를 얻을 수 있으므로 반드시 말이 건장한 뒤에 길하다."

---

1) 왕종전(王宗傳), 『동계역전(童溪易傳)』 권25, 「환(渙)괘」.

● 胡氏炳文曰：“五爻皆言渙, 初獨不言者, 救之尚早, 可不至
於渙也.”[2]

호병문(胡炳文)이 말했다. “다섯 효는 모두 흩어짐을 말했는데 초
효에서는 유독 말하지 않은 것은 구제함이 일찍 이루어져 흩어짐에
이르지 않을 수 있기 때문이다.”

2) 호병문(胡炳文), 『주역본의통석(周易本義通釋)』「환(渙)괘」.

九二, 渙奔其機, 悔亡.

구이효는 흩어지는 때에 기댈 곳으로 달려감이니, 후회가 없다.

本義

九而居二, 宜有悔也, 然當渙之時, 來而不窮, 能亡其悔者也.
故其象占如此, 蓋九奔而二机也.

구(九)로서 이(二)의 위치에 자리했으니 마땅히 후회가 있겠지만,
흩어지는 때에 와서 궁색하지 않으니, 그 후회를 없앨 수 있는 자이
다. 그러므로 그 상(象)과 점(占)이 이와 같으니, 구(九)는 달려가고
이(二)는 기댈 곳이다.

程傳

諸爻皆云渙, 謂渙之時也. 在渙離之時, 而處險中, 其有悔可
知. 若能奔就所安, 則得悔亡也. 機者, 俯憑以爲安者也. 俯,
就下也. '奔', 急往也. 二與初雖非正應, 而當渙離之時兩皆無
與. 以陰陽親比相求, 則相賴者也. 故二目初爲機, 初謂二爲
馬. 二急就於初以爲安, 則能亡其悔矣. 初雖坎體, 而不在險
中也. 或疑"初之柔微何足賴." 蓋渙之時, 合力爲勝. 先儒皆
以五爲機, 非也. 方渙離之時, 二陽豈能同也? 若能同, 則成
濟渙之功當大, 豈止悔亡而已. 機謂俯就也.

여러 효에서 모두 흩어진다고 이른 것은 흩어지는 때를 말한다. 흩어지는 때에 위험한 가운데 처했으니, 후회가 있을 것을 알 수 있다. 편안한 곳으로 달려가 취하면 후회가 없어질 수 있다.

기댈 곳이란 구부려 기대고 의지하여 편안한 곳이다. 구부려 기댐은 아래로 가는 것이다. "달려간다"는 신속하게 가는 것이다. 구이효와 초육효는 올바르게 호응한 관계는 아니지만, 흩어지는 때에 두 사람은 모두 함께 하는 사람이 없어, 음(陰)과 양(陽)이 서로 친밀하게 관계하여 서로 구하니, 서로 의지하는 자이다. 그러므로 구이효의 입장에서 초육효는 기댈 곳이 되고, 초육효의 입장에서는 구이효가 말이 된다. 구이효가 초육효에게 신속하게 가서 안정을 이룬다면, 후회가 없어질 수가 있다.

초육효가 비록 위험을 상징하는 감(坎☵)괘의 형체에 속해 있지만, 위험의 한 복판에 있지는 않다. 어떤 사람이 "초육효는 유약한 자질에 미천한 지위를 가진 사람인데 어떻게 의지할 수 있겠는가?"라고 의심하였다. 흩어질 때는 힘을 합하는 것이 가장 우선시 되어야할 일이다.

이전의 유학자들은 모두 구오효를 기댈 곳으로 생각했는데 잘못이다. 이제 막 흩어지려고 할 때에 구오효와 구이효라는 두 양(陽)효가 어떻게 힘을 합할 수가 있겠는가? 힘을 합할 수 있다면, 흩어진 민심을 해결하는 공이 당연히 클 것이니, 어찌 후회만이 없어질 뿐이겠는가? 의지할 곳은 아래로 내려가는 것을 말한다.

集說

● 郭氏雍曰：“九二之剛，自外來而得中，得去危就安之義，故有奔其機之象. 唯得中就安，故「象傳」所以言不窮也.”[3]

곽옹(郭雍)⁴⁾이 말했다. "구이효의 강함은 밖에서 와서 중(中)을 얻은 것이니 위험을 제거하고 편안함을 얻는 뜻이므로 기댈 곳으로 달려가는 모습이다. 오직 중(中)을 얻고 편안함을 취하므로「단전」에서 궁해지지 않는다고 말했다."

● 『朱子語類』云 : "九二‘渙奔其機’, 以人事言之, 是來就安處."⁵⁾

『주자어류』에서 말했다. "구이효의 ‘흩어지는 때에 기댈 곳으로 달려가는 것’은 인간사로 말한 것이니, 와서 편안한 곳을 취하였다."

案

聚渙者, 先固其本, 以剛中居內, 固本之象也. 機者, 所以憑而坐也, 有所憑依而安居, 然後可以動而不窮矣.

흩어진 것을 모으는 자는 먼저 그 근본을 견고하게 해야 하니 강중(剛中)한 자질로 안에 자리한 것이 근본을 견고히 하는 모습이다. 기댈 곳이란 의지하여 앉는 것이니 의지하는 곳이 있어 편안히 자리한 뒤에야 움직여 궁해지지 않을 수 있다.

....

3) 곽옹(郭雍), 『곽씨전가역설(郭氏傳家易說)』권6,「환(渙)괘」.
4) 곽옹(郭雍, 1106~1187) : 송(宋)대 낙양(洛陽 : 현 하남성 낙양시) 사람으로 자는 자화(子和)이고 자호는 백운(白雲)이다. 정이(程頤)의 제자인 곽충효(郭忠孝)의 둘째 아들로 가학을 이었으며, 벼슬길은 나아가지 않고 은거하면서 역학과 의학에 정통하였다고 한다. 역학 방면 저술로 『전가역해(傳家易解)』,『괘사지요(卦辭指要)』,『시괘변의(蓍卦辨疑)』 등이 있다고 한다.
5) 『주자어류(朱子語類)』, 권73, 106조목.

六三, 渙其躬, 無悔.

육삼효는 민심이 흩어질 때 그 몸에만 후회가 없다.

陰柔而不中正, 有私於己之象也, 然居得陽位, 志在濟時, 能散其私, 以得無悔. 故其占如此. 大率此上四爻, 皆因渙以濟渙者也.

음의 부드러운 자질이면서 중정(中正)하지 못하니, 자기에게 사사로움이 있는 상(象)이지만 자리한 곳이 양(陽)의 지위를 얻어 뜻이 때를 구제함에 있으므로 사사로움을 버리고 후회가 없을 수 있다. 그러므로 그 점(占)이 이와 같다.

대체로 이 위의 네 효(爻)는 흩어짐으로 인하여 흩어짐을 구제하는 자이다.

三在渙時, 獨有應與, 無渙散之悔也. 然以陰柔之質, 不中正之才, 上居無位之地, 豈能拯時之渙而及人也? 止於其身可以無悔而已. 上加渙字, 在渙之時, 躬無渙之悔也.

육삼효는 흩어질 때 홀로 호응하는 사람과 함께 하는 사람이 있어 흩어지는 후회는 없다. 그러나 음의 부드러운 자질과 중정(中正)을 이루지 못한 재능으로 위로 지위가 없는 자리에 있으니, 어찌 흩어진 때의 문제를 해결하여 사람들에게 영향을 미칠 수 있겠는가? 단지 그 몸에 그쳐서 자신만 후회가 없을 수 있을 뿐이다.

그 위에 '흩어질 때'라는 말을 덧붙인 이유는 흩어질 때 자신에게만 후회가 없기 때문이다.

集說

● 王氏申子曰 : "自此以上四爻, 皆因渙以拯渙者, 謂渙其所當渙, 則不當渙者聚矣."[6]

왕신자(王申子)[7]가 말했다. "이 효 이상의 네 효는 모두 흩어짐으로 인하여 흩어짐을 구제하는 자이니, 마땅히 흩어져야 할 것을 흩어지게 했다는 말이므로 흩어져서는 안 될 일을 모은 것이다."

案

『易』中六三應上九, 少有吉義, 唯當渙時, 則有應於上者, 忘身徇上之象也. 蹇之二曰"王臣蹇蹇, 匪躬之故", 亦以當蹇難之時, 而與五相應, 此爻之義同之.

----

6) 왕신자(王申子), 『대역집설(大易集說)』「환(渙)괘」.

7) 왕신자(王申子) : 자는 손경(巽卿)이다. 원나라 공주(邛州, 사천성 공래〈邛崍〉) 사람이다. 인종(仁宗) 황경(皇慶) 연간(1311~1320)에 무창로(武昌路) 남양서원(南陽書院)의 산장(山長)을 지냈다. 나중에 30여 년 동안 자리주(慈利州) 천문산(天門山)에 은거했다. 저서에 『춘추류전(春秋類傳)』, 『대역집설(大易集說)』, 『주례정의(周禮正義)』 등이 있다.

『역』 가운데 육삼효가 상구효와 호응할 때 길한 뜻은 적다. 오직
흩어질 때에 상구효와 호응하는 것은 사사로움을 잊고 상구효를 따
르는 모습이다.

건(蹇)괘 육이효의 "임금의 신하가 고난 속에서 더욱 어려운 것이
니, 이는 자신의 잘못 때문에 일어난 일이 아니다"[8]라고 하는 것
또한 고난의 때에 구오효와 서로 호응함이니 이 효의 뜻과 같다.

----

8) 『주역』「건(蹇)괘」: "六二, 王臣蹇蹇, 匪躬之故.[육이효는 왕(王)의 신하
가 고난 속에서 더욱 어려운 것이니, 이는 자신의 잘못 때문에 일어난
것이 아니다.]"라고 하였다.

六四, 渙其群, 元吉. 渙其丘, 匪夷所思.

육사효는 무리를 흩어지게 하니, 크게 길하다. 흩어질 때 언덕처럼 모이는 것은 보통 사람이 생각할 바가 아니다.

本義

居陰得正, 上承九五, 當濟渙之任者也. 下無應與, 爲能散其朋黨之象. 占者如是, 則大善而吉. 又言能散其小群以成大群, 使所散者聚而若丘, 則非常人思慮之所及也.

음(陰)의 위치에 자리하여 올바른 지위를 얻고 위로 구오효를 받드니 흩어짐을 구제할 임무를 담당한 자이다. 아래로 호응하는 사람들이 없으니 그 붕당(朋黨)을 해산하는 상(象)이다. 점치는 자가 이와 같이 하면 크게 선하며 길하다.

또 작은 무리를 흩어지게 하여 큰 무리를 이루어 흩어진 자들을 모이게 하는데 언덕처럼 많이 모이게 한다면 보통 사람의 생각이 미칠 바가 아니라는 점을 말한 것이다.

程傳

渙四五二爻義相須, 故通言之, 「象」故曰"上同"也. 四巽順而正, 居大臣之位. 五剛中而正, 居君位. 君臣合力, 剛柔相濟, 以拯天下之渙者也. 方渙散之時, 用剛則不能使之懷附, 用柔則不足爲之依歸.

환괘의 육사효와 구오효 두 효는 의리 상 서로 필요로 하는 것이어서 통합적으로 말했으므로, 「단전」에서는 "위와 함께 한다"고 했다. 육사효는 공손하여 순종하고 올바름을 지켜 대신의 지위에 자리한다. 구오효는 강중(剛中)한 덕을 가지고 올바름을 지켜 군주의 지위에 자리했다. 군주와 신하가 힘을 합치고, 굳센 사람과 부드러운 사람이 서로 협력하여, 흩어지는 어려움을 해결한다.

흩어지는 때에 지나치게 강한 태도를 취하면 사람들을 회유하여 모이게 할 수 없고, 지나치게 유순한 태도를 취하면 사람들이 의존하여 복종하도록 만들 수 없다.

四以巽順之正道, 輔剛中正之君, 君臣同功, 所以能濟渙也.
天下渙散而能使之群聚, 可謂大善之吉也. "渙有丘, 匪夷所思", 贊美之辭也. 丘, 聚之大也. 方渙散而能致其大聚, 其功甚大, 其事甚難, 其用至妙. 夷, 平常也. 非平常之見所能思及也, 非賢智孰能如是.

육사효는 공손하여 순종하는 정도(正道)로 굳세면서도 중정(中正)을 이룬 임금을 보좌하여 임금과 신하가 공을 함께 하니, 그래서 흩어진 위기를 해결할 수 있다. 세상이 흩어지는 데 사람들이 무리지어 모이도록 할 수 있다면, 크게 좋은 길함이라고 할 수 있다.

"민심이 흩어질 때 언덕처럼 모이는 것은 보통 사람이 생각할 바가 아니다"라는 말은 찬미하는 언사이다. 언덕이란 크게 모이는 모습이다. 흩어지려는 때에 사람들을 크게 모이게 할 수 있다면, 그 공은 매우 크고, 그 일은 매우 어려우며, 그 작용은 매우 신묘한 것이다.

이(夷)는 평범함을 말한다. 보통 사람의 식견으로는 생각하여 미칠

수 있는 바가 아니니, 위대한 현자의 지혜가 아니라면, 누가 이렇게
할 수 있겠는가?

● 胡氏瑗曰 : "天下之渙, 起於衆心乖離, 人自爲羣. 六四上承
九五, 當濟渙之任, 而居陰得正, 下無私應. 是大臣秉大公之道,
使天下之黨盡散, 則天下之心不至於乖散, 而兼得以萃聚, 故得
盡善. 元大之吉也."[9]

호원(胡瑗)이 말했다. "세상의 흩어짐은 사람들의 마음이 이반하는
데서 일어나니 사람들이 스스로 무리가 된다. 육사효는 위로 구오
효를 받들어 흩어짐을 구제하는 임무를 맡고 음(陰)의 위치에 자리
하고 올바름을 얻었으며 아래로 사사로이 호응하는 사람이 없다.
이는 대신이 대공(大公)의 도를 잡고 세상의 붕당들을 모두 흩어지
게 하니 세상 사람들의 마음이 분열되는 데 이르지 않고 아울러 모
이는 것을 얻기 때문에 선함을 얻는다. 크게 길한 것이다.

● 『朱子語類』云 : "老蘇云, 渙之六四曰 '渙其群, 元吉', 夫群者
聖人之所欲渙以混一天下者也.' 此說雖 『程傳』有所不及, 如 『程
傳』之說則是群其渙, 非渙其群也. 蓋當人心渙散之時, 各相朋
黨, 不能混一. 惟六四能渙小人之私群, 成天下之公道, 此所以
'元吉'也."

---

9) 호원, 『주역구의(周易口義)』 「환(渙)괘」.

『주자어류』에서 말했다. "노소(老蘇)가 말했다. 환괘 구사효에서 '흩어지는 때 무리를 이루는 자이므로 크게 길하다'고 했는데 무리는 성인이 흩어지게 해서 천하를 하나로 하려는 것이다.' 이런 설명은 『정전』에서 언급하지 않은 것이니, 『정전』의 말은 흩어진 것은 무리짓게 한다는 뜻이지, 무리를 흩어지게 한다는 말은 아니다. 사람의 마음이 흩어질 때 각각 서로 붕당을 이루어 하나로 할 수 없다. 오직 육사효가 소인들의 사사로운 무리를 흩어지게 하여 세상의 공도(公道)를 이룰 수 있으니, 이것이 '크게 길하다'는 뜻이다."

● 陳氏琛曰 : "天下之所以渙者, 多由人心叛上而各締其私也. 私黨旣散, 則公道大行. 而勢合於一, 如丘陵之高矣, 所謂散小群以成大群也. 然此必才識之高邁者乃能之, 非常人思慮所及也."

진침(陳琛)[10]이 말했다. "세상이 흩어지는 것은 많은 경우 사람의 마음이 윗사람을 배반하여 각각 그 사사로움으로 묶이기 때문이다. 사사로운 붕당이 흩어지면 공도(公道)가 크게 행해진다. 형세가 하나로 합해지면 마치 언덕이 높은 것과 같으니 작은 집단을 흩어지

----

10) 진침(陳琛, 1477~1545) : 명(明)대 복건(福建) 진강(晉江) 사람으로 자는 사헌(思獻)이고, 호는 자봉선생(紫峰先生)이다. 채청(蔡淸)에게 배웠고, 왕선(王宣), 역시충(易時冲), 임동(林同), 조록(趙逯), 채열(蔡烈) 등과 함께 유명했는데, 그가 가장 저명했다. 정덕(正德) 12년(1517)에 진사(進士)에 급제하여 형부산서사주사(刑部山西司主事), 남경호부운남사주사(南京戶部雲南司主事), 남경이부고공랑중(南京吏部考功郎中) 등을 역임하였다. 하지만 관직에 흥미가 없어 5년 만에 사직하고 귀향하여 강학에 힘쓰며, 복건주자학을 발전시켰다. 저서에 『사서천설(四書淺說)』, 『역학통전(易學通典)』, 『정학편(正學編)』, 『자봉집(紫峰集)』 등이 있다.

게 하여 큰 무리를 이룬다. 그러나 이는 반드시 재능과 식견이 고매한 사람에게 가능한 것이지 보통 사람의 생각이 이를 바가 아니다."

案

孔安國書序云, "丘, 聚也. 則'丘'字卽訓'聚'." "渙有丘, 匪夷所思", 語氣蓋云常人徒知散之爲散, 不知散之爲聚也. 散中有聚豈常人思慮之所及乎! 世有合群黨以爲自固之術者, 然徒以私相結, 以勢相附耳, 非眞聚也. 及其散也, 相背相傾, 乃甚於不聚者矣. 惟無私者, 公道足以服人. 惟無邪者, 正理可以動衆. 此所謂散中之聚, 人臣體國者之所當知也.

공안국(孔安國)[11] 책에서 말하기를 "구(丘)는 모인다는 뜻이니, '구(丘)'자는 모인다는 '취(聚)'로 새긴다."
"흩어짐에 모임이 있는 것은 보통 사람이 생각할 바가 아니다."라고 했는데, 그 말의 기운으로 볼 때, 보통 사람들은 흩어지는 것을 단지 흩어지는 것으로만 알지 흩어지는 것이 모이는 것이라는 차원은 모른다. 흩어짐 가운데 모임이 있다는 것이 어찌 보통 사람의 생각이 미치는 일이겠는가!

....

11) 공안국(孔安國, B.C.156~B.C.74) : 자는 자국(子國)이며, 산동성 곡부(曲阜) 사람이다. 그는 서한(西漢) 무제 때의 학자로서, 공자의 제11대 자손이며, 박사(博士)·간대부(諫大夫)를 지내고, 임회(臨淮) 태수를 지냈다. 『시(詩)』는 신공(申公)에게서 배우고, 『상서』는 복생(伏生)에게서 받았다. 공안국은 노(魯)나라의 공왕(共王)이 공자의 옛 집을 헐었을 때 나온 과두문자(蝌蚪文字)로 된 『고문상서(古文尙書)』, 『예기(禮記)』, 『논어(論語)』, 『효경(孝經)』을 금문(今文)과 대조·고증, 해독하여 주석을 붙였는데, 이것에서 고문학(古文學)이 비롯되었다고 하여, 공안국을 고문학의 시조라고 한다.

세상에는 무리의 도당을 합해서 자신의 견고한 기술로 삼는 자가 있지만 단지 사사로운 이익으로 서로 결합하여 세력으로 붙어 있을 뿐 진짜로 모인 것은 아니다. 급기야 흩어져서 서로 배반하고 심지어는 모이지 않는다.

오직 사사로움이 없어야 공도(公道)가 사람을 복종케 하기에 충분하다. 오직 사특함이 없어야 올바른 이치가 대중을 움직일 수 있다. 이것이 흩어짐 가운데 있는 모임이니 신하로서 나라를 다스리는 사람이 마땅히 알아야 한다.

九五, 渙汗其大號, 渙王居, 無咎.

구오효는 민심이 흩어질 때 큰 명령을 몸에 땀이 스며들 듯 하고,
임금의 재화를 흩어지게 하면 허물이 없다.

本義

陽剛中正, 以居尊位, 當渙之時, 能散其號令, 與其居積, 則
可以濟渙而無咎矣. 故其象占如此. 九五巽體, 有號令之象.
汗, 謂如汗之出而不反也. "渙王居"如陸贄所謂散小儲而成
大儲之意.

양의 굳셈으로 중정(中正)한 덕을 갖고 존귀한 지위에 자리했으니,
흩어지는 때 호령과 축적한 재물이 베풀어지게 흩어지게 할 수 있
으면, 흩어짐을 구제하여 허물이 없을 수 있다. 그러므로 그 상(象)
과 점(占)이 이와 같다.

구오효는 손(巽☴)의 형체이니 명령의 상(象)이 있다. '한(汗)'은 땀
이 나오듯 하여 되돌아가지 않는 것을 말한다. "임금의 재화를 흩어
지게 한다"는 말은 육지(陸贄)[12]의 이른바 "작은 쌓음을 흩어서 큰
쌓음을 이룬다"는 것과 같은 뜻이다.

....

12) 육지(陸贄, 754~805) : 자는 경여(敬輿)이다. 오군 가흥(吳郡嘉興, 지금
절강 가흥) 사람이다. 당나라의 유명한 정치가이자 문학가이다. 시호는
호선(號宣)이다.

五與四君臣合德, 以剛中正巽順之道治渙, 得其道矣. 惟在浹
洽於人心, 則順從也. 當使號令洽於民心, 如人身之汗, 浹於
四體, 則信服而從矣. 如是則可以濟天下之渙, 居王位爲稱而
無咎. 大號, 大政令也. 謂新民之大命, 救渙之大政. 再云渙
者, 上謂渙之時, 下謂處渙如是則無咎也. 在四已言"元吉",
五惟言"稱其位"也. 渙之四五通言者, 渙以離散爲害, 拯之使
合也, 非君臣同功合力, 其能濟乎? 爻義相須, 時之宜也.

구오효와 육사효는 임금과 신하가 덕(德)을 합하여, 굳세면서 중정
(中正)을 이룬 방도와 공손하면서도 이치에 순종하는 방도로 흩어
진 민심을 다스리는 데 그 적합한 방도를 얻었다. 이는 오직 사람들
의 마음에 깊이 스며드는 것에 달려 있으니, 그렇게 한다면 사람들
이 순종한다. 마땅히 호령을 내려 민심에 스며들기를 땀이 몸에 스
며들 듯이 할 수 있다면, 신뢰하고 복종하여 따를 것이다. 이와 같
이 하면 세상의 흩어진 상황을 해결하여 임금의 지위에 걸맞게 되
어 허물이 없다.

큰 명령이란 큰 정치적 명령이다. 백성의 삶을 혁신할 수 있는 큰
명령과 흩어진 민심을 수습할 수 있는 큰 정치를 말한다.

다시 두 번째로 문장에서 '환(渙)'라고 말한 것은 앞에서는 민심이
흩어질 때를 말하고, 아래에서는 흩어진 민심을 처리하기를 이렇게
하면 허물이 없다는 점을 말했다. 육사효에서는 "크게 길하다."고
말했으니, 구오효에서는 "그 지위에 걸 맞는다"라고만 했다.

환괘의 육사효와 구오효를 통합적으로 말한 것은 환괘에서는 민심
이 흩어지는 것이 가장 큰 피해가 되기 때문이니, 그 상황을 해결하
여 화합하게 하는 데 군주와 신하가 공을 함께 하고 힘을 합치지

않는다면 어떻게 그런 상황을 해결할 수 있겠는가? 효(爻)의 뜻에서 보면 서로 의지하니, 이것이 그 때의 마땅함이다.

集說

● 胡氏瑗曰 : "汗者膚腠之所出, 出則宣人之壅滯, 愈人之疾. 猶上有敎令, 釋天下各難, 使天下各得其所者. 九五居至尊之位, 爲渙散之主. 居得其正, 履得其中, 能出其號令, 布其德澤, 宣天下壅滯, 發天下堙鬱, 使天下之人, 皆信於上. 咸有所歸, 所以居位而無悔咎."[13]

호원(胡瑗)이 말했다. "땀이란 피부에서 나오는 것이니, 땀이 나오면 사람이 막힌 것을 풀어주어 사람의 병을 치유해준다. 마치 위에서 교령(敎令)이 있어 세상의 어려운 일들을 풀어 세상 사람들이 각각 그 마땅한 바를 얻게 해주는 것과 같다. 구오효는 지극히 존귀한 지위에 있어 흩어짐의 주인이 된다. 자리하는 데 올바름을 얻었고 이행하는 데 그 중(中)을 얻어 호령을 낼 수 있고 덕택을 펼칠 수도 있어 세상의 막힌 것을 풀어주고 세상의 막힌 것을 해결하여 세상 사람들이 모두 윗사람을 믿게 한다. 모두 귀결되는 것이 있어 지위에 자리하여 후회와 허물이 없다."

● 『朱子語類』云 : "聖人就人身上說一汗字爲象, 不爲無意. 蓋人君之號令當出乎人君之中心, 由中而外, 由近而遠, 雖至幽至遠之處無不被而及之. 亦猶人身之汗, 出乎中而浹於四體也."[14]

13) 호원, 『주역구의(周易口義)』「환(渙)괘」.

『주자어류』에서 말했다. "성인이 몸에서 땀이라는 글자를 말하여
상징했으니 의도가 없었던 것은 아니다. 임금의 호령은 마땅히 임
금의 마음에서 나와 마음으로부터 밖으로 가까운데서 멀리까지 나
아가니, 아주 어두운 곳과 아주 먼 곳일지라도 미치지 않음이 없다.
또한 몸의 땀처럼 밖으로 나와 몸 전체에 스며드는 것과 같다."

● 俞氏琰曰 : "散人之疾, 而使之愈者, 汗也. 散天下之難而使
之愈者, 號令也. '王居', 謂王者所居之位."15)

유염(俞琰)16)이 말했다. "사람의 병을 흩어지게 하여 낫게 하는 것
은 땀이다. 세상의 어려움을 흩어지게 하여 낫게 하는 것은 호령이
다. '임금이 자리한 것'은 왕이 자리하는 지위를 말한다."

● 何氏楷曰 : "王者以天下爲一身, 欲渙周身之汗, 其必有大號
以與天下更始而後可. 凡大命令之下, 大政事之布, 大財用之發,
以散則爲和風, 以潤則爲甘雨, 如人之汗, 從心而液, 無不霑透,

....

14) 『주자어류(朱子語類)』, 권73, 112조목.
15) 유염(俞琰), 『주역집설(周易集說)』 권9, 「환(渙)괘」.
16) 유염(俞琰) : 자는 옥오(玉吾)이고, 호는 전양자(全陽子), 임옥산인(林屋
山人), 석간도인(石澗道人) 등이다. 남송 말 원대 초기에 활동한 학자로
송대 오군(吳郡 : 현 강소성 소주〈蘇州〉) 사람이다. 어려서 가학을 익히
고 젊어서는 기서(奇書)를 즐겨 연구하다가, 뒤늦게 과거시험 준비를 했
다. 남송이 멸망하고 원대 조정이 들어서자 과거응시를 포기하고 은거하
여 역학 연구에 전념하였다. 역학 관련 저술이 특히 많았는데, 대표적인
것으로 『주역집설(周易集說)』, 『독역거요(讀易擧要)』, 『역외별전(易外
別傳)』 등이 있다.

則羣邪之鬱積盡渙, 而天下之險難, 亦庶乎可解矣."[17]

하해(何楷)가 말했다. "임금은 천하를 몸으로 하여 몸 전체의 땀을 흩어지게 하니 반드시 큰 호령이 있어 천하와 함께 다시 시작한 뒤에야 좋다. 큰 명령을 내리고 큰 정치를 펼치고 큰 재물을 내어 흩어지게 하면 조화로운 바람이고, 윤택하게 하면 단비이니 마치 사람이 땀이 마음을 따라 흘러 침투되지 않음이 없으니, 여러 사특한 울증들이 모두 흩어지고 세상의 험난함 또한 거의 해결될 수 있다."

案

凡『易』中號字皆當作平聲, 爲呼號之號. 在常人則是哀痛迫切, 寫情輸心也. 在王者則是至誠懇惻, 發號施令也. "渙王居"渙字, 當一讀, 言其大號也. 如渙汗然, 足以通上下之壅塞, 回周身之元氣, 則雖當渙之時, 而以王者居之, 必得無咎矣.

『역』에서 호(號)라는 글자는 모두 평성(平聲)이라 호령의 호(號)이다. 보통 사람에게는 애통하고 절박하여 감정을 펼치고 마음을 드러내는 것이다. 임금에게는 지성(至誠)으로 간곡하여 호령을 발포하는 일이다.
"임금의 재화를 흩어지게 한다"에서 흩어진다는 글자는 한 번 읽어야 하니 큰 호령을 말한다. 마치 땀을 낸 뒤에 위와 아래의 막힌 것을 통하게 할 수 있고 몸의 원기(元氣)를 순환하게 할 수 있는 것과 같으니 흩어지는 때에는 임금으로 자리하더라도 반드시 허물이 없다.

---

17) 하해(何楷), 『고주역정고(古周易訂詁)』 권6, 「환(渙)괘」.

上九, 渙其血去, 逖出, 無咎.

상구효는 흩어질 때 그 피가 제거되고 두려움에서 벗어나면, 허물이 없다.

本義

上九以陽居渙極, 能出乎渙, 故其象占如此. 血, 謂傷害. '逖', 當作'惕', 與小畜六四同. 言渙其血則去, 渙其惕則出也.

상구효는 양(陽)으로 흩어지는 때의 극한에 자리하여 흩어짐에서 벗어날 수 있기 때문에 그 상(象)과 점(占)이 이와 같다.

피는 다쳐서 해를 당한다는 말이다. '적(逖)'은 마땅히 '척(惕)'이 되어야 하니, 소축괘(小畜卦)의 육사효(六四爻)와 같아 피를 흩어지게 하면 피가 제거되고 두려움을 흩어지게 하면 두려움에서 벗어남을 말한다.

程傳

渙之諸爻, 皆無系應. 亦渙離之象. 惟上應於三. 三居險陷之極, 上若下從於彼, 則不能出於渙也. 險有傷害畏懼之象, 故云血惕. 然九以陽剛處渙之外, 有出渙之象. 又居巽之極, 爲能巽順乎事理, 故云若能使其血去, 其惕出, 則無咎也. 其者, 所有也. 渙之時, 以能合爲功, 獨九居渙之極, 有系而臨險, 故以能出渙遠害爲善也.

환(渙)괘의 여러 효는 모두 연계되어 호응하는 사람이 없으니, 또한 흩어지는 모습이다. 오직 상구효만이 육삼효에 호응한다. 육삼효는 위험에 빠진 극한에 자리하니, 상구효가 아래로 내려와 이 육삼효를 따른다면, 흩어진 상황에서 벗어날 수가 없다.

위험이란 피해를 입고 두려움에 빠지는 모습이므로, 피와 두려움이라고 했다. 그러나 상구효는 양의 굳센 자질로 흩어진 상황의 밖에 처하여, 흩어진 상황에서 벗어난 모습이다. 또 공손함의 끝에 자리하여, 일의 이치에 공손하게 순종할 수 있으므로, 만약 그 피를 제거할 수 있고 두려움에서 벗어날 수 있다면, 허물이 없다고 했다. '기(其)'는 가지고 있다는 말이다. 흩어질 때는 화합시키는 것이 공이겠지만, 오직 상구효는 흩어지는 극한에 자리하여, 연계되어 호응하는 사람이 없고 위험에 가까이 있으므로, 흩어지는 때에 피해를 멀리하는 것을 최선의 방도로 삼았다.

集說

● 王氏弼曰 : "逖, 遠也. 最遠於害, 不近侵克, 散其憂傷, 遠出者也. 散患於遠害之地, 誰將咎之哉!"[18]

왕필(王弼)이 말했다. "적(逖)은 멀다는 의미이다. 해로움으로부터 가장 멀어 가까이서 침범할 수 없고, 그 우환과 피해를 흩어지게 하여 멀리 내보내는 자이다. 근심을 멀리하는 곳에 피해를 흩어지게 했으니 누가 허물할 것인가!"

---

18) 왕필, 『주역주』「환(渙)괘」.

● 朱氏震曰 : "逖, 遠也. '去逖出', 一本作'去惕出'. 然象曰遠害, 當從逖矣."[19]

주진(朱震)[20]이 말했다. "적(逖)은 멀다는 뜻이다. '거적출(去逖出)'을 어떤 본에서는 '거척출(去惕出)'이라고 했다. 그러나 「상전」에서 피해를 멀리한다고 했으니 마땅히 멀다고 해야 한다."

● 王氏申子曰 : "以諸爻文法律之, '渙其血', 句也. 渙其所傷而免於難."[21]

왕신자(王申子)가 말했다. "여러 효의 문법(文法)으로 조율해 볼때, '환기혈(渙其血)'이라는 구절이 된다. 그 상해를 흩어지게 하여 어려움을 면한다."는 말이다.

● 俞氏琰曰 : "當依爻傳作'渙其血', 上居渙終, 去坎甚遠, 而無傷害, 故其象爲'渙其血', 其占曰無咎."[22]

유염(俞琰)[23]이 말했다. "효전(爻傳)에 의거하여 '환기혈(渙其血)'이

....

19) 주진(朱震), 『한상역전(漢上易傳)』 권6, 「환(渙)괘」.
20) 주진(朱震, 1072~1138) : 자는 자발(子發)이고, 당시 한상선생(漢上先生)이라 불리었다. 송대 형문군(荊門軍 : 현 호북성 소속) 사람으로 한림학사(翰林學士)를 여러 번 역임하였다. 저서는 『한상역전(漢上易傳)』이 있다.
21) 왕신자(王申子), 『대역집설(大易緝說)』 권8, 「환(渙)괘」.
22) 유염(俞琰), 『주역집설(周易集說)』 권9, 「환(渙)괘」.
23) 유염(俞琰) : 자는 옥오(玉吾)이고, 호는 전양자(全陽子), 임옥산인(林屋山人), 석간도인(石澗道人) 등이다. 남송 말 원대 초기에 활동한 학자로

라고 해야 하니, 상구효는 흩어짐의 끝에 자리하여 위험에서 매우 멀어 상해가 없으므로 그 모습이 '그 피를 흩어지게 했다'이며 그 점은 허물이 없다."

● 錢氏一本曰 : "去不復來, 逖不復近, 出不復入. 其於坎血, 遠而又遠, 何咎之有."[24]

전일본(錢一本)[25]이 말했다. "가서 다시 오지 않고 멀어서 다시 가깝지 않으며 나가서 다시 들어오지 않으니, 그 위험과 피가 멀고 또 머니 무슨 허물이 있겠는가?"

송대 오군(吳郡 : 현 강소성 소주〈蘇州〉) 사람이다. 어려서 가학을 익히고 젊어서는 기서(奇書)를 즐겨 연구하다가, 뒤늦게 과거시험 준비를 했다. 남송이 멸망하고 원대 조정이 들어서자 과거응시를 포기하고 은거하여 역학 연구에 전념하였다. 역학 관련 저술이 특히 많았는데, 대표적인 것으로『주역집설(周易集說)』,『독역거요(讀易擧要)』,『역외별전(易外別傳)』등이 있다.

24) 전일본(錢一本),『상상관견(像象管見)』권4하,「환(兌)괘」.
25) 전일본(錢一本, 1546~1617) : 전일본은 무진(武進) 사람이다. 자는 국서(國瑞)이고 호는 계신(啓新)이다. 명나라 조정의 학자이다. 만력(萬曆) 11년 진사가 되어 복건수어사(福建道御史)를 제수받았다. 강서순안(江西巡按) 축대주(祝大舟)를 탄핵했다.「논상(論相)」,「건저(建儲)」두 상소를 올려 정치적 폐단을 지적하여 신종을 분노케 해서 파직되었다. 고향으로 내려가 경정당(經正堂)을 짓고 육경(六經)과 염락(濂洛)의 책들을 연구했고 특히『역(易)』에 정통했다. 학자들은 그를 계신선생(啓新先生)이라고 칭했다. 동림팔군자(東林八君子)의 하나로 불리기도 한다.『상상관견(像象管見)』9권,『상초(像抄)』6권,『속상초(續像抄)』2권,『사성일심록(四聖一心錄)』6권이 있다.

萃以聚爲義, 故至卦終而猶齎咨涕洟以求萃者, 天命之正, 人心
之安也. 渙以離爲義, 故至卦終而逖遠害, 離去以避咎者, 亦樂
天之智, 安土之仁也. 古之君子, 不潔身以亂倫, 亦不濡首以蹈
禍, 各惟其時而已矣.

췌(萃)괘는 모임을 뜻하므로 괘의 끝에서 "한탄하며 눈물콧물을 흘
려"26) 모임을 구하는 자이니 천명의 올바름이고 인심의 편안함이다.
환(渙)괘는 분리를 뜻하므로 괘의 끝에서 피해를 멀리하고 떠나가
서 허물을 피하는 자이니 또한 하늘을 즐거워하는 지혜이고 사는
곳을 편안히 여기는 어짊이다.
옛날 군자는 자신을 고결하게 하여 인륜을 어지럽히지 않았고 또한
머리를 빠뜨려 화를 밟지 않았으니, 각각 그 때일 뿐이다.

---

26) 『주역』「췌(萃)괘」: "上六, 齎咨涕洟, 无咎.[상육효는 한탄하며 눈물콧물
을 흘리는 것이니, 탓할 곳이 없다.]"라고 하였다.

60. 절節괘

䷻ 坎上
兌下

程傳

節, 「序卦」, "渙者離也, 物不可以終離, 故受之以節." 物旣離
散, 則當節止之, 節所以次渙也. 爲卦澤上有水. 澤之容有限,
澤上置水, 滿則不容, 爲有節之象, 故爲節.

　절(節)괘는 「서괘전」에서 "흩어짐이란 민심이 떠나는 일이니, 어
떤 것도 끝까지 떠날 수는 없으므로, 절제를 상징하는 절괘로 받았
다"고 하였다. 어떤 것도 떨어져 흩어지면, 마땅히 조절하여 그쳐야
하니, 절괘가 환괘 다음이 된다.
괘의 모습은 감(坎)괘가 위에 있고 태(兌)괘가 아래에 있어 연못 위
에 물이 있는 모습이다. 연못의 용량에는 한계가 있어 연못 위에 물
을 채우는 데 물이 가득 차면 더 수용될 수 없으니, 절제의 모습이
되므로 절(節)괘가 된다.

節, 亨, 苦節不可貞.

절제는 형통하니, 괴로운 절제는 올바를 수 없다.

本義

節, 有限而止也. 爲卦下兌上坎, 澤上有水, 其容有限, 故爲
節. 節固自有亨道矣. 又其體陰陽各半而二五皆陽, 故其占得
亨. 然至於太甚, 則苦矣. 故又戒以不可守以爲貞也.

절(節)은 한계가 있어 멈추는 것이다. 괘의 모습은 아래는 태(兌)이
고 위는 감(坎)이니, 연못 위에 물이 있어 그 용량에 한계가 있으므
로 절(節)괘이다.

절(節)은 진실로 스스로 형통할 수 있는 도가 있다. 또 체질이 음
(陰)효와 양(陽)효가 각각 반씩이고 이효와 오효가 모두 양(陽)이기
때문에 그 점(占)이 형통할 수 있다. 그러나 너무 심함에 이르면 괴
롭다. 그러므로 또 지켜서 올바를 수 없다고 경계한 것이다.

程傳

事旣有節, 則能致亨通, 故節有亨義. 節貴適中, 過則苦矣.
節至於苦, 豈能常也? 不可固守以爲常, "不可貞"也.

어떤 일이든 절제가 있다면 형통함에 이를 수 있으므로, 절제에는
형통하다는 의미가 담겨 있다. 절제는 상황에 적합하게 만드는 것

이 가장 중요하니, 지나치면 고통스럽다. 절제하면서 고통에 이른다면, 어찌 오래도록 지속할 수 있겠는가? 굳게 지켜 오래 지속할 수 없으므로, "올바를 수 없다."

● 孔氏穎達曰 : "節者, 制度之名, 節止之義, 制事有節, 其道乃亨, 故曰'節亨'. 節須得中, 爲節過苦, 傷於刻薄, 物所不堪, 不可復正, 故曰'苦節不可貞'也."[1]

공영달(孔穎達)[2]이 말했다. "절(節)이란 제어하고 헤아리는 일의 이름이고 절제하여 멈추는 뜻이다. 절제하는 일에는 절도가 있어야 그 도가 형통할 수 있으므로 '절제는 형통하다'고 했다. 절제에는 반드시 중도(中道)를 이루어야 하는데 절제가 과도하면 괴롭고 각박하다는 피해가 있어 감당하지 못하고 다시 올바름을 회복할 수 없으므로 '괴로운 절제는 올바를 수 없다'고 했다."

----

1) 공영달(孔穎達), 『주역주소(周易注疏)』 권10, 「절(節)괘」.
2) 공영달(孔穎達, 574~648) : 자는 중달(仲達)이고 시호는 헌공(憲公)이며, 기주 형수(冀州衡水 : 현 하북성 형수(衡水)) 사람이다. 동란의 와중에서 학문을 닦았으며 남북 두 학파의 유학은 물론 산학(産學)과 역법(曆法)에도 정통했다. 당 태종(唐太宗)에게 중용되어, 벼슬은 국자박사(國子博士)를 거쳐 국자감의 좨주(祭酒)·동궁시강(東宮侍講) 등을 역임하였다. 특히 문장·천문·수학에 능통하였으며, 위징(魏徵)과 함께 『수서(隋書)』를 편찬하였다. 당 태종의 명에 따라 고증학자 안사고(顔師古) 등과 더불어 오경(五經) 해석의 통일을 시도하여 『오경정의(五經正義)』 170권을 편찬하였다. 이는 위진 남북조 이래 경학의 집대성이라고 할 수 있다.

● 薛氏溫其曰 : "節以禮, 其道乃亨. 過苦傷陋, 不可以爲正也."

설온기(薛溫其)가 말했다. "절제는 예로 해야 그 도가 형통하다. 지나치게 괴로우면 상처를 받고 비루해져서 올바를 수 없다."

初九, 不出戶庭, 無咎.

초구효는 문밖의 뜰을 나가지 않음이니, 허물이 없다.

本義

戶庭, 戶外之庭也. 陽剛得正, 居節之初, 未可以行, 能節而
止者也, 故其象占如此.

호정(戶庭)은 문밖의 뜰이다. 양의 굳센 자질로 올바름을 얻고 절제
의 초기에 자리하여 행하지 않으니, 절제하여 그칠 수 있는 자이므
로 그 상(象)과 점(占)이 이와 같다.

程傳

戶庭, 戶外之庭, 門庭, 門內之庭. 初以陽在下, 上復有應, 非
能節者也. 又當節之初, 故戒之謹守, 至於"不出戶庭", 則無
咎也. 初能固守, 終或渝之. 不謹於初, 安能有卒? 故於節之
初爲戒甚嚴也.

호정(戶庭)은 문밖의 뜰이고, 문정(門庭)은 문 안의 뜰이다. 초구효
는 양(陽)효로 아래의 자리에 있고, 위에 다시 호응하는 사람이 있
으니, 절제할 수 있는 자가 아니다. 또 절제하는 시초에 있으므로,
신중하게 정도(正道)를 지켜 "문밖의 뜰에 나가지 않으면" 허물이
없다고 경계하였다.

처음에는 굳게 정도를 지킬 수 있으나, 끝에는 간혹 변할 수 있다. 초기에 신중하게 삼가지 않으면, 어떻게 좋은 결말이 있겠는가? 그러므로 절제하는 처음에 경계한 것이 매우 엄격하다.

集說

● 王氏申子曰 : "陽剛在下, 居得其正. 當節之初, 知其時未可行, 故謹言謹行, 至於不出戶外之庭, 是知節而能止者, 故無咎."[3]

왕신자(王申子)가 말했다. "양의 굳셈이 아래에 있으면서 그 자리하는 데 올바름을 얻었다. 절제의 처음에 행할 수 없는 때를 알았으므로 말을 조심하고 행동을 조심하여 문밖의 뜰에 나가지 않으니, 이것이 절제를 알아 멈출 수 있는 자이므로 허물이 없다."

● 徐氏在漢曰 : "坎變下一畫爲兌, 象止坎下流. 戶以節人之出入, 澤以節水之出入. 初'不出戶庭', 以極其愼密爲不出, 此其所以無咎."

서재한(徐在漢)이 말했다. "감(坎☵)이 아래 한 획이 변하여 태(兌☱)가 되니 멈춘 물이 아래로 흘러가는 것을 상징한다. 문은 사람의 출입을 조절하고 연못은 물의 출입을 조절한다. 초육효는 '문밖의 뜰을 나가지 않으니' 매우 조심하여 나가지 않아 이것이 허물이 없는 이유이다."

---

3) 왕신자(王申子), 『대역집설(大易集說)』「절(節)괘」.

九二, 不出門庭, 凶.

구이효는 문안의 뜰에 나가지 않으니, 흉하다.

本義

門庭, 門內之庭也. 九二當可行之時, 而失剛不正, 上無應與, 知節而不知通, 故其象占如此.

문정(門庭)은 문 안의 뜰이다. 구이효는 행할 만한 때 굳셈을 잃고 올바르지 못하며 위로 호응하여 함께 하는 사람이 없어 절제할 줄만 알고 변통할 줄 모르므로 그 상(象)과 점(占)이 이와 같다.

程傳

二雖剛中之質, 然處陰居說而承柔. 處陰, 不正也. 居說, 失剛也, 承柔, 近邪也. 節之道當以剛中正. 二失其剛中之德, 與九五剛中正異矣. “不出門庭”, 不之於外也, 謂不從於五也. 二五非陰陽正應, 故不相從. 若以剛中之道相合, 則可以成節之功. 惟其失德失時, 是以凶也. 不合於五, 乃不正之節也. 以剛中正爲節, 如懲忿窒欲, 損過益有餘, 是也. 不正之節, 如嗇節於用, 儒節於行, 是也.

구이효가 굳세면서 알맞은 자질을 가졌더라도 음(陰)의 자리에 처했고, 기쁨에 자리하여 부드러운 자를 받들고 있다. 음(陰)의 자리에 처한 것은 올바르지 못하고, 기쁨에 자리하는 것은 강함을 잃었으며, 부드러운 자를 받들고 있는 것은 사특한 사람을 가까이 함이다.

절제의 도는 마땅히 굳세면서 알맞은 덕으로 행해야 한다. 구이효가 굳세면서 알맞은 덕을 잃었으니, 구오효의 굳세면서 알맞은 덕과는 다르다.

"문안의 뜰에 나가지 않는다"는 밖으로 나가지 않는 것이니, 구오효를 따르지 않음을 말한다. 구이효와 구오효는 음과 양이 올바르게 호응한 관계가 아니므로, 서로 따르지 않는다. 굳세면서 알맞은 도리로 서로 화합한다면, 절제의 공을 이룰 수 있었을 것이다. 오직 그 덕을 잃고 때를 잃어버려서 흉하다.

구오효와 화합하지 못하는 것이 곧 올바르지 못한 절제이다. 굳세면서 알맞은 덕으로 절제하는 일은 "분함을 억제하고 욕심을 막는다."[4]는 것과 지나침을 덜어내고 여유 있음을 억누르는 일과 같은 것이 그러하다. 올바르지 못한 절제는 쓸쓸이를 인색하게 절약하고, 행동하는 데 나약하게 절제하는 일과 같은 것이 그러하다.

集說

● 『朱子語類』云 : "戶庭是初爻之象, 門庭是第二爻之象."[5]

....

4) 분함을 억제하고 욕심을 막는다. : 『주역』「손(損)괘」: "象曰, 山下有澤, 損, 君子以懲忿窒欲.[「상전」에서 말했다. 산 아래에 연못이 있는 것이 손괘의 모습이니, 군자는 이것을 본받아 분노를 억제하고 욕심을 막는다.]"라고 하였다.
5) 『주자어류(朱子語類)』 권73, 117조목.

『주자어류』에서 말했다. "문 밖의 뜰은 초효의 모습이고, 문 안의 뜰은 두 번째 효의 모습이다."

● 錢氏志立曰：“澤所以鍾水也. 水始至則增其防以瀦之, 初九是也. 水漸盛則啟其竇以洩之, 九二是也. 二與初同道, 則失其節矣.”

전지입(錢志立)이 말했다. "연못은 물을 모은다. 물이 모이기 시작하면 그 둑을 쌓아 고이게 하니 초구효가 그렇다. 물이 점차로 성대해지면 그 구멍을 열어 새나가게 하니 구이효가 그렇다. 구이효와 초구효가 도를 같이 하면 그 절도를 잃는다."

案

節卦六爻皆以澤水二體取義, 澤者止, 水者行. 節雖以止爲義, 然必可以通行而不窮, 乃爲節之亨也. 初二兩爻, 一在澤底, 一在澤中. 在澤底者水之方瀦, 不出宜也, 在澤中則當有蓄洩之道, 不可閉塞而不出也. 兌本坎體, 中爻其主也. 有坎之德可以流行, 而變兌則爲下流之塞, 二適當之, 故六爻之失時, 未有如二者也. 時應塞而塞, 則爲愼密不出, 雖足不窺戶可也. 時不應塞而塞, 則爲絕物自廢, 所謂出門同人者, 安在哉?

절(節)괘의 여섯 효는 모두 연못과 물 두 가지 형체로 의미를 취했으니, 연못은 멈춤이고 물은 가는 것이다. 절괘는 멈춤으로 뜻으로 하지만 반드시 통하고 행할 수 있어야 궁해지지 않으니, 절제의 형 통함이다.
초구효와 구이효 두 효는 하나는 연못 바닥에 있고 하나는 연못 가운데 있다. 연못 바닥에 있는 것은 물이 모임이니 나가지 않는 것이 마땅하고 연못의 가운데는 마땅히 모여 새는 길이 있으니 막혀서 나가지 못해서는 안 된다.

태(兌☱)는 본래 감(坎☵)의 형체이니 가운데 효가 주효이다. 감(坎)의 덕은 흘러 나갈 수 있고 태(兌)로 변하면 아래로 막히게 되니 구이효가 바로 해당하므로 여섯 효 가운데 때를 잃은 것은 구이효만한 것이 없다.

때가 막혀야 할 때 막히면 신중하여 나가지 않는 것이라, 문을 엿보지 않아도 좋다. 때가 막혀서는 안 될 때 막히면 사물을 끊고 스스로 막힘이니 문밖으로 나가 사람들과 함께 하는 것이 어디에 있겠는가?

六三, 不節若, 則嗟若, 無咎.

육삼효는 절제하지 않아 한탄함이니, 허물 곳이 없다.

本義

陰柔而不中正, 以當節時, 非能節者, 故其象占如此.

음의 부드러운 자질로 중정(中正)하지 못하면서 절제의 때이니, 절제할 수 있는 자가 아니므로 그 상(象)과 점(占)이 이와 같다.

程傳

六三不中正, 乘剛而臨險, 固宜有咎. 然柔順而和說, 若能自節而順於義, 則可以無過. 不然, 則凶咎必至, 可傷嗟也. 故 "不節若則嗟若". 己所自致, 無所歸咎也.

육삼효는 중정(中正)을 이루지 못했으며, 군센 자를 타고 위험에 임했으니, 본디 마땅히 허물이 있다. 그러나 유순(柔順)하여 화합하고 기뻐하니, 스스로 절제하여 마땅한 의리에 순종하면, 허물이 없을 수 있다. 그렇지 않으면, 흉함과 허물이 반드시 이를 것이니, 손상을 입고 한탄할 만하다. 그러므로 "절제하지 않으면 한탄한다." 자신이 자초한 것이므로, 허물을 탓할 곳이 없다.

集說

● 張子曰：“處非其位, 失節也. 然能嗟其不節, 則亦無咎矣.”[6]

장자(張子, 張載)[7]가 말했다. “그 지위가 아닌 곳에 처하여 절도를 잃었다. 그러나 그 절도를 잃은 것을 탄식할 수 있다면 또한 허물이 없다.”

又曰：“王弼於此無咎, 又別立一例, 只舊例亦可推行, 但能嗟其不節, 有補過之心, 則亦無咎也.”

또 말했다. “왕필은 이 허물이 없음에 대해 또 다른 예를 세웠지만 옛 전례는 또한 추론하여 행할 수 있으니, 단지 그 절제하지 못함을 탄식할 수 있어 허물을 보충하는 마음이 있다면 역시 허물이 없다.”

● 李氏彦章曰：“臨之六三, 失臨之道, 而旣憂之. 節之六三, 失節之道而嗟若, 皆得無咎. 『易』以補過爲善者也.”

이언장(李彦章)이 말했다. “임(臨)괘의 육삼효도 임하는 도를 잃어

---

6) 장재(張載),『횡거역설(橫渠易說)』권2,「절(節)괘」.
7) 장재(張載, 1020~1077)：자는 자후(子厚)이고, 세칭 횡거선생(橫渠先生)이라고 한다. 송대 대양(大梁：현 하남성 개봉〈開封〉) 사람으로 거주지는 미현 횡거진(郿縣橫渠鎭：현 섬서성 미현〈眉縣〉)이었다. 1057년 진사에 급제했고 운암령(雲巖令)·숭정원교서(崇政院校書) 등을 역임하였다. 젊어서 병법을 좋아하여 범중엄에게 서신을 보냈다가『중용』을 읽기를 권유받고, 얼마 뒤『6경(六經)』에 전념하게 되었다. 특히『역』과『중용』을 중시하여『정몽(正蒙)』,『서명(西銘)』,『역설(易說)』등을 지었는데, 이로써 나중에 '관학(關學)'의 창시자가 되었다.

근심스럽다. 절(節)괘의 육삼효도 절제하는 도를 잃어 탄식하나, 모두 허물이 없다. 『역』은 허물을 보충하는 것을 최선으로 삼는다."

● 鄭氏汝諧曰: "進乘二陽, 處澤之溢, 過乎中而不節者三也. 知其不節, 而能傷嗟以自悔, 其誰咎之哉! 下體之極, 極則當變, 故發此義."[8]

정여해(鄭汝諧)[9]가 말했다. "두 양을 타고 올라가 연못이 넘치는 곳에 처하니 중도를 넘어서서 절제하지 못한 것이 육삼효이다. 절제를 지키지 못한 것을 알아 탄식하여 스스로 후회하면 누가 허물하겠는가! 하체(下體)의 극한에서 극한에 이르면 마땅히 변하므로 이러한 뜻을 말했다."

● 豐氏寅初曰: "處兌之極, 水溢澤上, 說於驕侈, 不知謹節, 以致窮困. 然其心痛悔, 形於悲歡, 能悔則有改過之幾, 是猶可以無咎也."

풍인초(豐寅初)가 말했다. "태(兌☱)괘의 끝에 처하여 물이 연못에서 넘쳐 교만과 사치에 기뻐하면서 삼감과 절제를 알지 못하여 곤

---

8) 정여해(鄭汝諧), 『역익전(易翼傳)』 하경(下經), 「절(節)괘」.
9) 정여해(鄭汝諧, 1126~1205): 자가 순거(舜擧)이고 호는 동곡거사(東谷居士)로 청전현성(靑田縣城) 사람이다. 송나라 소흥(紹興) 27년(1157)에 진사가 되어 건도(乾道) 4년(1168) 양절(兩浙) 전운판관(轉運判官)에 임명되었다. 여러 관직을 거쳐 고향으로 돌아가 석개서원(介石書院)을 세웠다. 개희(開禧) 원년(1205)에 죽었다. 『동곡역익전(東谷易翼傳)』, 『논어의원(論語意源)』, 『동곡집(東谷集)』 등이 있다.

궁함에 이르렀다. 그러나 그 마음은 고통스럽고 후회하여 비탄에
잠겨 있으니 후회하고 허물을 고치는 계기가 있어 허물이 없을 수
가 있다."

六四, 安節, 亨.

육사효는 편안히 행하는 절제이니, 형통하다.

本義

柔順得正, 上承九五, 自然有節者也, 故其象占如此.

유순(柔順)하면서 올바름을 얻고 위로 구오효를 받드니, 자연스럽게 절제가 있는 자이므로 그 상(象)과 점(占)이 이와 같다.

程傳

四順承九五剛中正之道, 是以中正爲節也. 以陰居陰, 安於正也. 當位爲有節之象. 下應於初, 四坎體水也, 水上溢爲無節, 就下有節也. 如四之義, 非强節之, 安於節者也, 故能致亨. 節以安爲善, 强守而不安則不能常, 豈能亨也?

육사효는 굳세면서 중정(中正)를 이룬 구오효의 도를 순종하고 받드니, 이것이 중정(中正)으로써 절제하는 일이다. 음(陰)의 자질로 음(陰)의 위치에 자리했으니, 올바름에 안정을 이루어 지위를 합당하게 감당하는 것이 절제가 있는 모습이다.

아래로 초구효에 호응하니, 육사효는 감(坎☵)괘의 형체에 속해 있어 물에 해당하여 물이 위로 넘치는 것은 절제가 없고, 아래로 흘러내리는 것은 절제가 있다. 육사효와 같은 사람의 마땅한 의리는 억

지로 절제하는 것이 아니라, 절제에 안정을 이룬 것이므로, 형통함
에 이를 수 있다.

절제는 안정을 이루는 것이 가장 좋다. 억지로 절제하면서 스스로
를 지키려고 애써서 안정을 이루지 못하면, 오래도록 지속할 수가
없으니, 어찌 형통할 수 있겠는가?

集說

● 俞氏琰曰:"六三失位而處兌澤之極, 是乃溢而不節, 六四當
位而順承九五之君, 故爲安節."[10]

유염(俞琰)[11]이 말했다. "육삼효는 지위를 잃고 태(兌☱)괘의 연못
끝에 처했으니 이는 넘쳐흘러 절제하지 못한 것이고, 육사효는 마
땅한 지위에 자리하여 위로 구오효의 임금을 받드는 일이므로 편안
한 절제이다."

---

10) 유염(俞琰), 『주역집설(周易集說)』 권9, 「절(節)괘」.
11) 유염(俞琰) : 자는 옥오(玉吾)이고, 호는 전양자(全陽子), 임옥산인(林屋
山人), 석간도인(石澗道人) 등이다. 남송 말 원대 초기에 활동한 학자로
송대 오군(吳郡 : 현 강소성 소주〈蘇州〉) 사람이다. 어려서 가학을 익히
고 젊어서는 기서(奇書)를 즐겨 연구하다가, 뒤늦게 과거시험 준비를 했
다. 남송이 멸망하고 원대 조정이 들어서자 과거응시를 포기하고 은거하
여 역학 연구에 전념하였다. 역학 관련 저술이 특히 많았는데, 대표적인
것으로 『주역집설(周易集說)』, 『독역거요(讀易擧要)』, 『역외별전(易外
別傳)』 등이 있다.

六四以柔正承五, 故曰"安節". 安與勉對, 蓋凡其制節謹度, 皆循
乎成法而安行, 非勉强以爲節者也. 於象居坎之下, 水之下流也,
柔正爲水流平地安瀾之象.

육사효는 부드러움과 올바름으로 구오효를 받들기 때문에 "편안한
절제"라고 했다. 편안한 것과 힘쓰는 것은 상대적이니, 절도를 제어
하는 일은 모두 이루어진 법을 따라 편안히 행해야지 억지로 힘써
절제하는 것이 아니다.
상(象)에서 감(坎☵)괘의 아래에 자리하니 물이 아래로 흐르는 것
이어서 부드러움과 올바름이 물이 아래로 흘러 평평한 곳에 편안하
게 흐르는 모습이다.

九五, 甘節, 吉, 往有尙.

구오효는 감미로운 절제라 길하니, 그대로 가면 가상할 만한 일이
있다.

所謂"當位以節, 中正以通"者也, 故其象占如此.

이른바 "합당한 지위를 담당하여 절제하고 중정(中正)하여 통한
다"[12)는 것이므로 그 상(象)과 점(占)이 이와 같다.

九五剛中正居尊位, 爲節之主. 所謂"當位以節, 中正以通"者
也. 在己則安行, 天下則說從, 節之甘美者也, 其吉可知. 以
此而行, 其功大矣, 故往則有可嘉尙也.

구오효는 굳세면서 중정(中正)을 이룬 덕으로 존귀한 지위에 자리
하여, 절제의 주체가 되었다. 「단전」에서 이른 바 "합당한 지위를
담당하여 절제하고, 중정(中正)을 이루어 통한다"는 말이다.

자신의 입장에서는 안정을 이루어 행하고, 세상 사람들은 기뻐하면

----

12) 『주역』「절(節)괘」「단전」: "說以行險, 當位以節, 中正以通.[기뻐하면서
위험을 행하고, 합당한 지위를 감당해서 절제하고, 중정(中正)을 이루어
통한다.]"라고 하였다.

서 따르니, 절제하는 일이 감미롭고 아름다운 것이라서, 그 길함을 알 수 있다. 이러한 방도로 행하여 나가면, 그 공이 크기 때문에 그대로 가면 가상할 만한 일이 있다.

集說

● 王氏弼曰 : "當位居中, 爲節之主. 不失其中, 不傷財, 不害民之謂也. 爲節而不苦, 非甘而何? 術斯以往, 往有尙也."[13]

왕필(王弼)이 말했다. "지위가 합당하고 가운데 자리했으니 절제의 주체이다. 그 중도를 잃지 않고 재물을 손상하지 않고 백성을 해치지 않는 것을 말한다. 절제하여 고통스럽지 않으니 감미롭지 않으면 무엇이겠는가? 이러한 술수로 가면 어디를 가던 가상함이 있다."

● 『朱子語類』云 : "'甘'便對那'苦'. 甘節與'禮之用, 和爲貴'相似."[14]

『주자어류』에서 말했다. "감미롭다는 '감(甘)'이란 고통스럽다는 '고(苦)'와 상대적이다. 감미로운 절제는 『논어』에서 '예의 작용은 조화를 귀하게 여긴다'[15]는 말과 유사하다."

● 趙氏汝楳曰 : "鹹苦酸辛, 味之偏. 甘, 味之中也. 甘受和, 和者口味之偏向而適其中. 行之以甘, 人不吾病, 而事以成, 節之

---

13) 왕필(王弼), 『주역주(周易注)』, 「절(節)괘」.
14) 『주자어류(朱子語類)』 권73, 119조목.
15) 『논어(論語)』 「학이(學而)」.

吉也."16)

조여매(趙汝楳)17)가 말했다. "짜고 쓰고 시고 매운 것은 맛의 치우
침이다. 달다는 것은 맛의 중심이다. 달다는 것은 조화이니, 조화는
입이 맛의 편향된 부분을 맛보고 그 중심을 맞추는 일이다. 감미롭
게 행하면 사람들이 나를 싫어하지 않고 일이 이루어지니, 절제의
길함이다."

案

水之止者苦, 積澤爲鹵是也. 其流者甘, 山下出泉是也. 五爲坎
主水之源也. 在井爲冽, 取其不泥也, 在節爲甘, 取其不苦也.

물이 멈춘 것은 쓰니 연못에 누적되어 생긴 소금이 그러하다. 그
흐르는 것은 단맛이 나는데 산 아래 흐르는 샘물이 그러하다.
구오효는 감(坎☵)괘에서 물의 원천이다. 정(井)괘에서 "깨끗하
다"18)는 말이니 우물물이 더럽지 않는 것을 취했고, 절(節)괘에서
는 감미롭다고 했으니 쓰지 않음을 말한다.

....

16) 조여매(趙汝楳), 『주역집문(周易輯聞)』 권6, 「절(節)괘」.
17) 조여매(趙汝楳): 조여매(趙汝楳)는 남송(南宋) 시대 학자로서 상왕원분
    (商王元份) 7세손이고 자정전대학사(資政殿大學士) 선상(善湘)의 아들
    이다. 이종(理宗) 대에는 호부시랑(戶部侍郎)까지 올랐다. 『주역집문(周
    易輯聞)』 6권이 있다. 『송사(宋史)』 「조선상전(趙善湘傳)」에 따르면 조
    선상이 『역』에 대해 말한 책에는 『약설(約說)』 8권, 『혹문(或問)』 4권,
    『지요(指要)』 4권, 『속문(續問)』 8권 등이 있는데 이 『역』을 연구한 것이
    가장 오래되었다고 하니, 조여매는 가학(家學)을 이어서 이 『주역집문』
    을 지었을 것이다.
18) 『주역』 「정(井)괘」: "九五, 井冽寒泉食.[구오효는 우물이 깨끗하여 시원
    한 샘물을 먹을 수 있다.]"라고 하였다.

上六, 苦節, 貞凶, 悔亡.

상육효는 괴로운 절제이니, 올바르더라도 흉하지만 후회가 없다.

本義

居節之極, 故爲"苦節", 旣處過極, 故雖得正而不免於凶. 然
禮奢寧儉, 故雖有悔而終得亡之也.

절제의 끝에 자리하므로 "고통스런 절제"가 되었고, 이미 지나치게
끝에 처했으므로 올바름을 얻더라도 흉함을 면치 못한다. 그러나
예(禮)는 사치하기보다는 차라리 검소해야 하므로 후회는 있지만
끝내 없어질 수 있다.

程傳

上六居節之極, 節之苦者也. 居險之極, 亦爲苦義. 固守則凶,
悔則凶亡. 悔, 損過從中之謂也. 節之"悔亡", 與他卦之悔亡,
辭同而義異也.

상육효는 절제의 끝에 자리하니, 절제하는 데 괴로운 것이다. 위험
의 끝에 자리하니, 또한 괴로운 뜻이 있다. 고집스럽게 지키면 흉하
고, 후회하면 흉함이 없어진다.

후회하는 것은 지나침을 덜어내고 중도(中道)를 따르는 것을 말한
다. 절괘에서 "후회하면 흉함이 없어진다"는 뜻의 '회망(悔亡)'이라

는 말은 다른 괘에서 말하는 '회망(悔亡)'과 글자는 같지만 뜻은 다르다.

集說

● 干氏寶曰 : "「象」稱'苦節不可貞', 在此爻也, 故曰'貞凶'."

간보(干寶)[19]가 말했다. "「단전」에서 '괴로운 절제라면 올바를 수 없다'고 했으니, 이 효에서는 '올바르더라도 흉하다'고 했다."

● 孔氏穎達曰 : "上六處節之極, 過節之中, 節不能甘, 以至於苦, 故曰'苦節'也. 若以苦節施人, 則是正道之凶, 若以苦節修身, 則儉約無妄, 可得亡悔."[20]

....

19) 간보(干寶, ?~336) : 자는 영승(令升)이고, 동진(東晉)의 신채(新蔡 : 현하남성 신채현) 사람이다. 역사·음양·산수를 연구했고, 원제(元帝) 때 저작랑(著作郞)이 된 뒤 역사찬집(歷史撰集)에 종사했다. 특히 역학(易學)에 조예가 깊어『진서(晉書)』에서 "간보가『주역』을 주석했다"고 했으며,『수서(隋書)』「경적지(經籍志)」에는 "『주역』10권을 진(晉)의 산기상시(散騎常侍)인 간보가 주석했고, 또한『주역효의(周易爻義)』1권을 간보가 지었으며, 양(梁)나라에는『주역종도(周易宗塗)』4권이 있는데 간보가 지었다."라고 기재되어 있다. 저서에는『주역주(周易注)』,『오기변화론(五氣變化論)』,『진기(晉記)』,『주관례주(周官禮注)』,『춘추좌자의외전(春秋左子義外傳)』,『수신기(搜神記)』등이 있으며, 특히『수신기』는 괴이전설(怪異傳說)을 집대성한 것으로 육조(六朝) 소설의 뛰어난 작품일 뿐만 아니라, 당·송시대(唐宋時代) 전기물(傳奇物)의 선구가 되었다.

20) 공영달(孔穎達),『주역주소(周易註疏)』,「절(節)괘」.

공영달(孔穎達)이 말했다. "상육효는 절제의 끝에 처하고 절제의
가운데를 지나쳐 절제가 감미로울 수가 없어 괴로움에 이르므로
'괴로운 절제'라고 했다. 괴로운 절제로 타인에게 베풀면 올바른 도
의 흉함이고, 괴로운 절제로 몸을 수양하면 검약하여 망령됨이 없
어 후회가 없어질 수 있다."

● 呂氏大臨曰 : "上六居節之極, 其節已甚, '苦節'者也. 用過乎
節, 物所不堪, 守是不變物窮必乖, 故曰'貞凶'. 禮奢寧儉, 未害
乎義, 故曰'悔亡'."

여대림(呂大臨)[21]이 말했다. "상육효는 절제의 끝에 자리하여 그
절제가 너무 심하여 '괴로운 절제'가 된다. 절제를 지나치게 하면
사물이 감당하지 못하고, 지키는 것이 변하지 못하여 사물이 궁지
에 이르면 반드시 떨어져 나가므로 '올바르더라도 흉하다'고 했다.
예는 사치보다는 검소한 것이 의로움을 해치지 않으므로 '후회가
없어진다'고 했다."

● 胡氏炳文曰 : "無位中, 故爲甘, 上位極, 故爲苦. 「象」曰'節

---

21) 여대림(呂大臨, 1040~1092) : 자는 여숙(與叔)이고, 당시 예각선생(藝閣
先生)으로 불리었다. 송대 남전(藍田 : 현 섬서성 소속) 사람으로 『여씨
향약(呂氏鄕約)』을 쓴 여대균(呂大鈞)의 동생이다. 장재(張載)가 처음
으로 관중(關中)에 와서 강학할 때 형들과 함께 장재를 스승으로 모셨으
나, 장재가 죽은 뒤 이정(二程)에게 배워 사량좌(謝良佐)·유초(游酢)·
양시(楊時)와 함께 '정문4선생(程門四先生)'이라 일컫는다. 태학박사
(太學博士)·비서성정자(秘書省正字)를 역임하였다. 저서는 『예기전(禮
記傳)』, 『고고도(考古圖)』 등이 있다.

亨', 五以之, 曰'苦節不可貞', 上以之."22)

호병문(胡炳文)23)이 말했다. "지위가 없지만 중도를 이루었으므로 감미롭고, 가장 높은 자리에 있으므로 괴롭다.「단전」에서 '절제는 형통하다'고 했으니, 구오효에 해당하고, '괴로운 절제는 올바를 수 없다'고 했으니 상육효에 해당한다."

● 來氏知德曰 : "無甘節之吉, 故貞凶. 無不節之嗟, 故悔亡."24)

래지덕(來知德)이 말했다. "감미로운 절제의 길함은 없으므로 올바르더라도 흉하다. 절제하지 않은 탄식이 없으므로 후회가 없어진다."

總論

● 邱氏富國曰 : "「象傳」'當位以節', 故節之六爻, 以當位爲善, 不當位爲不善. 若以兩爻相比者觀之, 則又各相比而相反. 初與二比, 初'不出戶庭'則無咎, 二'不出門庭'則凶, 二反乎初者也.

----

22) 호병문(胡炳文), 『주역본의통석(周易本義通釋)』 권2, 「절(節)괘」.
23) 호병문(胡炳文, 1250~1333) : 원나라 휘주(徽州) 무원(婺源) 사람으로 자는 중호(仲虎)고, 호는 운봉(雲峰)이다. 주희(朱熹)의 종손(宗孫)에게 『주역』과 『서경』을 배워 주자학에 잠심했으며, 특히 『주역』에 뛰어났다. 신주(信州) 도일서원(道一書院) 산장(山長)을 지내고, 난계주학정(蘭溪州學正)이 되었는데, 나가지 않았다. 저서에 『주역본의통석(周易本義通釋)』과 『서집해(書集解)』, 『춘추집해(春秋集解)』, 『예서찬술(禮書纂述)』, 『사서통(四書通)』, 『대학지장도(大學指掌圖)』, 『오경회의(五經會義)』, 『이아운어(爾雅韻語)』 등이 있다.
24) 래지덕(來知德), 『주역집주(周易集註)』 권12, 「절(節)괘」.

三與四比, 四柔得正則爲'安節', 三柔不正則爲'不節', 三反乎四
者也. 五與上比, 五得中則爲節之甘, 上過中則爲節之苦, 上反
乎五者也."[25]

구부국(邱富國)[26]이 말했다. "「단전」에서 '합당한 지위에서 절제한
다'고 했으므로 절괘의 여섯 효는 합당한 지위가 좋고, 합당하지 않
은 지위는 착하지 않다. 만약 두 효를 서로 비교해 보면 또 각각
서로 나란히 하고 서로 반대된다. 초구효와 구이효는 나란히 비교
하면 초구효는 '문밖의 뜰에 나가지 않으니' 허물이 없고, 구이효는
'문앞의 뜰에 나가지 않아' 흉하다. 구이효는 초구효와 반대되는 것
이다. 육삼효와 육사효를 나란히 비교하면 육사효는 부드러움으로
올바름을 얻으니 '편안한 절제'이고, 육삼효는 부드러움으로 올바르
지 못하니 '절제하지 못하여', 육삼효는 육사효와 반대된다. 구오효
와 상육효를 나란히 비교하면 구오효는 중도를 얻어 절제가 감미롭
고 상육효는 중간을 지나쳐 절제의 괴로움이니, 상육효는 구오효와
상반된다."

● 陸氏振奇曰 : "觀下卦通塞二字, 上卦甘苦二字, 可以知節道
矣. 通處味甘, 塞處味苦, 塞極必潰, 故三受焉, 甘失反苦, 故上
受焉."

---

25) 구부국(丘富國), 『주역집해(周易輯解)』「절(節)괘」.
26) 구부국(丘富國) : 자는 행가(行加)이고, 남송 건안(建安 : 현 복건성 건구
〈建甌〉) 사람이다. 주자의 문인으로 주자의 역학사상을 주로 계승 발전
시켰다. 이종(理宗) 순우(淳祐) 7년(1247)에 진사에 급제하여 벼슬은 단
주첨판(端州僉判)을 역임했다. 남송이 망하자 은거하고 벼슬하지 않았
다. 저서에는 『주역집해(周易輯解)』, 『역학설약(易學說約)』, 『경세보유
(經世補遺)』 등이 있다.

육진기(陸振奇)[27]가 말했다. "하괘(下卦)의 통하고 막하는 두 글자와 상괘(上卦)의 감미롭고 괴로운 두 글자를 보면 절제의 도를 알수 있다. 통하는 곳은 맛이 감미롭고, 막히는 곳은 맛이 쓰니, 막힘이 극한에 이르면 반드시 무너지므로 육삼효가 주어서, 감미로움을 잃고 괴롭게 되므로 상육효가 받는다."

案

下卦爲澤爲止, 故初二皆曰"不出", 三則澤之止而溢也, 上卦爲水爲流, 故四曰"安"而五曰"甘", 上則水之流而竭也. 通塞甘苦, 皆以澤水取義. 陸氏之說得之矣.

하괘(下卦)는 연못이고 그침이 되므로 초구효와 구이효는 모두 "나가지 않는다"고 했고, 육삼효는 연못이 그쳐서 넘치는 것이다. 상괘(上卦)는 물이 흐르기 때문에 육사효는 "편안하다"고 했고, 구오효는 "감미롭다"고 했으며, 상육효는 물이 흘러 고갈된다. 통하고 막히고 감미롭고 괴로운 것은 모두 연못의 물로 의미를 취했다. 육진기의 말이 옳다.

....

27) 육진기(陸振奇) : 자는 용성(庸成)이고 명(明)대 전당(錢塘 : 현 절강성 항주〈杭州〉) 사람이다. 만력(萬曆) 34년(1606)에 거인(擧人)이 되었다. 저서에 『역개(易芥)』가 있다.

61. 중부中孚괘

巽上
兌下

程傳

中孚,「序卦」, "節而信之, 故受之以中孚." 節者, 爲之制節使
不得過越也. 信而後能行, 上能信守之, 下則信從之, 節而信
之也. 中孚所以次節也. 爲卦澤上有風, 風行澤上, 而感於水
中, 爲中孚之象. 感, 謂感而動也. 內外皆實而中虛, 爲中孚
之象. 又二五皆陽中實, 亦爲孚義. 在二體則中實, 在全體則
中虛, 中虛, 信之本, 中實, 信之質.

중부(中孚)괘는 「서괘전」에서 "절도를 지켜 믿으므로, 믿음을 상징
하는 중부괘로 받았다"라고 하였다. 절제란 절도를 조절하여, 지나
치게 넘치지 않도록 하는 것이다.

믿음이 있은 뒤에야 행할 수 있고, 윗사람이 믿음을 가지고 지킬 수
있다면, 아랫사람들은 신뢰하면서 따르니, 윗사람들이 절도를 지키
면 사람들이 믿게 된다. 그래서 중부(中孚)괘가 절괘 다음이다.

괘의 모습은 손(巽)괘가 위에 있고 태(兌)괘가 아래에 있어 연못 위
에 바람이 불어 물속에서 감동하게 되는 것이 중부괘의 상(象)이다.
'감(感)'은 자극을 받아 감동한다는 말이다. 내괘와 외괘의 중심[二
이효, 오효]이 모두 꽉 차있는 양효지만, 전체적인 괘의 모습에서는

가운데 두 효▤삼효, 사효]가 음효로서 텅 비어 있으니, 진실한 믿음을 상징하는 중부괘의 모습이다. 또 구이효와 구오효가 모두 양(陽)효이니 가운데가 꽉 차있는 것도 또한 믿음을 뜻한다.

두 괘의 형체로 보면 내괘와 외괘의 이효 오효 가운데 효가 꽉 차 있는 양효이고, 괘 전체적으로 보면 삼효 사효 가운데 두 효가 음효로 텅 비어 있으니, 가운데가 텅 비어 있는 것이 믿음의 근본을 상징하고, 가운데가 꽉 차 있는 것이 믿음의 바탕을 상징한다.

中孚, 豚魚, 吉, 利涉大川, 利貞.

진실한 믿음이 돼지와 물고기에게까지 미치면, 길하니, 큰 강을
건넘이 이롭고, 올바름을 굳게 지킴이 이롭다.

本義

孚, 信也. 爲卦二陰在內, 四陽在外, 而二五之陽, 皆得其中.
以一卦言之爲中虛, 以二體言之爲中實, 皆孚信之象也. 又下
說以應上, 上巽以順下, 亦爲孚義. "豚魚", 無知之物. 又木在
澤上, 外實內虛, 皆舟楫之象. 至信可感豚魚, 涉險難, 而不
可以失其貞. 故占者能致豚魚之應則吉, 而利涉大川, 又必利
於貞也.

부(孚)는 믿음이다. 괘의 모습은 두 음(陰)효가 안에 있고 네 양(陽)
효가 밖에 있으며, 이효와 오효의 양(陽)이 모두 중(中)을 얻었다.
한 괘로 말하면 가운데가 비었고 두 형체로 말하면 가운데가 꽉 찼
으니, 모두 믿음의 상(象)이다. 또 아래가 기뻐하여 위에 호응하고
위가 공순하게 아래에 순종하니, 또한 신뢰의 뜻이다.
"돼지와 물고기"는 무지(無知)한 동물이다. 또 나무가 못 위에 있고,
밖이 꽉 차고 안이 텅 비니, 모두 배에 있는 노의 상(象)이다. 지극
한 신뢰가 돼지와 물고기를 감동시킬 수 있다.
험난한 곳을 건널 때 올바름을 잃어서는 안 된다. 그러므로 점치는
자가 돼지와 물고기의 호응을 이룰 수 있다면 길하고 큰 강을 건너
는 것이 이로우며, 또 반드시 올바름이 이로운 것이다.

程傳

豚躁, 魚冥, 物之難感者也. 孚信能感於豚魚, 則無不至矣,
所以吉也. 忠信可以蹈水火, 況涉川乎. 守信之道, 在乎堅正,
故利於貞也.

돼지는 조급하고 물고기는 어리석으니, 사물들 가운데 감동시키기
가장 어려운 것이다. 진실한 믿음이 이러한 돼지와 물고기까지 감
동시킬 수 있다면, 그 감동의 영향력이 이르지 않는 것이 없으니,
그래서 길하다.
내적인 진실과 믿음은 물과 불까지도 밟고 갈 수 있는데, 하물며 강
을 건너는 것쯤이야 어떠하겠는가? 믿음을 지키는 방도는 올바름을
굳게 지키는 일에 달려 있으므로, 올바름을 굳게 지킴이 이롭다고
했다.

集說

● 孔氏穎達曰 : "信發於中, 謂之中孚. 魚者蟲之幽隱, 豚者獸
之微賤, 內有誠信, 則雖微隱之物, 信皆及矣. 旣有誠信, 光被萬
物, 以斯涉難, 何往不通? 故曰利涉大川. 信而不正, 凶邪之道,
故利在貞也."[1]

공영달(孔穎達)이 말했다. "믿음은 마음속에서 발현되므로 중부(中
孚)라고 한다. 물고기는 깊숙이 숨는 고기이고, 돼지는 미천한 짐
승이지만 안으로 진실한 믿음이 있다면 미천하고 숨는 동물일지라

---

1) 공영달(孔穎達), 『주역주소(周易注疏)』 권10, 「중부(中孚)괘」.

도 믿음이 모두 미친다. 진실한 믿음이 있다면 만물을 빛나게 하여 이것으로 어려움을 건너면 어디에 간들 통하지 않겠는가? 그러므로 큰 강을 건넘이 이롭다고 했다. 믿음이 있지만 올바르지 않으면 흉하고 사특한 도이므로 이로움이 올바름에 있다고 했다."

● 蘇氏軾曰 : "中孚, 信也, 而謂之中孚者, 如羽蟲之孚, 有諸中而後能化也. 內無陽不生, 故必剛得中, 然後爲中孚也."[2]

소식(蘇軾)이 말했다. "중부는 믿음인데 중부라고 하는 것은 깃털 달린 짐승의 부화(孵化)처럼 안에서 이루어진 뒤에야 부화할 수 있다. 안에서 양이 없으면 생겨나지 않으므로 반드시 굳셈이 알맞음을 얻은 뒤에야 중부라고 한다."

● 『朱子語類』問 : "中孚孚字與信字恐亦有別."
曰 : "伊川云, 存於中爲孚, 見於事爲信, 說得極好. 因擧字說孚字從爪從子, 如鳥抱子之象. 今之乳字一邊從孚. 蓋中所抱者, 實有物也, 中間實有物, 所以人自信之."[3]

『주자어류』에서 물었다. "중부의 부(孚)와 신(信)이라는 글자는 차이가 있습니다."
대답했다. "이천이 말하기를 '마음에 보존된 것이 부(孚)이고 일에서 드러난 것이 신(信)이다'라고 하니 설명이 매우 좋다. 글자를 가지고 부(孚)를 설명하자면 손톱 조(爪)자와 아들 자(子)자가 합쳐진 글자이니 새가 새끼를 품고 있는 모습과 같다. 지금 젖을 먹이는 뜻

---

2) 소식(蘇軾), 『동파역전(東坡易傳)』 권6, 「중부(中孚)괘」.
3) 『주자어류(朱子語類)』 권73, 121조목.

으로 쓰는 유(乳)자는 한 변이 부(孚)이다. 마음에 품고 있는 것이 실제로 있고 중간에 실제로 있으니 사람이 스스로를 믿는 것이다."

問 : "中虛信之本, 中實信之質, 如何?"
曰 : "只看虛實字, 便見本質之異. 中虛是無事時虛而無物, 故曰中虛. 自中虛中發出來皆是實理, 所以曰中實."

물었다. "가운데가 텅 빈 것이 믿음의 근본이고 가운데가 꽉 찬 것이 믿음의 바탕이라는 말은 어떠합니까?"
대답했다. "허실(虛實)이라는 글자를 보면 본질의 차이를 안다. 가운데가 텅 비었다는 것은 텅 비어 아무 것도 없는 때가 없으므로 가운데가 텅 비었다고 했다. 가운데가 텅 빈 것에서 발현되어 나온 것이 모두 실리(實理)라서 가운데가 꽉 찼다고 했다."

又云, "一念之間, 中無私主, 便謂之虛, 事皆不妄, 便謂之實, 不是兩件事."

또 말했다. "한 순간의 생각에서도 마음에 사사로운 주체가 없는 것이 텅 빔이고 일하는 데 망령되지 않음이 꽉 찬 것이니, 두 가지 일이 아니다."

● 胡氏炳文曰 : "豚魚至愚無知, 惟信足以感之. 大川至險不測, 惟信足以濟之. 然信而或失其正, 則如盜賊相群, 男女相私, 士夫死黨, 小人出肺肝於相示, 而遂背之, 其爲孚也, 人爲之僞, 非天理之正, 故又戒以利貞."[4]

호병문(胡炳文)이 말했다. "돼지와 물고기는 지극히 어리석고 무지한데 오직 믿음으로 감동시킬 수가 있다. 큰 강은 지극히 험난하여 예측하지 못하지만 오직 믿음으로 건널 수 있다. 그러나 믿음은 간혹 그 정도(正道)를 상실하게 되면 마치 도적들이 서로 무리 짓고 남녀가 사사롭게 관계하고 사대부들이 당을 만들고, 소인들이 폐와 간들 서로 드러내며 배신하는 것과 같으니, 그 믿음은 인위적 위선이지 천리의 올바름이 아니므로 올바름이 이롭다고 경계했다."

● 蔡氏清曰 : "豚魚吉, 承中孚云也. 中孚便有以孚於物矣, 不然, 乃爲豚魚之吉, 而不爲中孚者之吉矣. 豚魚是承中孚, 故「象傳」曰, '豚魚吉, 信及豚魚也.'"[5]

채청(蔡清)[6]이 말했다. "돼지와 물고기가 길한 것은 중부를 이어 말한 것이다. 중부는 사물에 믿음을 주는 것이니 그렇지 않다면 돼지와 물고기의 길함이 되지 진실한 믿음이 있는 자의 길함이 아니

4) 호병문(胡炳文), 『주역본의통석(周易本義通釋)』 권2, 「중부(中孚)괘」.
5) 채청(蔡清), 『역경몽인(易經蒙引)』 권8하, 「중부(中孚)괘」.
6) 채청(蔡清, 1453~1508) : 명(明)대 진강(晉江) 사람으로, 자는 개부(介夫)이고 별호는 허재(虛齋)이다. 31세에 진사에 급제하여 벼슬은 남경문선랑중(南京文選郎中)·강서제학부사(江西提學副使) 등을 역임하였다. 명대의 저명한 이학가(理學家)로서 주로 이정(二程)과 주희(朱熹)의 저술 연구를 통해 그들의 사상을 계승하였다. 특히 천주(泉州) 개원사(開元寺)에서 역학연구단체를 결성하여 90여 책을 출간하면서 청원학파(淸源學派)를 이루었다. 이정기(李廷機)·장악(張嶽)·임희원(林希元)·진침(陳琛) 등의 학자들이 그 학파의 주요 구성원이었다. 저술로는 『사서몽인(四書蒙引)』·『역경몽인(易經蒙引)』·『허재문집(虛齋文集)』 등이 있다.

다. 돼지와 물고기는 중부를 잇고 있으므로 「단전」에서 '돼지와 물고기의 길함은 믿음이 돼지와 물고기에 미친 것이다'라고 했다."

● 吳氏曰愼曰 : "中孚豚魚吉, 卦辭連卦名爲義, 猶'同人於野''履虎尾''艮其背'之例, 言人中心能孚信於豚魚, 則無所不感矣, 故吉也."

오왈신(吳曰愼)[7]이 말했다. "중부는 돼지와 물고기가 길하니 괘사(卦辭)에서 괘의 이름을 연이어 뜻으로 삼았다. 동인(同人)괘에서 '들판에서 사람과 함께 한다'와 리(履)괘에서 '호랑이 꼬리를 밟았다'와 간(艮)괘에서 '그 등에서 멈췄다'라는 예와 같으니, 사람 마음속이 돼지와 물고기를 진실하게 믿을 수 있다면 감동되지 않는 것이 없기 때문에 길하다."

....

7) 오왈신(吳曰愼) : 자는 휘중(徽仲)이고 흡현(歙縣 : 현 안휘성 黃山市) 사람으로 제생[諸生 : 명(明)·청(淸) 시대 때, 성(省)에서 실시하는 각종 고시(考試)에 합격한 다음 부(府), 주(州), 현(縣)의 학교에 들어가 공부하는 자들]을 지냈다. 북송오자의 책에 마음을 다 쏟았고, 학문을 논함에 경을 주로 하기 때문에 정암(靜菴)이라고 스스로 호를 붙였다. 초년에 양계(梁溪)를 유람하다가 동림(東林)서원에서 강학을 했다. 얼마 뒤 흡현으로 돌아와 자양서원과 환고서원 두 서원에서 제자들을 모아 강학했는데, 흥기하는 자들이 많았다.

初九, 虞吉, 有它不燕.

초구효는 헤아리면 길하니, 다른 마음을 가지면 편안하지 못하다.

本義

當中孚之初, 上應六四, 能度其可信而信之, 則吉. 復有他焉, 則失其所以度之之正, 而不得其所安矣, 戒占者之辭也.

중부(中孚)의 첫 효는 위로 육사효와 호응하니, 믿을 만한 사람을 헤아려 믿으면 길하다. 다시 다른 마음을 가지면 헤아림의 올바름을 잃어 편안함을 얻지 못할 것이니, 점치는 자를 경계한 말이다.

程傳

九當中孚之初, 故戒在審其所信. 虞, 度也, 度其可信而後從也. 雖有至信, 若不得其所, 則有悔咎, 故虞度而後信則吉也. 旣得所信, 則當誠一, 若"有它", 則不得其燕安矣. 燕, 安裕也. "有它", 志不定也. 人志不定, 則惑而不安. 初與四爲正應, 四巽體而居正, 無不善也. 爻以謀始之義大, 故不取相應之義. 若用應則非虞也.

양(陽)효인 구(九)가 중부(中孚)의 처음에 있으므로, 믿을 만한 것을 살피라고 경계하였다.

우(虞)는 헤아림이니, 믿을 만한 사람을 헤아린 뒤에 따른다. 지극

한 믿음이 있을지라도, 마음의 안정을 얻지 못하면 후회와 허물이
있게 되므로, 헤아린 뒤에 믿으면 길하다. 믿을 만한 점을 얻었으면
마땅히 진실하고 일관되게 지켜야만 하니, "다른 마음을 두면" 편안
하게 안정을 얻지 못할 것이다.

연(燕)이란 안정된 여유를 말하고, '유타(有他)'란 뜻이 정해지지 않
은 것이다. 사람의 뜻이 정해지지 않으면 의혹이 생기고 불안하다.
초구효는 육사효와 올바르게 호응한 관계이고, 육사효는 공손한 체
질에 있고 올바름에 자리하여 착하지 않음이 없다. 그러나 초구효
가 시작을 도모하는 뜻이 크기 때문에 서로 호응하는 관계라는 뜻
을 취하지 않았다. 만약 호응하는 관계라는 점을 적용한다면 헤아
리는 경우가 아니다.

集說

● 荀氏爽曰 : "虞, 安也. 初應於四, 宜自安虞, 無意於四則吉,
故曰'虞吉'也, 有意於四則不安, 故曰'有它不燕'也."[8]

순상(荀爽)이 말했다. "우(虞)는 편안한 것이다. 초구효는 육사효와
호응하여 마땅히 스스로 편안한데 육사효에 생각이 없어 길하므로,
'편안하여 길하다'고 했고, 육사효에 생각이 있으면 불안하므로 '다
른 생각이 있으면 편안하지 못하다'고 했다."

● 項氏安世曰 : "中孚六爻, 皆不取外應. 孚在其中, 無待於外

---

8) 이정조(李鼎祚), 『주역집해(周易集解)』 권12, 「중부(中孚)괘」.

也. 初九安處於下, 不假他求, 何吉如之? 苟變其志, 動而求孚
於四, 則失其安也."[9]

항안세(項安世)[10]가 말했다. "중부괘의 여섯 효는 모두 밖에서 호
응하는 것을 취하지 않았다. 믿음은 그 가운데 있어 밖에 기댈 필
요가 없다. 초구효는 아래에서 편안하게 처하여 다른 사람의 구함
을 빌리지 않으니 어떻게 이처럼 길하겠는가? 그 뜻을 변하여 움직
여 육사효에게 믿음을 구하면 그 편안함을 잃는다."

案

荀氏項氏說, 於易例卦義皆合. 蓋易例初九應六四, 義無所取.
如屯之"磐桓", 賁之"賁趾". 皆不取應四爲義. 頤之"朶頤", 則反
以應四爲累. 惟損益之初, 則適當益上報上之卦, 時義不同也.
此卦之義, 主於中有實德, 不願乎外, 故六爻無應者吉, 有應者
凶. 初之"虞吉"者, 謂其有以自守自安也. 禮有虞祭, 亦安之義
也. 燕, 亦安也. 虞則燕, 不虞則不燕矣. "有它不燕", 正與大過
九四"有它, 吝"同. 九四下應初六爲"有它". 初九上應六四, 亦爲
"有它"也.

....

9) 항안세(項安世),『주역완사(周易玩辭)』권12,「중부(中孚)괘」.
10) 항안세(項安世, ?~1208) : 송나라 강릉(江陵) 사람으로 자는 평부(平父)
   이고, 호는 평암(平庵)이다. 효종(孝宗) 순희(淳熙) 2년(1175) 진사(進
   士)가 되고, 교서랑(校書郎)과 지주통판(池州通判) 등을 지냈다. 영종
   (寧宗)이 즉위하자 양병(養兵)과 궁액(宮掖)에 드는 비용을 줄여야 한
   다고 건의했다. 경원(慶元) 연간에 글을 올려 주희(朱熹)를 유임하라고
   했다가 탄핵을 받고 위당(僞黨)으로 몰려 파직되었다. 나중에 복직되어
   여러 벼슬을 거쳤다. 저서에『주역완사(周易玩辭)』와『항씨가설(項氏
   家說)』,『평암회고(平庵悔稿)』등이 있다.

순상과 항안세의 말은 역례(易例)에서 괘의 뜻과 모두 부합한다. 역례에서 초구효는 육사효와 호응하는 데 의미를 취한 것이 없다. 예를 들어 준(屯)괘 초구효에서 "주저하고 머뭇거리는 모습이다"[11] 비(賁)괘 초구효에서 "발을 꾸민다"[12]는 것은 모두 사효와 호응하는 뜻을 취하지 않았다. 이(頤)괘의 "턱을 늘어뜨린다"[13]는 것은 오히려 사효와 호응하여 얽매인다. 오직 손괘와 익괘의 초효가 위를 보태고 위를 보답하는 괘로 적당하지만 때의 뜻이 같지 않다.

이 괘의 뜻은 주로 가운데에 꽉 찬 덕에 있어 밖에서 원하지 않으므로 여섯 효에 호응함이 없는 것이 길하고 호응함이 있는 것이 흉하다. 초구효의 "우길(虞吉)"은 스스로 지키고 스스로 편안하다는 말이다. 예(禮)에 우제(虞祭)가 있는데 역시 편안하다는 뜻이다. 연(燕)도 또한 편안하다는 뜻이다. 헤아리면 편안하고 헤아리지 않으면 편안하지 않다. "다른 것이 있으면 편안하지 않다"는 바로 대과(大過)괘 구사에서 "다른 마음을 가지면 부끄럽다"[14]는 것과 같으니, 구사가 초육에 호응하지 않음이 "다른 마음을 가진다"는 말이다. 초구효가 위로 육사효와 호응하는 관계 또한 "다른 마음이 있는" 것이다.

---

11) 『주역』「준(屯)괘」: "初九, 磐桓, 利居貞, 利建侯.[구효는 주저하고 머뭇거리는 모습이니, 올바름을 지키는 것이 이롭고, 제후를 세우는 것이 이롭다.]"라고 하였다.

12) 『주역』「비(賁)괘」: "初九, 賁其趾, 舍車而徒.[초구효는 발을 꾸미니, 수레를 버리고 걷는다.]"라고 하였다.

13) 『주역』「이(頤)괘」: "初九, 舍爾靈龜, 觀我朵頤, 凶.[초구효는 너의 신령스런 거북을 버리고 나를 보고서 턱을 늘어뜨리니 흉하다.]"라고 하였다.

14) 『주역』「대과(大過)괘」: "九四, 棟隆吉, 有它吝.[구사효는 들보기둥이 높아지는 것이니 길하지만, 다른 마음을 가지면 부끄럽다.]"라고 하였다.

九二, 鳴鶴在陰, 其子和之. 我有好爵, 吾與爾
靡之.

구이효는 우는 학이 그늘에 있는데 그 새끼가 화답한다. 나에게
좋은 술잔이 있으니 너와 함께 나누고 싶다.

本義

九二中孚之實, 而九五亦以中孚之實應之, 故有鶴鳴子和我
爵爾靡之象. 鶴在陰, 謂九居二. "好爵", 謂得中. 靡, 與縻同.
言懿德人之所好. 故好爵雖我之所獨有, 而彼爾系戀之也.

구이효는 진실한 믿음이 꽉 찬 효인데 구오효 또한 진실한 믿음이
꽉 차 호응하므로 학이 우는데 새끼가 화답하고 나의 벼슬을 네가
연모하는 상(象)이다.

학이 그늘에 있다는 것은 구(九)가 이(二)의 위치에 자리함을 말한
다. "좋은 벼슬"은 중(中)을 얻은 것을 말하고, 미(靡)는 미(縻)와
같다. 아름다운 덕(德)은 사람이 좋아하는 것이므로 좋은 벼슬을 비
록 내가 홀로 가지고 있지만, 저 사람 또한 연모함을 말한다.

程傳

二剛實於中, 孚之至者也. 孚至則能感通. 鶴鳴於幽隱之處,
不聞也, 而其子相應和, 中心之願相通也. 好爵我有, 而彼亦

系慕, 說好爵之意同也. 有孚於中, 物無不應, 誠同故也. 至誠無遠近幽深之間, 故「繫辭」云: "善則千里之外應之, 不善則千里違之." 言誠通也, 至誠感通之理, 知道若爲能識之.

구이효는 굳셈이 마음속에 꽉 차 있으니, 믿음이 지극한 사람이다. 믿음이 지극하면 사람들을 감동시켜 통하게 할 수 있다. 학이 그늘 지고 외딴 곳에서 울면 들리지 않지만, 그 새끼가 서로 호응하여 화답하니, 마음속에서 원하던 것이 서로 통했기 때문이다.

좋은 술잔을 내가 가지고 있는데, 저쪽도 흠모하니, 좋은 술잔을 기뻐하는 뜻이 동일하다. 이는 마음속에 믿음이 있는데, 호응하지 않는 사람이 없으니, 마음속의 진실이 같기 때문이다.

지극히 성실한 사람끼리는 멀고 가까운 차이나 깊이 은거하고 있느냐 아니냐의 차이가 없이 서로 통하므로 「계사전」에서 "그 말이 선(善)하면 천리(千里) 밖에서도 호응하고 선하지 못하면 천리 밖에서도 어긋난다"[15]고 했다. 이는 지극히 성실함이 통한다는 말이니, 지극히 성실한 행동이 사람을 감동시켜 통하게 하는 것은 도를 아는 사람만이 식별할 수 있다.

....

15) 『주역』「계사상」: "군자는 자기 집에 자리하여 말을 하는 데에 선하면, 천리 밖에서도 호응하니 가까운 사람은 어떠하겠는가? 말은 몸에서 나와 백성에게 미치며, 행동은 가까운 데에서 일어나지만 먼 곳에서 그 영향력이 드러나니, 말과 행위는 군자의 중추적인 기능이다. 중추적인 기능을 발하는 것이 영화와 치욕의 주인이다. 말과 행위는 군자가 천지를 진동시키는 것이니, 신중하지 않을 수 있겠는가?君子居其室, 出其言善, 則千里之外應之, 況其邇者乎? 居其室, 出其言不善, 則千里之外違之, 況其邇者乎? 言出乎身, 加乎民, 行發乎邇, 見乎遠, 言行, 君子之樞機. 樞機之發, 榮辱之主也. 言行, 君子之所以動天地也, 可不愼乎?"라고 하였다.

● 孔氏穎達曰：“九二體剛, 處於卦內, 又在三四重陰之下, 而履不失中, 是不徇於外, 自任其眞者也. 處於幽昧而行不失信, 則聲聞於外, 爲同類之所應焉. 如鶴之鳴於幽遠, 則爲其子所和也. 靡, 散也. 不私權利, 惟德是與. 若‘我有好爵’, 願與爾賢者分散而共之. 故曰‘我有好爵’, ‘吾與爾靡之’.”16)

공영달(孔穎達)이 말했다. “구이효는 체질이 굳세고 괘 안에 처하고, 또 육삼효와 육사효 음효의 아래에 있어 이행하는 데 중도를 잃지 않았으니 이것이 밖을 따르지 않고 그 진짜를 자임하는 자이다. 어두운 곳에 처했지만 행하는 데 믿음을 잃지 않으면 명성이 밖으로 나가 같은 부류의 호응이 있다. 마치 학이 어둡고 먼 곳에서 우니 그 새끼가 화답하는 것과 같다. 미(靡)는 흩어지는 것이다. 권리를 사사롭게 하지 않고 오직 덕과 함께 한다. 만약 ‘나에게 좋은 술잔이 있다면’ 현자와 나누어 함께 하기를 원한다. 그러므로 ‘나에게 좋은 술잔이 있으니’, ‘내가 너와 함께 나누고 싶다.’”고 했다.

● 王氏安石曰：“君子之言行, 至誠而善, 則雖在幽遠, 爲己類者, 亦以至誠從而應之, 中孚之至也.”

왕안석(王安石)이 말했다. “군자의 언행이 지극히 성실하면 선하니 비록 멀고 어두운 곳에 있더라도 같은 부류의 사람들 역시 지극히 성실함으로 따라 호응하니, 진실한 믿음의 극치이다.”

---

16) 공영달(孔穎達), 『주역주소(周易注疏)』 권10, 「중부(中孚)괘」.

● 蘇氏軾曰: "中孚必正而一, 靜而久. 而初九六四, 六三上九, 有應而相求, 皆非所謂正而一, 靜而久者也. 惟九二端慤無求, 而物自應焉."[17]

소식(蘇軾)이 말했다. "진실한 믿음은 반드시 올바르고 한결같아 고요하면서 오래 지속한다. 초구효와 육사효, 육삼효와 상구효는 호응하는 관계이기 때문에 서로 구하지만 모두 올바르고 한결 같아 고요하면서 오래 지속함을 말하는 것이 아니다. 오직 구이효만이 단정하여 구함이 없어 사물이 저절로 호응한다."

● 張氏浚曰: "二處二陰下爲在陰. '其子和之'謂初."

장준(張浚)[18]이 말했다. "이효는 두 음 아래에 처하여 음에 자리한 다. 그 아들이 화답하는 것은 초구효이다.

● 鄭氏汝諧曰: "二獨無應, 若未信於人, 而爻之最吉莫二若也. 自耀者其實喪, 自悔者其德章. 無心於感物, 而物無不感者, 至誠

---

17) 소식(蘇軾), 『동파역전(東坡易傳)』 권6, 「중부(中孚)괘」.
18) 장준(張浚, 1094~1164): 송나라 한주(漢州) 면죽(綿竹) 사람으로 자는 덕원(德遠)이고, 세칭 자암선생(紫巖先生)으로 불리며, 시호는 충헌(忠獻)이다. 장함(張咸)의 아들이다. 장식(張栻)의 아버지고, 초정(譙定)의 문인이며, 정이(程頤)와 소식(蘇軾)의 재전제자(再傳弟子)이자, 당나라 의 명재상 장구고(張九皐)의 후손이다. 당시 일류 학자인 정이천(程伊 川)의 제자 천수(天授)에게 배워 이락(伊洛)의 학문을 남송에 전한 공이 있다. 저서에 『자암역전(紫巖易傳)』과 『주역해(周易解)』, 『상서해(尙書 解)』, 『시경해(詩經解)』, 『예기해(禮記解)』, 『춘추해(春秋解)』, 『중용해 (中庸解)』, 『중흥비람(中興備覽)』 등이 있다.

之道也. 二以剛履柔, 其居得中, 且伏於二陰之下, 蓋靜晦而無求者, 無求而物自應, 故鶴鳴在陰, 而其子和之者, 感以天也."19)

정여해(鄭汝諧)가 말했다. "이효는 홀로 호응하는 사람이 없어 사람에게 신임받지 못하는 것 같지만 효에서 가장 길한 자리가 이효와 같은 것이 없다. 스스로 빛나는 것은 그 진실을 상실했고 스스로 후회하는 것은 덕이 빛난다. 사물에 감응하는 것에 사사로운 마음이 없어 사물이 감응하지 않음이 없는 것이 지극히 성실한 도이다. 이효는 굳셈으로 부드러움을 밟고 그 자리한 것이 중(中)을 얻었고 또 두 음 아래에 엎드려 있으니 고요하고 어둡게 구하는 것이 없는 자이지만 구함이 없어도 사물이 저절로 호응하므로 학이 그늘에서 울고 있지만 그 새끼가 화답하는 것은 하늘의 도로 감응하는 일이다."

案

易例凡言子言童者, 皆初之象, 故張氏以"其子和之"爲初者近是. 好爵, 謂旨酒也. 靡, 謂醉也. 九二有剛中之實德, 無應於上, 而初與之同德, 故有鶴鳴子和好爵爾靡之象. 言父子, 明不出戶庭也. 言爾我, 明不踰同類也. 『詩』云:"鶴鳴於九皐, 聲聞於天", 則居爽塏之地, 而聲及遠矣. 處於陰而子和, 則不求遠聞可知. 又曰:我有旨酒, 嘉賓式燕以衍, 則同樂者衆矣. 吾與爾靡, 則惟二人同心而已. 君子之實德實行, 不務於遠而修於邇. 故「繫辭傳」兩言"況其邇者乎!" 然後推廣而極言之.

역례(易例)는 자식을 말하고 아이를 말한 것은 모두 초효의 모습이

19) 정여해(鄭汝諧), 『역익전(易翼傳)』 하경, 「중부(中孚)괘」.

다. 그러므로 장준은 "그 자식이 화답한다"는 것을 초효라고 했으니 이에 가깝다.

좋은 술잔은 기름진 술이다. 미(靡)는 취한다는 말이다. 구이효는 강중(剛中)한 덕을 가지고 위로 호응하는 사람이 없고 초효는 그와 같은 덕이므로, 학이 우니 새끼가 화답하고 좋은 술잔으로 너와 취하는 모습이 있다.

아버지와 아들을 말하여 "문밖의 뜰에 나가지 않는" 뜻을 밝혔다. 너와 나를 밝혀서 같은 부류를 넘어서지 않는다는 뜻을 밝혔다. 『시경』에서 "학(鶴)이 구고(九皐)에서 울거든 소리가 하늘에 들리느니라"[20]했으니 높은 정상에 자리하여 명성이 멀리 미친다. 그늘에 처했으나 새끼가 화답하니 멀리 명성을 구하지 않았음을 알 수 있다. 또 말하기를 나에게 기름진 술이 있으니 아름다운 손님과 연회를 베풀어 즐기고 싶다고 하니, 함께 즐기는 자가 많다. 나는 당신과 즐기니 오직 두 사람이 마음을 함께 하는 것이다.

군자의 실제적인 덕과 실제적인 행동은 멀리 영향을 미치려고 애쓰지 않고 가까운 곳에서 수양한다. 그러므로 「계사전」에서 두 번이나 "하물며 가까운 자에 있어서랴"[21]라고 했으니, 그런 뒤에 널리

----

20) 『시경』「소아·동궁지십·학명(鶴鳴)」: "鶴鳴于九皐, 聲聞于野. 魚潛在淵, 或在于渚. 樂彼之園, 爰有樹檀, 其下維. 他山之石, 可以爲錯.[학(鶴)이 구고(九皐)에서 울거든 소리가 들에 들리느니라. 고기가 잠겨 깊은 못 속에 있으나 혹은 물가에도 있느니라. 즐거운 저 동산에 심어놓은 박달나무가 있는데 그 아래에는 낙엽이 떨어져 있느니라. 타산(他山)의 돌이 숫돌이 될 수 있느니라.]"라고 하였다.

21) 『주역』「계사상」: "'우는 학이 그늘에 있으니 그 새끼가 화답한다. 내 좋은 벼슬을 가져서 내 너와 함께 즐긴다.' 하니, 공자가 다음과 같이 말했다. '군자가 집에 있으면서 말을 하는 데 선하면 천리의 밖에서도 응하니, 하물며 가까운 자에 있어서랴. 집에 있으면서 말을 하는 데 선하지 못하

추론하여 말한 것이다.

<hr />

면 천리 밖에서도 떠나가니, 하물며 가까운 자에 있어서랴. 말은 몸에서
나와 백성에게 가해지며, 행실은 가까운 곳에서 발하여 먼 곳에 나타나
니, 말과 행실은 군자의 추기(樞機)이니, 추기(樞機)의 발현함이 영예와
치욕의 주체이다. 말과 행실은 군자가 천지를 진동하는 것이니, 삼가지
않을 수 있겠는가?(鳴鶴在陰, 其子和之. 我有好爵, 吾與爾靡之. 子曰,
君子居其室, 出其言善, 則千里之外應之, 況其邇者乎. 居其室, 出其言
不善, 則千里之外違之, 況其邇者乎. 言出乎身, 加乎民, 行發乎邇, 見
乎遠. 言行, 君子之樞機, 樞機之發, 榮辱之主也. 言行, 君子之所以動
天地也, 可不愼乎?)"라고 하였다.

六三, 得敵, 或鼓, 或罷, 或泣, 或歌.

육삼효는 적을 얻어 어떤 때는 북을 치고, 어떤 때는 그만 두며, 어떤 때는 울고, 어떤 때는 노래한다.

本義

敵, 謂上九信之窮者. 六三陰柔不中正, 以居說極, 而與之爲應, 故不能自主, 而其象如此.

적(敵)은 상구효를 말하니, 믿음이 지극한 자이다. 육삼효는 음의 부드러운 자질로 중정(中正)을 이루지 못하면서 기쁨의 극한에 자리하여 상구효와 호응하기 때문에 스스로 주체가 되지 못하여 그 상(象)이 이와 같다.

程傳

敵, 對敵也, 謂所交孚者, 正應上九是也. 三四皆以虛中爲成孚之主, 然所處則異. 四得位居正, 故亡匹以從上, 三不中失正, 故"得敵"以累志. 以柔說之質, 旣有所系, 惟聽信是從, 或鼓張, 或罷廢, 或悲泣, 或歌樂, 動息憂樂皆系乎所信也. 惟系所信, 故未知吉凶, 然非明達君子之所爲也.

적(敵)이란 짝이 되는 상대이니, 믿음을 교류하는 자를 말하므로, 올바르게 호응한 관계인 상구효가 그러하다. 육삼효와 육사효가 모

두 괘의 가운데 위치에서 텅 비어 있는 것은 진실한 믿음의 주체가
되지만, 처신하는 바는 다르다.

육사효는 지위를 얻어 올바름에 자리하므로, 짝이 되는 사람의 신
념에 구애되지 않고 윗사람을 따르고, 육삼효는 중도를 이루지 못
하여 올바름을 잃었으므로, "짝이 되는 상대를 얻어" 그에게 자신의
뜻이 얽매이게 된다.

육삼효는 유약하면서 쉽게 기뻐하는 자질을 가지고 얽매인 사람이
있어 오직 상대가 믿는 바를 따르므로, 어떤 경우는 북을 치며 앞으
로 나가고 어떤 경우는 그만 두며 포기하고 어떤 경우는 슬퍼서 울
고 어떤 경우는 노래하며 즐거워하니, 모든 행동거지와 근심과 즐
거움이 모두 상대가 믿는 바에 얽매여 있다. 오직 상대가 믿는 바에
얽매여 있으므로 길흉을 알지 못하지만, 현명하고 통달한 군자의
행위는 아니다.

集說

● 劉氏牧曰 : "人惟信不足, 故言行之間, 變動不常如此."

유목(劉牧)22)이 말했다. "사람은 오직 믿음이 부족하기 때문이 언

---

22) 유목(劉牧, 1011~1064) : 자는 선지(先之) 혹은 목지(牧之)이고 호는 장
민(長民)이다. 원래는 항주(杭州) 임안(臨安) 사람이었는데, 조부의 공
적으로 인해 서안(西安 : 현 절강성 구현〈衢縣〉) 사람이 되었다. 범중엄
(範仲淹)을 스승으로 모시고, 손복(孫複)에게서 『춘추』를 배웠으며, 석
개(石介)와도 친분이 두터웠다. 역학방면으로는 범악창(範諤昌)의 역학
을 이어받아 진단(陳摶)의 「하도」·「낙서」 상수학을 전승하였다. 벼슬은
범중엄과 부필(富弼) 등의 추천으로 연주(兗州) 관찰사를 거쳐 태상박사

행 사이에 변동이 일정하지 못한 것이 이와 같다."

● 李氏簡曰 : "六三之得敵, 以其有私系之心也."[23]

이간(李簡)이 말했다. "육삼효가 적을 얻어 사사롭게 얽매이는 마음이 있다."

案

諸爻獨三上有應, 有應者, 動於外也, 非中孚也. 人心動於外, 則憂樂皆系於物, 鼓罷泣歌, 喻其不能坦然自安, 蓋初九虞燕之反也.

여러 효에서 유독 육삼효와 상구효가 호응 관계에 있다. 호응 관계는 밖에서 움직여 진실한 믿음이 아니다.
마음이 밖에서 움직이면 근심과 즐거움이 외부의 사물에 얽매여 있어 북을 치고 그만 두며 울고 노래하니, 스스로 편안할 수 없음을 비유한 것으로 초구효에서 계산하여 편안한 것과는 반대이다.

(太常博士)까지 역임하였다. 역학 방면의 저술에는 『괘덕통론(卦德通論)』, 『신주주역(新注周易)』, 『주역선유유론구사(周易先儒遺論九事)』, 『역수구은도(易數鉤隱圖)』 등이 있다.
23) 이간(李簡), 『학역기(學易記)』 「중부(中孚)괘」.

六四, 月幾望, 馬匹亡, 無咎.

육사효는 달이 거의 가득 찬 것이니, 말의 짝을 잃으면, 허물이
없다.

六四居陰得正, 位近於君, 爲"月幾望"之象. 馬匹, 謂初與己
爲匹. 四乃絕之而上以信於五, 故爲"馬匹亡"之象, 占者如是
則"無咎"也.

육사효는 음(陰)의 위치에 자리하여 올바름을 얻었고 군주와 가까
워 "달이 거의 가득 찬"의 상(象)이 된다.

말의 짝은 초구효와 자신이 짝이 되는 것을 말한다. 육사효가 초효
를 끊고 올라가 오효를 믿기 때문에 "말의 짝을 잃는" 상(象)이 되
니, 점치는 자가 이와 같이 하면 허물이 없다.

四爲成孚之主, 居近君之位, 處得其正, 而上信之至, 當孚之
任者也, 如月之幾望盛之至也. 己望則敵矣, 臣而敵君, 禍敗
必至, 故以幾望爲至盛. "馬匹亡", 四與初爲正應, 匹也. 古者
駕車用四馬, 不能備純色, 則兩服兩驂各一色, 又小大必相
稱, 故兩馬爲匹, 謂對也. 馬者, 行物也. 初上應四, 而四亦進
從五, 皆上行, 故以馬爲象. 孚道在一, 四旣從五, 若復下系

於初, 則不一而害於孚, 爲有咎矣. 故"馬匹亡"則"無咎"也. 上
從五而不系於初, 是亡其匹也. 系初則不進, 不能成孚之功也.

구사효는 믿음을 이루는 주체가 되고, 군주와 가까운 지위에 자리
하여 처신하는 데 올바름을 얻고 윗사람이 지극하게 믿으니, 신뢰
관계의 소임을 담당한 사람이다. 마치 "달이 거의 가득 찬 것" 같이
믿음의 성대함이 지극하다. 달이 거의 가득 차서 보름달이 되려고
하면 대적하려고 하니, 신하로서 임금에게 대적하면, 재앙과 패배
가 반드시 이르므로 완전히 보름달이 된 것이 아니라 거의 가득 찬
상태가 지극한 성대함이 된다.

"말의 짝이 없어진다"는 말에서 짝이란 육사효가 초구효와 올바르
게 호응하는 관계가 되니, 짝이다. 옛날에 수레에 멍에를 맬 때 네
마리를 쓰니, 모든 말에 순일한 색깔을 구비할 수 없으면, 가운데
두 마리 말과 바깥쪽의 두 마리 말을 각각 동일한 색깔로 하고, 또
크기도 반드시 서로 맞추었으므로, 말 두 마리를 필(匹)이라 하니,
상대를 이루는 짝이다.

말은 달리는 동물이다. 초구효가 위로 달려 육사효에 호응하고, 육
사효 또한 달려가서 구오효를 따르니, 모두 위로 달려가는 것이므
로 말로써 상징했다. 신뢰 관계의 도리는 하나로 집중하는 것에 달
려 있으니, 육사효가 구오효를 따르고, 다시 아래의 초구효에 얽매
여 있다면, 하나로 집중하지 못하여 신뢰 관계에 해를 끼치게 되니,
허물이 있다. 그러므로 "말의 짝을 잃으면", "허물이 없다"고 했다.
위로 구오효를 따르고 초구효에 얽매이지 않으면, 이는 그 짝을 잃
는 것이다. 초구효에 얽매여 있으면 나아가지 못하여, 믿음의 공을
이룰 수 없다.

集說

● 郭氏雍曰 : “匹, 亦敵之類也. 得敵匹亡, 其道相反也.「象傳」
言柔在內, 而爻則其道相反, 蓋卦爻取義有不得而同者也.”[24]

곽옹(郭雍)[25]이 말했다. “필(匹)은 또한 적의 종류이다. 적을 얻고
짝을 잃으면 그 도는 서로 반대된다.「단전」에서 부드러움이 안에
있다고 했으니 효는 그 도가 서로 반대이다. 괘효에서 의미를 취할
때 같을 수 없는 것이 있기 때문이다.”

案

『易』中六四應初九, 而義有取焉者, 皆上不遇九五者也. 如六四
遇九五, 則以從上爲義, 而應非所論, 易例皆然. 而此爻尤明, 蓋
孚不容於有二, 況居大臣之位者乎!“月幾望”者, 陰受陽光, 承五
之象也.“馬匹亡”者, 無有私群, 遠初之象也. 自坤卦牝馬以得主
爲義, 而其下曰 : “東北喪朋”. 東北者, 近君之位也, 中孚之四當
之矣.

『역』가운데 육사효가 초구효에 호응하는 의미를 취한 것은 모두
위로 구오효를 만나지 못해서이다. 예를 들어 육사효가 구오효를

---

24) 곽옹(郭雍),『곽씨전가역설(郭氏傳家易說)』권6,「중부(中孚)괘」.
25) 곽옹(郭雍, 1106~1187) : 송(宋)대 낙양(洛陽 : 현 하남성 낙양시) 사람
   으로 자는 자화(子和)이고 자호는 백운(白雲)이다. 정이(程頤)의 제자인
   곽충효(郭忠孝)의 둘째 아들로 가학을 이었으며, 벼슬길은 나아가지 않
   고 은거하면서 역학과 의학에 정통하였다고 한다. 역학 방면 저술로『전
   가역해(傳家易解)』,『괘사지요(卦辭指要)』,『시괘변의(蓍卦辨疑)』등이
   있다.

만났다면 위를 쫓는 뜻을 삼고 호응하는 관계는 논의하는 것이 아니니, 역례(易例)가 모두 그러하다.

이 효는 더욱 분명하니, 믿음은 둘이 있는 것을 허용하지 않으니 하물며 대신의 지위에 자리해서랴! "달이 거의 가득 찬" 것은 음이 양의 빛을 받아 오효를 계승하는 모습이다. "말의 짝을 잃었다"는 것은 사사로운 무리가 없어 초효를 멀리하는 모습이다.

곤(坤)괘에서 암말이 주인을 얻었다는 뜻이 있고 그 아래 "동북쪽에서 친구를 잃었다"고 말했다. 동북은 임금과 가까운 위치이니 중부괘의 육사효가 이에 해당한다.

九五, 有孚攣如, 无咎.

구오효는 믿는 것을 잡아 묶어 두듯이 하면, 허물이 없다.

九五剛健中正, 中孚之實而居尊位, 爲孚之主者也. 下應九
二, 與之同德, 故其象占如此.

구오효는 강건하고 중정(中正)하여 믿음의 진실함으로 존귀한 지위
에 자리하여 믿음의 주체가 된 자이다. 아래로 구이효와 호응하여
그와 함께 같은 덕이므로 그 상(象)과 점(占)이 이와 같다.

五居君位. 人君之道, 當以至誠感通天下, 使天下之心信之,
固結如拘攣然, 則爲无咎也. 人君之孚, 不能使天下固結如
是, 則億兆之心, 安能保其不離乎?

구오효는 임금의 지위에 자리한다. 임금의 도리는 마땅히 지극히
성실함으로 세상 사람들을 감동시켜 통하게 하여, 세상 사람들의
마음이 믿도록 해야 하니, 구금하듯이 견고하게 결속시키면 허물이
없다. 임금의 믿음이 세상 사람들을 이와 같이 견고하게 결속시킬
수 없다면, 수많은 사람들의 마음이 어떻게 떠나지 않도록 할 수 있
겠는가?

集說

● 王氏弼曰: "處中誠以相交之時, 居尊位以爲群物之主, 信何可舍? 故'有孚攣如', 乃得无咎."[26]

왕필(王弼)이 말했다. "가운데 처하여 진실함으로 서로 교제할 때 존귀한 지위에 자리하여 모든 것의 주인이 되니 믿음을 어찌 버릴 수 있겠는가? 그러므로 '믿는 것을 잡아 묶어 두듯이 하면' 허물이 없다."

● 胡氏瑗曰: "居尊而有中正之德, 是有至誠至信之心, 發之於內而交於下, 以攣天下之心, 以誠信相通, 是得爲君之道, 何咎之有?"[27]

호원(胡瑗)이 말했다. "존귀한 지위에 자리하여 중정(中正)의 덕이 있으니 지극히 성실함과 지극히 믿는 마음이 있으니, 안에서 발현하여 아랫사람과 교제하고 세상 사람들의 마음을 묶어 진실과 믿음으로 서로 통하니, 이것이 임금의 도를 얻는 데 어떤 허물이 있겠는가?"

● 郭氏雍曰: "孚之道, 無不通, 亦無不感, 可以通天下之志, 至於固結, 攣如是以无咎. 九五君位, 足以感通天下, 又無私應之累, 故直曰'有孚攣如'而已."[28]

---

26) 왕필(王弼), 『주역주(周易註)』 권6, 「중부(中孚)괘」.
27) 호원(胡瑗), 『주역구의(周易口義)』 권10, 「중부(中孚)괘」.
28) 곽옹(郭雍), 『곽씨전가역설(郭氏傳家易說)』 권6, 「중부(中孚)괘」.

곽옹(郭雍)이 말했다. "믿음의 도는 통하지 않음이 없고 또한 감동하지 않음이 없어 천하의 뜻을 통하게 하여 견고하게 결속시키고 묶어 허물이 없게 할 수 있다. 구오효는 임금의 지위이니 천하를 감동시키고 통하게 할 수 있고, 또 사사로이 호응하는 얽매임이 없기 때문에 직접 '믿는 것을 잡아 묶듯이'한다고 했을 뿐이다."

● 胡氏炳文曰："六爻不言孚, 惟九五言之, 九五孚之主也."[29]

호병문(胡炳文)이 말했다. "여섯 효에서 믿음을 말하지 않다가 오직 구오효에서 말했으니 구오효가 믿음의 주체이다."

案

此爻是「象」所謂"孚乃化邦者也", 人君之孚, 與在下者不同, 居下位者, 中有實德, 不遷於外而已, 人君則以孚天下爲實德. 故必誠信固結於天下, 然後爲無咎也. 此爻義與小畜之九五同, 其爲臣者, "月幾望"之義亦同. 但彼主於君臣相畜, 而此主於君臣相孚爾. 要之"富以其鄰"者, 卽"孚乃化邦"之說, 而"君子征凶"者, 亦卽"馬匹亡"之意也.

이 효는 「단전」에서 "믿음으로 나라를 교화시키는 자이다"라고 한 것이니 임금의 믿음은 아랫사람과 같지 않을 때 아래 지위에 자리한 자는 마음속에 진실한 덕이 있어 밖으로 옮기지 않을 뿐이고, 임금은 천하를 믿게 하는 것을 진실한 덕으로 삼는다. 그러므로 반드시 진실과 믿음이 천하에 굳게 결합한 뒤에야 허물이 없다.

29) 호병문(胡炳文), 『주역본의통석(周易本義通釋)』 권2, 「중부(中孚)괘」.

이 효의 뜻과 소축(小畜)괘의 구오효가 같으니, 신하된 자가 "달이 거의 가득 찬" 뜻 또한 같다. 소축괘는 주로 임금와 신하가 서로 길러주는 데 있고, 이 효는 주로 임금와 신하가 서로 믿는다는 데 있을 뿐이다.

요약하면 소축괘 구오효에서 "사람들을 이끌어 부자가 이웃들을 도와준다"[30]는 것은 "믿음으로 나라를 교화시킨다"는 말이고, 소축괘 상육효에서 "군자가 움직이면 흉하다"[31]는 것 또한 "말의 짝을 잃는다"는 뜻이다.

---

30) 『주역』「소축(小畜)괘」: "九五, 有孚, 攣如, 富以其鄰.[구오효는 진정한 믿음이 있다. 사람들을 이끌어 부자가 이웃들을 도와준다.]"라고 하였다.

31) 『주역』「소축(小畜)괘」: "月幾望, 君子征凶.[달이 거의 차니 군자가 움직이면 흉하다.]"라고 하였다.

上九, 翰音登於天, 貞凶.

상구효는 새 날개짓 소리가 하늘로 올라감이니, 올바르더라도 흉하다.

本義

居信之極, 而不知變, 雖得其貞, 亦凶道也. 故其象占如比.
雞曰翰音, 乃巽之象. 居巽之極, 爲"登於天", 雞非登天之物
而欲登天, 信非所信, 而不知變, 亦猶是也.

믿음의 극한에 자리하여 변통할 줄 모르니, 비록 올바름을 얻더라도 흉한 도이다. 그러므로 그 상(象)과 점(占)이 이와 같다.
닭을 한음(翰音)이라고 하니, 닭은 바로 손(巽≡)괘의 상(象)이다.
손(巽)괘의 극한에 처했으니 "하늘로 올라가는" 것이다.
닭은 하늘에 오르는 동물이 아닌데도 하늘에 오르려고 하니, 믿을 것이 아닌데 믿어 변통할 줄 모르는 것이 또한 이와 같다.

程傳

'翰音'者, 音飛而實不從. 處信之終, 信終則衰, 忠篤內喪, 華
美外揚, 故云"翰音登天", 正亦滅矣. 陽性上進, 風體飛颺. 九
居中孚之時, 處於最上, 孚於上進而不知止者也. 其極至於羽
翰之音, 登聞於天, 貞固於此而不知變, 凶可知矣. 夫子曰:
"好信不好學, 其蔽也賊", 固守而不通之謂也.

'새 날개짓 소리[翰音]'32)는 소리만 날리고 실제는 그에 미치치 못하는 것이다. 믿음의 마지막에 처하여 믿음이 끝나면 쇠락하게 되어 충직함과 독실함이 마음속에서 상실되고 화려한 아름다움이 겉으로 드날리기 때문에 "새 날개짓 소리가 하늘로 올라간다"고 했으니, 올바름 또한 없어진 것이다.

양(陽)의 성질은 위로 나아가고, 바람의 형체는 날아오른다. 상구효가 진실한 믿음의 때에 자리하여, 가장 높은 자리에 처했으니, 위로 나아가려는 것만 믿고 그칠 줄을 모르는 자이다. 그 극단은 새 날개짓 소리가 하늘에 올라가는 데까지 이르렀으니, 이렇게 자신이 올바르다고 믿는 것을 고집하여 변할 줄 모르면 흉함을 알 수 있다. 공자는 "자신의 신념을 믿기만을 좋아하고 배우기를 좋아하지 않으면 그 폐단은 사람을 해치게 된다"33)고 했으니, 고집스럽게 지키기만 하고 변통할 줄 모르는 것을 말한다.

集說

● 王氏弼曰 : "翰, 高飛也. 飛音者, 音飛而實不從之謂也. 居卦之上, 處信之終, 信終則衰, 忠篤內喪, 華美外揚, 故曰'翰音登於天'

---

32) 새 날개짓 소리 : 한음(翰音)은 원래 닭과 관련된 말이다. 『예기(禮記)』「곡례하(曲禮下)」, "대체로 종묘제례에는 …… 양은 유모(柔毛)라고 하고, 닭은 한음(翰音)이라고 하며, 개는 갱헌(羹獻 : 국을 끓여서 올린다)이라 한다.[凡祭宗廟之禮 …… 羊曰柔毛, 雞曰翰音, 犬曰羹獻.] 후대에 '한음'이 닭의 의미가 된다. 여기서는 새가 높이 날아가는 소리를 의미한다. 실속은 없고 허장성세만 있으며, 내실은 없고 겉만 뻔드르르하게 꾸민 것을 말한다.]"라고 하였다.
33) 『논어』「양화」.

也."34)

왕필(王弼)이 말했다. "한(翰)은 높이 나는 것이다. 새가 나는 소리
는 나는데 실제로 따라가지 못하는 것을 말한다. 괘의 가장 높은
곳에 자리하고 믿음의 끝에 처하여 믿음이 끝나면 쇠락하게 되어
충직함과 독실함이 마음속에서 상실되고 화려한 아름다움이 겉으
로 드날리기 때문에 '새 날개짓 소리가 하늘로 올라간다'고 했다."

● 胡氏瑗曰 : "翰者, 鳥羽之高飛也. 上九在一卦之上, 居窮極
之地, 是無純誠之心, 篤實之道, 徒務其虛聲外飾, 以矯僞爲尙,
如鳥之飛登於天, 徒聞其虛聲而已."35)

호원(胡瑗)이 말했다. "한(翰)은 새가 날개로 높이 나는 것이다. 상
구효는 한 괘의 가장 높은 곳에 있고 궁극의 자리에 있어 순수하게
진실한 마음과 돈독한 도가 없이 도리어 헛된 명성과 외적인 꾸밈
에 힘써 가장과 위선을 숭상하니, 마치 새가 하늘 높이 올라가 헛
된 소리만 들릴 뿐인 것과 같다."

● 蘇氏軾曰 : "翰音, 飛且鳴者也. 處外而居上, 非中孚之道, 飛
而求顯, 鳴而求信者也. 故曰'翰音登於天'. 九二在陰而子和, 上
九飛鳴而登天, 其道蓋相反也."36)

소식(蘇軾)이 말했다. "한음(翰音)은 날면서 소리를 내는 것이다.

---

34) 왕필(王弼), 『주역주(周易註)』 권6, 「중부(中孚)괘」.
35) 호원(胡瑗), 『주역구의(周易口義)』 권10, 「중부(中孚)괘」.
36) 소식(蘇軾), 『동파역전(東坡易傳)』 권6 「중부(中孚)괘」.

밖에 처하고 가장 위에 자리하니 진실한 믿음의 도가 아니니, 날아서 드러나기를 구하고 울어서 믿음을 구하려는 자이다. 그러므로 '새 날개짓 소리가 하늘까지 올랐다'고 했다. 구이효는 그늘에 있는데 새끼가 화답하고, 상구효는 날아올라 울고 하늘에 올랐으니 그 도가 서로 반대이다."

● 朱氏震曰 : "巽爲雞, 剛其翰也, 柔其毛也. 翰, 羽翮也. 雞振其羽翮而後出於聲, '翰音'也."[37]

주진(朱震)[38]이 말했다. "손(巽)괘는 닭이고 그 날개가 굳세고 그 털이 부드럽다. 한(翰)이란 깃촉이다. 닭은 그 깃촉을 떨친 뒤에 소리를 내니 이것이 '한음(翰音)'이다."

● 鄭氏汝諧曰 : "翰音登天者, 聲聞過情, 君子恥之."[39]

정여해(鄭汝諧)가 말했다. "새 날개짓 소리가 하늘에 올랐다는 것은 명성이 실제보다 지나치다는 뜻으로 군자가 부끄러워하는 일이다."

● 章氏潢曰 : "二居兌澤, 故曰在陰. 上爲巽風, 故曰於天. 孚於

---

37) 주진(朱震), 『한상역전(漢上易傳)』 권6, 「중부(中孚)괘」.
38) 주진(朱震, 1072~1138) : 자는 자발(子發)이고, 당시 한상선생(漢上先生)이라 불리었다. 송대 형문군(荊門軍 : 현 호북성 소속) 사람으로 한림학사(翰林學士)를 여러 번 역임하였다. 저서에 『한상역전(漢上易傳)』이 있다.
39) 정여해(鄭汝諧), 『역익전(易翼傳)』 하경, 「중부(中孚)괘」.

中也, 則鳴鶴自有子和. 孚於外也, 則翰音徒登於天. 然則中孚
可以人僞之哉!"

장황(章潢)이 말했다. "구이효는 태(兌☱)괘의 연못에 자리하므로
그늘에 있다고 했다. 상구효는 손(巽☴)괘의 바람 꼭대기에 있으므
로 하늘에 있다고 했다. 마음에 믿음이 있으면 학이 울어 저절로
새끼가 화답한다. 믿음이 밖에 있으면 새 날개짓 소리가 하늘에 오
른다. 그렇다고 진실한 믿음을 인위적으로 할 수 있겠는가!"

62. 소과小過괘

震上
艮下

程傳

小過,「序卦」, "有其信者必行之, 故受之以小過." 人之所信
則必行, 行則過也, 小過所以繼中孚也. 爲卦, 山上有雷. 雷
震於高, 其聲過常, 故爲小過. 又陰居尊位, 陽失位而不中,
小者過其常也. 蓋爲小者過, 又爲小事過, 又爲過之小.

소과(小過)괘는 「서괘전」에서 "믿음을 가지고 있는 사람은 반드시
행동하므로, 소과(小過)괘로 받았다"고 하였다. 믿음이 있으면 반드
시 행하고, 행하다보면 지나치게 되므로, 작은 일의 지나침을 상징
한 소과괘가 중부괘를 이었다.
괘의 모습은 간(艮☶)괘가 상징하는 산 위에 진(震☳)괘가 상징하
는 우레가 있다. 우레가 높은 곳에서 진동하면, 그 소리가 평상시보
다 지나치므로, 소과괘가 된다.
또 음(陰)효가 존귀한 지위에 자리하고, 양(陽)효가 지위를 잃고 중
도를 얻지 못했으니, 작은 것이 지나친 것이다. 이는 작은 것이 지
나치고, 또 작은 일이 지나치며, 또 지나친 것이 작다.

小過, 亨, 利貞. 可小亨不可大事, 飛鳥遺之音,
不宜上宜下, 大吉.

작은 일이 지나침은 형통하니, 올바름을 지킴이 이롭다. 작은 일은
할 수 있지만 큰 일은 할 수 없으니, 나는 새가 소리를 남기는데
위로 향함은 마땅하지 않고, 아래로 향함을 마땅히 하면, 크게
길하다.

本義

小, 謂陰也. 爲卦四陰在外, 二陽在內, 陰多於陽, 小者過也.
旣過於陽, 可以亨矣. 然必利於守貞, 則又不可以不戒也. 卦
之二五, 皆以柔而得中, 故可小事. 三四皆以剛失位而不中,
故"不可大事". 卦體內實外虛, 如鳥之飛, 其聲下而不上, 故
能致飛鳥遺音之應, 則"宜下"而"大吉", 亦"不可大事"之類也.

작은 것은 음(陰)을 말한다. 괘의 모습은 네 음(陰)이 밖에 있고 두
양(陽)이 안에 있어 음이 양보다 많으니, 작은 것이 지나치다. 양보
다 지나치면 형통할 수 있지만 반드시 올바름을 지키는 것이 이로
우니, 또 경계하지 않을 수 없다.
괘의 육이효와 구오효가 모두 부드러움으로 알맞음을 얻었기 때문
에 작은 일은 할 수 있다. 구삼효와 구사효는 모두 굳셈으로 지위를
잃고 알맞지 못하기 때문에 큰 일은 할 수가 없다.
괘의 체질이 안은 꽉 찼고 밖은 텅 비어 새가 날아갈 때 그 소리가
아래로 내려오고 위로 올라가지 않는 것과 같기 때문에 나는 새가

소리를 남기는 호응에 이르면 "아래로 내려옴이 마땅하여" "크게 길하니", 또한 큰 일은 할 수 없는 것과 같은 부류이다.

過者, 過其常也. 若矯枉而過正, 過所以就正也. 事有時而當然, 有得過而後能亨者, 故小過自有亨義. "利貞"者, 過之道, 利於貞也, 不失時宜之謂正. 過所以求就中也. 所過者小事也, 事之大者, 豈可過也? 於大過論之詳矣. "飛鳥遺之音"謂過之不遠也. "不宜上宜下", 謂宜順也. 順則大吉, 過以就之, 蓋順理也. 過而順理, 其吉必大.

지나침은 평상시의 한도를 넘어선 것이다. 굽은 것을 바로잡는 데 올바름을 넘어선 경우와 같으니, 지나친 것은 올바름을 취하려는 데서 나온 것이다. 어떤 일이든 그렇게 지나칠 수밖에 없는 것이 당연한 때가 있어서, 과도하게 된 후에야 형통할 수 있는 경우가 있으므로, 작은 일의 지나침에는 본래 형통하다는 뜻이 있다.

"올바름을 지킴이 이롭다"고 한 것은 과도하게 되는 도는 그 이로움이 올바름에 달려 있다는 뜻이고, 때의 마땅함을 잃지 않는 것이 바로 올바름이다. 어떤 경우에 과도하게 할 수 있는데, 이는 중도(中道)를 취하기 위해서이다. 과도하게 하는 경우는 작은 일이니, 큰 일을 어떻게 과도하게 할 수 있겠는가?

대과(大過)괘에서 상세하게 논했다. "나는 새가 남기는 소리"라는 것은 과도하게 하기를 지나치게 멀리 하지 않음을 말한다. "위로 향함은 마땅하지 않고, 아래로 향함을 마땅히 한다"는 것은 마땅히 이치를 따름을 말한다. 이치에 순종하면 크게 길하니, 과도하게 하여 올바름을 취하는 것이 바로 이치에 순종하는 일이기 때문이다. 과도하게 하여 이치에 순종하면, 그 길함이 반드시 크다.

集說

● 王氏弼曰 : "飛鳥遺其音, 聲哀以求處. 上愈無所適, 下則得安, 愈上則愈窮, 莫若飛鳥也."[1]

왕필(王弼)이 말했다. "나는 새가 그 소리를 남기니 애닮은 소리로 처할 곳을 구한다. 위로 갈수록 적합한 곳이 없고 아래로 가면 편안함을 얻으니 위로 갈수록 더욱 궁색해지는 상황은 나는 새만한 것이 없다."

● 孔氏穎達曰 : "過之小事, 謂之小過. 卽行過乎恭, 喪過乎哀之例是也. 褚氏云, 謂小人之行, 小有過差, 君子爲過厚之, 行以矯之. 如晏子狐裘之比也, 過爲小事, 道乃可通, 故曰, '小過亨'. '利貞'者, 矯世勵俗, 利在歸正也. '可小事不可大事'者, 小有過差, 惟可矯以小事, 不可正以大事. '飛鳥遺之音, 不宜上宜下, 大吉'者. 飛鳥聲哀以求處, 過上則愈無所適, 過下則不失其安. 譬君子處過差之時, 爲過矯之行, 順則執卑守下, 逆則犯君陵上, 故以順逆類鳥之上下也."[2]

공영달(孔穎達)이 말했다. "지나친 작은 일을 소과(小過)라고 한다. 행하는 데 지나치게 공손하고, 상례를 치르는 데 지나치게 애닮은

---

1) 왕필(王弼), 『주역주(周易註)』 권6, 「소과(小過)괘」.
2) 공영달(孔穎達), 『주역주소(周易注疏)』 권10, 「소과(小過)괘」.

예가 이것이다. 저씨(褚氏)가 말하길 '소인의 행동에는 지나친 실수가 조금 있지만, 군자는 과도함이 지나치면 행동하여 그것을 교정한다. 예를 들어 안자(晏子)가 여우 갖옷을 입은 것3)과 같은 종류이다.' 과도한 것이 작은 일이지만 도가 통할 수 있다. 그래서 '작은 일이 지나치면 형통하다'고 했다. '올바름이 이롭다'고 했으니 세상을 바로잡고 풍속을 고치려는 데 이로움은 올바름을 되돌리는 데 있다. '작은 일은 할 수 있지만 큰 일은 할 수 없다'는 것은 과실과 실수가 작게 있는 경우 오직 작은 일로 교정할 수 있지 큰 일을 바로잡을 수는 없다는 말이다. '나는 새가 소리를 남기는 데에 위로 향함은 마땅하지 않고, 아래로 향함을 마땅히 하면 크게 길하다'는 것은 나는 새가 애달프게 우는 소리로 처할 곳을 구하는 데 지나치게 위로 올라가면 갈수록 적합한 곳이 없고, 지나치게 아래로 가면 편안한 곳을 잃는다는 뜻이다. 예를 들어 군자가 과도한 실수에 처했을 때 과도하게 교정하려는 행위가 순조로우면 자신을 낮추고, 비루하게 되거나 거슬리면 군주를 범하고 윗사람을 능욕하므로, 순조롭거나 거슬리는 일로 새가 위로 향하는 것을 분류했다."

---

3) 여우 갖옷을 입은 것 : 『예기(禮記)』「단궁하」, "증자가 말했다. '안자는 예를 안다고 하겠다. 공경함이 있다.' 유약이 했다. '안자는 여우 갖옷[狐裘] 하나로 30년을 입었으며 견거(遣車)는 1승이었고, 장사를 지내고는 즉시 돌아 왔다. 나라의 임금은 7개이니, 견거가 7승이요, 대부는 5개니, 견거는 5승이라야 한다. 그러니 안자가 어찌 예를 안다고 하겠는가?' 증자가 말했다. '나라에는 도가 없으면 군자는 예를 다 행하는 것을 부끄럽게 여긴다. 나라가 사치하면 검소한 것을 보이고 나라가 검소하면 예를 보여주어야 한다.'[曾子曰, "晏子可謂知禮也已. 恭敬之有焉." 有若曰, "晏子一狐裘三十年, 遣車一乘, 及墓而反. 國君七个, 遣車七乘, 大夫五个, 遣車五乘. 晏子焉知禮?" 曾子曰, "國無道, 君子恥盈禮焉. 國奢, 則示之以儉, 國儉則示之以禮."]라고 하였다.

● 呂氏大臨曰 : "小過, 過於小者也. 君子之道, 皆以濟其不及,
然後可以會於中. 大過以濟其大不及, 小過以濟其小不及者, 濟
所以亨也. '飛鳥不宜上宜下', 上窮而下有止也. 過奢過慢則凶,
不宜上也, 過恭過儉則吉, 宜下也."

여대림(呂大臨)[4]이 말했다. "소과(小過)는 작은 일에 지나친 것이
다. 군자의 도리는 모두 미치는 못하는 것을 다스린 다음 중도에
맞출 수 있다. 큰 일을 지나치게 하여 그 큰 것이 미치지 못하는
영역을 다스리고, 작은 일을 지나치게 하여 그 작은 일이 미치지
못하는 부분을 다스리는 일이 형통할 수 있는 근거이다. '나는 새가
위로 향하면 마땅하지 않고 아래로 향하면 마땅하다'는 위로 가면
궁색해지고 아래로 가면 합당하게 멈출 곳이 있다는 말이다. 지나
치게 사치하고 지나치게 오만하면 흉하니 위로 향하면 마땅하지 않
고, 지나치게 공손하고 지나치게 검소하면 길하니 아래로 향하는
것이 마땅하다."

●『朱子語類』云 : "小過是過於慈惠之類, 大過則是剛嚴果毅底
氣象. 小過是小事過, 又是過於小, 如'行過乎恭, 喪過乎哀, 用
過乎儉'. 皆是過於小. 退後一步, 自貶底意思."[5]

....

4) 여대림(呂大臨, 1040~1092) : 자는 여숙(與叔)이고, 당시 예각선생(藝閣
先生)으로 불리었다. 송대 남전(藍田 : 현 섬서성 소속) 사람으로『여씨
향약(呂氏鄕約)』을 쓴 여대균(呂大鈞)의 동생이다. 장재(張載)가 처음
으로 관중(關中)에 와서 강학할 때 형들과 함께 장재를 스승으로 모셨으
나, 장재가 죽은 뒤 이정(二程)에게 배워 사량좌(謝良佐)·유초(游酢)·
양시(楊時)와 함께 '정문4선생(程門四先生)'이라 일컫는다. 태학박사
(太學博士)·비서성정자(秘書省正字)를 역임하였다. 저서는『예기전(禮
記傳)』,『고고도(考古圖)』등이 있다.

『주자어류』에서 말했다. "소과(小過)는 자애와 은혜에 과도한 부류이고 대과(大過)는 굳세고 엄격하고 과감하고 굳센 기상이다. 소과는 작은 일에 지나치고 또 사소한 것에 과도한 것이니 예를 들어 '행하는 데 지나치게 공손하고 상례를 치르는 데 지나치게 애통해하고 씀씀이가 지나치게 검소하다'는 것이다. 모두 사소한 일에 지나친 것이다. 한 발짝 뒤로 물러나서 스스로 낮추는 뜻이다."

● 俞氏琰曰 : "小過之時, 可過者小事而已, 大事則不可過也."[6]

유염(俞琰)이 말했다. "작은 일이 과도할 때 과도한 것이 작은 일이어야 좋지 큰 일은 과도하게 행할 수 없다."

● 林氏希元曰 : "小過不當以人類言, 當以事類言. 觀「大象」『本義』曰, '三者之過, 皆小者之過, 可過於小, 而不可過於大, 可以小過, 而不可以甚過.' 又曰「象」所謂'可小事, 而宜下', 其意可見矣. '小過亨', 小事過而亨也. 曰利貞, 深戒占者之辭. '可小事不可大事, 不宜上宜下' 又是申利貞之意."

임희원(林希元)[7]이 말했다. "소과(小過)는 사람의 부류로 말해서는

---

5) 『주자어류』 권73, 133조목, 137조목, 138조목 참조.

6) 유염(俞琰), 『주역집설(周易集說)』 권9, 「소과(小過)괘」.

7) 임희원(林希元, 1481~1565) : 명(明)대 동안 신점(同安新店) 사람으로, 자는 무정(茂貞)이고 호는 차애(次崖)이다. 명(明) 정덕(正德)11년(1516)에 진사에 급제하여 남경대리사평사(南京大理寺評事) , 광서사주판관(廣西泗州判官), 흠주지주(欽州知州) 등을 역임했다. 학문으로는 정주학과 채청(蔡淸)의 『역경몽인(易經蒙引)』을 중시했다. 특히 『주역』을

안 되고 일의 종류로 말해야만 한다. 「상전(象傳)」을 보면 『주역본의』에서 '세 가지를 지나치게 함은 모두 작은 일을 과도하게 하는 것이니 작은 일에 과도하게 할 수 있지만 큰 일에서는 과도하게 해서는 안 된다. 조금 과도하게 해야지 너무 심하게 과도하게 해서는 안 된다.'고 했다. 또 「단전(彖傳)」에서 '작은 일을 해야 하고 아래로 향함이 마땅하다'고 했으니, 그 뜻을 알 수 있다. '작은 일이 과도한 것은 형통하다'는 뜻은 작은 일을 과도하게 해서 형통하다는 말이다. 올바름이 이롭다고 했으니, 점치는 사람을 깊게 경계해주는 말이다. '작은 일은 할 수 있지만 큰 일은 할 수 없으니, 위로 향함은 마땅하지 않고 아래로 향함이 마땅하다'는 말은 또 올바름이 이롭다는 뜻을 펼친 것이다."

● 陸氏銓曰 : "君子雖行貴得中, 事期當可, 然勢有極重, 時須損餘以補缺, 事必矯枉而後平, 夫子所謂寧儉寧戚之意. 理所當過, 卽是時中."

육전(陸銓)[8]이 말했다. "군자는 행하는 데 중도(中道)를 귀하게 여겨 현실적인 일에는 합당함을 기약하지만 형세에는 지극히 중요한

다른 경전에 비해 극히 높게 평가하여, 오경 가운데 『역경』을 뺀 나머지는 강물과 같고 『역경』은 바다와 같다고 했다. 저술로는 『역경존의(易經存疑)』, 『사서존의(四書存疑)』, 『임차애선생문집(林次崖先生文集)』 등이 있다.

8) 육전(陸銓) : 육전은 명나라 사람으로 자는 선지(選之)이다. 은현(鄞縣) 사람이다. 생졸연대는 분명하지 않다. 명나라 세종(世宗) 가정(嘉靖) 14년 전후 사람이다. 가정 2년(1523)에 진사가 되어 형부주사(刑部主事)에 제수받았다. 동생과 『과쟁대례(戈爭大禮)』를 편찬했다가 옥고를 치렀다. 후에 광서안찰사(廣西按察使)가 되었다.

일도 있어 때에는 반드시 여유있는 것을 덜어 결핍된 부분을 보충하고 일에는 반드시 구부러진 것을 교정한 뒤에 평평하게 되니, 공자가 '차라리 검소하고 차라리 슬퍼한다'[9]는 뜻이다. 이치에 지나친 것이 합당하다면 그것이 바로 시중(時中)이다.

案

大過者, 大事過也. 小過者, 小事過也. 大事, 謂關繫天下國家之事. 小事, 謂日用常行之事. 道雖貴中, 而有時而過者, 過所以爲中也, 當過而過, 然後可以通行, 故有亨道而利於正也. "可小事不可大事", 是申小過之義. 言此卦之義, 可以施於小事, 不可施於大事. "不宜上宜下", 又是申"利貞"之義. "飛鳥遺之音"者, 卦有飛鳥之象, 卦示以兆, 如飛鳥之遺以音也. 上下二字是借鳥飛之上下, 以切人事. 飛鳥相呼雲, 不宜上宜下, 在飛鳥則上無止戾, 下有棲宿, 在人事則高亢者失正而遠於理, 卑約者得正而近乎情, 是以大吉也.

대과(大過)는 큰 일이 과도한 것이다. 소과(小過)는 작은 일이 과도한 것이다. 큰 일은 천하 국가와 관련된 것을 말한다. 작은 일은 일상생활의 여러가지를 말한다.

도가 비록 중도를 귀중하게 여기지만 어떤 경우에 지나칠 때가 있는 것은 지나친 것이 중도이기 때문이니 마땅히 지나칠 만할 때 과도한 뒤에야 소통하여 행할수 있으므로 형통할 수 있는 도가 있고 올바름이 이롭다고 했다.

----

9) 『논어』「팔일」: "예(禮)는 그 사치하기보다는 차라리 검소하여야 하고, 상례는 형식적으로 잘 치르기보다는 차라리 슬퍼하여야 한다.[禮, 與其奢也, 寧儉, 喪, 與其易也, 寧戚.]"라고 하였다.

"작은 일은 해도 되지만 큰 일은 해서는 안 된다"고 했는데 소과(小過)의 뜻을 밝힌 것이다. 이 괘의 의미는 작은 일에서 시행해야지 큰 일에서 시행하면 안 된다는 말이다.

"위로 향하면 마땅하지 않고 아래로 향하면 마땅하다"고 했으니 또 "올바름이 이롭다"는 뜻을 밝혔다. "나는 새가 남기는 소리"는 괘에는 나는 새의 모습이 있으니 괘는 이 징조를 보여주어 나는 새가 소리로 남긴다는 말이다. 위와 아래라는 두 글자는 새가 나는 데 위로 날고 아래로 나는 모습을 빌린 것이니 인간사에서도 절실하다. 나는 새가 서로 부르며 위로 향하는 것은 마땅하지 않고 아래로 향하는 것이 마땅하다고 한다. 새들에게는 위로 향하면 그쳐 안정된 곳이 없고 아래로 향하면 묵을 장소가 있다. 인간사에서는 지나치게 오만한 자는 올바름을 잃고 이치에서 멀어지게 되며, 낮추어 단속하는 사람은 올바름을 얻어 인정에 가까우니 크게 길하다.

初六, 飛鳥以凶.

초육효는 나는 새이니, 흉하다.

本義

初六陰柔, 上應九四, 又居過時, 上而不下者也. 飛鳥遺音,
"不宜上宜下", 故其象占如此, 郭璞『洞林』"占得此者, 或致
羽蟲之孽".

초육효는 음의 부드러운 자질로 위로 구사효와 호응하고 또 지나친
때에 자리하여 위로 올라가고 내려오려고 하지 않는 자이다.
나는 새가 남긴 소리는 "위로 향함은 마땅하지 않고 아래로 향함이
마땅하므로" 그 상(象)과 점(占)이 이와 같다.
곽박(郭璞)10)의 『동림(洞林)』11)에 "점을 쳐서 이 효(爻)를 얻은 자

---

10) 곽박(郭璞, 276~324) : 동진(東晋) 시기 유명한 학자이다. 자는 경순(景
純)이고 하동(河東) 군문희현(郡聞喜縣) 사람이다. 건평태수(建平太守)
곽원(郭瑗)의 아들이다. 문학가이며 훈고학자이며 풍수가이며 천문, 역
산(曆算), 복서에 정통했다. 시부(詩賦)를 잘이어 유선시(游仙詩)의 시
조이다. 곽박은 역학을 전했을 뿐 아니라 도교의 술수학을 계승하여 양
진(兩晋) 시기 유명한 방술가(方術家)이다. 서진(西晉) 말기에 선성태수
은우참군(宣城太守殷祐參軍)을 지냈다. 나중에 왕돈(王敦) 왕실의 참
군(參軍)이 되었고 복서(卜筮)로 불길하다 하여 왕돈의 모반을 막아서
피살되었다. 『이아(尔雅)』,『방언(方言)』,『산해경(山海經)』,『목천자전
(穆天子傳)』 등에 주석했다. 명나라 사람에 의해 편집된 『곽홍농집(郭

는 간혹 우충(羽蟲)의 재앙이 이른다"고 했다.

程傳

初六陰柔在下, 小人之象. 又上應於四, 四, 復動體. 小人躁易, 而上有應助, 於所當過, 必至過甚, 況不當過而過乎. 其過如飛鳥之迅疾, 所以凶也. 躁疾如是, 所以過之速且遠, 救止莫及也.

초육효는 음의 부드러운 자질로 아랫자리에 있으니, 소인의 모습이다. 또 위로 육사효와 호응하는데, 육사효는 또 다시 움직임의 형체이다.
소인은 조급하고 경솔한데 위에서 호응하여 도와주는 사람이 있어, 과도하게 행해야 할 때에 반드시 지나치게 행하고, 게다가 과도하게 행해서는 안 될 경우에도 과도하게 행동한다!
그 과도함이 나는 새처럼 신속하고 빠르니, 그래서 흉하다. 조급하고 빨리하기를 이렇게 하니, 과도함이 빠르고 본분에서 멀어져서, 저지하려 해도 할 수가 없다.

弘農集)』이 유명하다.
11) 『동림(洞林)』: 곽박이 고역(古易) 『연산(連山)』을 모방하여 만든 작품이다. 원본은 유실되었다. 청나라 마국한(馬国翰)의 함산방집일서(函山房輯佚書)』에 그 일부분이 남아 있다. 주요 내용은 복서의 경험과 복서한 증험들 60여 가지 예이다.

● 孔氏穎達曰 : "小過之義, 上逆下順. 而初應在上卦, 進而之逆, 同於飛鳥無所錯足, 故曰'飛鳥以凶.'"12)

공영달(孔穎達)이 말했다. "소과의 뜻은 위로 향하면 거슬리고 아래로 향하면 순조롭다. 초효는 호응하는 사람이 상괘(上卦)에 있어 나아가지만 나아가면 거슬리니, 날아가는 새에게 발을 놓을 곳이 없는 것과 동일하므로 '나는 새이니 흉하다'고 했다.

● 胡氏瑗曰 : "小過之時'不宜上', 位在下而志愈上, 故獲凶也."13)

호원(胡瑗)이 말했다. "소과의 때는 '위로 향해서는 안 되니', 아래 자리에 있으면서 뜻은 위로 향하므로 흉함을 얻는다."

● 項氏安世曰 : "初上二爻, 陰過而不得中, 是以凶也. 以卦象觀之, 二爻皆當鳥翅之末. 初六在艮之下, 當止而反飛, 以飛致凶, 故曰'飛鳥以凶'. 上六居震之極, 其飛已高則麗於網罟, 故曰'飛鳥離之凶.'"14)

항안세(項安世)15)가 말했다. "초육효와 상육효는 음이 지나쳐 중도

---

12) 공영달(孔穎達), 『주역주소(周易注疏)』 권10, 「소과(小過)괘」.
13) 호원(胡瑗), 『주역구의(周易口義)』 권10, 「소과(小過)괘」.
14) 항안세(項安世), 『주역완사(周易玩辭)』 권12, 「소과(小過)괘」.
15) 항안세(項安世, ?~1208) : 송나라 강릉(江陵) 사람으로 자는 평부(平父)이고, 호는 평암(平庵)이다. 효종(孝宗) 순희(淳熙) 2년(1175) 진사(進士)가 되고, 교서랑(校書郞)과 지주통판(池州通判) 등을 지냈다. 영종

를 얻지 못하므로 흉하다. 괘상(卦象)으로 보면 두 효는 모두 새가 날아가는 끝에 해당한다. 초육효는 간(艮☶)괘의 아래에 있어 마땅히 멈춰야 하는데 반대로 날아가니, 날아가서 흉함에 이르므로, '나는 새이니 흉하다'고 했다. 상육효는 진(震☳)괘의 끝에 자리하여 날아가는 것이 이미 높으니, 그물에 붙어있으므로 '나는 새가 붙어있는 흉함'이라고 했다."

● 龔氏煥曰:"大過卦辭以棟爲象, 而三四兩爻亦以棟言. 小過卦辭以鳥爲象, 而初上兩爻亦以鳥言. 大過陽過於中, 而三四又陽之中也. 小過陰過於外, 初上又陰之外也."[16]

공환(龔煥)이 말했다. "대과(大過)괘의 괘사는 대들보로 상징하였으므로 삼효와 사효 또한 대들보로 말했다. 소과(小過)괘의 괘사는 새로 상징하였으므로 초효와 상효 두 효 또한 새로 말했다. 대과괘는 양(陽)이 중도에서 지나치니 삼효와 사효 또한 양의 가운데이다. 소과괘는 음(陰)이 바깥에서 과도하니 초효와 상효도 음의 바깥이다."

● 胡氏炳文曰:"大過有棟橈象, 棟之用在中, 故於三四言之. 小過有飛鳥象, 鳥之用在翼, 故於初上言之. 然初二五上皆翼也,

....

(寧宗)이 즉위하자 양병(養兵)과 궁액(宮掖)에 드는 비용을 줄여야 한다고 건의했다. 경원(慶元) 연간에 글을 올려 주희(朱熹)를 유임하라고 했다가 탄핵을 받고 위당(僞黨)으로 몰려 파직되었다. 나중에 복직되어 여러 벼슬을 거쳤다. 저서에 『주역완사(周易玩辭)』와 『항씨가설(項氏家說)』, 『평암회고(平庵悔稿)』 등이 있다.
16) 정정조(程廷祚), 『대역택언(大易擇言)』「대과(大過)괘」.

獨初上言之何耶? 鳥飛不在翼而在翰, 初上其翰也."[17]

호병문(胡炳文)이 말했다. "대과괘는 대들보 기둥이 휘어진 모습이니 대들보 기둥의 쓰임은 중앙에 있으므로 삼효와 사효에서 말했다. 소과괘는 나는 새의 모습이니 새의 쓰임은 날개에 있으므로 초효와 상효에서 말했다. 그러나 초효와 이효 오효와 상효 모두 날개인데 오직 초효와 상효만 말한 것은 어째서인가? 새가 나는 것은 날개에 있는 것이 아니라 날개 깃털에 있으므로 초효와 상효가 그 날개 깃털이다."

案

大過象棟者兩爻, 小過象飛鳥者亦兩爻. 然大過宜隆不宜橈, 則四居上吉, 三居下凶, 宜矣. 小過之鳥, "宜下""不宜上", 初居下應吉而反凶者, 何也? 蓋屋之中棟, 惟一而已, 四之象獨當之, 鳥之翼則有兩, 初與上之象皆當之也. 初於時則未過, 於位則處下, 如鳥之正當棲宿者, 乃不能自禁而飛, 其凶也, 豈非自取乎?

대과괘의 상징인 대들보 기둥은 두 효이고 소과괘의 상징인 나는 새 또한 두 효이다. 그러나 대과괘는 융성해야 마땅하고 휘어지는 것이 마땅하지 않으니 사효가 위에 자리하는 것이 길하고 삼효가 아래에 자리하는 것이 흉함은 당연하다.
소과괘의 새는 "아래로 향함이 마땅하지" "위로 향함은 마땅하지 않은데" 초효가 아래에 자리하면 응당 길해야 하는데 반대로 흉한 것은 무엇 때문인가? 집안의 가운데 대들보 기둥은 오직 하나일 뿐이라서 사효의 상징이 홀로 이에 해당하지만, 새의 날개는 두 개이

17) 호병문(胡炳文), 『주역본의통석(周易本義通釋)』 권2, 「소과(小過)괘」.

므로 초효와 상효의 상징이 모두 이에 해당한다.

초효는 그 때는 아직 지나치지 않고 위치로는 아래에 자리하니 새의 정당한 처소인데 스스로 금지하지 못하고 날아가니, 그 흉함이 어찌 스스로 나아간 것이 아니겠는가?

六二, 過其祖, 遇其妣, 不及其君, 遇其臣, 無咎.

육이효는 할아버지를 지나 할머니를 만남이니, 임금에게 미치지 않고, 신하의 도리에 합당하면, 허물이 없다.

六二柔順中正, 進則過三四而遇六五, 是過陽而反遇陰也. 如此則不及六五而自得其分, 是不及君, 而適遇其臣也. 皆過而不過, 守正得中之意, 無咎之道也. 故其象占如此.

육이효는 유순(柔順)하고 중정(中正)하여 나아가면 구삼효와 구사효를 지나 육오효를 만나니, 이는 양(陽)을 지나 도리어 음(陰)을 만나는 것이다. 이와 같이 하면 육오효에 미치지 않고 스스로 그 분수를 얻으니, 이는 임금에 미치지 않고 그 신하를 만나는 일이다. 모두 지나치지만 과도하지 않아 올바름을 지키고 중도를 얻은 뜻이니 허물이 없는 도리이다. 그러므로 그 상(象)과 점(占)이 이와 같다.

陽之在上者父之象, 尊於父者祖之象. 四在二上, 故爲祖. 二與五居相應之地, 同有柔中之德, 志不從於二四. 故過四而遇五, 是"過其祖"也. 五陰而尊, 祖妣之象. 與二同德相應, 在它卦則陰陽相求, 過之時必過其常, 故異也. 無所不過, 故二從

五亦戒其過. "不及其君遇其臣", 謂上進而不陵及於君, 適當
臣道, 則無咎也. 遇, 當也, 過臣之分, 則其咎可知.

양(陽)으로 위의 자리에 있는 것은 아버지의 모습이고, 아버지보다
더 높은 것은 할아버지의 모습이다.
구사효가 구삼효의 위에 있기 때문에 할아버지이다. 육이효와 육오
효는 서로 호응하는 위치에 자리하여, 함께 부드러우면서 알맞은
덕을 공유하고 있으니, 뜻이 구삼효와 구사효를 따르지 않는다. 그
러므로 구사효를 지나 육오효를 만나니, 이것이 "할아버지를 지나
간다"는 말이다.
육오효는 음(陰)으로 존귀한 지위에 있으니, 할머니의 모습이다. 육
오효가 육이효와 덕을 함께 하면서 서로 호응하니, 다른 괘라면 음
과 양이 서로를 구하지만, 지나칠 때는 반드시 그 상도(常道)의 본
분을 넘어서므로 다른 경우이다. 과도하지 않음이 없으므로, 육이
효가 육오효를 따르는 것에 대해 또한 그 과도함을 경계하였다.
"임금에게 미치지 않고 신하를 만난다"는 것은 위로 나아가되 임금
을 능멸하지 않고, 신하의 도리에 적합하게 행동한다는 말이니 허
물이 없다. 만난다는 말은 신하의 본분에 합당하다는 뜻으로, 신하
의 본분에서 벗어나 지나치게 행동하면 그 허물을 알 수가 있다.

集說

● 王氏宗傳曰 : "六二或過或不及, 皆適當其時與分, 而不惌於
中焉, 此在過之道爲無過也, 故曰無咎."[18]

....
18) 왕종전(王宗傳), 『동계역전(童溪易傳)』 권25, 「소과(小過)괘」.

왕종전(王宗傳)[19]이 말했다. "육이효는 어떤 경우는 과도하고 어떤 경우는 미치지 못하니 모두 그 때와 분수에 적당히 합당하여 중도에서 어긋나지 않으니 이것이 지나친 도에서 허물이 없다."는 뜻이다. 그러므로 허물이 없다고 했다.

● 俞氏琰曰: "遇妣而過於祖, 雖過之, 君子不以爲過也. 遇臣則不可過於君, 故曰'不及其君, 遇其臣', 「象」言'可小事不可大事, 不宜上宜下', 而六二柔順中正, 故其象如此, 其占無咎."[20]

유염(俞琰)이 말했다. "할머니를 만났는데 할아버지를 지나갔으니 과도하더라도 군자는 지나치다고 여기지 않는다. 신하를 만나려면 임금을 지나칠 수 없으므로 '그 임금에 미치지 않았는데 신하를 만났다'고 했다. 「단전」에서 '작은 일을 해도 되지만 큰 일은 해서는 안 되니, 위로 향하면 마땅하지 않고 아래로 향하면 마땅하다'고 했는데, 육이효는 유순(柔順)하고 중정하므로 그 상이 이와 같고 그 점이 허물이 없다."

● 張氏振淵曰: "祖妣只作陰陽象, 陽亢而陰順也. 過祖遇妣, 是去陽而就陰, 去亢而從順. 如此則不陵及於君, 適當臣道之常矣. '不及其君遇其臣', 宜下宜順也."

----

19) 왕종전(王宗傳): 자는 경맹(景孟)이고, 송대 영덕(寧德: 현 복건성 영덕시) 사람이다. 1181년에 진사에 급제하여 소주교수(韶州教授)를 역임하였다. 왕필의 의리역학을 추종하여 상수역학을 배척하였다. 저서에는 『동계역전(童溪易傳)』이 있다.
20) 유염(俞琰), 『주역집설(周易集說)』 권9, 「소과(小過)괘」.

장진연(張振淵)이 말했다. "할아버지와 할머니는 음양을 상징한 것이니 양은 오만하고 음은 순종적이다. 할아버지를 지나 할머니를 만난 것은 양을 버리고 음을 취하며 오만을 버리고 순종을 따른 것이다. 이와 같이 하면 임금을 능욕하지 않고 신하로서의 떳떳한 도리에 적합할 수 있다. '임금에 미치지 않고 신하를 만난다'는 마땅히 자신을 낮추고 순종하는 것이 마땅하다는 뜻이다.

● 吳氏曰愼曰 : "六二中正, 而爻辭以過不及言之. 蓋當過而過, 當不及而不及, 此權之所以取中, 而卒無過不及之偏矣."

오왈신(吳曰愼)이 말했다. "육이효는 중정(中正)한데 효사는 지나치거나 미치지 않는다는 과불급(過不及)으로 말했다. 지나친 것이 합당하다면 과도하고 미치지 않음이 합당하면 미치지 못하니, 이것이 권도(權道)로 중도(中道)를 취하여 결국에는 지나침과 미치지 못함의 편협함이 없다."

案

古者重昭穆, 故孫則祔於祖, 孫婦則祔於祖姑. 晉之'王母', 此爻之妣, 皆謂祖姑也. 兩陰相應, 故取妣婦相配之象. 凡易之義, 陰陽有應者, 則爲君臣, 爲夫婦, 取其耦配也. 無應者, 則或爲父子, 或爲等夷, 或爲嫡媵, 或爲妣婦, 取其同類也. 此爻二五皆柔, 有妣婦之配, 無君臣之交, 故取遇妣不及其君爲義. 孫行而附於祖列, 疑其過矣. 然禮所當然是適得其分也, 無應於君者, 不敢仰干於君之象. 然守柔居下, 是臣節不失也. 以人事類之, 則事之可過者, 過而得其恭順之體. 事之必不可過者, 不及而安於名分之常. 夫子之言麻冕拜下, 意正如此也. 小過之義主於過恭過

儉, 妻道也, 臣道也. 二當其位, 而有中正之德, 故能權衡於過不
及而得其中, 於六爻爲最善.

옛날에는 소목(昭穆)[21]을 중시하였으므로 자손은 할아버지 쪽에
모셨고 자손의 부인은 할머니 쪽에 모셨다. 진(晉)괘의 '왕모(王
母)'이고 이 효에서는 '비(妣)'인데 모두 조상할머니이다. 두 음(陰)
이 서로 호응하므로 할머니와 자손 부인이 서로 배합하는 모습을
취했다.
역의 의미는 음양으로 호응함이 있는데 임금과 신하, 남편과 아내
이니 그 짝을 취했다. 호응이 없는 것은 어떤 것은 아버지와 아들,
혹은 동료사이, 혹은 처와 첩, 혹은 할머니와 부인이니 그 같은 부
류를 취했다. 이효와 오효 두 효는 모두 부드러워 할머니와 부인의
짝이 있고 임금과 신하의 교제는 없으므로 할머니를 만나고 임금에
미치지 못한 것을 취하여 뜻으로 삼았다.
자손은 항렬대로 조상의 배열에 붙여지는데 그 지나침을 의심한다.
그러나 예에서 당연한 것이 그 본분을 적당하게 얻으니 임금에 호
응함이 없는 자는 감히 임금에 우러러 간여하지 않는 모습이다. 그
러나 부드러움을 지키고 아래 지위에 자리하니 신하의 절도를 잃지
않았다. 인간사로 비유하면 지나칠 수 있는 일이다.

....

21) 소목(昭穆) : 사당(祠堂)에서 신주(神主)를 모시는 차례로 왼쪽 줄의 소
(昭), 오른쪽 줄의 목(穆)을 말한다. 이 소목의 제도는 중국 상고 시대부
터 유래된 것인데 주대(周代)에 들어와 주공(周公)이 예(禮)와 악(樂)을
정비하면서 비로소 구체화되었다. 『주례』에 의하면 제1세를 중앙에 모시
는데 천자는 소에 2·4·6세, 목에 3·5·7세를 각각 봉안하여 삼소삼목
(三昭三穆)의 칠묘(七廟)가 되고, 제후는 소에 2·4세, 목에 3·5세를 각
각 봉안하여 이소이목(二昭二穆)의 오묘(五廟)가 되며, 대부(大夫)는 일
소일목의 삼묘(三廟)가 된다.

지나쳐 공손하고 순종하는 체통을 얻는다. 반드시 지나칠 수 없는 일은 미치지 않아 명분(名分)의 상도에 편안하다. 공자가 베로 만든 모자와 당 아래에서 절하는 문제[22]를 말했는데 의미가 바로 이와 같다.

소과(小過)의 뜻은 주로 지나친 공손함과 지나친 절약에 있으니 아내의 도리이고 신하의 도리이다. 육이효는 그 지위가 합당하고 중정(中正)의 덕이 있으므로 지나치고 미치지 않음, 즉 과불급(過不及)에 저울질하여 그 중도를 얻을 수 있으니 여섯 효 가운데 가장 좋다.

---

22) 『논어』「자한」: "베로 만든 면류관이 예(禮)이지만 지금에는 관(冠)을 생사(生絲)로 만드니, 검소하다. 나는 세상 사람들을 따르겠다. 당 아래에서 절하는 것이 예(禮)인데, 지금은 당 위에서 절하니, 이는 교만하다. 나는 비록 사람들과 어긋난다 하더라도 아래에서 절하겠다.[麻冕, 禮也, 今也純, 儉, 吾從衆. 拜下禮, 今拜乎上, 泰也. 雖違衆, 吾從下.]"라고 하였다.

九三, 弗過防之, 從或戕之, 凶.

구삼효는 지나치게 막지 않으면, 따라와서 간혹 해치므로, 흉하다.

本義

小過之時, 事每當過, 然後得中. 九三以剛居正, 衆陰所欲害
者也. 而自恃其剛, 不肯過爲之備, 故其象占如此. 若占者能
過防之, 則可以免矣.

작은 것이 과도한 때에 일을 매번 과도해야 한 뒤에야 중(中)을 얻
는다.
구삼효는 굳센 자질로 올바른 지위에 자리하여 여러 음(陰)이 해치
려는 사람이다. 그러나 스스로 굳셈을 믿어 지나치게 방비하려고
하지 않으므로 그 상(象)과 점(占)이 이와 같다. 점치는 자가 지나
치게 막으면 이를 면할 수 있다.

程傳

小過陰過陽失位之時. 三獨居正, 然在下無所能爲, 而爲陰所
忌惡. 故有當過者, 在過防於小人. 若"弗過防之", 則或從而
戕害之矣, 如是則凶也. 三於陰過之時, 以陽居剛, 過於剛也.
旣戒之過防, 則過剛亦在所戒矣. 防小人之道, 正己爲先. 三
不失正, 故無必凶之義, 能過防則免矣. 三居下之上, 居上爲
下, 皆如是也.

소과괘는 음(陰)이 과도하고 양(陽)이 지위를 잃은 때이다. 구삼효
는 홀로 올바른 위치에 자리했으나 아랫자리에 있어 일을 도모할
수 없고 음에게 시기와 미움을 받으므로, 마땅히 과도하게 행해야
할 것이 있는 자이니, 소인을 지나치게 막는 일이다.

만약 "지나치게 막지 않는다면", 소인들이 따라와 해치는 경우도 있
으니, 이와 같으면 흉하다. 구삼효는 음(陰)이 과도한 때 양(陽) 성
질로 굳센 위치에 자리하여, 굳셈이 지나치다. 지나치게 막을 것을
경계했으면, 자신이 지나치게 굳센 행동을 하는 것 또한 경계함에
있다.

소인을 막는 방도는 자신을 바르게 함이 가장 우선되어야 한다. 구
삼효가 올바름을 잃지 않았으므로, 반드시 흉하게 되는 뜻은 없으
니, 지나치게 막으면 흉하게 되는 것을 피할 수 있다. 구삼효가 하
체(下體)에서 가장 위에 있으니, 윗자리에 있으면서 아랫사람을 대
하는 일이 모두 이와 같다.

集說

● 楊氏啟新曰 : "言當過於防, 而九三不知時也."

양계신(楊啟新)이 말했다. "막는 일에는 마땅히 과도해야 하는데
구삼효가 그 때를 모른다."

案

小過者, 小事過也. 小事過者, 敬小愼微之義也. 九三過剛, 違於
斯義矣. 故爲不過於周防, 而或遇戕害之象. 「傳」曰 : "君子能勤

小物, 故無大患", 此爻之意也.

소과(小過)는 작은 일에 지나친 것이다. 작은 일에 과도한 것은 작은 일에 공경하고 미세한 것에 신중하다는 뜻이다.
구삼효는 지나치게 굳세어 이러한 뜻에 어긋난다. 그러므로 두루 방비하는 데에 과도하지 못하여 해침을 당하는 모습이다.
「전(傳)」에서 "군자는 작은 일에 신중할 수 있으므로 큰 우환이 없다"[23]고 했는데 이 효의 뜻이다.

---

23) 『자치통감(資治通鑑)』 권1, 「주기(周紀)·위열왕(威烈王)」.

> 九四, 无咎, 弗過遇之, 往厲必戒, 勿用永貞.

구사효는 허물이 없으니, 지나치지 않고 적당하여, 그대로 가면 위태로워 반드시 경계하며, 오래도록 올바름을 고집하지 말아야 한다.

當過之時, 以剛處柔, 過乎恭矣, 无咎之道也. '弗過遇之', 言弗過於剛而適合其宜也, 往則過矣. 故有厲而當戒. 陽性堅剛, 故又戒以勿用永貞, 言當隨時之宜, 不可固守也. 或曰: "'弗過遇之', 若以六二爻例則當如此說, 若依九三爻例則'過遇', 當如'過防'之義", 未詳孰是. 當闕以俟知者.

지나친 때에 굳센 자질로 부드러운 위치에 자리하니, 지나치게 공손하니, 허물이 없는 도리이다.

'지나치지 않고 적당하다'는 말은 지나치게 굳세지 않아 그 마땅함에 들어맞음을 말하니, 가면 지나치다. 그러므로 위태로움이 있어 마땅히 경계해야 한다.

양(陽)의 성질은 견고하고 굳세기 때문에 또 올바름을 오래도록 지켜서는 안 된다고 경계하였으니, 때의 마땅함을 따라야지 고집하고 지켜서는 안 된다는 말이다.

어떤 사람은 "'지나치지 않고 적당하다'는 육이효의 예로 보면 마땅히 이와 같이 말하겠지만 구삼효의 예에 따른다면 '과우(過遇)'는 마땅히 '과방(過防)'의 뜻과 같이 해야 한다."고 하는데, 누가 옳은

지 자세하지 않다. 마땅히 미루어두고 아는 사람을 기다려야 할 것이다.

程傳

四當小過之時, 以剛處柔, 剛不過也, 是以無咎. 旣弗過則合其宜矣, 故云"遇之", 謂得其道也. 若往則有危, 必當戒懼也. 往去柔而以剛進也, "勿用永貞", 陽性堅剛, 故戒以隨宜不可固守也. 方陰過之時, 陽剛失位, 則君子當隨時順處, 不可固守其常也. 四居高位, 而無上下之交, 雖比五應初, 方陰過之時, 彼豈肯從陽也, 故往則有厲.

구사효는 작은 일이 과도한 때에 굳센 자질로 부드러운 위치에 처하여, 굳셈이 지나치지 않아 허물이 없다. 지나치지 않으면 마땅함에 합치하므로, "적당하다"고 했으니, 그 중도를 얻었음을 말한다. 만약 그대로 가면 위태로움이 있으니, 반드시 경계하고 두려워해야 한다. 그대로 가는 것은 부드러움을 버리고 굳세게 나아가는 것이다. "오래도록 올바름을 고집하지 말아야 한다"는 것은 양(陽)의 성질이 굳세고 강직하기 때문에 마땅함을 따라야지 고집스럽게 지키지 말라고 경계한 말이다.

음이 과도한 때에 양의 굳센 자질을 지닌 사람이 지위를 잃었으면, 군자는 마땅히 때를 따르고 이치에 순종할 일이지 평상시의 본분을 고집해서는 안 된다. 구사효는 높은 지위에 있으면서 윗사람과 아랫사람과의 교제가 없고 육오효와 가깝고 초육효와 호응하더라도 음이 과도한 때 저들이 어찌 양을 따르려고 하겠는가? 그러므로 그대로 가면 위태로움이 있다.

集說

● 『朱子語類』云 : "‘過遇’, 猶言加意待之也, 與九三‘弗過防之’ 文體正同."[24]

『주자어류』에서 말했다. "‘과우(過遇)’란 뜻을 더하여 기다린다는 말 과 같으니, 구삼효에서 ‘지나치게 막지 않는다’는 문체와 동일하다."

案

「象傳」, 三四皆"剛失位而不中", 然九三純剛, 故凶, 九四居柔, 故有無咎之義. 然質本剛也, 故又戒以當過遇之爲善. 遇者, 合 人情, 就事理. 過遇, 朱子所謂加意待之者是也. 若不能過遇之, 則往而有危. 所當以爲戒, 而不可固執而不變者. 是小過之時義 也.

「단전」에서 삼효와 사효는 모두 "굳셈이 지위를 잃고 중도를 잃었 다"고 했는데 구삼효는 순수하게 굳세므로 흉하고, 구사효는 부드 러운 지위에 자리하였으므로 허물이 없다는 뜻이 있다. 그러나 자 질이 본래 굳세므로 또 "지나치지 않고 적당하게 함이" 최선임을 경계하였다. 우(遇)란 인정(人情)에 부합하고 사리를 취한 것이다. ‘과우(過遇)’란 말을 주자는 뜻을 더하여 기다리는 것으로 말했는데 옳다. 만약 기다리지 못하고 가면 위태롭다. 마땅히 해야 할 것으 로 경계했으니 고집하여 변하지 않으면 안 된다. 이것이 소과에서 때의 뜻이다.

---

24) 『주자어류(朱子語類)』 권73, 141조목.

六五, 密雲不雨, 自我西郊, 公弋取彼在穴.

육오효는 빽빽하게 구름이 모였지만 비를 내리지 못함은 나의 서쪽 교외로부터 왔기 때문이니, 공이 저 구멍에 있는 것을 쏘아 잡는다.

本義

以陰居尊, 又當陰過之時, 不能有爲. 而弋取六二以爲助, 故有此象. "在穴", 陰物也. 兩陰相得, 其不能濟大事可知.

음(陰)의 자질로 존귀한 지위에 자리하고 또 음(陰)이 과도한 때에 일을 도모할 수가 없다. 육이효를 쏘아 취하여 도움을 삼으므로 이러한 상(象)이 있다.
"구멍에 있는" 것은 음(陰)의 특성을 지닌 물건이다. 두 음(陰)이 서로 만나면 큰 일을 이루지 못함을 알 수 있다.

程傳

五以陰柔居尊位, 雖欲過爲, 豈能成功? 如"密雲"而不能成雨. 所以不能成雨, 自西郊故也. 陰不能成雨, 小畜卦中已解. "公弋取彼在穴", 弋, 射取之也. 射止是射, 弋有取義. 穴, 山中之空, 中虛乃空也. "在穴", 指六二也. 五與二本非相應, 乃弋而取之. 五當位, 故云公, 謂公上也. 同類相取, 雖得之. 兩陰豈能濟大事乎? 猶"密雲之不能成雨"也.

육오효는 음의 부드러운 자질로 존귀한 지위에 자리했으니, 과도하게 행하려 하지만, 어떻게 공을 이룰 수 있겠는가? 마치 "구름이 빽빽하게 모였으나" 비를 내리지 못하는 것과 같다. 비를 내리지 못하는 것은 서쪽 교외로부터 왔기 때문이다. 음(陰)이 비를 내리게 할 수 없는 것은 소축(小畜)괘에서 이미 해석했다.[25]

"공(公)이 저 구멍에 있는 것을 쏘아 잡는다"는 말에서, '익(弋)'은 활을 쏘아 잡는 것이니, '사(射)'는 다만 쏘는 것이고, '익'은 잡는다는 뜻이 있다. '혈(穴)'은 산 속의 구멍으로 가운데가 텅 빈 것이 구멍이다. "구멍에 있는" 것은 육이효를 가리킨다.

육오효와 육이효는 본래 서로 호응하는 관계가 아니지만, 활로 쏘아 잡은 것이다. 구오효는 지위가 합당하므로 공(公)이라고 말했으니, 조정의 임금을 말한다. 그러나 같은 부류가 서로 취하여 얻었지만, 두 음(陰)이 어떻게 큰 일을 이룰 수 있겠는가? 이는 "구름이 빽빽하게 모였지만 비를 내리게 할 수 없는" 것과 같다.

---

25) 소축(小畜)괘에서 이미 해석했다. :『주역』「소축(小畜)괘」: "小畜, 亨, 密雲不雨, 自我西郊.[소축은 형통하니 구름이 빽빽이 모였지만 비가 내리지 않는 것은 나의 서쪽 교외로부터 왔기 때문이다.]" 여기서 비를 내리게 하지 못하는 이유를 이천은 이렇게 설명한다. "구름은 음양의 기운이다. 두 기운이 교접하여 조화하면 서로 저지하며 응고하여 구름이 된다. 양(陽)이 먼저 부르면 음(陰)이 화답하는 것이 순리이기 때문에 조화한다. 만약 음이 먼저 양을 부르면 순리가 아니기 때문에 조화되지 못한다. 조화되지 못하면 비를 내릴 수가 없다. 구름이 엉겨 모이는 것이 비록 빽빽해도 비를 내리지 못하는 것은 서쪽 교외로부터 오기 때문이다. 동북(東北)은 양의 방향이고 서남(西南)은 음의 방향이다. 음으로부터 먼저 부르기 때문에 조화되지 못하고 비를 내릴 수가 없는 것이다.]" 라고 하였다.

● 張子曰 : "小過有飛鳥之象, 故因曰 '取彼在穴'."26)

장자(張子 : 張載)27)가 말했다. "소과괘에는 나는 새의 모습이 있으므로 연이어 '구멍에 있는 저것을 취한다'고 했다."

● 胡氏瑗曰 : "弋者, 所以射高也. 穴者, 所以隱伏而在下也. 公以弋繳而取穴中之物, 猶聖賢雖過行其事, 意在矯下也."28)

호원(胡瑗)이 말했다. "익(弋)은 높은 곳에 있는 것을 쏘는 일이다. 혈(穴)은 숨어 엎드려 아래에 있는 것이다. 공(公)이 쏘아 구멍 안에 있는 것을 취했으니, 성현이 그 일을 과도하게 행했지만 의도는 아랫사람을 고치려는 데 있다."

● 姚氏舜牧曰 : "時值小過, 宜下不宜上. 陰至於五, 過甚矣. 其所居者尊位也. 挾勢自亢, 澤不下究. 雲雖密而不雨, '自我西郊'

---

26) 장자(張子 : 張載), 『횡거역설(橫渠易說)』권2, 「소과(小過)괘」.

27) 장재(張載, 1020~1077) : 자는 자후(子厚)이고, 세칭 횡거선생(橫渠先生)이라고 한다. 송대 대양(大梁 : 현 하남성 개봉〈開封〉) 사람으로 거주지는 미현 횡거진(郿縣橫渠鎭 : 현 섬서성 미현〈眉縣〉)이었다. 1057년 진사에 급제했고 운암령(雲巖令)·숭정원교서(崇政院校書) 등을 역임하였다. 젊어서 병법을 좋아하여 범중엄에게 서신을 보냈다가 『중용』을 읽기를 권유받고, 얼마 뒤 『6경(六經)』에 전념하게 되었다. 특히 『역』과 『중용』을 중시하여 『정몽(正蒙)』, 『서명(西銘)』, 『역설(易說)』 등을 지었는데, 이로써 나중에 '관학(關學)'의 창시자가 되었다.

28) 호원(胡瑗), 『주역구의(周易口義)』권10, 「소과(小過)괘」.

故耳. 當此之時, 欲沛膏澤於生民, 必須下求穴之士以爲輔, 乃可也. 故又戒之以求助, 抑之以下賢."

요순목(姚舜牧)이 말했다. "때는 소과 때이니 아래로 향하는 것이 마땅하고 위로 향하는 것은 마땅하지 않다. 음은 오효에 이르러 과도함이 심해졌다. 그 자리한 곳이 존귀한 지위이다. 세력을 끼고 스스로 오만하니 은택이 아래로 흐르지 못한다. 구름이 뭉쳤으나 비가 오지 않으니, '나의 서쪽에서'부터 오기 때문일 뿐이다. 이러한 때에 백성들에게 기름진 은택을 성대하게 베풀려거든 반드시 아래로 내려가 은둔하고 있는 선비들을 구하여 도움이 되게 하면 좋다. 그러므로 도움을 구하거나 현자에게 낮추라고 경계하였다."

● 錢氏志立曰 : "小過所惡者, 飛鳥也. 鳥在穴而不飛, 所謂不宜上而宜下者也, 故公弋取以爲助."

전지립(錢志立)이 말했다. "소과(小過)의 때에 싫어하는 것은 나는 새이다. 새는 구멍에 있으면 날지 못하니 위로 향하는 것은 마땅하지 않고 아래로 향하는 것이 마땅하다고 한 것이다. 그러므로 공이 활로 쏘아 취함을 도움으로 삼는다."

案

小過有飛鳥之象, 而所惡者飛. 蓋飛則上而不下, 違乎"不宜上宜下"之義也. 雲亦飛物也, 下而降則爲雨. "密雲不雨"是猶飛而未下也. 五在上體, 又居尊位, 當小過之時, 上而未下者也. 故取"密雲不雨"爲象. 雲而不雨, 則膏澤不下於民矣. 以其虛中也, 故能降心以從道, 抑志以下交. 如弋鳥然, 不弋其飛者, 而弋其在穴者, 如此則合乎"宜下"之義. 而雲之飛者, 不崇朝而爲雨之潤矣, 此爻變鳥之象而爲雲者, 以居尊位故也.

소과(小過)괘에는 나는 새의 모습이 있는데 싫어하는 것이 나는 일이다. 날아가면 위로 날아 내려오지 않으니, "위로 향함은 마땅하지 않고 아래로 향함이 마땅하다"는 뜻에 어긋난다.

구름 또한 나는 것이니 아래로 내려오면 비가 된다. "빽빽하게 구름이 모였지만 비가 내리지 않는다"는 날아올라 내려오지 않는 것이다. 오효는 상체(上體)에 있고 또 존귀한 지위에 자리하니 소과(小過)의 때에 올라가서 내려오지 않는 자이다. 그러므로 "빽빽하게 구름이 모였지만 비가 내리지 않는다"는 모습이 된다.

구름이 있는데 비가 내리지 않음은 은택이 백성에게 미치지 않는 것이다. 마음을 비우므로 마음을 내려놓고 도를 따르고 뜻을 눌러 아래와 교제한다. 이는 활을 쏘아 새를 잡는 것과 같아 나는 것을 활로 쏘지 않고 구멍에 있는 것을 활로 쏘니, 이와 같이 하면 "아래로 향하는 것이 마땅하다"는 뜻에 부합한다.

구름이 나는 것은 하루도 되지 않아 비가 내리는 은택이 되는데, 효는 새의 모습이 변하여 구름이 된 것이니 존귀한 지위에 자리했기 때문이다.

上六, 弗遇過之, 飛鳥離之, 凶, 是謂災眚.

상육효는 적당하지 않아 지나치고, 나는 새가 부딪히는 듯하여, 흉하니, 이를 재앙이라 한다.

本義

六以陰居動體之上, 處陰過之極. 過之已高而甚遠者也, 故其象占如此. 或曰遇過, 恐亦只當作過遇, 義同九四未知是否.

육(六)이 음(陰)으로 움직이는 형체 위에 자리하여 음(陰)이 과도함의 끝에 처했다. 과도함이 이미 지나치고 매우 멀어진 자이므로 그 상(象)과 점(占)이 이와 같다.

어떤 사람은 "우과(遇過)는 또한 마땅히 과우(過遇)가 되어야 할 듯하니, 뜻이 구사효와 같다"고 하는데, 그 옳고 그름은 알지 못하겠다.

程傳

六陰而動體, 處過之極, 不與理遇, 動皆過之, 其違理過常如飛鳥之迅速, 所以凶也. '離', 過之遠也. "是謂災眚", 是當有災眚也. 災者天殃, 眚者人爲. 旣過之極, 豈惟人眚? 天災亦至, 其凶可知. 天理人事皆然也.

육(六)은 음(陰)효이면서 움직이는 몸체에 있으니, 과도함의 극한에 처하여, 이치에 적당하지 않고, 움직임이 모두 지나치니, 이치를 어

기고 상도(常道)의 본분을 넘어서는 것이 마치 빠르게 나는 새와 같
아, 흉한 것이다.

"떠난다"는 말은 과도함이 한도에서 지나치게 멀리 벗어난 것이다.
"이를 재앙이라 한다"는 말은 당연히 재앙과 인재가 있다는 말이다.
재(災)는 하늘의 재앙이고 생(眚)은 사람이 만든 것이다.

과도함의 극한에 이르렀으니, 어떻게 오직 인재만 있겠는가? 하늘
의 재앙 또한 이르니, 그 흉함을 알 수 있다. 하늘의 이치와 인간사
가 모두 그러하다.

集說

● 王氏弼曰 : "小人之過, 遂至上極. 過而不知限, 至於亢也.
過至於亢, 將何所遇? 飛而不已, 將何所托? 災自己致, 復何言
哉!"29)

왕필(王弼)이 말했다. "소인의 과도함이 심지어 궁극이 이르렀다.
지나쳐서 한계를 알지 못하고 오만함에 이르렀다. 과도함이 오만함
에 이르렀으니 장차 만날 것이 무엇인가? 날아가서 그칠 줄 모르니
의탁할 곳이 무엇인가? 재앙을 스스로 자초하니 다시 무엇을 말하
겠는가!"

● 孔氏穎達曰 : "以小人之身, 過而弗遇, 必遭羅網. 其猶鳥飛而
無托, 必離繒繳, 故曰'飛鳥離之凶'也. 過亢離凶, 是謂自災而致
眚."30)

---

29) 왕필(王弼), 『주역주(周易註)』 권6, 「소과(小過)괘」.

공영달(孔穎達)이 말했다. "소인의 몸은 지나치면 적당하지 않아 반드시 그물을 만난다. 새가 날다가 의탁할 곳이 없으면 반드시 주살에 맞으므로 '나는 새가 빠지는 흉함'이라고 했다. 과도하게 오만하면 흉함에 빠지니 스스로 자초한 재앙과 화라고 했다."

● 胡氏瑗曰：“上六過而不已, 若鳥之高翔, 不知所止, 以至窮極, 而離於凶禍不能反於下以圖其所安. 猶人之不近人情, 亢己而行, 故外來之災自招之損, 皆有之也."[31]

호원(胡瑗)이 말했다. "상육효는 과도하여 그치지 못하니 마치 새가 높이 날아 그칠 곳을 모르고 궁극에 이르러 재앙과 화를 만나 아래로 내려와 편안한 곳을 도모할 수 없는 것과 같다. 사람이 인정에 가깝지 못해 오만하기만 하면서 행하므로 밖에서 온 재앙이자 자초한 손해가 모두 있다."

● 余氏芑舒曰：“飛鳥離之, 如鴻則離之之離."

여기서(余芑舒)가 말했다. "나는 새가 부딪치는 것은 '기러기가 걸렸구나'[32]에서 걸렸다는 뜻이다."

---

30) 공영달(孔穎達), 『주역주소(周易注疏)』 권10, 「소과(小過)괘」.
31) 호원(胡瑗), 『주역구의(周易口義)』 권10, 「소과(小過)괘」.
32) 『시(詩)』「국풍·패(邶)·신대(新臺)」 "魚網之設, 鴻則離之. 燕婉之求, 得此戚施.[어망을 지니 기러기가 걸렸도다. 편안하고 순한 이를 구함에 이 곱사등이를 얻었도다.]"

● 俞氏琰曰 : "「象辭」言'不宜上', 而上乃震動之體, 動極而忘返, 如飛鳥離於繒繳, 不亦凶乎? 是天災也, 亦人眚也. 故曰'飛鳥離之凶', 是謂災眚."33)

유염(俞琰)이 말했다. "「단전」에서 '위로 향하는 것은 마땅하지 않다'고 했는데 위로 나아가는 것은 진(震☳)괘가 움직이는 형체이니, 움직임이 극한에 이르러 돌아올 줄 모르는 것이 마치 나는 새가 주살에 걸림과 같으니 또한 흉하지 않은가? 이것은 하늘의 재앙이면서 또한 인간의 재앙이다. 그러므로 '나는 새가 걸리는 흉함이다'라고 했으니 재앙과 화라고 했다."

案

復之上曰 : "迷復凶有災眚", 此曰"飛鳥離之凶", 是謂災眚. 辭意不同, 凶由己作, 災眚外至, 迷復則因凶而致災眚者也. 此則凶卽其災眚也. 蓋時當過極, 不能自守, 而徇俗以至於此, 與初六當時未過, 而自飛以致凶者稍別.

복(復)괘의 상육효는 "혼미한 가운데 회복하는 일이라 흉하니, 천재(天災)와 재앙이 있다"고 했고, 여기서는 "나는 새가 걸리는 흉함이다"라고 했으니 이것이 천재와 재앙이다.
말은 뜻은 다른데 흉함은 자기로부터 일어나고 재앙은 외부로부터 이르니, 혼미한 가운데 회복하는 일은 흉하여 재앙이 이른 자이다. 이처럼 흉한 것이 곧 재앙이다.
때가 과도하게 극한에 이르러 스스로 지킬 수 없고 세속에 따라 이 지경에 이르렀으니, 초육효가 때가 아직 지나치지 않은데 스스로

---

33) 유염(俞琰), 『주역집설(周易集說)』「소과(小過)괘」.

날아 흉함에 이른 자와는 조금 구별된다.

總論

● 項氏安世曰 : "坎離者, 乾坤之用也. 故上經終於坎離, 下經
終於旣未濟. 頤中孚肖離, 大小過肖坎. 故上經以頤大過附坎
離, 下經以中孚小過附旣未濟. 二陽函四陰則謂之頤, 四陽函二
陰則謂之中孚, 二陽函四陰則謂之大過, 四陰函二陽則謂之小
過, 離之爲麗, 坎之爲陷, 意亦類此."

항안세(項安世)가 말했다. "감(坎☵)과 리(離☲)는 건곤(乾坤)의 작
용이다. 그러므로 상경(上經)은 감(坎☵)괘와 리(離☲)괘로 끝났고,
하경(下經)은 기제(旣濟䷾)괘와 미제(未濟䷿)괘로 끝났다.
이(頤䷚)괘와 중부(中孚䷼)괘는 리(離☲)괘와 비슷하고, 대과(大過
䷛)와 소과(小過䷽)는 감(坎☵)괘와 비슷하다. 그러므로 상경(上經)
에서는 이(頤)괘 와 대과(大過)괘 다음으로 감(坎)괘와 리(離)괘를
붙였고, 하경(下經)에서는 중부(中孚)괘와 소과(小過)괘 다음으로
기제(旣濟)괘와 미제(未濟)괘를 붙였다.
두 양(陽)이 네 음(陰)을 포함하는 것을 이(頤䷚)괘라고 하고, 네 양
이 두 음을 포괄하는 것을 중부(中孚䷼)괘라 하고, 두 양이 네 음을
포함하는 것을 대과(大過䷛)라고 하고, 네 음이 두 양을 포함하는
것을 소과(小過䷽)라고 한다. 리(離)괘는 붙는다는 뜻이고 감(坎)괘
는 빠진다는 뜻이니, 의미에서 또한 이것들이 유추된다."

● 吳氏曰愼曰 : "以二陽言, 九三過剛居上, 不能自下, 故'或戕
之'. 九四居柔能下, 故無咎. 五上皆以陰乘陽上, 「象傳」所謂'上
逆'者也, 曰'已上', 曰'已亢', 然上凶而五不然者, 以其柔中也. 六

二柔順中正而承乎陽, 所謂下順者也, 故無咎. 初以柔居下而凶者, 位雖卑, 而志則上而不下, 是以與上六同爲飛鳥之象也."

오왈신(吳日愼)이 말했다. "두 양으로 말하면 구삼효는 지나친 굳셈으로 위에 자리하여 스스로 내려올 수 없으므로 '어떤 경우 해친다'고 했다. 구사효는 부드러움에 자리하여 내려올 수 있으므로 허물이 없다.

오효와 상효는 모두 음으로 양효 위에 올라타서 「단전」에서 이른바 '위로 거슬리는' 자이다. 「상전」에서 '이미 올라갔다'고 했고, '지나치게 올라갔다'고 했는데 상육효는 흉하고 육오효는 그렇지 않은 것은 그 부드러움으로 중도를 얻었기 때문이다.

육이효는 유순(柔順)하여 중정(中正)을 이루어 양(陽)을 잇고 있으니 낮추어 순종하는 자이므로 허물이 없다. 초육효는 부드러움으로 아래에 처하면서도 흉한 것은 지위는 낮더라도 뜻은 위로 올라가려 하고 내려오려 하지 않는다. 그래서 상육효와 동일하게 나는 새의 모습이다."

63. 기제旣濟괘

䷾ 坎上
離下

程傳

旣濟, 「序卦」, "有過物者必濟, 故受之以旣濟". 能過於物, 必
可以濟, 故小過之後, 受之以旣濟也. 爲卦水在火上, 水火相
交, 則爲用矣. 各當其用, 故爲旣濟, 天下萬事已濟之時也.

기제(旣濟)괘는 「서괘전」에서 "지나친 일이 있다면 반드시 문제를
해결하므로, 성취를 상징하는 기제괘로 받았다."라고 했다. 다른 것
보다 지나칠 수 있다면 반드시 문제를 해결할 수 있으므로, 소과괘
다음에 기제괘로 받았다.

괘의 모습은 물이 불 위에 있어 물과 불이 서로 교류하면, 상호 작
용하게 된다. 각각 그 쓰임을 담당하므로 일을 성취할 수 있으니,
세상의 모든 일이 모두 성취된 때이다.

旣濟, 亨小, 利貞, 初吉終亂.

일들이 성취된 때는 조금 형통하고, 올바름을 굳게 지킴이 이로우니, 처음에는 길하고 끝에는 혼란하다.

本義

旣濟, 事之旣成也. 爲卦水火相交, 各得其用, 六爻之位, 各得其正, 故爲旣濟. "亨小"當爲"小亨". 大抵此卦及六爻占辭, 皆有警戒之意, 時當然也.

기제(旣濟)는 일이 이미 이루어진 것이다. 괘의 모습은 물과 불이 서로 교류하여 각각 그 쓰임을 얻었고 여섯 효의 자리가 각기 그 올바름을 얻었기 때문에 기제(旣濟)라 하였다.
"형소(亨小)"는 마땅히 "소형(小亨)"이 되어야 한다. 이 괘와 여섯 효의 점사(占辭)에 모두 경계하는 뜻이 있으니, 때가 마땅히 그래야 하기 때문이다.

程傳

旣濟之時, 大者旣已亨矣, 小者尙有未亨也. 雖旣濟之時, 不能無小未亨也. 小字在下, 語當然也. 若言"小亨", 則爲亨之小也. "利貞"處旣濟之時, 利在貞固以守之也. "初吉", 方濟之時也. "終亂", 濟極則反也.

모든 일이 성취된 때는 큰 일은 이미 형통했고 작은 일은 여전히 형통하지 못했다. 모든 일을 성취한 때일지라도 아직 형통하지 못한 작은 일이 없을 수가 없다.

"작다"는 말이 "형통하다"는 말 아래에 있는 것은 어의 상 당연하다. 만약 "조금 형통하다"라고 말하면, 그 의미는 형통할 일이 적다는 말이 된다.[1]

"올바름을 굳게 지킴은 이롭다"는 모든 일이 성취된 때에 이로운 것은 올바름을 견고하게 지키는 것에 달려 있다는 말이다.

"처음에는 길하다"는 모든 일이 이제 막 성취된 때를 말하고, "끝에는 혼란하다"는 성취의 극한에 이르면 뒤집어진다는 말이다.

集說

● 孔氏穎達曰 : "人皆不能居安思危, 愼終如始, 故戒以今日旣濟之初. 雖皆獲吉, 若不進德修業, 至於終極, 則危亂及之."[2]

---

1) 형통할 일이 적다는 말이 된다 : 호원은 잘못 쓰인 글자라고 하면서 '소형(小亨)'이 옳다고 한다. "'형소(亨小)'는 잘못 쓰인 오류이다. 「단전」에서 '작은 일들이 형통하다'고 했으니, 여기서는 당연히 '소형(小亨)'이라고 해야 한다. 왜냐하면 모든 일이 성취된 때 조정은 올바름을 실현했고, 교화는 모두 시행되었으므로, 위와 아래, 멀고 가까운 곳, 미세하고 은미하여 지극히 작은 것까지도 모두 그 다스림을 얻어 형통하니, 하물며 큰 것은 어떠하겠는가?('亨小'者, 傳寫之誤. 按「象」曰'小者亨'也, 此當曰'小亨'. 蓋言旣濟之時, 朝廷已盡正, 教化已盡行, 故上下, 遠近, 纖悉微隱, 至小之物, 皆得其所濟而亨通, 況其大者乎?)"라고 하였다.
2) 공영달(孔穎達), 『주역주소(周易注疏)』 권10, 「기제(旣濟)괘」.

공영달(孔穎達)이 말했다. "사람은 모두 편안한 데 있으면서 위태로움을 생각할 수 없고 끝을 신중하게 하기를 시작처럼 할 수 없으므로 오늘 이미 성취된 초기에 경계했다. 모두 길함을 얻지만 덕을 쌓고 공업을 닦지 않는다면 결국에 이르러서는 위태로움과 혼란에 이를 것이다."

● 谷氏家杰曰 : "不曰'小亨'而曰'亨小', 言所亨者其小事也."

곡가걸(谷家杰)이 말했다. "'작게 형통한다'고 말하지 않고 '형통하는 것이 작은 일이다'라고 말했는데, 이는 형통하는 것이 작은 일들이라는 뜻이다."

● 吳氏曰愼曰 : "剛柔正則體立, 水火交則用行, 體立用行, 所以爲旣濟也."

오왈신(吳曰愼)이 말했다. "굳셈과 부드러움이 올바르면 몸체가 서고, 물과 불이 교제하면 작용이 행한다. 몸체가 서고 작용이 행하니 기제(旣濟)가 된다.

案

天地交爲泰, 不交爲否, 水火交爲旣濟, 不交則爲未濟. 以治亂之運推之, 泰否其兩瑞也, 旣濟未濟其交際也. 旣濟當在泰之後而否之先, 未濟當在泰之先而否之後. 泰猶夏也, 否猶冬也, 未濟猶春也, 旣濟猶秋也. 故先天之圖, 乾坤居南北, 是其兩端正, 離坎居東西, 是其交際也. 旣濟之義不如泰者, 爲其泰而將否也. 未濟之義優於否者, 爲其否而將泰也. 是以旣濟「象辭」曰"初吉終亂", 卽泰"城復於隍"之戒, 未濟「象辭」曰"汔濟濡其尾無攸利", 卽否"其亡其亡"之心.

하늘과 땅이 교제하는 것이 태(泰䷊)괘이고 교제하지 않는 것이 비(否䷋)괘이며, 물과 불이 교제하면 기제(旣濟䷾)괘이고 교제하지 않으면 미제(未濟䷿)괘이다.

세상이 다스려지고 혼란스러움으로 추론하면 태(泰)괘와 비(否)괘가 두 단서이고, 기제(旣濟)괘와 미제(未濟)괘가 그 교제이다.

기제괘는 마땅히 태괘 이후이고 비괘 이전이며 미제괘는 당연히 태괘 이전이고 비괘 이후이다. 태괘는 여름과 같고 비괘는 겨울과 같으며 미제괘는 봄과 같고 기제괘는 가을과 같다. 그러므로 선천도(先天圖)에서 건(乾)괘와 곤(坤)괘가 남북에 자리하이 그 두 단서의 올바름이고 리(離)괘와 감(坎)괘가 동서에 자리하니 그 교제이다. 기제괘의 뜻이 태괘와 같지 않은 것은 태평성대에서 정체의 시대로 가기 때문이다. 미제괘의 뜻이 비괘보다 나은 것은 정체의 시대에서 태평성대로 가기 때문이다.

그래서 기제괘의 「단전」에서 "처음에는 길하나 결국에는 혼란하다"고 했으니, 태괘의 "성이 옛터로 다시 돌아간다"는 경계함이 있고, 미제괘의 「단전」에 "강물을 건너는데 꼬리를 적시니 이롭지 않은 것이 없다"고 했으니, 비괘에서 "망할까 망할까"하는 마음이다.

初九, 曳其輪, 濡其尾, 無咎.

초구효는 수레바퀴를 잡아당기며, 꼬리를 적시면, 허물이 없다.

本義

輪在下, 尾在後, 初之象也. 曳輪則車不前, 濡尾則狐不濟. 旣濟之初, 謹戒如是, 無咎之道, 占者如是則無咎矣.

수레바퀴는 아래에 있고 꼬리는 뒤에 있으니, 처음의 상(象)이다. 수레바퀴를 뒤로 끌면 수레가 앞으로 나아가지 못하고 꼬리를 적시면 여우가 건너가지 못한다.

기제(旣濟)의 초기에 삼가고 경계하기를 이와 같이 하면 허물이 없는 도이니, 점치는 자가 이와 같이 하면 허물이 없다.

程傳

初以陽居下, 上應於四, 又火體, 其進之志銳也. 然時旣濟矣, 進不已則及於悔咎, 故"曳其輪", "濡其尾", 乃得無咎, 輪所以行, 倒曳之使不進也. 獸之涉水, 必揭其尾, "濡其尾"則不能濟. 方旣濟之初, 能止其進, 乃得無咎. 不知已則至於咎也.

초구효는 양(陽)의 자질로 아래에 자리하여 위로 육사효와 호응하고, 또 불의 형체에 속해 있으니, 그 나아가려는 뜻이 날카롭다. 그러나 모든 일이 성취된 때에 나아가려고만 하고 그치지 않으면 후회와 허물에 이르므로, "수레바퀴를 잡아당기고, 꼬리를 적시면," 허물이 없게 된다. 수레바퀴는 굴러가는 것이니, 거꾸로 잡아 당기면 나아가지 못하게 된다. 짐승은 강을 건널 때 반드시 꼬리를 드니, "꼬리를 강물에 적시면" 강을 건너갈 수가 없다.

모든 일이 성취된 처음에 그 나아감을 그칠 수 있다면, 허물이 없게 된다. 그칠 줄 모르면 허물에 이르게 된다.

集說

● 李氏簡曰 : "旣濟之初, 以濡尾而曳輪, 見其用力之難也. 雖 '濡其尾', 於義何咎?"[3]

이간(李簡)이 말했다. "기제의 처음에 꼬리를 적시고 수레를 잡아당기면 힘쓰는 일이 어려움을 안다. '꼬리를 적시더라도' 의리 상 무슨 허물이 있겠는가?"

案

爻之文意, 李氏得之. 蓋曳輪者, 有心於曳之也. 濡尾者, 非有心於濡之也. 當濟之時, 衆皆競濟, 故有濡尾之患. 惟能 "曳其輪", 則雖 "濡其尾" 而可及止也, 觀夫子 「象傳」 可知.

효사의 문장이 지닌 뜻을 이간이 터득했다. 수레를 잡아당기는 일은 잡아당기는 데 마음이 있는 것이다. 꼬리를 적시는 것은 적시는 데 마음이 있는 것은 아니다.

---

3) 이간(李簡), 『학역기(學易記)』 「풍(豊)괘」.

물을 건너려고 할 때 사람들은 모두 건너려고 다툴 것이므로 꼬리를 적시는 우환이 있다.

오직 "수레를 잡아당길" 수 있다면 "꼬리를 물에 적시더라도 그칠 수 있으니 공자의 「단전」을 보면 알 수 있다.

六二, 婦喪其茀, 勿逐, 七日得.

육이효는 부인이 그 가리개를 잃음이니, 쫓아가지 않으면, 칠일 만에 얻는다.

本義

二以文明中正之德, 上應九五剛陽中正之君, 宜得行其志. 而九五居旣濟之時, 不能下賢以行其道, 故二有"婦喪其弗"之象. 茀, 婦車之蔽, 言失其所以行也. 然中正之道, 不可終廢, 時過則行矣, 故又有勿逐而自得之戒.

이(二)효가 문명(文明)하고 중정(中正)한 덕으로 위로 구오효의 강양(剛陽)하고 중정(中正)한 임금에게 호응하니, 마땅히 그 뜻을 행할 것이다.

그러나 구오효가 기제(旣濟)의 때에 자리하여 현자에게 몸을 낮추어 그 도를 행하지 못하므로 이(二)효는 "부인이 가리개를 잃는" 상(象)이 있다.

불(茀)은 부인의 수레 가리개이니, 나갈 수 있는 때를 잃은 상황이다. 그러나 중정(中正)의 도는 끝내 없어질 수 없으니, 때가 지나면 행해지게 되므로 또 쫓지 않아도 스스로 얻는다는 경계가 있다.

二以文明中正之德, 上應九五剛陽中正之君, 宜得行其志也.
然五旣得尊位, 時已旣濟, 无復進而有爲矣, 則於在下賢才,
豈有求用之意? 故二不得遂其行也. 自古旣濟而能用人者鮮
矣. 以唐太宗之用言, 尙怠於終, 況其下者乎? 於斯時也, 則
剛中反爲中滿, 坎離乃爲相戾矣. 人能識時知變, 則可以言
易矣.

육이효는 문명(文明)하고 중정(中正)을 이룬 덕을 가지고, 위로 양
강(陽剛)한 자질과 중정(中正)을 이룬 덕을 가진 임금인 구오효와
호응하고 있으니, 마땅히 그 뜻을 행할 수 있다. 그러나 구오효가
이미 존귀한 지위를 얻었고 모든 일이 성취된 때라 다시 나아가 도
모할 수 있는 일이 없으니, 아래 지위에 있는 현명한 자질을 가진
사람을 구하여 쓰려는 뜻이 있겠는가? 그러므로 육이효는 뜻을 행
할 수가 없는 것이다.

예로부터 모든 일을 성취하고 난 후에 사람을 등용한 자는 드물다.
당나라 태종(太宗)⁴⁾처럼 신하의 간언을 잘 적용했던 사람도 끝에
가서는 나태해졌는데, 하물며 그보다 못한 사람은 어떻겠는가?
이러한 때에 강(剛)하면서 중도를 이룬 능력이 반대로 마음속의 교

---

4) 당나라 태종(太宗) : 당 태종 이세민(李世民, 598~649)을 말한다. 중국
당나라의 제2대 황제이다. 이세민은 제세안민(濟世安民)에서 취했다.
당태종은 유명한 정치가, 군사가였을 뿐 아니라 서법가(書法家)이며 시
인이었다. 이세민은 일찍이 아버지 이연(李淵)을 따라 천하를 정벌하여
나라를 세우는데 공을 세웠다. 적극적으로 신하들의 의견을 받아들여 문
치(文治)에 노력하여 '정관지치(貞觀之治)'를 이루었다. 중국 역대 황제
중 최고의 성군으로 불리어 청나라의 강희제와도 비교된다.

만함이 되어, 감(坎)괘가 상징하는 물과 리(離)가 상징하는 불이 교류하지 못하고 서로 어긋나게 된다. 사람이 때를 알고 변통할 줄 알면 역(易)을 말할 수 있을 것이다.

二, 陰也, 故以婦言. 茀, 婦人出門以自蔽者也. 喪其茀, 則不可行矣. 二不爲五之求用, 則不得行, 如婦之喪茀也. 然中正之道, 豈可廢也? 時過則行矣. 逐者從物也, 從物則失其素守, 故戒勿逐. 自守不失, 則七日當復得也. 卦有六位, 七則變矣. 七日得, 謂時變也. 雖不爲上所用, 中正之道, 无終廢之理, 不得行於今, 必行於異時也. 聖人之勸戒深矣.

육이효는 음(陰)의 자질이므로, 부인(婦人)으로 말했다. '가리개'는 부인이 집을 나갈 때 스스로를 가리는 물건이다. 그 가리개를 잃었다는 것은 밖으로 나갈 수가 없다는 말이다.
육이효는 구오효가 구하여 등용하는 사람이 되지 못하면 자신의 뜻을 행할 수 없으니, 마치 부인이 가리개를 잃은 것과 같다. 그러나 중정(中正)의 도를 어떻게 없애버릴 수 있겠는가? 때가 지나가면 행할 수 있게 된다.
쫓아간다는 말은 어떤 것을 따른다는 뜻이니, 어떤 것을 따르면 자신이 평소에 지키고 있던 것을 잃게 되므로, 쫓지 말라고 경고했다. 중도를 스스로 지키고 잃지 않으면, 7일 만에 당연히 다시 얻게 된다.
괘에는 여섯 효의 여섯 지위가 있으니, 일곱 번 만에 다시 변한다. "칠일 만에 얻는다"는 것은 때가 변함 말한다. 윗사람에게 등용되어 쓰이지 못하지만, 중정의 도는 끝내 없어질 이치가 없으니, 지금 행하지 못하더라도, 다른 때에 반드시 행해질 것이다. 성인이 권면하고 경계한 것이 매우 깊다.

集說

● 胡氏炳文曰 : "喪特失其在外者, 逐則失其在我者矣."[5]

호병문(胡炳文)이 말했다. "특히 밖에 있는 것을 잃은 자는 쫓아가
면 자신에게 있는 것도 잃는다."

案

初二居下位, 故皆取君子欲濟時而未得濟爲義. 輪者, 車之所以
行路也. 茀者, 車之所以蔽門也. 初之時, 未可以行也, 故曰"曳
其輪". 二可以行矣, 而不苟於行, 苟"喪其茀", 亦不行也. 夫義路
也, 禮門也, 義不可則不行, 禮不備則亦不苟於行也. 二有應而
曰"喪其茀"者. 旣未濟卦義, 以上下體之交爲濟, 二猶居下體之
中故也.

초효와 이효는 아래 지위에 자리하므로 모두 군자가 건너려는 때
건너지 못한 뜻을 취했다. 수레바퀴는 수레가 길을 갈 수 있게 하는
장치이다. 가리개는 수레가 문을 닫아 가릴 수 있게 하는 물건이다.
초효의 때는 아직 갈 수 없으므로 "수레바퀴를 잡아당긴다"고 했다.
이효는 갈 수 있지만 행하는 데 구차해서는 안 되니 "그 가리개를
잃으면" 또한 가지 않는다.
의(義)란 길이고 예(禮)는 문이다. 의(義)에서 옳지 않으면 행하지

5) 호병문(胡炳文), 『주역본의통석(周易本義通釋)』 권2, 「소과(小過)괘」.

않고 예가 갖추어지지 않으면 구차하게 행하지 않는다.

이효는 호응하는 사람이 있지만 "가리개를 잃은" 자라고 했다. 미제(未濟)괘의 의미는 상체와 하체가 교류하는 것을 건넌다고 했으니 이효는 하체의 중간에 있기 때문이다.

九三, 高宗伐鬼方, 三年克之, 小人勿用.

구삼효는 고종이 귀방을 정벌하여, 3년 만에 이겼으니, 소인은 쓰지 말아야 한다.

本義

既濟之時, 以剛居剛, "高宗伐鬼方"之象也. "三年克之", 言其久而後克, 戒占者不可輕動之意. "小人勿用", 占法與師上六同.

기제(既濟)의 때에 굳셈으로 굳센 지위에 자리했으니 고종(高宗)이 귀방(鬼方)을 정벌한 상(象)이다.

"3년 만에 이겼다"는 오랜 뒤에 이겼음을 말한 것이니, 점치는 자에게 가벼이 움직이지 말라는 뜻을 경계하였다.

"소인(小人)을 쓰지 말라"는 것은 점치는 법이 사괘(師卦)의 상육효6)와 같다.

程傳

九三當既濟之時, 以剛居剛, 用剛之至也. 既濟而用剛如是,

---

6) 『주역』 「사(師)괘」 : "上六, 大君有命, 開國承家, 小人勿用.[상육효는 대군이 명령을 내리는 것이니, 제후를 봉하고 경대부를 삼을 때, 소인은 쓰지 말라.]"라고 하였다.

乃"高宗伐鬼方"之事. 高宗必商之高宗. 天下之事旣擠, 而遠
伐暴亂也. 威武可及, 而以救民爲心, 乃王者之事也. 惟聖賢
之君則可, 若騁威武, 忿不服, 貪土地, 則殘民肆欲也, 故戒
不可用小人. 小人爲之, 則以貪忿私意也, 非貪忿則莫肯爲
也. "三年克之", 見其勞憊之甚. 聖人因九三當旣濟而用剛,
發此義以示人, 爲法爲戒, 豈淺見所能及也!

구삼효는 모든 것이 성취된 때에 굳센 자질로 굳센 위치에 자리했
으니, 굳셈을 사용하는 것이 지극하다. 모든 것이 성취되었는데 굳
셈을 사용함이 이와 같은 것은 바로 "고종(高宗)[7]이 귀방(鬼方)을
정벌한" 일이다. 고종은 분명히 상(商)나라의 고종(高宗)일 것이다.
세상의 일이 모두 성취되었는데 포악하고 혼란한 자를 멀리 정벌하
는 것이다. 위엄과 무력이 미칠 수 있어, 백성을 구제하는 일을 마
음에 두는 것이 바로 임금의 일이다. 오직 성현(聖賢)으로서 자질을
갖춘 임금만이 그것이 가능하지만, 만약 위엄과 무력을 휘두르며
사람들이 복종하지 않는 것에 분노하고 토지를 탐욕하면 백성을 잔
혹하게 해치고 자신의 욕심을 채우는 것이므로, "소인은 쓰지 말라"
고 경계하였다. 소인이 그렇게 하면 탐욕스럽고 분노하는 사사로운
뜻으로 행하니 탐욕과 분노가 아니라면 하려고 하지도 않는다.

---

7) 고종(高宗) : 고종은 무정(武丁, ?~기원전 1192)을 말한다. 성은 자(子)
   이고 이름은 소(昭)이다. 중국 은나라 23대 왕이다. 묘호(廟號)가 고종
   (高宗)이다. 반강(盤庚)의 조카이다. 아버지는 상나라 왕인 소을(小乙)
   이다. 무정은 재위 때에 귀방(鬼方)을 정벌했고 현명한 신하인 부열(傅
   說)을 등용하여 상나라를 다시 강성하게 했으니 '무정중흥(武丁中興)'이
   라 한다. 귀방(鬼方)은 중국 은나라 시대에 훈육(薰育)이라 불리던 산악
   민으로, 중국의 서쪽 변경 지방에 살고 있던 이민족(異民族)이다.

"3년 만에 이겼다"는 매우 힘들고 피곤함을 드러낸 것이다. 성인은 구삼효가 모든 것을 성취했을 때 굳셈을 사용했기 때문에, 이러한 뜻을 드러내어 사람들에게 보여주었으니, 모범이 되고 경계가 되는 것이 어찌 얕은 견해로 미칠 수 있는 일이겠는가?

集說

● 沈氏該曰 : "旣濟初吉, 銳於始也. 終止則亂, 怠於終也. 中興之業旣就, 遠方之伐旣成, 而使小人預於其間, 貪功逞欲, 憊民不息, 則必以亂終, 不可不戒. 是以'小人勿用'也."[8]

심해(沈該)[9]가 말했다. "기제(旣濟)의 처음은 길하니 시작에서 예민하다. 끝에서 멈추면 혼란하니 끝에서 태만하다. 중흥하는 사업이 성취되었고 먼 곳의 정벌이 완성되었는데 소인들이 그 사이에서 예단하고 공을 탐욕하고 욕심을 부려 고달픈 백성들이 그치지 않으면 반드시 혼란으로 끝마칠 것이니 경계하지 않을 수 없다. 그래서 '소인은 쓰지 말라'고 했다.

----

8) 심해(沈該), 『역소전(易小傳)』 권6, 「기제(旣濟)괘」.
9) 심해(沈該) : 남송 호주(湖州) 귀안(歸安) 사람으로 자는 수약(守約)이고, 심시승(沈時升)의 아들이다. 고종(高宗) 소흥(紹興) 8년(1138) 금나라 사람이 회사(淮泗)에서 사신을 보내 화친을 청하자 글을 올렸는데, 바로 불려갔다. 16년(1146) 양절전운판관(兩浙轉運判官)으로 임안(臨安)을 다스렸다. 다음 해 권예부시랑(權禮部侍郎)이 되고, 외직으로 나가 기주지주(蘷州知州)가 되었다. 불려 참지정사(參知政事)에 오르고 좌복야(左僕射)에 오른 뒤 나이가 들어 퇴직을 청했다. 『주역』에 정통했다. 저서에 문집과 『역소전(易小傳)』, 『중흥성어(中興聖語)』 등이 있다.

● 龔氏煥曰 : "三言克鬼方則事已濟矣. 三年, 言其濟之難. '小人勿用', 欲保其濟也."10)

공환(龔煥)11)이 말했다. "구삼효는 귀방을 정벌하면 일이 성취되었다는 말이다. 3년은 그 성취가 어려움을 말한다. '소인은 쓰지 말라'는 것은 그 성취를 보존하려는 뜻이다."

案

旣濟未濟皆以高宗言者, 高宗商中興之君, 振衰撥亂, 自未濟而旣濟者也. 旣濟於三言之者, 卦爲旣濟, 至於內卦之終, 則已濟矣, 故曰"克之"者, 已然之辭也. 未濟於四言之者, 卦爲未濟, 則至外卦之初, 方圖濟也, 故曰"震用"者, 方然之辭也. 旣濟之後, 則當思患而豫防之, 故"小人勿用", 與師之戒同.

기제(旣濟)괘와 미제(未濟)괘가 모두 고종을 말한 것은 고종은 상나라를 중흥한 군주로 쇠락한 세상을 진작시키고 혼란을 없애 아직 완성하지 못한 미제(未濟)에서 이미 완성한 기제(旣濟)로 간 사람이기 때문이다.
기제괘 삼효에서 말한 것은 괘가 이미 완성되었고 내괘의 끝에 이르러 완성되었기 때문에 "이겼다"라고 말했으니, 이미 실현되었다는 뜻이다.

10) 정정조(程廷祚), 『대역택언(大易擇言)』 「기제(旣濟)괘」.
11) 공환(龔煥) : 자는 유문(幼文)이고, 천봉선생(泉峯先生)이라고 불렸다. 원(元)대 임천(臨川)사람이다. 요응중(饒應中)에게 사사하여 본체를 밝히고 실천에 옮기는 데 힘썼다. 당시 아직 과거제도가 시행되지 못했는데, 시행되면 반드시 정자와 주자의 학문을 법식으로 삼아야 한다고 주장했다. 과연 뒤에 그의 말대로 시행되었다.

미제괘에서는 사효에서 말했는데, 괘가 아직 완성되지 못했으니 외괘(外卦)의 처음에 이르러 비로소 완성을 도모하기 때문에 "진동한다"고 했으니, 이제 그렇게 하는 말이다.

이미 완성된 뒤에는 당연히 우환을 근심하여 예방해야 하므로 "소인은 쓰지 말라"고 했으니, 사(師)괘의 말과 동일하다.

六四, 繻有衣袽, 終日戒.

육사효는 물에 젖으므로 헌옷을 마련하여, 종일토록 경계하였다.

本義

旣濟之時, 以柔居柔, 能豫備而戒懼者也, 故其象如此. 程子
曰 : "繻, 當作濡", 衣袽, 所以塞舟之罅漏.

기제(旣濟)의 때에 부드러운 자질로 부드러운 지위에 자리하였으
니, 미리 대비하여 경계하고 두려워하는 자이므로 그 상(象)이 이와
같다.

정자(程子)가 "수(繻)는 당연히 '젖는다'는 뜻인 유(濡)가 되어야 한
다"고 했는데 '의여(衣袽)'는 배의 틈에 새는 곳을 막는 것이기 때문
이다.

程傳

四在濟卦而水體, 故取舟爲義. 四, 近君之位, 當其任者也.
當旣濟之時, 以防患慮變爲急. '繻', 當作'濡', 謂滲漏也. 舟有
罅漏, 則塞以衣袽. 有衣袽以備濡漏, 又終日戒懼不怠, 慮患
當如是也. 不言吉, 方免於患也. 旣濟之時, 免患則足矣, 豈
復有加也?

구사효는 물을 건너는 일을 상징하는 괘이고 물의 형체에 속해 있

으므로, 배의 상징을 취하여 뜻으로 삼았다.

육사효는 임금과 가까운 위치이니, 그 임무를 담당한 자이다. 모든 것을 성취한 때에 환난을 방지하고 변고를 생각하는 것을 시급한 일로 여겨야 한다.

'수(繻)'는 당연히 '젖는다'는 뜻인 '유(濡)'라는 글자가 되어야 하니, 배에 물이 샌다는 말이다.

배에 틈이 생겨 물이 새면 헌옷으로 막아야 한다. 헌옷을 마련하여 물이 새는 것을 대비하고, 또 종일토록 경계하고 두려워하여 태만하지 않으니, 환난에 대해 염려하기를 마땅히 이와 같이 해야 한다. 길하다고 말하지 않은 것은 이제 막 환난을 면했기 때문이다. 모든 것을 성취한 때 환난을 면한 것만으로도 충분하니, 어찌 더 바랄 일이 있겠는가?

集說

● 蘇氏軾曰 : "衣袽所以備舟隙也, 卦以濟爲事, 故取於舟."[12]

소식(蘇軾)이 말했다. "헌옷은 배의 틈새를 대비하는 사안이니, 괘에서 물을 건너는 것을 상징적인 일로 삼았기 때문에 배에서 취했다."

● 郭氏忠孝曰 : "旣濟思患豫防, 而四又居多懼之地, 是以有'繻有衣袽'之戒. 勿以旣濟而忘未濟之難也. '終日'者, 言無怠時也."

....

12) 소식(蘇軾), 『동파역전(東坡易傳)』 권6 「기제(旣濟)괘」.

곽충효(郭忠孝)가 말했다. "이미 완성되었을 때 우환을 생각하여 예방하니 육사효도 많은 근심이 있는 곳에 자리하여, '물에 젖으므로 헌옷을 마련한다'는 경계가 있다. 이미 완성한 때 아직 완성하지 못한 어려움을 잊지 말라는 뜻이다. '종일토록'이란 말은 태만할 때가 없다는 말이다."

● 胡氏炳文曰: "乘舟者不可以無繻而忘衣袽, 亦不可謂衣袽已備, 逐恝然不知戒. 水浸至而不知, 則雖有衣袽, 不及施矣. 備患之具, 不失於尋常, 而慮患之念, 又不忘於頃刻, 此處旣濟之道."[13]

호병문(胡炳文)[14]이 말했다. "배를 탄 사람은 물에 젖을 일이 없다고 헌옷을 잊어서는 안 될 뿐 아니라, 또한 헌옷을 마련했다고 해서 여유있게 경계를 몰라서도 안 된다는 말이다. 물이 들어왔는데 알지 못하면 헌옷을 준비했더라고 쓸 수 없다. 근심을 대비하는 도구는 평상시에도 잃지 않아야 하고 우환을 염려하는 마음도 잠시라도 잊어서는 안 되니, 이것이 이미 완성한 때를 대처하는 도리이다."

---

13) 호병문(胡炳文), 『주역본의통석(周易本義通釋)』 권2, 「기제(旣濟)괘」.
14) 호병문(胡炳文, 1250~1333) : 원나라 휘주(徽州) 무원(婺源) 사람으로 자는 중호(仲虎)이고, 호는 운봉(雲峰)이다. 주희(朱熹)의 종손(宗孫)에게 『주역』과 『서경』을 배워 주자학에 잠심했으며, 특히 『주역』에 뛰어났다. 신주(信州) 도일서원(道一書院) 산장(山長)을 지내고, 난계주학정(蘭溪州學正)이 되었는데, 나가지 않았다. 저서에 『주역본의통석(周易本義通釋)』과 『서집해(書集解)』, 『춘추집해(春秋集解)』, 『예서찬술(禮書纂述)』, 『사서통(四書通)』, 『대학지장도(大學指掌圖)』, 『오경회의(五經會義)』, 『이아운어(爾雅韻語)』 등이 있다.

● 張氏淸子曰 : "六四出離入坎, 此濟道將革之時也. 濟道將革, 則罅漏必生. 四坎體也, 故取漏舟爲戒. '終日戒'者, 自朝至夕, 不忘戒備, 常若坐敝舟而水驟至焉, 斯可以免覆溺之患."

장청자(張淸子)가 말했다. "육사효는 리(離☲)괘에서 벗어나 감(坎 ☵)괘로 가니, 이것은 다스리는 도가 장차 변혁할 때이다. 다스리 는 도가 변혁하려면 틈새가 반드시 생긴다. 육사효는 물을 상징하 는 감(坎)괘의 형체에 있으므로 배에 물이 새는 것을 취하여 경계 했다. '종일토록 경계한다'는 것은 아침부터 저녁까지 경계와 대비 를 잊지 말고 항상 낡은 배에 앉아 물이 새어 들어오는 것처럼 하 면 배가 뒤집어 침몰되는 근심을 면할 수 있다는 뜻이다."

九五, 東鄰殺牛, 不如西鄰之禴祭, 實受其福.

구오효는 동쪽 이웃이 소를 잡아 성대히 제사지내는 일이 서쪽
이웃이 검소하게 제사를 지내 실제로 그 복을 받는 것만 못하다.

本義

東陽西陰, 言九五居尊而時已過, 不如六二之在下而始得時
也. 又當文王與紂之事, 故其象占如此. 「象辭」"初吉終亂",
亦此意也.

동(東)은 양(陽)이고 서(西)는 음(陰)이니, 구오효가 존귀한 지위에
자리하고 때가 이미 지나 육이효가 아래에 있어 처음 때를 얻는 것
보다 못함을 말했다.
또 문왕(文王)과 주왕(紂王)의 일에 해당하므로 그 상(象)과 점(占)
이 이와 같다. 「단전」에서 "처음은 길하고 끝은 혼란하다"는 언급도
이러한 뜻이다.

程傳

五中實, 孚也. 二虛中誠也, 故皆取祭祀爲義. 東鄰, 陽也, 謂
五. 西鄰, 陰也, 謂二. "殺牛", 盛祭也. 禴, 薄祭也. 盛不如薄
者, 時不同也. 二五皆有孚誠中正之德, 二在濟下, 尙有進也,
故受福. 五處濟極, 無所進矣, 以至誠中正守之, 苟未至於反
耳. 理無極而終不反者也. 已至於極, 雖善處無如之何矣, 故

爻象惟言其時也.

구오효는 가운데가 꽉 찼으니 믿음이 가득하고, 육이효는 가운데가 텅 비었으니 진실하므로, 모두 제사를 가지고 상징하여 뜻을 삼았다.

동쪽 이웃은 양(陽)을 상징하니 구오효를 말하고, 서쪽 이웃은 음(陰)을 상징하니, 육이효를 말한다.

"소를 잡는다"는 것은 성대한 제사를 상징한다. 약(禴)은 검소한 제사이다. 성대한 제사가 검소한 제사만 못한 것은 때가 다르기 때문이다.

육이효와 구오효는 모두 진실한 믿음과 중정(中正)의 덕을 가지고 있지만, 육이효는 성취한 때 아래에 있어 아직 나아갈 곳이 있으므로, 복을 받는다. 구오효는 성취한 때 끝에 자리하여 나아갈 곳이 없으니, 지극한 진실과 중정의 덕으로 지키면 뒤집히는 지경에 이르지 않을 뿐이다.

이치상으로 극한에 이르렀는데도 끝까지 뒤집히지 않는 것은 없다. 극한에 이르렀다면 잘 처신하더라도 어찌할 수가 없으므로, 육오효의 「상전」에서는 오직 그 때를 말하였다.

集說

● 楊氏簡曰 : "旣濟盛極則衰至, 君子當思患豫防, 持盈以虛, 保益以損. 六四已有終日之戒矣, 而況於五乎? 西鄰之時, 守以損約, 故終受福."[15]

....

15) 양간(楊簡), 『양씨역전(楊氏易傳)』 권19, 「기제(旣濟)괘」.

양간(楊簡)16)이 말했다. "성취된 것이 성대하여 끝에 이르면 쇠락하게 마련이니 군자는 마땅히 우환을 생각하여 예방하고, 비움으로써 채워진 것을 유지하고, 덜어냄으로써 보태준 것을 보존한다. 육사효는 종일토록 경계하는 것이 있으니 구오효는 어찌하겠는가? 서쪽 이웃의 때는 지키고 덜어내어 검약하므로 결국에는 복을 받는다."

● 潘氏士藻曰 : "五以陽剛中正, 當物大豐盛之時, 故借東鄰祭禮以示警懼. 夫祭, 時爲大, 時苟得矣, 則明德馨而黍稷可薦, 明信昭而沼毛可羞. 是以'東鄰殺牛, 不如西鄰之禴祭, 實受其福', 在於合時, 不在物豐也. 東西者, 彼此之辭, 不以五與二對言."17)

반사조(潘士藻)18)가 말했다. "구오효는 양의 굳센 자질로 중정(中

16) 양간(楊簡, 1141~1226) : 남송 명주(明州) 자계(慈溪) 사람으로 자는 경중(敬仲)이고, 호는 자호선생(慈湖先生)이며, 시호는 문원(文元)이다. 양정현(楊庭顯)의 아들이다. 효종(孝宗) 건도(乾道) 5년(1169) 진사(進士)가 되고, 부양주부(富陽主簿)에 올랐다. 이때 육구연(陸九淵)을 스승으로 섬겨 육씨심학파(陸氏心學派)의 대표적 인물이 되었다. 원섭(袁燮), 서린(舒璘), 심환(沈煥) 등과 함께 녹상사선생(甬上四先生), 사명사선생(四明四先生)으로 일컬어졌다. 육구연의 심학을 우주의 만물(萬物), 만상(萬象), 만변(萬變)이 모두 자신에게 속해 있다는 유아론(唯我論)으로 발전시켰다. 저서에 『자호시전(慈湖詩傳)』과 『양씨역전(楊氏易傳)』, 『계폐(啓蔽)』, 『선성대훈(先聖大訓)』, 『오고해(五誥解)』, 『자호유서(慈湖遺書)』 등이 있다.
17) 반사조(潘士藻), 『독역술(讀易述)』 권10, 「기제(既濟)괘」.
18) 반사조(潘士藻, 1537~1600) : 자는 법화(去華)이고, 호는 설송(雪松)이다. 명(明)대 휘주부(徽州府) 무원(婺源) 사람이다. 만력(萬曆) 11년(1583)에 진사(進士)에 급제하여 벼슬은 온주추관(溫州推官)을 제수 받

正)을 이루어 매우 풍성한 때이므로 동쪽 이웃의 제례(祭禮)를 빌려와 경계와 근심을 보였다. 제사란 때가 가장 중요하니 때를 얻으면 밝은 덕(德)이 향기가 나고 서직(黍稷)이 올려질 수 있고 밝은 믿음이 빛나 늪에서 자란 풀들을 진헌할 수 있다. 그래서 '동쪽 이웃이 소를 잡아 성대히 제사지내는 것이 서쪽 이웃이 검소하게 제사를 지내 실제로 그 복을 받는 것만 못하다'고 했으니, 합치할 때에 있는 것이지 풍성한 데 있는 것이 아니다. 동서는 이것과 저것의 말이니, 구오효를 육이효와 대비해서 말하였다."

● 姚氏舜牧曰 : "人君當旣濟時, 享治平之盛, 驕奢易萌, 而誠敬必不足, 故聖人借兩鄰以爲訓. 若曰, 東鄰殺牛, 何其盛也? 西鄰禴祭, 何其薄也? 然神無常享, 享於克誠. 彼殺牛者, 反不如禴祭者之實受其福, 信乎享神者在誠不在物, 保治者以實不以文! 此蓋敎之以祈天保命之道."

요순목(姚舜牧)이 말했다. "군주가 성취의 때에 태평한 성대함을 제사 드리는데 교만과 사치가 쉽게 싹터 정성과 공경이 반드시 부족하므로 성인이 두 이웃을 빌려서 훈계했다. 동쪽 이웃의 소를 잡는 것은 어째서 성대한가? 서쪽 이웃의 검소한 제사는 어째서 야박한가? 그러나 신은 일정하게 흠향하지 않고 지극히 정성스러운 데 흠향한다. 저 소를 잡는 것은 도리어 검소하게 제사 드려 실제로 그 복을 받는 것만 못하니, 신에게 흠향하는 것은 정성에 있지 물건에 있지 않고 다스림을 보존하는 것은 실제에 있지 꾸밈에 있지

고, 어사(御史)에 발탁되어 북성(北城)을 순시했으며, 상보경(尙寶卿)을 역임했다. 저서에 『암연당집(闇然堂集)』, 『세심재독역술(洗心齋讀易述)』 등이 있다.

않다는 점이 진실하구나! 이는 하늘에 기도하여 명을 보존하는 도리를 가지고 가르친 것이다."

案

潘氏姚氏之說皆是. 當受報收功, 極熾而豐之時, 而能行恭敬撙節退讓明禮之事, 此其所以受福也. 與泰三"于食有福"同, 皆就本爻設戒爾. 若以兩鄰爲六二, 則受福爲六二受福, 易無此例.

반사로와 요순목의 말이 좋다. 보답을 받고 공을 거둘 경우, 아주 화려하게 풍요로울 때 공경하고 절제하며 사양하여 예를 갖추는 일을 행할 수 있으면 복을 받는다.
태(泰)괘 구삼효에 "먹는 데 복이 있다"[19]는 말과 같으니 모두 본래 효를 취하여 경계를 세웠을 뿐이다. 만약 두 이웃을 육이효로 삼았다면 복을 받는 것은 육이효가 복을 받으니, 『역』에서는 이러한 예가 없다.

---

19) 『주역』「태(泰)괘」: "九三, 無平不陂, 無往不復, 艱貞無咎, 勿恤其孚, 于食有福.[구삼효는 평평한 모든 것은 기울어지고 나아간 모든 것은 되돌아오니, 어려움을 알면서 올바름을 지키면 허물이 없어, 근심하지 않아도 믿음직하여, 먹는 데 복이 있다.]"라고 하였다.

上六, 濡其首, 厲.

상육효는 그 머리를 적시는 것이니 위태롭다.

本義

旣濟之極, 險體之上而以陰柔處之, 爲狐涉水而濡其首之象.
占者不戒, 危之道也.

성취한 때의 끝이고 몸체 위에 위험하게 있으면서 음의 부드러운
자질로 처해있으니, 여우가 물을 건너다 머리를 적시는 상(象)이다.
점치는 자가 경계하지 않으면 이는 위태로운 길이다.

程傳

旣濟之極, 固不安而危也, 又陰柔處之, 而在險體之上, 坎爲
水, 濟亦取水義, 故言其窮至於濡首, 危可知也. 旣濟之終,
而小人處之, 其敗壞可立而待也.

모든 것을 성취한 때의 끝은 실로 불안하고 위태로운데, 또 음의 부
드러운 자질을 지닌 사람이 그곳에 처해 있고 몸체의 가장 높은 곳
에 위험하게 있다.
감(坎☵)괘는 물을 상징하고, 건넌다는 것도 물을 취하여 뜻을 삼
았으므로, 그 궁지에 몰린 것이 강물에 빠져 머리를 적시는 지경에
이르렀다고 말했으니, 위태로움을 알 수 있다.

성취한 때의 끝에 소인이 처하면, 그것이 파괴되어 무너지는 것을
서서 기다릴 수 있다.

集說

● 胡氏瑗曰 : "物盛則衰, 治極必亂, 理之常也. 上六處既濟之
終, 其道窮極, 至於衰亂, 如涉險而濡溺其首, 是危厲之極也. 皆
由治不思亂, 安不慮危以至窮極而反於未濟也."[20]

호원(胡瑗)[21]이 말했다. "사물이 성대해지면 쇠락해지기 마련이고
다스림이 극한에 이르면 반드시 혼란해지는 것이 이치의 상도이다.
상육효는 성취의 끝에 처하여 그 도가 궁극에 이르러 쇠락하고 혼
란해지니, 마치 위험에 빠져 머리를 적시는 것과 같아 위태로운 상
태이다. 모두 다스림에서 혼란을 생각하지 않았고 편안함에서 위태

---

20) 호원(胡瑗), 『주역구의(周易口義)』 권10, 「기제(既濟)괘」.
21) 호원(胡瑗, 993~1059) : 자는 익지(翼之)이고 시호는 문소(文昭)로, 북
    송시대 태주 해릉(泰州海陵 : 현 강소성 태주시) 사람이다. 13살에 오경
    (五經)을 통독하고, 20세에 손복(孫復)과 석개(石介)를 산동성 태산(泰
    山) 서진관(棲眞觀)에서 배알하고 10년 동안 사사하였다. 30세에 귀향
    하여 7번 과거에 응시했으나 낙방하여, 안정서원(安定書院)을 짓고 후학
    배양에 힘썼다. 이에 세칭 안정선생으로 불렸다. 42세에 범중엄(范仲淹)
    의 천거로 교서랑(校書郎)이 되고, 태자중사(太子中舍), 광록시승(光祿
    寺丞), 천장각시강(天章閣侍講), 태상박사(太常博士) 등을 역임하였다.
    특히 관직 생활 중에도 강학에 힘을 쏟아 손복(孫復)·석개(石介)와 함
    께 송초삼선생(宋初三先生)으로 추숭되어 송대 리학의 선구가 되었다.
    저서에 『주역구의(周易口義)』, 『홍범구의(洪範口義)』, 『춘추구의(春秋
    口義)』, 『논어설(論語說)』 등이 있다.

로움을 고민하지 않아 궁색한 지경에 이르러 도리어 성취하지 못한
것이다."

● 薛氏溫其曰 : "濡其尾者, 有後顧之義. 濡其首者, 不慮前也.
恃以爲濟, 遂至陷沒, 沒而至首, 其危可知. 曆險而不虞患, 故曰
亂者有其治者也. 旣濟終亂, 其義見矣."

설온기(薛溫其)가 말했다. "꼬리를 적시는 것은 뒤를 고려한다는
뜻이 있다. 머리를 적시는 것은 앞을 생각하지 않는다는 말이다.
성취했다고 믿고 도리어 함몰하여 머리에 이르니 그 위태로움을 알
수 있다. 위험을 거치는데 우환을 걱정하지 않으므로 혼란에는 그
것을 다스리는 것이 있다고 말한다. 이미 성취한 끝에 혼란하니 그
뜻이 드러난다."

● 朱氏震曰 : "以畫卦言之, 初爲始爲本, 上爲終爲末. 以成卦
言之, 上爲首爲前, 初爲尾爲後."22)

주진(朱震)이 말했다. "획이 그어진 괘로 말하면 초효가 시작과 근
본이 되고 상효가 끝과 종말이 된다. 이루어진 괘로 말하면 상효가
머리와 앞이 되고 초효는 꼬리와 뒤가 된다."

....

22) 주진(朱震), 『한상역전(漢上易傳)』 권6, 「기제(旣濟)괘」.

64. 미제未濟괘

離上
坎下

程傳

未濟「序卦」: "物不可窮也, 故受之以未濟, 終焉," 旣濟矣, 物
之窮也. 物窮而不變, 則無不已之理. 易者, 變易而不窮也,
故旣濟之後, 受之以未濟而終焉. 未濟則未窮也, 未窮則有生
生之義. 爲卦離上坎下, 火在水上, 不相爲用, 故爲未濟.

미제(未濟)괘는 「서괘전」에서 "어떤 일도 궁극적으로 끝날 수는 없
으므로, 미완성을 상징하는 미제괘로 받아서 끝마쳤다." 어떤 일을
성취했다는 것은 그 일의 끝이다. 어떤 일이 끝났는데 변하지 않으
면, 멈추지 않을 이치가 없다.

그러나 역(易)은 변역(變易)하여 끝나지 않으므로, 기제(旣濟)괘의
뒤에 미제(未濟)로 받아서 마쳤다. 성취하지 못했다면 끝나지 않은
것이니, 끝나지 않았다면 살리고 살리려는 뜻1)이 있다.

----

1) 살리고 살리려는 뜻: '생생지의(生生之義)'를 해석한 것이다. 흔히 '생생
(生生)'을 '낳고 낳는다'고 번역한다. 여기서는 생명을 죽이지 않고 끝까
지 살리려는 생명의 의지를 드러내기 위해 '살리고 살리려는'이라고 번역
했다. 이것이 바로 역(易) 자체를 말한다. 「계사전」에서도 "낳고 낳는
것[살리고 살리는 일]이 역이다.[生生之謂易]"이라고 말한다.

괘의 모습은 이(離)괘가 위에 있고 감(坎)괘가 아래 있어서 불이
물 위에 있는 모습이니 서로 상호작용을 이루지 못하므로, 미완성
이다.

未濟, 亨, 小狐汔濟, 濡其尾, 無攸利.

미완성은 형통하니, 어린 여우가 강물을 거의 건너려는 데, 그 꼬리를 적시니, 이로울 것이 없다.

未濟, 事未成之時也. 水火不交, 不相爲用. 卦之六爻, 皆失 其位, 故爲未濟, 汔, 幾也. 幾濟而濡尾, 猶未濟也. 占者如此, 何所利哉!

미완성은 일을 이루어내지 못한 때이다. 물과 불이 교류하지 못하여 서로 쓰임이 되지 못한다.

괘의 여섯 효가 모두 제자리를 잃었기 때문에 미완성이라 했다. 흘(汔)은 거의이다. 거의 건너가서 꼬리를 적신 것은 건너가지 못한 것과 같다. 점치는 자가 이와 같으면 어찌 이로운 바가 있겠는가!

未濟之時, 有亨之理, 而卦才復有致亨之道. 惟在愼處, 狐能 度永, 濡尾則不能濟. 其老者多疑畏, 故履冰而聽, 懼其陷 也. 小者則未能畏愼, 故勇於濟. 汔, 當爲仡, 壯勇之狀. 『書』 曰: "仡仡勇夫". 小狐果於濟, 則濡其尾而不能濟也. 未濟之 時, 求濟之道, 當致懼則能亨. 若如小狐之果, 則不能濟也. 旣不能濟, 無所利矣.

미완성의 때는 형통할 수 있는 이치가 있고, 괘의 자질도 다시 형통함을 이룰 수 있는 길이 있다. 이는 오직 신중하게 처신하는 데 달렸을 뿐이다.

여우는 강물을 건너갈 수 있지만, 꼬리를 적시면 건너갈 수 없다. 늙은 여우는 의심과 두려움이 많기 때문에 얼음을 밟고 그 얼음 소리를 들어보는데, 이는 빠질 것을 두려워하기 때문이고, 어린 여우는 아직 두려움과 신중함을 모르므로, 강을 건너는 데에 용감하다. '흘(汔)'이라는 글자는 마땅히 '흘(仡)'이 되어야 하니, 씩씩하고 용맹한 모습이다. 『서경』에 "씩씩하고 용맹한 용사"[2]라고 했다. 어린 여우가 과감하게 강물을 건너가면, 그 꼬리를 강물에 적셔 건널 수 없다.

미완성의 때에 이를 해결하는 방도는 마땅히 지극히 신중하면 형통할 수 있다. 어린 여우처럼 과감하면, 강을 건너지 못할 것이다. 강을 건널 수 없다면, 이로울 바가 없다.

集說

● 胡氏炳文曰 : "天地不交爲否, 否不曰亨, 否不通也. 水火不交爲未濟, 非不濟也, 未焉爾. 故曰'未濟, 亨'."[3]

호병문(胡炳文)이 말했다. "하늘과 땅이 교제하지 않는 것이 비(否)괘인데 비괘에서는 형통하다고 말하지 않으니 비(否)란 통하지 않는 것이다. 물과 불이 교제하지 않는 것이 미제(未濟)괘인데 다스

---

2) 『서경』「주서(周書)·진서(秦誓)」.
3) 호병문(胡炳文), 『주역본의통석(周易本義通釋)』권2,「미제(未濟)괘」.

리지 않는 것이 아니라 아직 다스려지지 않았을 뿐이다. 그러므로
'미완성은 형통하다'고 했다.

案

小狐當從『程傳』之解, "汔濟"當從『本義』之解. 要之是戒人敬愼
之意, 自始濟以至於將濟, 不可一息而忘敬愼也.

어린 여우는 『정전(程傳)』의 해석을 따라야만 하고, "거의 건넜다"
는 마땅히 『본의(本義)』의 뜻을 따라야만 한다.
요약하면 사람이 경건하고 신중해야 한다는 뜻을 경계했으니 건너
기 시작할 때부터 거의 건너려는 때까지 한 순간도 경건함과 신중
함을 잊지 말아야 한다.

初六, 濡其尾, 吝.

초육효는 꼬리를 적셨으니, 부끄럽다.

本義

以陰居下, 當未濟之初, 未能自進, 故其象占如此.

음(陰)의 자질로 아래에 자리했으니 마땅히 미제(未濟)의 초기에 스스로 나아갈 수 없으므로 그 상(象)과 점(占)이 이와 같다.

程傳

六以陰柔在下, 處險而應四. 處險則不安其居, 有應則志行於上. 然己旣陰柔, 而四非中正之才, 不能援之以濟也. 獸之濟水, 必揭其尾, 尾濡則不能濟. "濡其尾", 言不能濟也. 不度其才力而進, 終不能濟, 可羞吝也.

초육효는 음의 부드러운 자질로 아랫자리에 있고 위험에 처하여 육사효와 호응하고 있다. 위험에 처했으면 자리한 위치가 불안하고 호응하는 사람이 있으면 뜻이 위로 가려고 한다. 그러나 자신이 음의 부드러운 자질이고, 육사효는 중정(中正)을 이룬 자질이 아니니, 도와주어 건너갈 수 없다.

짐승이 물을 건널 때는 반드시 그 꼬리를 드는데 꼬리를 강물에 적셨으니, 강물을 건널 수 없다.

"강물에 꼬리를 적셨다"는 것은 강물을 건널 수 없다는 말이다. 자신의 자질과 역량을 헤아리지 못하고 함부로 나아가 결국에는 혼란을 다스릴 수 없으니, 부끄러울 만하다.

集說

● 張氏振淵曰 : "卦辭所謂小狐, 正指此爻. 新進喜事, 急於求濟, 而反不能濟, 可吝孰甚焉?"

장진연(張振淵)이 말했다. "괘사에서 어린 여우라고 한 것은 바로 이 효를 가르킨다. 기쁜 일에 새롭게 나가는데 조급하게 구제하기를 구하니, 도리어 구제할 수 없어 부끄러움이 누가 더 심하겠는가?"

九二, 曳其輪, 貞吉.

구이효는 수레바퀴를 잡아당기면, 올바르게 해서 길하다.

本義

以九二應六五, 而居柔得中, 爲能自止而不進, 得爲下之正
也, 故其象占如此.

구이효로서 육오효에 호응하고 부드러운 자리에 있어 중(中)을 얻
었으니, 스스로 멈추고 나아가지 않아 아랫사람의 올바름을 얻었으
므로 그 상(象)과 점(占)이 이와 같다.

程傳

在他卦九居二爲居柔得中, 無過剛之義也. 於未濟聖人深取
卦象以爲戒, 明事上恭順之道. 未濟者, 君道艱難之時也. 五
以柔處君位, 而二乃剛陽之才, 而居相應之地, 當用者也. 剛
有陵柔之義, 水有勝火之象. 方艱難之時, 所賴者才臣耳. 尤
當盡恭順之道, 故戒"曳其輪", 則得正而吉也.

다른 괘에서 양(陽)효인 구(九)가 이(二)의 위치에 자리하는 것은
부드러운 위치에 자리하여 중도를 얻은 것이 되어, 지나치게 굳센
뜻이 없었다.
미제괘의 경우 성인이 괘의 모습을 깊이 취하고 경계하여, 윗사람

을 섬기는 데 공손하여 이치를 따르는 도리를 분명하게 밝혔다. 미완성은 임금의 도가 어려운 때이다.

육오효는 부드러운 자질로 임금의 지위에 처했고 구이효는 굳센 양의 자질로 서로 호응하는 위치에 자리했으니, 마땅히 등용되어 사용될 자이다.

그러나 굳셈은 부드러움을 능멸하려는 뜻이 있고 물은 불을 이기는 모습이 있다.

임금이 어려운 때 의지할 수 있는 것은 재능이 있는 신하일 뿐이다. 마땅히 공손하여 순종하는 도리를 다해야만 하므로, "수레바퀴를 잡아당기면" 올바름을 얻어 길하다고 경계하였다.

倒"曳其輪", 殺其勢, 緩其進, 戒用剛之過也. 剛過則好犯上而順不足, 唐之郭子儀李晟, 當艱危未濟之時, 能極其恭順, 所以爲得正而能保其終吉也. 於六五則言其貞吉光輝, 盡君道之善. 於九二則戒其恭順, 盡臣道之正, 盡上下之道也.

"수레바퀴를 뒤로 잡아당기듯이" 자신의 기세를 줄이고 나아가려고 하는 것을 늦춰야 하니, 지나친 굳셈을 사용하는 것을 경계하였다. 굳셈이 지나치면 윗사람을 범하기를 좋아하게 되고 유순한 것이 부족하다.

당나라의 곽자의(郭子儀)⁴⁾와 이성(李晟)⁵⁾은 어렵고 위태로운 미완

---

4) 곽자의(郭子儀, 697~781) : 화주(華州) 정현(鄭縣) 사람으로 자는 자의(子儀), 별명은 곽령공(郭令公), 곽분양(郭汾陽)이다. 당(唐)나라 때 명장(名將)으로 어려서부터 무예가 출중하여 종군(從軍)하여 공을 쌓아 구원태수(九原太守)가 되었다. 하지만 중앙에서 중용 받지 못하고 있다가

성의 때에 공손하고 순종하는 태도를 다했으니, 그래서 올바름을
얻고 끝까지 길함을 보존했다.

육오효에서는 올바르게 해서 길하고 빛난다고 말하여, 임금으로서
도리의 최선을 다했다. 구이효의 경우는 그 공손하고 이치에 순종
할 것을 경계하여, 신하로서 도리의 올바름을 다했으니, 윗사람과
아랫사람의 도리를 모두 실현한 것이다.

● 潘氏夢旂曰 : "九二剛中, 力足以濟者也. 然身在坎中, 未可
以大用. 故曳其車輪, 不敢輕進, 待時而動, 乃爲吉也. 不量時度
力, 而勇於赴難, 適以敗事矣."

반몽기(潘夢旂)가 말했다. "구이효는 굳세고 중도를 얻어 힘이 건
너는데 충분한 자이다. 그러나 몸이 위험에 처해 있어 크게 쓸 수
있지 못하다. 그러므로 수레바퀴를 뒤로 끌듯이 하여 경박하게 나
아가지 않고 때를 기다려 움직이니 길하다. 때를 헤아려 자신의 능
력을 평가하지 않고 어려움에 용감하게 나아가려 하면 일을 그르치

안사(安史)의 난(亂)이 폭발한 후 삭방절도사(朔方節度使)가 되어 군대
를 이끌고 하북(河北), 하동(河東)을 수복하여 병부상서(兵部尙書), 동
중문하평장사(同中書門下平章事)가 되었다. 757년 광평왕(廣平王) 이
숙(李俶)과 더불어 서경(西京) 장안(長安), 동도(東都) 낙양(洛陽)을 수
복했다. 그 공으로 사도(司徒)가 되고 , 대국공(代國公)에 봉해졌다.
5) 이성(李晟, 727~793) : 당나라 조주(洮州) 임담(臨潭) 사람이다. 자는 양
기(良器)이다. 처음에는 변진(邊鎭)의 비장(裨將)이었으나, 전쟁의 공로
를 세워 우신책군도장(右神策軍都將)으로 승진했고, 또 주자(朱泚)의
반란을 진압하여 서평군왕(西平郡王)에 봉해졌다.

기 딱 좋다."

旣濟之時, 初二兩爻, 猶未敢輕濟, 況未濟乎! 故此爻曳輪之戒,
與旣濟同, 而差一位者, 時不同也. 觀此初二兩爻, "濡其尾"則
"吝", 而"曳其輪"則吉, 可知旣濟之初, 所謂"濡其尾"者, 非自止不
進之謂也.

기제(旣濟)의 때에 초효와 이효 두 효는 경박하게 나아가지 않으니
하물며 미제(未濟) 때 있어서랴! 그러므로 이 효는 수레바퀴를 뒤
로 끌듯이 하라는 경계가 기제괘와 같지만, 하나의 자리가 차이나
니 때가 다른 것이다.
이 초효와 이효 두 효를 보면 "꼬리를 적시니" 부끄럽고 "수레바퀴
를 뒤로 끌듯해서" 길하니, 기제괘의 처음에는 "꼬리를 적신다"는
말이 스스로 단지 나아가지 않음을 말하는 것이 아님을 알겠다.

六三, 未濟, 征凶, 利涉大川.

육삼효는 미완성의 때에 가면 흉하지만, 큰 강을 건너는 것은
이롭다.

陰柔不中正, 居未濟之時, 以征則凶. 然以柔乘剛, 將出乎坎,
有利涉之象. 故其占如此. 蓋行者可以水浮, 而不可以陸走
也, 或疑'利'字上當有'不'字.

음의 부드러운 자질이고 중정(中正)하지 못한데 미제(未濟)의 때에
자리했으니, 그대로 가면 흉하다. 그러나 부드러운 자질로 굳셈을
타고 장차 위험에서 벗어나게 되었으니 강을 건너는 상(象)이 있다.
그러므로 그 점(占)이 이와 같다.

길을 가는 자는 물 위를 떠다닐 수 있지만 땅으로 달려가서는 안
된다. 어떤 사람은 '이(利)'라는 글자 위에 마땅히 '불(不)'이라는 글
자가 있어야 한다고 의심한다.

"未濟征凶", 謂居險無出險之用, 而行則凶也. 必出險而後可
征. 三以陰柔不中正之才而居險, 不足以濟. 未有可濟之道出
險之用, 而征所以凶也. 然未旣有可濟之道, 險終有出險之
理, 上有剛陽之應, 若能涉險而往從之, 則濟矣. 故"利涉大

川”也. 然三之陰柔, 豈能出險而往? 非時不可, 才不能也.

"미완성의 때에 가면 흉하다"는 것은 위험에 자리하여 위험에서 벗어날 능력이 없으면서 가면 흉하다는 말이다. 반드시 위험에서 벗어난 뒤에 갈 수가 있다.

육삼효는 음의 부드러움으로 중정(中正)을 이루지 못하고 위험에 처했으니 위험을 해결하기에는 능력이 부족하다. 해결할 수 있는 방도와 위험에서 벗어날 수 있는 능력이 없는데도 함부로 가니, 흉하다.

그러나 미완성의 상황은 해결할 수 있는 방도가 있고 위험이 끝나면 위험으로부터 벗어날 이치가 있으니, 위로 굳센 양의 자질을 가지고 호응해주는 사람이 있어 위험을 건너가 그를 따른다면, 미완성의 상황을 해결할 수 있다. 그러므로 "큰 강을 건너는 것이 이롭다." 음의 부드러운 자질을 지닌 육삼효가 어떻게 위험을 벗어나 갈 수 있겠는가? 때가 불가능한 것이 아니라 그의 재능이 할 수 없다.

集說

● 趙氏汝楳曰 : "三居未濟之終, 過此則近於濟矣. 故特表以卦名也."[6]

조여매(趙汝楳)가 말했다. "삼효는 미완성의 끝이니 이를 지나가면 완성에 가깝다. 그러므로 특별히 괘의 이름으로 표시했다."

----

6) 조여매(趙汝楳), 『주역집문(周易輯聞)』 권6, 「미제(未濟)괘」.

● 胡氏炳文曰 : "六三居坎上, 可以出險, 陰柔非能濟者, 故明言'未濟征凶.'"[7]

호병문(胡炳文)이 말했다. "육삼효는 감(坎☵)괘의 가장 위에 자리해서 위험에서 벗어날 수 있지만 음의 부드러움으로 건널 수 있는 자가 아니기 때문에 '미완성에 가면 흉하다'고 했다."

案

此爻之義, 最爲難明. 蓋上下卦之交, 有濟之義, 旣濟之三, 剛也, 故能濟, 未濟之三, 柔也, 故未能濟. 「傳」曰 : "其柔危, 其剛勝邪!" 於此兩爻見之矣. 又旣濟未濟兩卦爻辭, 未有擧卦名者, 獨此爻曰未濟. 蓋他爻之旣濟未濟者時也, 順時以處之而已. 此爻時可濟矣, 而未能濟, 是未濟在己而不在時, 故言未濟, 見其失時也. 無濟之才, 故於征則凶, 有畏愼之心, 故於步大川, 則利. 蓋涉大川, 不可以輕進, 未濟無陽也. 聖人之戒, 失時而又欲人審於赴時也如此.

이 효의 뜻은 가장 이해하기 어렵다. 상괘와 하괘의 교제에서 건넌다는 뜻이 있는데 기제(旣濟)괘의 구삼효는 굳세므로 건널 수 있지만 미제(未濟)괘의 육삼효는 부드럽기 때문에 건널 수 없다. 「계사전」에서 "부드러움은 위태롭고 굳셈은 이겨낼 것이다!"[8]라고 했으

<hr />

7) 호병문(胡炳文), 『주역본의통석(周易本義通釋)』 권2, 「미제(未濟)괘」.
8) 『주역』「계사하」 : "三與五 同功而異位, 三多凶, 五多功, 貴賤之等也, 其柔, 危, 其剛, 勝耶.[삼(三)효와 오(五)효는 공이 같으나 자리가 달라 삼(三)효는 흉함이 많고 오(五)효는 공이 많은 것은 귀천(貴賤)의 차등 때문이니, 유(柔)함은 위태롭고 강(剛)함은 이겨낼 것이다.]"라고 하였다.

니 이 두 효에서 드러난다.

또 기제(旣濟)와 미제(未濟) 두 괘의 효사는 괘의 이름을 거론한 적이 없는데 유독 이 효에서 미제(未濟)라고 했다. 다른 효의 기제와 미제는 때이니 때를 따라 처신할 뿐이다.

그러나 이 효의 경우, 때는 건널 수 있지만 건널 능력이 없으니, 건너지 못하는 것이 자기에게 있지 때에 있는 것이 아니므로 미제(未濟)라고 해서 때를 잃었음을 드러냈다. 건널 자질이 없으므로 가면 흉하고 두려워하고 신중해 하는 마음이 있으므로 큰 강을 건너면 이롭다.

큰 강을 건너는데 경박하게 나아가서는 안 되니 미제의 때에 양(陽)이 없기 때문이다. 성인의 경계는 때를 잃고 또 사람이 이와 같이 때에 나아가는 것을 살피게 하려는 것이다.

九四, 貞吉, 悔亡, 震用伐鬼方, 三年有賞於大國.

구사효는 올바르면 길하여, 후회가 없어지니, 떨쳐 일어나 귀방을 정벌하고 삼년 동안 큰 나라에 상을 내린다.

本義

以九居四, 不正而有悔也. 能勉而貞, 則悔亡矣. 然以不貞之資, 欲勉而貞, 非極其陽剛用力之久不能也. 故爲"伐鬼方"三年而受賞之象.

구(九)로서 사(四)의 위치에 자리하여 올바르지 않고 후회가 있다. 힘쓰고 올바르게 할 수 있다면 후회가 없어진다. 그러나 올바르지 못한 자질로 힘써 올바르게 하려고 해서 양의 굳셈을 지극하게 하여 힘쓰기를 오래하지 않으면 그렇게 할 수가 없다. 그러므로 귀방(鬼方)을 정벌한 지 3년 동안 상(賞)을 받는 상(象)이 된다.

程傳

九四陽剛, 居大臣之位, 上有虛中明順之主, 又已出於險, 未濟已過中矣, 有可濟之道也. 濟天下之艱難, 非剛健之才不能也. 九雖陽而居四, 故戒以貞固則吉而悔亡. 不貞則不能濟, 有悔者也. 震, 動之極也. 古之人用力之甚者, "伐鬼方"也, 故以爲義. 力勤而遠伐, 至於三年, 然後成功, 而行大國之賞, 必如是乃能濟也. 濟天下之道, 當貞固如是, 四居柔, 故設此戒.

구사효는 양의 굳센 자질로 대신(大臣)의 지위에 자리하고 위로 마음을 비운 현명하고 순종하는 임금이 있으며, 또 위험에서 벗어나 미완성의 때가 이미 중반을 지났으니, 구제할 수 있는 길이 있다. 세상의 어려움을 해결하는 것은 강건(剛健)한 재능이 아니라면 불가능하다. 구사효는 양(陽)의 자질이지만 사(四)의 지위에 자리했으므로, 올바름을 굳게 지키면 길하여 후회가 없어진다고 경계했다. 올바르지 못하면 구제할 수 없어서 후회가 있다.

떨쳐 일어남은 움직임이 지극한 것이다. 옛 사람이 힘을 가장 많이 쓴 일은 "귀방(鬼方)을 정벌한" 일이었으므로 그것으로 뜻을 삼았다. 힘을 몹시 들여 멀리까지 정벌하여 3년에 이른 후에야 공을 이루고 큰 나라에 상을 행했으니, 반드시 이렇게 해야 미완성을 구제할 수 있다.

세상을 구제하는 도리는 마땅히 올바름을 굳게 지키는 일이 이와 같아야 하니, 사효의 지위에 부드러운 자질의 사람이 자리했으므로 이렇게 경계를 둔 것이다.

集說

● 俞氏琰曰 : "'震用伐鬼方'者, 震動而使之驚畏也. 『詩』「時邁」云, '薄言震之, 莫不震疊', 與此震同."[9]

유염(俞琰)이 말했다. "'떨쳐 일어나 귀방(鬼方)을 정벌한' 것은 떨쳐 일어나 놀라고 두렵게 한 것이다. 『시경』「시매(時邁)」에서 '잠깐 떨쳐 일어나니, 놀라고 두려워하지 않는 이가 없다'[10]고 했으니, 이

---

9) 유염(俞琰), 『주역집설(周易集說)』 권9, 「미제(未濟)괘」.

것과 떨쳐 일어난다는 뜻이 같다."

案

此"伐鬼方", 亦與旣濟同, 而差一位也. "三年克之", 是已克也, "震用伐鬼", 是方伐也. "三年有賞於大國", 言三年之間, 賞勞師旅者不絶, 非謂事定而論賞也. 與師之"王三錫命"同, 不與師之 "大君有命"同.

이 "귀방을 정벌한다"는 것은 기제(旣濟)괘와 같지만 하나의 자리에 차이가 있다. "3년 만에 이겼다"는 이미 이겼다는 것이고, 3년 동안 정벌했다"는 이미 "떨쳐 일어나 귀방(鬼方)을 정벌한다"라고 하여 이제 막 정벌하려는 것이다.
"3년 동안 큰 나라에 상(賞)을 내린다"는 3년 사이에 고생한 군사에게 상을 내리는 일이 끊이지 않았다는 것이지, 일이 끝나고 상을 논하는 것이 아니다. 사(師)괘의 '왕이 세 번이나 명을 내렸다'[11]는 의미와 같지만, '대군이 명을 내리다'[12]는 뜻과는 같지 않다.

....

10) 『시경』「송·주송·청묘지십·시매(時邁)」: "實右序有周, 薄言震之, 莫不震疊, 懷柔百神, 及河喬嶽, 允王維后.[실로 우리 주(周)나라를 높여 차례를 잇게 한지라, 잠깐 떨쳐 일어나니, 놀라고 두려워하지 않는 이가 없으며, 백신(百神)들을 회유하여, 하수(河水)와 높은 산악(山嶽)에 미치니, 진실로 왕(王)이 훌륭한 임금이시도다.]"라고 하였다.
11) 『주역』「사(師)괘」: "九二, 在師中吉, 無咎, 王三錫命.[구이효는 군사의 일에서 중(中)을 얻어서 길하고, 허물이 없으니, 임금이 세 번이나 명령을 내렸다.]"라고 하였다.
12) 『주역』「사(師)괘」: "上六, 大君有命, 開國承家, 小人勿用.[상육효는 대군이 명을 내리는 것이니, 제후를 봉하고 경대부를 삼을 때, 소인은 쓰지 말라.]"라고 하였다.

三四非君位, 而以高宗之事言者, 蓋『易』中有論時者, 則不論其
位. 如泰之論平陂之運, 而利於艱貞. 革之論變革之道, 而宜於
改命. 皆以上下卦之交時義論之也.

삼효와 사효는 임금의 지위가 아닌데 고종의 일로 말한 것은 『역』
에서 때를 논한 경우는 그 지위를 논하지 않기 때문이다.
태(泰)괘에서는 평온과 기술어짐의 움직임을 논하고 어려움을 알아
올바른 것이 이롭다. 혁(革)괘에서는 변혁의 도를 논하여 명을 개
혁하는 것이 마땅하다. 모두 상괘와 하괘가 교류하는 때로 논했다.

六五, 貞吉, 無悔, 君子之光, 有孚, 吉.

육오효는 올바르게 하여 길하고 후회가 없으니, 군자의 빛에 진실이 있어, 길하다.

以六居五, 亦非正也. 然文明之主, 居中應剛, 虛心以求下之助, 故得貞而吉且無悔. 又有光輝之盛, 信實而不妄, 吉而又吉也.

육(六)으로 오(五)에 자리했으니 또한 올바름은 아니다. 그러나 문명(文明)의 주체로 중(中)에 자리하고 굳셈에 호응하여 마음을 비워 아랫사람의 도움을 구한다. 그러므로 올바름을 얻어 길하고 또 후회가 없으며, 또 빛이 성대하게 빛나 믿음이 견실하여 망령되지 않으니, 길하고 또 길하다.

五文明之主, 居剛而應剛, 其處得中, 虛其心而陽爲之輔, 雖以柔居尊, 處之至正至善, 無不足也. 旣得貞正, 故吉而無悔. 貞其固有, 非戒也. 以此而擠, 無不濟也. 五文明之主, 故稱其光. 君子德輝之盛, 而功實稱之, 有孚也. 上云吉, 以貞也. 柔而能貞, 德之吉也. 下云吉, 以功也. 旣光而有孚, 時可濟也.

육오효는 문명(文明)한 주인으로 굳센 위치에 자리하고 굳센 사람
과 호응하며 그 처신하는 데 중도를 얻어 그 마음을 비워 양(陽)의
자질을 지닌 사람이 보필해 주니, 비록 부드러운 자질로 존귀한 지
위에 자리했으나, 처신하기를 지극히 올바르고 지극히 선하게 하니,
부족할 것이 없다. 올바름을 얻었으므로 길하고 후회가 없다.
올바름은 원래 있는 것이므로 경계한 것이 아니니, 이와 같이 하여
이 상황을 건너간다면 건너가지 못할 것이 없다. 육오효는 문명(文
明)한 주인이므로 그 빛남을 말했다. 군자의 빛나는 덕이 실제적인
공로와 걸맞는 것은 진실한 믿음이 있다.
위에서 말한 길함은 올바르기 때문이다. 부드러우면서 올바름을 굳
게 지킬 수 있는 것은 덕의 길함이다. 아래에서 말한 길함은 공을
이루었기 때문이다. 빛나고 진실한 믿음이 있다면 어떤 상황이든
해결할 수 있다.

集說

● 楊氏萬里曰 : "六五逢未濟之世而光輝, 何也? 日之在夏, 曀
之益熱, 火之在夜, 宿之彌熾. 六五變未濟爲旣濟, 文明之盛, 又
何疑焉?"[13)

양만리(楊萬里)가 말했다. "육오효는 미완성의 세상을 만나 덕이
빛나는 것은 무엇 때문인가? 해가 여름에 있고 습기가 있으면 더욱
열기가 있고 불이 밤에 있고 밤이 더욱 깊으면 더욱 불타오른다.
육오효는 미제의 때에서 기제의 때로 변하니 문명의 성대함을 어찌

---

13) 양만리(楊萬里), 『성재역전(誠齋易傳)』「기제괘」.

의심하겠는가?"

『易』卦有"悔亡""無悔"者, 必先"悔亡"而後"無悔". 蓋無悔之義,
進於悔亡也. 其四五兩爻相連言之者, 則咸大壯及此卦是也. 此
卦自下卦而上卦, 事已過中, 向乎濟之時也. 以高宗論之, 四其
奮伐荊楚之時, 而五其嘉靖殷邦之侯乎. 凡自晦而明, 自剝而生,
自亂而治者, 其光輝必倍於常時. 觀之雨後之日光, 焚餘之山色,
可見矣.

『역』의 괘에서 "후회가 없어진다"와 "후회가 없다"는 것은 반드시
먼저 "후회가 없어지고" 난 뒤에 "후회가 없다." 후회가 없는 뜻은
후회가 없어진 데서 더 나아간 것이다.
그 사효와 오효 두 효는 서로 연관해서 말한 것이니 함(咸)괘와 대
장(大壯)괘에서 이 괘에 미친 것이다. 이 괘는 하괘에서 상괘로 나
아가면서 일이 중간을 지났으니 건너가려고 하는 때이다.
고종으로 논한 것은 사효가 형초(荊楚)를 정벌하는 때이고 오효는
은나라를 아름다운 교화로 다스리는 시기이다. 그믐달에서 밝게 되
고, 깎아진 후에 생겨나고, 혼란으로부터 다스리는 것은 그 빛남이
반드시 보통 때보다 배가 된다. 비가 온 뒤의 햇빛을 보고 단풍이
물든 뒤의 산색을 보면 알 것이다.

上九, 有孚, 於飮酒, 無咎, 濡其首, 有孚, 失是.

상구효는 술을 마시는 데 진실한 믿음이 있으면 허물이 없지만,
머리를 적시면 진실한 믿음을 두는 데 **옳음을** 잃는다.

本義

以剛明居未濟之極, 時將可以有爲而自信自養以俟命, 无咎
之道也. 若縱而不反, 如狐之涉水而濡其首, 則過於自信而失
其義矣.

굳세고 밝은 자질로 미제(未濟)의 끝에 자리하여 때가 일을 할 수
있으며 스스로 믿고 스스로 기르면서 명(命)을 기다리니, 허물이 없
는 도(道)이다.
만약 방종하여 돌아오지 않고 여우가 물을 건너다 머리를 적시듯이
한다면 스스로를 과신하여 의리(義理)를 잃을 것이다.

程傳

九以剛在上, 剛之極也, 居月之上, 明之極也. 剛極而能明,
則不爲躁而爲決. 明能燭理, 剛能斷義. 居未濟之極, 非得濟
之位, 無可濟之理, 則當樂天順命而已. 若否"終則有傾", 時
之變也. 未濟則無極而自濟之理. 故止爲未濟之極, 至誠安於
義命而自樂, 則可無咎. "飮酒", 自樂也. 不樂其處, 則忿躁隕
獲, 入於凶咎矣. 若從樂而耽肆過禮, 至"濡其首", 亦非能安

其處也. "有孚", 自信於中也. "失是", 失其宜也. 如是則於有
孚爲失也. 人之處患難, 知其無可奈何, 而放意不反者, 豈安
於義命者哉!

상구효는 굳센 자질로 가장 높은 자리에 있으니 굳셈의 극한이고, 밝
은 빛의 가장 높은 자리에 있으니 밝음의 극한이다. 굳셈이 지극하
면서도 현명할 수 있다면, 조급하게 행하지 않고 결단할 수 있다.
현명하면 이치를 밝힐 수 있고, 굳세면 의리(義理)를 결단할 수 있다.
그러나 미완성의 극한에 자리하여, 이 상황을 건너갈 수 있는 지위
를 얻은 것이 아니니, 건너갈 수 있는 이치가 없다면, 마땅히 천명
(天命)을 즐겁게 받아들이고 순종할 뿐이다.
비(否)괘와 같은 경우에는 "정체가 끝나면 기울어지게 된다"고 했는
데, 이는 때가 변화한 것이다. 미제괘의 경우에는 극한에 이르렀다
고 저절로 해결될 이치는 없다. 그러므로 단지 미완성의 끝에는 지
극히 성실함으로 마땅한 의리와 천명을 편안하게 받아들이고 스스
로 즐거워하면 허물이 없을 수 있다.
"술을 마신다"는 것은 스스로 즐거워함이다. 그 처지를 즐거워하지
않으면 분하고 조급하여 자신감을 상실하여 곤궁해질 것이니,[14] 흉

------

14) 자신감을 상실하여 곤궁해질 것이니 : 운확(隕穫)을 말한다. 이는 의지가
상실된 모습이다. 『예기(禮記)』「유행(儒行)」: "유자는 빈천에도 의지가
상실되지 않고, 부귀에도 충만하여 덕을 잃지 않으며, 군왕을 욕되게 하
지 않고, 윗사람에게 누를 끼치지 않고 유사를 근심하게 하지 않는다.
그러므로 유자이다.[儒有不隕穫於貧賤, 不充詘於富貴, 不愿君王, 不累
長上, 不閔有司, 故曰儒.]"라고 하였는데, 정현(鄭玄)은 "운확(隕穫)이
란 곤란하고 궁색하여 뜻을 잃은 모습이다.[隕穫, 困迫失志之貌也.]"라
고 설명하고 있다.

해지고 허물이 있다. 그렇다고 만약 즐거워하면서 방자한 것을 탐닉하고, 예(禮)를 무시하여 "머리를 물에 적시는" 지경에 이른다면, 또한 그 처지를 편안하게 받아들이지 못한 것이다.

"진실한 믿음이 있다"는 것은 마음속에 자신감이 있다는 말이다. "옳음을 잃었다"는 그 마땅함을 잃은 것이다. 이와 같다면 진실한 믿음을 갖지 못한 것이다.

사람이 어려움과 곤란에 대처하는 데 그 상황의 어찌할 수 없음만 알고, 자신의 뜻을 내려놓고 다시 회복할 줄 모르는 자가 어떻게 마땅한 의리와 천명을 편안하게 받아들이겠는가?

集說

● 劉氏牧曰 : "旣濟以柔居上, 止則亂也, 故'濡其首厲'. 未濟以剛居上, 窮則通矣, 故'有孚於飮酒, 無咎'."

유목(劉牧)[15]이 말했다. "완성의 때에는 부드러움으로 윗자리에 자리했으니 그치면 혼란해지므로 '그 머리를 적셔 위태롭다'고 했다.

---

15) 유목(劉牧, 1011~1064) : 자는 선지(先之) 혹은 목지(牧之)이고 호는 장민(長民)이다. 원래는 항주(杭州) 임안(臨安) 사람이었는데, 조부의 공적으로 인해 서안(西安 : 현 절강성 구현〈衢縣〉) 사람이 되었다. 범중엄(範仲淹)을 스승으로 모시고, 손복(孫複)에게서 『춘추』를 배웠으며, 석개(石介)와도 친분이 두터웠다. 역학방면으로는 범악창(範諤昌)의 역학을 이어받아 진단(陳搏)의 「하도」·「낙서」 상수학을 전승하였다. 벼슬은 범중엄과 부필(富弼) 등의 추천으로 연주(兗州) 관찰사를 거쳐 태상박사(太常博士)까지 역임하였다. 역학 방면의 저술에는 『괘덕통론(卦德通論)』, 『신주주역(新注周易)』, 『주역선유유론구사(周易先儒遺論九事)』, 『역수구은도(易數鉤隱圖)』 등이 있다.

미완성의 때에는 굳셈으로 윗자리에 자리했으니 궁해지면 통하므로 '진실한 믿음이 있어 술을 마시니 허물이 없다'고 했다.

● 石氏介曰："上九以剛明之德, 是內有孚也. 在未濟之終, 終又反於旣濟, 故得飮酒自樂. 若樂而不知節, 復'濡其首', 則雖有孚, 必失於此, 此戒之之辭也."

석개(石介)[16]가 말했다. "상구효는 굳세고 밝은 덕으로 안에서 진실한 믿음이 있다. 미완성의 끝에서 끝이 나고 반대로 완성으로 가므로 술을 마시며 스스로 즐겁다. 만약 즐거워하면서 절도를 알지 못하고 다시 '머리를 적시면, 진실한 믿음이 있더라도 이를 잃으니, 그것을 경계하는 말이다."

● 邱氏富國曰："旣言飮酒之無咎, 復言飮酒濡首之失, 何耶! 蓋飮酒可也, 耽飮而至於濡首, 則昔之有孚者, 今失於是矣."[17]

구부국(邱富國)이 말했다. "술을 마시고 허물없음이라고 말해놓고,

....

16) 석개(石介, 1005~1045) : 자는 수도(守道)이고 혹은 공조(公操)이다. 곤주(兗州) 봉부(奉符) 사람이다. 북송(北宋) 초기 학사이며 사상가이다. 송대 이학(理學)의 선구자이다. 태산서원(泰山書院)과 조래(祖徠書院)을 창건하여 『역』과 『춘추(春秋)』를 가르쳐서 의리(義理)를 중시했다. 세상에서는 조래선생(徂徠先生)이라 부른다. 태산(泰山)학파의 창시자이다. 이정(二程)과 주희(朱熹)에게 영향을 미쳤다. 천성(天聖) 8년에 진사(進士)가 되었으며 국자감직강을 역임했다. 손복(孫復), 호원(胡瑗)과 함께 북송 삼선생(三先生)으로 불린다. 백성을 천하 국가의 근본으로 여겼다. 저작은 『조래집(徂徠集)』이 있다.
17) 구부국(丘富國), 『주역집해(周易輯解)』「미제(未濟)괘」.

다시 술을 마시고 머리를 적시는 실수라고 말하는 것은 무엇인가!
술을 마시는 것은 좋지만 술독에 빠져 머리를 적시는 지경에 이르
면 옛날에 진실한 믿음이 있더라도 지금은 이것을 잃는다."

● 李氏簡曰 : "未濟之終, 甫及旣濟, 而復以濡首戒之. 懼以終
始, 其要無咎, 此之謂『易』之道也."[18]

이간(李簡)이 말했다. "미완성의 끝에서 완성에 미쳤으나 다시 머
리를 적시는 것으로 경계했다. 시작과 끝을 두려워하는 것은 허물
이 없도록 하는 일이니, 이것이 『역』의 도이다."

總論

● 鄭氏汝諧曰 : "旣濟初吉終亂, 未濟則初亂終吉. 以卦之體言
之, 旣濟則出明而之險, 未濟則出險而之明. 以卦之義言之, 濟
於始者必亂於終, 亂於始者必濟於終, 天之道物之理固然也."[19]

정여해(鄭汝諧)가 말했다. "기제괘는 처음에는 길하지만 끝은 혼란
하고 미제괘는 처음에는 혼란하지만 끝은 길하다. 괘의 형체로 말
하면 기제괘는 밝음에서 나와 위험으로 가고 미제괘는 위험에서 나
와 밝음으로 간다. 괘의 뜻으로 말하면 시작에서 다스린 자는 반드
시 끝에서 혼란해지고 시작에서 혼란한 자는 반드시 끝에서 다스리
니, 하늘의 도와 사물이 이치가 그러하다."

---

18) 이간(李簡), 『학역기(學易記)』「미제(未濟)괘」.
19) 정여해(鄭汝諧), 『역익전(易翼傳)』하경(下經), 「미제(未濟)괘」.

● 邱氏富國曰 : "內三爻, 坎險也. 初言濡尾之吝, 二言曳輪之貞, 三有征凶位不當之戒, 皆未濟之事也. 外三爻, 離明也. 四言伐鬼方有賞, 五言君子之光有孚, 上言飮酒無咎, 則未濟爲既濟矣."[20]

구부국(邱富國)이 말했다. "내괘의 세 효는 감(坎☵)괘의 위험이다. 초효에서는 꼬리를 적시는 부끄러움이라 했고, 이효에서는 수레바퀴를 뒤로 끄는 올바름이라 했고, 삼효에서는 가면 흉하니 지위가 합당하지 않은 경계가 있으니 모두 미완성의 일이다. 밖의 세 효는 리(離☲)괘의 밝음이다. 사효에서는 귀방을 정벌하여 상이 있다고 했고, 오효에서는 군자의 빛남이니 믿음이 있다고 했고, 상효에서는 술을 마시지만 허물이 없다고 했으니 미완성이 완성이 된 것이다."

● 萬氏善曰 : "泰之變爲既濟, 否之變爲未濟, 蓋既濟自泰而趨否者也, 未濟自否而趨泰者也. 故既濟爻辭無吉者, 以其趨於否也. 未濟爻辭多吉, 以其趨於泰也. 否泰者, 治亂對待之理. 既濟未濟者, 否泰變更之漸也."

만선(萬善)이 말했다. "태(泰䷊)괘가 변하여 기제(既濟䷾)괘가 되고 비(否䷋)괘가 변하여 미제(未濟䷿)괘가 되니 기제괘는 태괘로부터 비괘로 가는 것이고, 미제괘는 비괘로부터 태괘로 가는 것이다. 그러므로 기제괘의 효사에는 길함이 없으니 비괘로 가기 때문이다. 미제괘의 효사에는 길함이 많으니 태괘로 가기 때문이다. 비괘와 태괘는 다스림과 혼란이 대립되어 있는 이치이다. 기제괘와 미제괘

---

20) 구부국(丘富國), 『주역집해(周易輯解)』「미제(未濟)괘」.

는 비괘와 태괘가 변하고 다시하는 점차적 과정이다.

● 吳氏日愼曰 : "易之爲義, 不易也, 交易也, 變易也. 乾坤之純, 不易者也. 旣濟未濟, 交易變易者也. 以是始終, 易之大義."

오왈신(吳曰愼)이 말했다. "역의 뜻은 바뀌지 않는 불역(不易)과 사귀어 바뀌는 교역(交易), 바뀌어 나아가는 변역(變易)이다. 건곤(乾坤)의 순수함이 바뀌지 않는 것이다. 기제괘와 미제괘가 사귀어 바뀌고 바뀌어 나아가는 교역과 변역이다. 이렇게 시작하고 끝남이 역의 큰 뜻이다."

| 역주자 소개 |

신창호申昌鎬

현 고려대학교 교수
고려대학교 박사(Ph. D, 동양철학/교육철학 전공)
권우(卷宇) 홍찬유(洪贊裕), 일평(一平) 조남권(趙南勸), 중관(中觀) 최권흥(崔權興), 위재(威齋) 김중렬(金重烈), 수강(修岡) 유명종(劉明鍾) 선생 등으로부터 한학 및 동양학 사사
한국교육철학학회 회장(역임)
「중용(中庸) 교육사상의 현대적 조명」(박사논문) 외『관자』, 「주역 계사전」, 『유교의 교육학 체계』, 한글사서(『논어』, 『맹자』, 『대학』, 『중용』) 등 100여 편의 논저가 있음

김학목金學睦

현 고려대학교 연구교수
건국대학교 박사(Ph. D, 한국철학 전공)
해송학당 원장(사주명리 · 동양학 강의)
「박세당의『신주도덕경』연구」(박사논문)를 비롯하여『왕필의 노자주』, 『하상공의 노자』, 『한국주역대전』 등 50여 편의 논저가 있음

심의용沈義用

현 숭실대학교 H.K 연구교수
숭실대학교 박사(Ph. D, 주역철학 전공)
「정이천의『역전』연구」(박사논문)를 비롯하여『주역』, 『성리대전』, 『인역』, 『주역과 운명』, 『세상과 소통하는 힘』『시적 상상력으로 주역을 읽다』 등 30여 편의 논저가 있음.

윤원현尹元鉉

전 고려대학교 연구교수
臺灣 文化大學校 박사(Ph. D, 주자철학 전공)
한중철학회 회장(역임)
「從朱子思想中之天人架構闡論其義理脈絡」(박사논문)를 비롯하여『성리대전』, 『태극해의』, 『역학계몽』, 『율려신서』 등 10여 편의 논저가 있음.

한국연구재단
학술명저번역총서
[동양편] 620

주역절중 周易折中 5

초판 인쇄   2018년 11월 1일
초판 발행   2018년 11월 15일

편   찬 | 이광지
책임역주 | 신창호
공동역주 | 김학목 · 심의용 · 윤원현
펴 낸 이 | 하운근
펴 낸 곳 | 學古房

주   소 | 경기도 고양시 덕양구 통일로 140 삼송테크노밸리 A동 B224
전   화 | (02)353-9908 편집부(02)356-9903
팩   스 | (02)6959-8234
홈페이지 | www.hakgobang.co.kr
전자우편 | hakgobang@naver.com, hakgobang@chol.com
등록번호 | 제311-1994-000001호

ISBN   978-89-6071-795-4 94140
       978-89-6071-287-4 (세트)

값 : 45,000원

이 책은 2015년도 정부재원(교육부)으로 한국연구재단의 지원을 받아 연구되었음
(NRF-2015S1A5A7018113).
This work was supported by National Research Foundation of Korea Grant funded by
the Korean Government(NRF-2015S1A5A7018113).

이 도서의 국립중앙도서관 출판예정도서목록(CIP)은 서지정보유통지원시스템 홈페이지
(http://seoji.nl.go.kr)와 국가자료종합목록시스템(http://www.nl.go.kr/kolisnet)에서 이용
하실 수 있습니다. (CIP제어번호 : CIP2018032005)